DISCOURS CATÉCHÉTIQUE

SOURCES CHRÉTIENNES

N° 453

GRÉGOIRE DE NYSSE

DISCOURS CATÉCHÉTIQUE

TEXTE GREC DE E. MÜHLENBERG (*GNO* III, IV)

INTRODUCTION, TRADUCTION ET NOTES

PAR

Raymond WINLING

Professeur émérite à l'Université de Strasbourg

Ouvrage publié avec le concours de l'Œuvre d'Orient

LES ÉDITIONS DU CERF, 29, Bd Latour-Maubourg, PARIS 7ᵉ

2000

La publication de cet ouvrage a été préparée avec le concours
des « Sources Chrétiennes »
(UMR 5035 du Centre National de la Recherche Scientifique)

INTRODUCTION

BIBLIOGRAPHIE ET ABRÉVIATIONS

I. ŒUVRES DE GRÉGOIRE DE NYSSE
Abréviations et éditions de référence

Ad Abl. : *Ad Ablabium, quod non sunt tres dei*   *GNO* III, 1

Ad Eust. : *Ad Eustathium, de Sancta Trinitate*   *GNO* III, 1

Ad Graec. : *Ad Graecos, ex communibus notionibus*   *GNO* III, 1

Ad Theoph. : *Ad Theophilum adversus Apolinaristas GNO* III, 1

Adv. Ar. : *Adversus Arium et Sabellium, de Patre et Filio*
    GNO III, 1

Adv. Mac. : *Adversus Macedonianos, de Spiritu Sancto*
    GNO III, 1

Antirrh. : *Antirrheticus adversus Apolinarium*   *GNO* III, 1

CE : *Contra Eunomium* I, II, III   *GNO* I-II

C. fat. : *Contra fatum*   *GNO* III, 2

De an. et res. : *De anima et resurrectione*   *PG* 44

De beat. : *De beatitudinibus*   *GNO* VII, 2

De benef. : *De beneficentia* = *De pauperibus amandis* 1 *GNO* IX

De deit. Fil. : *De deitate Filii et Spiritus Sancti*   *GNO* X, 3

De diff. : *De differentia ousiae et hypostaseôs* Basile., *Lettre* 38

De hom. op. : *De hominis opificio*   *PG* 44

De inf. : *De infantibus praemature abreptis*   *GNO* III, 2

De or. dom. : *De oratione dominica*   *GNO* VII, 2

De perf. : *De perfectione*   *GNO* VIII, 1

De prof. chr. : *De professione christiana*   *GNO* VIII, 1

De Spir. : *De Spiritu Sancto sive in Pentecosten*   *GNO* X, 2

De trid. spat. : *De tridui inter mortem et resurrectionem spatio* = *In Christi resurrectionem*   *GNO* IX

De virg. : *De virginitate*	*GNO* VIII, 1
In Ascens. : *In Ascensionem Christi oratio*	*GNO* IX
In Basil. : *In Basilium fratrem*	*GNO* X, 1
In Cant. : *In Canticum Canticorum*	*GNO* VI
In diem nat. : *In diem natalem*	*GNO* X, 2
In diem lum. : *In diem luminum*	*GNO* IX
In Eccl. : *In Ecclesiasten*	*GNO* V
In sanct. Pasch. : *In sanctum et salutare Pascha*	*GNO* IX
Epist. : *Lettres*	*GNO* VIII, 2
DC = *Or. cat.* : *Oratio catechetica*	*GNO* III, 4
Ref. Eun. : *Refutatio confessionis Eunomii,*	*GNO* II
In illud Tunc : *In illud : Tunc et ipse Filius*	*GNO* III, 2
Vit. Moys. : *De vita Moysis*	*PG* 44

N.B. Les œuvres de Grégoire de Nysse occupent les tomes 44-46 de la *PG*.

Œuvres traduites en français

De an. et res. : *Sur l'âme et la résurrection*, tr. J. Terrieux, Le Cerf, Paris 1995.

De beat. : *Les béatitudes*, tr. J.-Y. Guillaumin et G. Parent, *PdF*, 1997.

De hom. op. : *La création de l'homme*, tr. J. Laplace, *SC* 6, 1944.

De inst. chr. : *Enseignement sur la vie chrétienne*, tr. Ch. Bouchet, *PdF*, 1990.

De perf. : *Traité de la perfection*, tr. M. Devailly, PdF, 1990.

De tri sp. : *Les trois jours entre mort et résurrection*, tr. Ch. Bouchet, *PdF*, 1994.

De virg. : *Traité de la virginité*, éd. et tr. M. Aubineau, *SC* 119, 1966.

Ep. : *Lettres*, éd. et tr. P. Maraval, *SC* 363, 1990.

In Cant. : *Le Cantique des cantiques*, tr. Ch. Bouchet et M. Devailly, *PdF*, 1992.

In Cant. : Extraits, *La colombe et la ténèbre*, tr. M. Canévet, Paris 1992.

In Eccl. : *Homélies sur l'Ecclésiaste*, éd. et tr. F. Vinel, *SC* 416, 1996.

In illud Tunc : *Sur la parole* ; *Alors le Fils lui-même se soumettra*, tr. M. Canévet, *PdF*, 1994.

In sanct. Pasch : *Sur la sainte Pâque*, tr. Ch. Bouchet, *PdF*, 1994.

Or. cat. : cf. plus haut.

Vit. Macr. : *Vie de sainte Macrine*, éd. et tr. P. Maraval, *SC* 178, 1971.

Vit. Moys. : *La vie de Moïse*, éd. et tr. J. Daniélou, *SC* 1 bis, 1968.

II. OUVRAGES ET ÉTUDES

(avec leurs abréviations, le cas échéant)

M. ALTENBURGER — F. MANN, *Bibliographie*

    M.ALTENBURGER — F. MANN, *Bibliographie zu Gregor von Nyssa. Editionen, Übersetzungen, Literatur*, Brill, Leiden 1988.

J.B. AUFHAUSER, *Die Heilslehre des hl. Gregor von Nyssa*, Lentner, München 1910.

D.L. BALAS, *Metousia Theou*

    D.L. BALAS, *Metousia Theou. Man's Participation in God's Perfections according to Saint Gregory of Nyssa*, Studia Anselmiana theologica 55, Herder, Rome 1966.

H. URS VON BALTHASAR, *Présence et Pensée*

    H. URS VON BALTHASAR, *Présence et Pensée. Essai sur la philosophie religieuse de Grégoire de Nysse*, Beauchesne, Paris 1942 (réédit. en 1988).

J. BARBEL, *Die grosse katechetische Rede*

    J. BARBEL, *Gregor von Nyssa. Die grosse katechetische Rede*, (trad. et commentaire) dans *Bibliothek der griechischen Literatur*, Stuttgart 1971.

Biblia patristica

    Biblia patristica. Index des citations et allusions bibliques dans la littérature patristique, vol. V, *Basile de Césarée, Grégoire de Nazianze, Grégoire de Nysse, Amphiloque d'Iconium*, CNRS, Paris 1991.

J.R. BOUCHET, « Le vocabulaire de l'union et du rapport des natures chez saint Grégoire de Nysse », *Revue Thomiste* 68, 1968, p. 533-582.

J.R. BOUCHET, « La vision de l'économie du salut selon saint Grégoire de Nysse », *RSPT* 68, 1968, p. 613-644.

M. Canévet, « Nature du mal et économie du salut chez Grégoire de Nysse », *RecSR* 56, 1968, p. 87-95.

M. Canévet, « La mort du Christ et le mystère de sa personne humano-divine dans la théologie du ive siècle », *Les quatre fleuves* 15-16, 1982, p. 71-92.

M. Canévet, *Grégoire de Nysse et l'herméneutique biblique. Étude des rapports entre le langage et la connaissance de Dieu*, Études Augustiniennes, Paris 1983.

M. Canévet, art. « Grégoire de Nysse », *DSp* 1967, col. 972-1011.

J. Daniélou, *Platonisme et théologie mystique*

  J. Daniélou, *Platonisme et théologie mystique. Doctrine spirituelle de saint Grégoire de Nysse*, Aubier, Paris 1944 (réédit. en 1954).

J. Daniélou, *L'être et le temps chez Grégoire de Nysse*, Brill, Leiden 1970.

J. Daniélou, *Théologie du judéo-christianisme*, Desclée — Le Cerf, Paris 1974.

J. Daniélou, « La chronologie des œuvres de Grégoire de Nysse », *StPatr* 7-*TU* 92, Berlin 1966.

J. Daniélou, « L'état du Christ dans la mort d'après Grégoire de Nysse », *HJ* 77, 1958, p. 63-72.

F. Diekamp, *Die Gotteslehre des heiligen Gregor von Nyssa. Ein Beitrag zur Dogmengeschichte der patristischen Zeit*, Aschendorff, Münster 1896.

H. Dörrie, « Gregors Theologie auf dem Hintergrund der neuplatonischen Metaphysik », dans *Gregor von Nyssa und die Philosophie* (cf. plus bas), p. 21-42.

H. Drobner, *Die drei Tage zwischen Tod und Auferstehung unseres Herrn Jesus Christus*, Brill, Leiden 1982.

The Easter Sermons of Gregory of Nyssa. Translation and Commentary. Proceedings of the Fourth International Colloquium on Gregory of Nyssa. Cambridge, 1978, éd. A. Spira — Ch. Klock, Cambridge Mass. 1981.

Écriture et culture

  Écriture et culture philosophique dans la pensée de Grégoire de Nysse. Actes du colloque de Chevetogne (22-26 septembre 1969), éd. par M. Harl, Brill, Leiden 1971.

Epektasis. Mélanges patristiques offerts au Cardinal Jean Daniélou. Éd. par J. Fontaine et Ch. Kannengiesser, Beauchesne, Paris 1972.

C. FABRICIUS — D. RIDINGS, *A Concordance of Gregory of Nyssa*, Göteborg 1989 (microfiches).

J. GAITH, *La conception de la liberté chez Grégoire de Nysse*, Vrin, Paris 1953.

M. GOMES DE CASTRO, *Die Trinitätslehre des heiligen Gregor von Nyssa*, Herder, Fribourg en Brisgau 1938.

S. GONZALES, *La fórmula Mia Ousia Treis Hypostaseis en San Gregorio de Nisa*, *Analecta Gregoriana* 21, Rome 1939.

Gregor von Nyssa und die Philosophie

    Gregor von Nyssa und die Philosophie. Zweites Internationales Kolloquium über Gregor von Nyssa, Freckenhorst (18-23 sept. 1972), éd. par H. Dörrie — M. Altenburger — U. Schramm, Brill, Leiden 1976.

A. GRILLMEIER, *Mit Ihm und in Ihm*

    A. GRILLMEIER, *Mit Ihm und in Ihm. Christologische Forschungen und Perspektiven*, Herder, Fribourg en Brisgau 1978.

M. HARL, « Le guetteur et la cible : les deux sens de *skopos* dans la langue religieuse des chrétiens », *REG* 74, 1961, p. 450-468.

F. HILT, *Des heiligen Gregor von Nyssa Lehre vom Menschen systematisch dargestellt*, Bachem, Köln 1890.

R.M. HÜBNER, *Die Einheit des Leibes Christi*

    R. M. HÜBNER, *Die Einheit des Leibes Chrisit bei Gregor von Nyssa. Untersuchungen zum Ursprung der physischen Erlösungslehre*, Brill, Leiden 1974.

E. VON IVANKA, *Plato christianus*

    E. VON IVANKA, *Plato christianus. Übernahme und Umgestaltung des Platonismus duch die Kirchenväter*, Johannes-Verlag, Einsiedeln 1964, tr. fr. par J. KESSLER, *Plato christianus. La réception critique du platonisme chez les Pères de l'Église*, PUF, Paris 1990.

J. LEBOURLIER, « A propos de l'état du Christ dans la mort », *RSPT* 46, 1962, p. 629-649, et 47, 1963, p. 161-180.

J. LENZ, *Jesus Christus nach der Lehre des heiligen Gregor von Nyssa*, Paulinus, Trier 1925.

R. LEYS, *L'image de Dieu chez Grégoire de Nysse. Esquisse d'une doctrine*, Desclée de Brouwer, Bruxelles — Paris 1951.

G. MAY, « Die Chronologie des Lebens und der Werke des Gregor von Nyssa », dans *Écriture et culture* (cf. plus haut), p. 51-66.

L. MÉRIDIER, *L'influence de la seconde sophistique sur l'œuvre de Grégoire de Nysse*, Hachette, Paris 1906.

H. Merki, *Homoiôsis Theôi*

= H.Merki, *Homoiôsis Theôi. Von der platonischen Anglei-chung an Gott zur Gottähnlichkeit bei Gregor von Nyssa*, Paulus, Fribourg 1952.

E. Mühlenberg, *Die Unendlichkeit Gottes*

E. Mühlenberg, *Die Unendlichkeit Gottes bei Gregor von Nyssa. Gregors Kritik am Gottesbegriff der klassischen Meta-physik*, Vandenhœck, Göttingen 1966.

B. Pottier, *Dieu et le Christ selon Grégoire de Nysse, Culture et Vérité*, Namur 1994.

G.L. Prestige, *God in Patristic Thought*, SPCK, London 1952, tr. fr., *Dieu dans la pensée patristique*, Aubier, Paris 1955.

H. de Régnon, *Études de théologie positive sur la sainte Trinité, Séries I et III*, Retaux, Paris 1898.

J. Rivière, *Le dogme de la rédemption. Essai d'étude historique*, Gabalda, Paris 1905 (2ᵉ éd.).

J. Rivière, *Le dogme de la rédemption. Étude théologique*, Gabalda, Paris 1914.

G. Ch. Stead, *Divine Substance*, Oxford 1977.

H. E. W. Turner, *The Patristic Doctrine of Redemption*. Mowbray, London 1952, tr. fr. par M. Jossua, *Jésus le Sauveur*, Le Cerf, Paris 1965.

R. Winling, « La résurrection du Christ comme principe explicatif et comme élément structurant dans le *Discours catéchétique* de Grégoire de Nysse », dans *St Patr* 23, Leuven 1983, p. 74-80.

P. Zemp, *Die Grundlagen heilsgeschichtlichen Denkens bei Gregor von Nyssa*, Hueber, München 1970.

Th. Ziegler, *Les petits traités trinitaires de Grégoire de Nysse (379-383), témoins d'un itinéraire théologique*, Thèse, Stras-bourg 1987.

III. ABRÉVIATIONS ET SIGLES

AH	*Adversus Haereses* d'Irénée, *Sources chrétiennes*, Paris.
BA	*Bibliothèque Augustinienne*, Paris.
CUF	*Les Belles Lettres, Collection des Universités de France*, Paris.

DSp   *Dictionnaire de Spiritualité*, Paris.

DTC   *Dictionnaire de Théologie Catholique*, Paris.

DzS   DENZINGER-SCHÖNMETZER, *Enchiridion*, 36ᵉ éd.

GCS   *Griechische Christliche Schriftsteller*, Berlin et Leipzig.

GNO   *Gregorii Nysseni Opera*, Leiden.

HJ   *Historisches Jahrbuch*, München.

LMD   *La Maison-Dieu*, Paris.

PdF   Collection *Pères dans la Foi*, Paris.

PG   J. P. MIGNE, *Patrologia graeca*.

PL   J. P. MIGNE, *Patrologia latina*.

RAC   *Realenzyklopädie für Antike und Christentum*, Stuttgart.

REAug   *Revue des Études Augustiniennes*, Paris.

REG   *Revue des Études Grecques*, Paris.

RecSR   *Recherches de Science Religieuse*, Paris.

RevSR   *Revue des Sciences Religieuses*, Strasbourg.

RSPT   *Revue des Sciences Philosophiques et Théologiques*, Paris.

SC   Collection *Sources Chrétiennes*, Paris.

StPatr *Studia Patristica*, Berlin-Louvain.

TRE   *Theologische Realenzyklopädie*, Berlin-New-York.

TU   *Texte und Untersuchungen*, Leipzig et Berlin.

ZKTh   *Zeitschrift für katholische Theologie*, Innsbrück.

VigChr *Vigiliae Christianae*, Leiden.

INTRODUCTION

Les « catéchèses » qui nous ont été léguées par les auteurs de l'ère patristique correspondent à l'une des activités caractéristiques des responsables d'églises à cette époque. En effet, à l'occasion des fêtes pascales, les catéchumènes étaient admis aux sacrements d'initiation et recevaient, avant et après le Baptême, un enseignement approprié ; l'évêque intervenait plutôt pour la phase finale et confiait une bonne partie de l'enseignement à des ministres jouant le rôle de didascales[1]. La plupart des « catéchèses » conservées sont destinées à exposer la foi et la morale chrétiennes aux candidats au Baptême : elles s'attachent à expliquer le sens des paroles, le symbolisme des gestes, la portée mystérique de l'action sacramentelle, la façon de conduire sa vie en fonction des exigences nouvelles[2]. Comparé à ces œuvres, le *Discours catéchétique* de Grégoire de Nysse ne manque pas d'origina-

---

1. Ouvrages et articles de synthèse : R. Cabié, *L'initiation chrétienne*, dans A.G. Martimort, *L'Église en prière*, t. III : *Les sacrements*, Paris 1984, p. 21-114 (avec une abondante bibliographie). — V. Saxer, *Les rites de l'initiation chrétienne du IIᵉ au VIᵉ siècle. Esquisse historique et signification d'après leurs principaux témoins*, Spolète 1988. — A. Benoît — Ch. Munier, *Le Baptême dans l'Église ancienne (Iᵉʳ-IIIᵉ siècles)*, Berne-Berlin-Paris 1994.

2. Cf. notamment : Cyrille de Jérusalem, *Catéchèses* I-XVIII, *PG* 33, 331-1180 (*les Catéchèses mystagogiques* existent dans *SC* 126 bis) ; Jean Chrysostome, Huit *catéchèses baptismales inédites*, *SC* 50 bis ; Ambroise, *Des sacrements. Des mystères. Explication du symbole*, *SC* 25 ; Augustin, *De catechizandis rudibus*, *BA* 11.

lité. En effet, il ne s'adresse pas directement à des néophytes ou à des baptisés de fraîche date. Il constitue plutôt un manuel à l'usage de ceux qui assurent l'initiation à la foi chrétienne et qui sont affrontés à des interlocuteurs, marqués par le judaïsme ou les différentes tendances de l'hellénisme. Pour aider à répondre aux questions formulées par ces interlocuteurs, Grégoire s'efforce de proposer des éléments de réponse basés sur le raisonnement : alors que d'autres œuvres de catéchèse offrent des présentations de la doctrine chrétienne à partir de la révélation contenue dans l'Écriture ou de la règle de foi, le *Discours catéchétique* met l'accent sur une argumentation soucieuse de cohérence rationnelle. L'auteur cherche à montrer que la doctrine chrétienne dans sa formulation orthodoxe est recevable par la raison humaine, quand celle-ci se plie honnêtement aux exigences de la rigueur logique.

I. CONTEXTE POLITIQUE, RELIGIEUX ET CULTUREL [1]

1. Contexte politique

Le bref règne de l'empereur Julien (361-363) est marqué par des mesures vexatoires contre les chrétiens, entre autres par les lois scolaires : celles-ci visent à interdire à des maîtres

---

1. Ouvrages généraux : A. Fliche — V. Martin, *Histoire de l'Église*, t. 3, Paris 1945, p. 97-204 ; J. Daniélou — H. Marrou, *Nouvelle histoire de l'Église*, t. 1, Paris 1963, p. 295-308 ; 333-369 ; H. Jedin, *Handbuch der Kirchengeschichte*, t. II/1, Fribourg en Brisgau 1973, p. 30-79. Ch. et L. Piétri (dir.), *Naissance d'une chrétienté (250-430)*, coll. *Histoire du christianisme des origines à nos jours*, t. II, Paris 1995 ; P. Maraval, *Le christianisme, de Constantin à la conquête arabe*, coll. *Nouvelle Clio*, Paris 1997.

chrétiens d'enseigner, sous prétexte qu'ils ne sauraient expliquer valablement les auteurs classiques, du moment qu'ils méprisent les dieux que ces auteurs ont honorés.

Valens (364-378) prend parti pour l'une des tendances issues de Nicée et veut contraindre les évêques à signer la formule de Rimini. A partir de 369, la persécution sévit dans toutes les provinces ; la Cappadoce en connaît les rigueurs surtout en 371-372. Basile, issu d'une famille qui compte parmi les siens des confesseurs, doit affronter le préfet Modeste ; ayant impressionné l'empereur par le rayonnement de sa forte personnalité, il peut finalement garder son siège de Césarée ; mais ailleurs des évêques sont chassés et condamnés à l'exil.

Le successeur de Valens est Théodose, choisi comme empereur d'Orient en janvier 379. Avec lui intervient un changement dans la politique religieuse, car il s'est rallié à la foi dite « orthodoxe ».

2. Contexte religieux

a. *Milieux non chrétiens : les milieux païens*

Julien l'empereur essaya de réformer et de revivifier le paganisme, en cherchant à réglementer le culte et à mettre en place un clergé zélé, pieux et charitable, capable de soutenir la comparaison avec le clergé chrétien. Ce fut un échec, car il ne réussit pas à vaincre le scepticisme des païens. Cependant Julien exerça de l'influence dans les milieux cultivés. En effet, il rédigea un ouvrage *contre les Galiléens*, dans lequel il reprit en partie les objections d'un Celse, d'un Jamblique, d'un Porphyre : il s'attaqua notamment à la divinité du Christ, se montrant méprisant pour la mort ignominieuse sur la croix et tournant en dérision les récits concernant la résurrection du Christ en raison des contradictions qu'ils comportent [1]. D'ailleurs, le *Discours catéchétique* atteste à sa façon que les païens restaient actifs.

b. *Les milieux juifs*

Le *Discours catéchétique* cherche aussi à réfuter des objections faites par les juifs contre la divinité du Christ et celle de l'Esprit. C'est la preuve que les chrétiens sont toujours engagés dans la controverse avec les juifs. On sait que dans des villes comme Antioche les relations avec eux sont marquées par des tensions parfois assez vives au IVe siècle [2].

c. *Milieux chrétiens orthodoxes et dissidents*

L'arianisme avait provoqué une crise de longue durée. A la suite du concile de Nicée un clivage très net court entre les nicéens, qui défendent « *l'homoousios* », et des groupes plus ou moins profondément marqués par les thèses ariennes. Le groupe le plus radical est celui qui se veut fidèle à Arius : après la mort de ce dernier, Aèce, puis Eunome se font les théoriciens du courant qu'on nomme « l'anoméisme », niant toute égalité et toute similitude entre le Père et le Fils. Le groupe des « homéens » penche moins vers un arianisme strict que vers l'affirmation que le Fils est semblable au Père, mais évite délibérément le mot « *ousia* ». Soutenus par

---

1. J. BIDEZ, *La vie de l'empereur Julien*, Paris 1930 ; H. LECLERCQ, art. « Julien » dans *DACL* 8, 1928, p. 305-399 ; P. CANIVET, *Histoire d'une entreprise apologétique au Ve siècle*, Paris 1957 ; R. BRAUN — J. RICHER, *L'empereur Julien*, t. 1, *De l'histoire à la légende*, Paris 1978. Voir aussi CYRILLE D'ALEXANDRIE qui a cherché à réfuter l'ouvrage de JULIEN, *Contre les Galiléens*, PG 76, 409-1006, SC 322, *Contre Julien* I-II.

2. Le *Dialogue avec Tryphon* de JUSTIN est un témoin précieux des controverses entre juifs et chrétiens. Pour une vue d'ensemble sur les relations entre juifs et chrétiens, cf. J. VERNET, « Controverses avec les Juifs », *DTC* 8/2, col. 1870-1914 ; M. SIMON, *Verus Israël*, Paris [2] 1964 ; Id., *Recherches d'histoire judéo-chrétienne*, Paris 1964 ; M. SIMON — A. BENOÎT, *Le judaïsme et le christianisme antique*, coll. *Nouvelle Clio*, Paris 1968 ; art. « Judentum — Christentum », *TRE* 17, p. 310-323 et 386-403.

l'empereur Constance, ces derniers croyaient pouvoir rallier les autres tendances grâce à la formule dite de Rimini, qui représentait une sorte de plus petit commun dénominateur : en fait, la formule ne pouvait fournir aucune solution acceptable. L'échec des homéens profita aux «homéousiens» ou «semi-ariens» : ceux-ci rejetaient les thèses ariennes sur la création temporelle du Fils, mais refusaient le «*homoousios*» comme non conforme à la Bible. Pour eux, il existe une subordination du Fils par rapport au Père. Cependant à partir de 359-360, les homéousiens, constatant que les anoméens menaçaient de l'emporter, se rapprochèrent des nicéens. Ce fut Athanase qui inaugura avec eux une collaboration destinée à triompher de l'arianisme.

Très vite se révélèrent des difficultés d'un autre genre ; les «pneumatomaques» ou «macédoniens» niaient la pleine divinité de l'Esprit [1]. D'un autre côté, l'apollinarisme commençait à s'affirmer ; contre Apollinaire, qui avait été le compagnon de lutte d'Athanase, il fallait défendre la pleine humanité du Christ.

d. *Milieux gnostiques*

Différents courants gnostiques sont mentionnés dans le *Discours catéchétique*. On sait que certains de ces courants sont restés vivaces : les découvertes de Nag Hammadi le confirment [2].

---

1. Les «macédoniens» tirent leur nom de Macédonios, évêque de Constantinople, qui refusait de reconnaître la pleine divinité de l'Esprit. Pour l'argumentation, cf. ATHANASE, *Lettres à Sérapion*, SC 15 bis, DIDYME, *Traité du Saint-Esprit*, SC 386, BASILE, *Traité du Saint-Esprit*, SC 17 bis.

2. Les découvertes de NAG-HAMMADI attestent l'intérêt que certains milieux du IVe siècle continuaient à porter aux théories gnostiques. Certains indices donnent à penser que des réécritures partielles ont été réalisées encore vers 345. Cf. L. PAINCHAUD, «Le phénomène des réécritures», dans *Les textes de Nag Hammadi et le problème de leur classification. Actes du colloque tenu au Québec du 15 au 19 septembre 1993*, Paris 1995, p. 51-85.

e. *L'œuvre des Cappadociens*

Basile de Césarée [1]

Au moment où l'arianisme menace de submerger en Orient ce qui reste encore de la foi nicéenne, Basile se fait en Cappadoce l'ardent défenseur de cette foi. Il réussit à garder le siège de Césarée, mais des compétiteurs cherchent à jeter la suspicion sur lui, en exploitant des propos qu'il a tenus. C'est ainsi que son langage sur l'Esprit n'agrée pas à tout le monde : pour répondre aux attaques qui en résultent, il rédige entre 374 et 375 son *Traité sur le Saint-Esprit*. Basile joue un rôle important pour l'adoption de la formule « *mia ousia — treis hupostaseis* » qui représente un apport décisif pour la théologie trinitaire. Enfin, vers la fin de sa vie, il publie un *Contre Eunome*, destiné à réfuter l'*Apologie* d'Eunome. Basile pratique aussi une politique ecclésiastique visant à contenir l'avancée de l'arianisme. En tant que métropolitain de la Cappadoce, il cherche à combler les vides créés par les dépositions d'évêques et il fait appel, s'il le faut, à des amis, parfois récalcitrants, ou à des membres de sa famille : c'est ainsi que son frère Grégoire est installé à Nysse. Son prestige est tel qu'il peut intervenir à Antioche en vue de la résorption du schisme qui oppose Mélèce qu'il soutient et l'évêque Paulin, vieux-nicéen soutenu par le Pape Damase. Il essaie d'intéresser l'Occident à la cause des Églises d'Orient, mais ses espoirs sont en grande partie déçus. On sait par ailleurs que Basile a été un organisateur efficace d'œuvres sociales et l'auteur de règles concernant la vie cénobitique. Il meurt en 377.

---

1. Pour la vie de Basile de Césarée, voir entre autres Y. COURTONNE, *Un témoin du IVe siècle oriental. Saint Basile et son temps d'après sa correspondance*, *CUF*, Paris 1973 ; B. GAIN, *L'Église de Cappadoce au IVe siècle d'après la correspondance de Basile de Césarée (330-379)*, Rome 1985 ; J.R. POUCHET, *Basile le Grand et son univers d'amis d'après sa correspondance. Une stratégie de communion*, Rome 1992. Pour la date de la mort de Basile, cf. P. MARAVAL, « La date de la mort de Basile de Césarée », *REAug* 34, 1988, p. 25-38.

Grégoire de Nysse [1]

Devenu évêque de Nysse en 371, Grégoire est arrêté sur ordre du vicaire du Pont, Démosthène, mais il arrive à se soustraire à ses gardiens et se réfugie dans un lieu discret. En son absence, un synode homéen se réunit à Nysse, l'accuse de dilapidation de biens d'Église et le dépose en 376. A la suite de l'abrogation des sentences d'exil par Valens en 377, il revient dans son diocèse et, après la mort de Basile, il joue un rôle de plus en plus important. Il participe à un concile à Antioche en 378, où il semble s'être entremis pour un rapprochement entre Mélèce et Paulin. On fait appel à lui pour l'élection d'évêques néo-nicéens, comme à Ibora. Au concile de Constantinople (381) il est l'un des évêques les plus en vue ; le 30 juillet 381, un édit de Théodose le désigne comme l'un des trois garants de l'orthodoxie, avec lesquels il faut être en communion pour le diocèse civil du Pont. Il se voit aussi confier une mission dans la province d'Arabie, ce qui l'amène à un séjour à Jérusalem : les *Lettres* 2 et 3 en témoignent. Ayant pris part aux conciles de Constantinople de 382 et de 383, Grégoire garde des liens avec la capitale.

Pour défendre la foi orthodoxe, Grégoire rédige des ouvrages dogmatiques : parmi eux figurent les *Petits traités trinitaires* qui s'efforcent de clarifier les notions *d'ousie* et *d'hypostase*, le *Contre Eunome* regroupant quatre écrits, d'une ampleur exceptionnelle, destinés à réfuter l'anoméisme d'Eunome, l'*Antirrheticus adversus Apollinarem* et l'*Adversus Apolinarium* qui combattent les thèses apollinaristes concernant la christologie, le traité *Adversus Macedonianos* à propos de la divinité du Saint-Esprit, le *De anima et resurrectione* relatif à la doctrine chrétienne sur l'âme, la

---

1. Pour la vie de Grégoire de Nysse, cf. M. CANÉVET, art. « Grégoire de Nysse », *DSp* 16, col. 972-1011. H. DÖRRIE dans le *RAC* 12, p. 863-895. M. AUBINEAU, introduction au *De virginitate*, SC 119 ; P. MARAVAL, introduction et notes du volume *Lettres de Grégoire de Nysse*, SC 363. Voir aussi G. MAY, « Gregor von Nyssa in der Kirchenpolitik seiner Zeit », *Jahrbuch der österreichischen byzantinischen Gesellschaft* 15, 1966, p. 105-132.

mort, la résurrection des morts. Parmi les ouvrages dogmatiques, le *Discours catéchétique* occupe une place à part, car il représente un exposé «systématique» de la foi chrétienne. A tous ces ouvrages il convient d'ajouter des traités de spiritualité comme le *De vita Moysis* et le *Commentaire sur le Cantique des cantiques*, des commentaires exégétiques comme les *Homélies sur l'Ecclésiaste* et le *De hominis opificio*.

Le projet de Grégoire s'explique mieux si l'on prend en compte la situation propre à la Cappadoce de la fin du IVe siècle. Les indications fournies par l'auteur sur la variété des interlocuteurs potentiels donnent une idée de la diversité des courants qui s'entrecroisent : les non-chrétiens représentent des tendances fort diverses, parfois incompatibles entre elles, comme le sont le judaïsme et le paganisme avec ses différentes expressions ; les chrétiens eux-mêmes sont profondément divisés à la suite de la querelle arienne ; le gnosticisme polymorphe est encore vivace.

II. PLAN ET STRUCTURATION
du *Discours catéchétique*

1. Précision d'ordre méthodologique

La démarche comparative mal pratiquée comporte le danger de ne pas laisser parler suffisamment le texte à étudier, de détourner l'attention de la problématique qui lui est propre et de l'écraser éventuellement sous le poids d'une matière qui vient d'ailleurs. D'un autre côté, les études d'ensemble sur Grégoire de Nysse, pour précieuses qu'elles soient, ne tiennent pas toujours assez compte de l'évolution qu'a connue l'auteur d'une œuvre à l'autre. Une saine méthodologie invite à examiner tout d'abord un texte donné en lui-même, comme unité dont il faut tester la cohérence et jauger la pertinence du discours. Or, le *Discours catéchétique* offre l'avantage d'être un traité systématique visant à donner une vue d'ensemble de la foi chrétienne. Dans un premier temps, il devrait donc être examiné comme ensemble organique *sui generis*. Dans un deuxième temps, c'est à partir de lui et par rapport à lui qu'il conviendrait d'interroger les textes parallèles. Dans l'introduction, on accordera la priorité à l'examen du *DC* lui-même ; quant aux rapprochements à effectuer avec d'autres textes, c'est dans les notes relatives à la traduction que seront fournies des indications plus précises à ce sujet.

2. PLAN

Au gré de commentateurs comme A. Grillmeier [1], le *Discours catéchétique* comporte deux grandes parties consacrées respectivement à la «théologie» (ch.1-4) et à «l'économie» (ch. 5-40). Effectivement, l'auteur aborde tout d'abord la question du Dieu un et trine, traite ensuite de l'œuvre de création et de rédemption, puis des effets spécifiques des sacrements. Il est vrai aussi que la distinction entre *theologia* et *oikonomia* était pratiquée par les Cappadociens. On pourrait cependant faire remarquer que, déjà dans la première partie du traité il est question de l'œuvre créatrice du Logos, et que, en revanche, c'est seulement dans le corps de l'exposé que l'on trouve des considérations plus circonstanciées sur certains attributs de Dieu ; de plus, l'auteur revient, dans les derniers chapitres, à la question de l'égalité des personnes dans la Trinité. En raison de ces données, la distinction *theologia-oikonomia*, demande à être maniée avec souplesse, sinon elle risque d'occulter d'autres structurations

---

1. A. GRILLMEIER, « Vom Symbolum zur Summe », dans *Mit Ihm und in Ihm*, Fribourg-en-Brisgau 1975, p. 585-636. Cependant, l'auteur reconnaît lui-même que si la *theologia* et l'*oikonomia* sont distinguées dans certains chapitres, elles interfèrent dans d'autres.

correspondant au mouvement même du texte et à l'intention d'un auteur qui veut montrer la réalisation progressive d'un plan de Dieu sur l'homme. Le schéma *exitus-reditus* pourrait apporter un éclairage complémentaire du premier schéma. En tout cas, pour les besoins de l'analyse, il sera plus avantageux de diviser l'ouvrage en trois grandes parties dont la deuxième comporte elle-même deux subdivisions, d'en indiquer rapidement le contenu et d'étudier ensuite la structuration profonde qui ne manque pas d'intérêt. Voici comment on pourrait regrouper les différents chapitres :

1. – Éléments de doctrine trinitaire (ch. 1-4) ;

2 A – Création de l'homme, origine du mal, (ch. 5-8) ;

2 B – Incarnation et rédemption (ch. 9-32) ;

3 – Sacrements du Baptême et de l'Eucharistie, foi, conduite de vie (ch. 33-40).

3. Mouvement d'ensemble du texte

Plus que sur la distinction entre les différentes parties, il convient d'insister sur le mouvement d'ensemble du texte et sur la mise en relation des aspects caractéristiques : l'auteur nous propose, en effet, une synthèse destinée à montrer que le plan de Dieu est cohérent et que son déploiement obéit à un dynamisme tendu vers la réalisation d'un *skopos*. Pour mieux saisir l'originalité de la composition, il convient d'abord de donner un bref aperçu des thèmes abordés dans les différentes parties, puis de montrer comment ils se suivent et s'enchaînent dans le traité examiné dans son étalement en surface.

1) *L'horizon de la Trinité* (ch. 1-4)

Ce n'est pas sans raison que l'auteur situe d'emblée l'économie du salut dans l'horizon englobant du mystère de la Trinité. Au-delà des défenseurs du farouche monothéisme

juif et du polythéisme multiforme des grecs, il vise aussi les
ariens anoméens ainsi que les gnostiques avec leurs systèmes
émanatistes. Affirmer l'unité de Dieu et l'égalité des hypostases au sein de la Trinité, c'est affirmer en même temps que
le monde est l'œuvre de ce Dieu un et trine et non l'œuvre
d'un Dieu mauvais. Dès ces premiers chapitres, Grégoire
pose donc des jalons destinés à rendre compte de l'unité du
plan de salut de Dieu. Dans les chapitres suivants, il examine
en détail les différentes étapes de la mise en œuvre de ce plan.

2) A — *Plan de Dieu sur l'homme : création de l'homme,
origine du mal, chute* (ch. 5-8)

Grégoire rapporte une première objection : les adversaires
rejettent l'idée d'un plan de Dieu sous prétexte que cela est
inconvenant pour Dieu. L'auteur répond qu'une réflexion
bien menée les conduira à reconnaître que le monde est
œuvre de raison et de sagesse : l'auteur précise que celui-ci
est originellement bon et doit son existence et sa conservation au Logos de Dieu. De même le Logos est créateur de la
nature humaine (ch. 5). L'homme n'est pas un quelconque
élément du monde, mais occupe une place à part. Dieu l'a
appelé à «prendre part aux biens divins», à «participer aux
propres avantages de celui-ci». Cependant cette vocation
peut se réaliser parce que l'homme, de par sa constitution,
porte en lui «une certaine affinité avec le divin» (ch. 5) et est
capable de cette forme de participation : en effet, il a été doué
de vie, de raison et de sagesse : c'est ce que l'Écriture exprime
par l'expression : «Créé à l'image et à la ressemblance».
Les adversaires font observer que la condition actuelle de
l'homme ne correspond pas du tout à la destinée envisagée
par Dieu et ils prétendent que l'homme a été plongé dans des
maux de toutes sortes par le Créateur lui-même. Grégoire
répond que la condition misérable de l'homme est la conséquence du mauvais usage de la liberté, accordée comme
privilège à *l'homme image de Dieu* : le péché résulte du fait

que la volonté, s'éloignant du bien, se détourne de Dieu. La responsabilité du péché incombe non pas à Dieu, mais à l'homme, lui-même abusé par l'ange de la terre (ch. 6). Ce dernier, à qui avait été confié le gouvernement de la terre, vit avec déplaisir la situation faite à l'homme créé à l'image ; jaloux des privilèges de celui-ci, il décida de séduire l'homme. Mais ne pouvant agir par violence, il usa d'artifices pour détacher l'homme de son créateur et l'homme trompé se tourna vers le mal : la conséquence, c'est que l'humanité vit au milieu de maux qui sont l'opposé des biens prévus par Dieu (ch. 6).

Vu cette situation, objecte-t-on, Dieu aurait mieux fait de renoncer à créer l'homme. En guise de réponse, Grégoire invite à ne pas se rallier à la solution manichéenne du Dieu créateur mauvais. Comme le mal est privation du bien, le Dieu bon ne saurait être le créateur de ce qui n'a pas d'existence propre. En tout état de cause, même déchu, l'homme reste l'objet de la sollicitude divine. Après la chute, Dieu a revêtu l'homme de *vêtements de peau*, c'est-à-dire lui a conféré la condition mortelle. Mais la mort est moins un châtiment qu'un remède : elle est le moyen imaginé par Dieu pour purifier l'homme et le restaurer dans sa forme primitive. De cette manière, l'homme peut être guéri de la propension au mal et retrouver l'élan vers le bien (ch. 8).

2) B — *Le plan de salut de Dieu : incarnation et rédemption* (ch. 9-32)

A qui importait le relèvement de la nature déchue ? A celui-là seul qui avait donné la vie à l'origine appartenait aussi le privilège de la ranimer (ch. 9) : en d'autres termes, le Logos, qui est l'auteur de la création, est aussi l'auteur de la re-création.

Mais les adversaires font valoir que les événements de la vie du Christ sont indignes de Dieu : ainsi comment la divinité

qui est infinie peut-elle se laisser circonscrire dans l'infiniment petit? Même chez l'homme, répond l'auteur, l'âme
pensante s'étend à son gré au-delà des limites du corps (ch.
10). Pour comprendre le mélange entre la divinité et l'humanité, on peut renvoyer à l'union entre l'âme et le corps. Mais
dans les deux cas, il subsiste une zone de mystère (ch. 11). Ce
qui prouve la présence de Dieu dans le Christ, ce sont les
miracles qui manifestent par leurs effets la puissance divine.
La naissance et la mort du Christ, notamment, attestent en
Jésus-Christ une dimension divine à côté de la dimension
humaine : naissance réelle, mais naissance virginale ; mort
réelle, mais mort suivie de la résurrection. On ne saurait en
tirer un argument pour contester l'Incarnation et la rejeter
comme étant entachée d'une infirmité qui ne convient pas à
Dieu (ch. 12-13).

La véritable raison de l'Incarnation (ch. 14-15), c'est
l'amour de Dieu pour l'homme, la «philanthropie» qui
pousse Dieu à intervenir au bénéfice de l'homme, en vue de
guérir la nature malade, de restaurer l'homme déchu, de
redonner la vie à celui qui l'avait perdue, de ramener à la
participation au bien celui qui s'en était détaché. Mais, pourquoi, protestent les adversaires, Dieu n'a-t-il pas sauvé
l'homme par un décret de sa volonté, au lieu de parcourir les
différentes étapes de la vie humaine et de s'engager ainsi dans
la faiblesse ? Grégoire fait remarquer que le Christ est certes
entré en contact avec la vie humaine, qui d'ailleurs n'est pas
mauvaise en elle-même, mais qu'il n'a pas été affecté par les
diverses formes du «*pathos*», entendu au sens précis de vice.
En fait, l'Incarnation est le moyen décidé par Dieu pour
entrer en contact avec chacune des parties du composé
humain, afin d'exécuter son dessein qui est la réunion durable de l'âme et du corps après la mort (ch. 16) : c'est à travers
la résurrection du Christ que la grâce de la résurrection
s'étend progressivement à toute l'humanité. Dans cette pers-
pective, la mort n'a pas uniquement un caractère négatif, vu
qu'elle permet l'élimination du mal. Les preuves pour la

réalité de l'Incarnation sont fournies par les effets qui en résultent : l'idolâtrie a disparu chez de nombreux peuples, le culte du Temple se trouve aboli, alors que le culte chrétien se répand partout (ch. 18).

L'économie de l'Incarnation voit se manifester ensemble les attributs essentiels de Dieu (ch. 20) : la *bonté* pousse Dieu à réclamer à l'adversaire l'homme qu'il détient prisonnier ; la *sagesse* éclate dans le déroulement ordonné et progressif du plan du salut ; la *justice* s'observe dans le fait que Dieu n'a pas recours à la violence pour libérer l'homme, mais use, à l'égard du Tentateur, des mêmes procédés que celui-ci avait mis en œuvre pour détourner l'homme de Dieu : le Trompeur est trompé à son tour et se voit ainsi arracher sa proie ; quant à la *puissance* de Dieu, elle se manifeste dans le fait que « la nature toute-puissante a été capable de s'abaisser jusqu'à l'humilité de la condition humaine », ce qui est une plus grande preuve de puissance que les miracles : l'humiliation de Dieu montre la surabondance de son pouvoir (ch. 24). D'ailleurs, le plan de salut qui se réalise à travers la mort du Christ procure des avantages qui se situent bien au-dessus des maux dans lesquels l'homme avait été plongé ; mieux encore, même le tentateur finira par être le bénéficiaire des bienfaits divins (ch. 26).

D'aucuns tirent argument du retard de l'Incarnation : Grégoire explique que Dieu, à la manière du médecin, attend que le mal se manifeste pleinement et il intervient quand le mal est arrivé à son comble (ch. 29). Si le péché persiste après l'Incarnation, si la foi ne s'étend pas à toute l'humanité, c'est que Dieu respecte la liberté humaine (ch. 30-31). Les adversaires insistent sur l'ignominie de la mort du Christ. C'est en acceptant de passer par la mort, réplique Grégoire, et en faisant participer l'homme assumé à son exaltation, que le Christ a fourni aux hommes la possibilité de la résurrection. Le Ressuscité communique sa vertu vivifiante à l'humanité qui forme pour ainsi dire un seul être vivant, un seul organisme uni au Christ. La portée universelle du salut en Jésus-

Christ est symbolisée par la croix quadriforme : toutes les créatures dans les cieux, sur la terre et dans les enfers se rattachent au Logos comme à leur centre existentiel et toute la création tient de lui sa cohésion (ch. 32).

3) — *Appropriation du salut par les sacrements, la foi et la conduite morale* (ch. 33-40)

Les sacrements du Baptême et de l'Eucharistie rendent possible l'actualisation du mystère de la mort et de la résurrection du Christ au profit des croyants. Le Baptême procure la régénération et l'accès à la vie immortelle. En vertu de la puissance de Dieu, présent chaque fois qu'il est invoqué, l'action liturgique produit un effet symbolisé et réalisé par la triple immersion dans l'eau, suivie chaque fois de l'émergence hors de l'eau ; ce qui est symbolisé, ce sont l'ensevelissement et la résurrection du Christ et notre propre mort et résurrection ; ce qui est obtenu, ce sont la mort au péché, la re-naissance et l'entrée dans une vie nouvelle : ainsi est rendue effective la participation à la grâce première, c'est-à-dire aux privilèges prévus initialement par Dieu. Ceux qui ne sont pas régénérés pendant leur existence terrestre seront purifiés dans le « fourneau du raffineur » dans l'au-delà (ch. 35).

L'Eucharistie permet au Christ d'entrer en contact avec notre corps d'une façon qui correspond aux lois de notre nature : le corps du Christ pénètre notre propre corps et le transforme en profondeur. L'union avec le corps glorifié fait participer notre corps à l'incorruptibilité et à l'immortalité : « Le Dieu qui s'est révélé s'est mélangé à la nature périssable, en vue de déifier l'humanité ensemble avec lui, en l'admettant à la communion avec la divinité ; pour ces raisons, il s'implante lui-même comme une semence dans tous les croyants,... afin que cette union avec ce qui est immortel permette à l'homme de participer à l'incorruptibilité » (ch. 37). Grégoire insiste donc moins sur la transformation des espèces du pain et du vin en corps et en sang du Christ que sur les effets transformateurs de l'Eucharistie.

Foi et vie chrétienne

La vertu de l'acte accompli pour la régénération dépend aussi des dispositions de ceux qui s'approchent du sacrement du Baptême. Notre foi doit admettre que nous sommes régénérés par le Père, le Fils et l'Esprit. Professer avec les anoméens que le Fils et l'Esprit sont inférieurs au Père et qu'ils sont créés, c'est affirmer qu'on est baptisé au nom de créatures, si nobles soient-elles. Comment affirmer dès lors que le Baptême est une naissance qui vient d'en haut et nous fait participer à la vie divine (ch. 39)?

Les effets de la régénération par le Baptême devraient se manifester à travers la transformation de la conduite de notre vie. D'où la nécessité de la conversion intérieure qui se traduit en actes de charité : celui qui est devenu fils de Dieu doit imiter Dieu «en ouvrant sa main, en pardonnant, en se montrant bon envers tous, en étant droit et juste» (ch. 40).

Sort final des pécheurs

Les esprits sages jettent, dès la vie présente, les fondements du bonheur futur : les biens promis dépassent tout ce qu'on peut imaginer. Mais les pécheurs se verront soumis à la purification par le feu (ch. 40).

III. STRUCTURATION
DU *DISCOURS CATÉCHÉTIQUE* EN PROFONDEUR

1. Souci de la cohérence : l'*akolouthia*

L'ordre d'exposition adopté par l'auteur ne se réduit pas à la juxtaposition d'éléments fournis par une tradition doctrinale ou à l'alignement de données provenant de l'Écriture et concernant des événements qu'on juge caractéristiques d'une évolution. Grégoire éprouve le besoin de montrer la connexion profonde des vérités de foi entre elles, l'enchaînement cohérent des étapes de l'évolution, le fondement rationnellement justifiable des différents aspects du plan de salut de Dieu. Sa grande préoccupation, formulée avec une fréquence qui force l'attention, est celle de *l'akolouthia* [1] Grégoire utilise souvent ce terme qui peut s'appliquer à des domaines distincts. L'*akolouthia* concerne tout d'abord le domaine logique : elle sert alors à établir la vérité d'une proposition, à mener en toute rigueur une démonstration à son terme ou aussi à dégager des conclusions sûres à partir de notions et d'idées admises. Sous ce rapport, le souci de la rigueur manifeste l'intention de mettre en œuvre une démonstration reposant sur l'enchaînement logique d'arguments rationnellement valables. Dans plusieurs passages du traité, Grégoire exprime son souci de mener sa réflexion de façon telle qu'il puisse emporter la conviction de l'interlocuteur ; tout le traité obéit à la loi de l'argumentation raisonnée. La notion d'*akolouthia* vaut aussi pour le domaine de la cosmologie. Dans ce cas, elle désigne la suite régulière des phénomènes, les relations de cause à effet, l'orientation vers une fin : Grégoire s'affranchit de certaines conceptions déterministes de la philosophie grecque, notamment stoïcienne, en mettant l'accent sur l'intervention du Dieu créateur, dont la sagesse peut établir des lois immanentes au cosmos tout en ménageant un développement orienté vers une fin. Le traité fait état de cette deuxième acception grâce à des expressions comme «*Hè tès phuséôs akolouthia*» (ch. 28) et une argumentation basée sur cette conception. Un troisième domaine qui obéit à la loi de l'*akolouthia* est celui de l'histoire. A la

1. J. Daniélou, «Akolouthia chez Grégoire de Nysse», *RevSR* 27, 1953, p. 219-249, repris sous le titre «Enchaînement», dans *L'être et le temps*, p. 18-50 ; M. Alexandre, «La théorie de l'exégèse dans le *De hominis opificio* et l'*In Hexaèméron* », dans *Écriture et culture*.

différence de l'ordre voulu par Dieu pour le cosmos, l'évolution de l'histoire se présente de façon plus complexe, en ce sens que le mouvement vers le bien est contrecarré par le mouvement vers le mal ; Dieu veut, en effet, respecter la liberté de l'homme. Ainsi le péché d'origine déclenche des réactions en chaîne, manifestant toujours plus pleinement ses conséquences sous forme de vices et de passions. Mais Dieu offre à l'homme la possibilité de retrouver la grâce originelle à travers l'œuvre de salut accomplie par le Christ. Tous les événements relatifs à cette histoire du salut avec ses deux versants s'enchaînent selon un ordre progressif. Cette troisième acception se rencontre dans des passages-clés du traité, relatifs à l'œuvre de salut opérée par le Christ.

Si pour les besoins de l'analyse on peut distinguer différents domaines, il convient toutefois de prendre conscience du fait que l'*akolouthia* qui s'y révèle est en définitive l'expression de la sagesse de Dieu et du Logos, toujours et partout à l'œuvre. Tout effort d'explication est dès lors, dans une certaine mesure, effort d'exploration de l'*akolouthia* qui, voulue par Dieu, lie entre eux Dieu et l'homme, d'une part, le monde et l'homme, d'autre part, et enfin assure l'enchaînement des événements qui jalonnent l'économie du salut.

2. Quelques catégories fondamentales

A lire attentivement le *Discours catéchétique* on constate que l'auteur opère avec des catégories qui sont comme des principes explicatifs d'une réalité qui, selon lui, obéit, à différents niveaux, à des lois voulues par une Raison supérieure. Grâce à ces catégories, il est possible de comprendre comment cette réalité peut se présenter sous forme d'ordres distincts et former cependant un ensemble organique, comment l'histoire humaine peut comporter des étapes différentes, apparemment indépendantes et inconciliables, et constituer néanmoins un mouvement d'ensemble finalisé.

a. *Hiérarchie des êtres : la distinction incréé-créé —
intelligible-sensible*

Souvent Grégoire distingue le monde intelligible du
monde sensible à la manière des platoniciens (ch. 6). Mais
lorsque l'argumentation exige un langage plus précis (ch.
39), il établit une distinction plus fondamentale entre ce qui
est créé et ce qui est incréé. Celle-ci figure d'ailleurs en
filigrane dans bien des passages relatifs à la hiérarchie des
êtres. Compte tenu des données fournies par les différentes
œuvres, D.L. Balás, qui s'est livré à une enquête approfondie
sur ce thème [1], propose le tableau suivant qui globalement
peut s'appliquer au *Discours catéchétique* :

Incréé	Intelligible			Dieu
Créé	Intelligible	Céleste (incorporel)	Anges	
		Terrestre (corporel)		
				Homme
	Sensible	Vivant Sensible	Rationnel	
			Non doué	
			de raison	
		Non sensible		
		Inanimé		

J. Daniélou insiste sur la distinction entre *kosmos* et *hyper-
kosmos* et cite entre autres un passage du *De infantibus* : « La
nature angélique incorporelle (*asômatos*) qui est celle des
invisibles, demeure dans les régions hypercosmiques et
hyperouraniennes, parce que cet habitat a de l'affinité avec
sa nature [2]. »

b. *Participation* [3]

Issu de la philosophie platonicienne, le concept de participation (*météchein, méthexis, métochè, métalèpsis, koinô-*

1. D.L. BALAS, *Metousia Theou*, p. 23-54.
2. J. DANIÉLOU, « Éléments », dans *L'être et le temps*, p. 75-93. La citation
est tirée de *De infant.*, PG 46, 173 A-B.
3. Cf. PLATON, *Tim.* 27 d et 29 e, *Parm.* 132 c ; PLOTIN, *Enn.* V, 5, 4 ; V, 9,
213 ; VI, 7, 13. Pour une bibliographie raisonnée voir D.L. BALAS, *Metousia
Theou* ; voir aussi E. VON IVANKA, *Plato christianus*.

nia, métousia) a fini par devenir un concept de base pour la théologie chrétienne.

Selon Platon, le monde d'ici-bas participe du monde des Idées en tant qu'il est la *mimèsis* de celui-ci : à ce titre, la notion de participation implique l'idée de conformité partielle et de décalage partiel entre le monde des Idées et le monde du devenir ; cependant, du point de vue ontologique, la participation représente un état de choses nécessaire, vu que Platon ignore la notion de création *ex nihilo*. Plotin et les néo-platoniciens, de leur côté, accordent à cette catégorie une place de choix et mettent l'accent sur la participation ontologique et mystique. Mais il existe le danger de la confusion entre participation et identité.

La conception chrétienne, liée étroitement à la doctrine de la création, permet d'éviter les deux extrêmes de l'identité absolue ou de l'opposition irréductible entre Dieu et l'homme. Dans le *Péri archôn* d'Origène, note L.D. Balás, s'affirme l'idée que le Logos créateur et rédempteur est la source de la participation des êtres créés aux perfections de Dieu. Les concessions faites par Origène au subordinatianisme furent rectifiées par Athanase. A partir de ces thèses Grégoire enseigne que Dieu qui est la «bonté en soi», nous fait participer au bien par amour (ch. 6), que Dieu qui est la «vie en soi» nous fait participer à la vie à travers l'œuvre de création et l'œuvre de rédemption (ch. 37), que Dieu qui est «l'être en soi» nous maintient dans l'être (ch. 32).

Cependant, pour éviter la méprise, Grégoire indique, à côté des implications positives, les limitations à respecter pour la notion de participation. C'est ainsi qu'il cherche à faire comprendre que la participation ne signifie pas pleine possession des perfections divines : le sujet qui «participe» ne possède pas ces perfections en propre, comme c'est le cas pour Dieu. Il s'agit d'une possession dérivée, de perfections provenant d'une source supérieure. Fort de cette distinction, l'auteur peut montrer comment joue la participation dans le cadre de l'histoire du salut. Déjà le dessein du Créateur se définit en termes de participation. L'homme est destiné à avoir part aux perfections divines et est capable de participation effective en raison même de la constitution qui est la sienne (ch. 5). Une autre manière d'exprimer cette idée est la notion de l'homme *créé à l'image de Dieu*. Mais la notion d'image revêt un caractère plutôt statique, alors que celle de participation rend mieux compte de la réalisation progressive de l'œuvre salvifique. Ce que le péché a défait, le Logos incarné le refait : en lui et par lui s'opère la restauration de la grâce première de l'union à Dieu et de la participation aux perfections divines (ch 5). L'appropriation individuelle de cette forme de salut s'effectue grâce aux sacrements du Baptême et de l'Eucharistie (ch. 37). Quant à la vie spirituelle, elle est jalonnée par les progrès dans la participation selon un dynamisme qui ne cessera jamais de jouer.

c. *Mouvement-Changement* [1]

La catégorie du changement et celle du mouvement avec leurs harmoniques (*tropè, alloiôsis, métabolè, kinèsis*) sont déterminantes pour la systématisation tentée par Grégoire. Certes, celui-ci recueille un héritage, mais il imprime aux données qu'il reprend sa marque personnelle et les transpose de façon originale dans le domaine de l'histoire du salut.

A la physique stoïcienne Grégoire emprunte la thème de la transformation incessante des éléments les uns dans les autres. Cette forme de changement constitue une succession ordonnée qui obéit à la loi du mouvement cyclique : dans le *De hominis opificio* et le *In Hexaèméron* il n'hésite pas à utiliser ce genre de présentation pour expliquer l'évolution du monde matériel. Un autre thème, proche de la philosophie stoïcienne, est celui de la mobilité de l'esprit qui fait que

---

1. J. Daniélou, « Le problème du changement chez Grégoire de Nysse », *Archives de Philosophie* 29, 1960, p. 323-347, repris dans *L'être et le temps*, p. 95-115. Pour l'apport stoïcien, cf. M. Spanneut, *Le stoïcisme des Pères de l'Église*, Paris 1957 ; M. Pohlenz, *Die Stoa*, Göttingen 1948.

l'homme se tourne vers le bien ou le mal. Cependant, sur ce point, Grégoire prend ses distances par rapport au stoïcisme, car il estime que cette mutabilité est la conséquence de la condition créée de la liberté. En effet, dit-il, la création en elle-même est déjà mouvement, en ce sens qu'elle est passage du non-être à l'être : « Il était impossible que celui qui tenait d'un changement le principe de son existence ne fût aucunement enclin au changement. Car le passage du non-être à l'existence est une forme de changement, en ce sens que de la non-existence on passe à l'existence en vertu de la puissance divine » (ch. 21). Cette mutabilité se répercute au niveau de la liberté et affecte notre évolution dans le bien et le mal. En effet, pour l'homme il n'y a pas d'immutabilité possible, celle-ci n'appartenant qu'à Dieu. Le changement peut revêtir deux aspects : il peut prendre la forme du mouvement vers le bien et vers le mieux ou bien celle du mouvement vers le mal : « Or cela seul, par nature, n'est pas soumis au changement qui ne tient pas son origine d'une création, alors que tout ce que la nature incréée a amené à l'existence à partir du non-être, une fois que le début dans l'existence est posé à partir de cette transformation même, ne cesse de poursuivre sa vie dans un changement continuel ; si la créature agit selon sa nature, ce changement se produit toujours dans le sens du mieux, et si, en revanche, elle se détourne du droit chemin, alors intervient un mouvement qui l'entraîne dans le sens contraire » (ch. 8). Il est donc possible de connaître le changement et de rester en même temps dans le bien, dans la mesure où le mouvement tend toujours vers le mieux et le plus-être.

Cette idée de mouvement incessant a fourni à Grégoire le thème de « l'épectase »[1], si important pour sa théologie spirituelle. Dans le *De vita Moysis*, il montre que Moïse, à chaque étape de l'ascension de la montagne sacrée, a cru enfin parvenir au terme désiré. Et chaque fois Dieu fait comprendre à

1. Cf *De vita Moysis*, *SC* 1 bis, p. 102-112.

Moïse qu'il doit repartir pour une nouvelle étape : de cette façon son cheminement signifie découverte toujours nouvelle, progrès constant et incessante transformation. Ce qui est vrai pour la vie sur terre l'est aussi pour la vie dans l'au-delà. La vision de Dieu n'est pas invariablement la même en intensité : elle signifie contemplation toujours plus plénière des splendeurs de Dieu.

J. Daniélou juge, à bon droit, que Grégoire dépasse la conception de la philosophie grecque pour laquelle le mouvement est l'expression d'un manque et tend à se reposer dans la possession du bien qui faisait défaut. Pour Grégoire, le mouvement ne s'arrête jamais et, quand il s'effectue en direction du bien, il va dans le sens du progrès et de la croissance. Non seulement l'esprit est comblé à la mesure de sa capacité, mais un bien acquis dilate la capacité de l'esprit et le rend capable d'un bien toujours plus grand. Ainsi, au mouvement cyclique valable pour le monde matériel s'oppose un mouvement linéaire qui tend toujours vers le plus et vers le mieux.

H. Urs von Balthasar a attiré l'attention sur ce thème-clé de l'ontologie de Grégoire et n'hésite pas à soutenir que celui-ci propose une philosophie du devenir [1].

d. *Harmonie et conspiration* [2]

Un passage du *Discours catéchétique* livre les différents termes utilisés par l'auteur pour formuler le thème de l'harmonie qui règne au sein du monde créé : « Mais tout comme dans le monde sensible lui-même, en dépit de la profonde opposition qui existe entre les différents éléments, une cer-

---

1. H. Urs von Balthasar, *Présence et pensée*, p. 1-80.
2. J. Daniélou, « Conspiratio chez Grégoire de Nysse », dans *L'homme devant Dieu, Mélanges de Lubac*, Paris 1965, repris sous le titre « Conspiration », dans *L'être et le Temps*, p. 51-74. ; K. Reinhardt, art. « Posidonios von Apameia », Pauly-Wissowa, t. 43 A 1, col. 606-720 passim ; Cicéron, *De natura deorum* II, 7 ; III, 11.

taine harmonie (*harmonia*), assurant l'accord (*harmozô*) entre les éléments opposés, a été ménagée par la sagesse qui gouverne l'univers et que de cette manière se trouve réalisée la consonance interne (*sumphônia*) de toute la création sans que jamais aucune dissonance naturelle ne rompe la continuité de cet ordre harmonieux (*sumpnoias heirmos*), de la même manière se réalisent, sous l'effet de la sagesse divine, un mélange et une combinaison du sensible et de l'intelligible...» (ch. 6). Ce thème de l'harmonie provient de la philosophie grecque : les stoïciens surtout ont souligné l'ordre harmonieux de l'univers et la concordance (*suntonia*) entre les choses célestes et le monde terrestre, qui proviennent de ce que le Logos est immanent à tout l'univers. Grâce à la terminologie de la *sumpnoia*, Grégoire cherche aussi à désigner l'unité des volontés pour la réalisation d'un projet et surtout pour l'entente au sein de l'Église. Enfin le mot *sumpnoia* et ses synonymes servent à désigner l'étroite solidarité de tous les êtres dans l'existence : la *sumpnoia* signifie, dans ce cas, unification des êtres par participation à l'être de Dieu : «C'est le propre de la divinité de pénétrer toutes choses et de se répandre dans toutes les parties de la nature des êtres vivants, car rien ne saurait subsister dans l'être sans rester en celui qui est» (ch. 32). C'est ce que suggère la forme de la croix avec ses quatre prolongements (ch. 32). Cette *sumphônia* se manifestera pleinement à la fin des temps, quand toutes les créatures, celles qui sont dans les cieux et celles qui sont sur terre, seront unies entre elles et rendront hommage à Dieu en le glorifiant tous ensemble.

3. Le « *skopos* » du *Discours catéchétique*

a. *Une difficulté : les « unités » qui se greffent sur les axes
   majeurs de l'exposé*

La suite des sujets abordés attire tout d'abord l'attention
sur l'enchaînement des grandes sections consacrées à la Trinité, à la création, à la chute, à l'Incarnation, à la Rédemption, aux sacrements. L'ordre retenu semble satisfaisant, car
il respecte l'ordre propre à l'histoire du salut. Cependant un
examen plus approfondi permet de repérer des unités isola-
bles au sein des différentes sections. En effet, l'exposé est
scandé par des interrogations du genre « Tu chercheras peut-
être à savoir (*zèteis*)... » ou des objections qui amorcent chaque fois une réflexion sur un aspect particulier du thème
traité. Certains commentateurs ont relevé ce procédé dans
d'autres œuvres, par exemple dans le sermon *De Tridui
spatio* : ils parlent de *zètèmata* en employant un mot qui
provient de Grégoire lui-même. On ne peut s'empêcher de
penser à ce que les théologiens du Moyen âge nomment la
quaestio. En tout cas, parfois ces unités se multiplient, au
point que l'on se demande si Grégoire n'oublie pas, de temps
en temps, le principe de *l'akolouthia* pour s'adonner à la
flânerie. En fait, l'auteur a voulu regrouper les difficultés
pour les greffer sur l'axe de chacune des sections, l'enchaînement se faisant en premier lieu au niveau de ces axes. D'autre
part, quelquefois l'auteur renvoie d'une unité à une autre
pour rappeler telle idée ou tel principe énoncés dans un
zètèma antérieur : c'est une autre façon de souligner l'enchaînement. Au fond, Grégoire a fourni lui-même une comparaison qui illustre ce procédé : en filant la métaphore de la
montagne, on pourrait dire qu'il invite parfois à des haltes
comme pour mieux explorer des aspects spécifiques d'un
paysage intellectuel, à la manière de celui qui, se promenant
en montagne, s'arrête de temps à autre pour mieux découvrir
les perspectives variées qu'offre le paysage.

b. *Unité profonde assurée par le* «skopos» *du plan de salut de Dieu*

Dans le chapitre 15 figure le passage : « Pourquoi effectuer de longs détours qui consistent à revêtir la nature corporelle, à entrer dans la vie par la voie de la naissance, à parcourir successivement tous les âges de la vie, à goûter la mort, pour atteindre ainsi le but fixé (*skopos*), moyennant la résurrection de son propre corps...? » Quelle est la signification de cette notion de *skopos* dans ce contexte de la résurrection [1] ?

A plusieurs reprises, Grégoire aborde le thème de la résurrection du Christ : tantôt il oppose la mort à la résurrection pour faire comprendre que la deuxième a pour effet de réunir à nouveau l'âme et le corps que la première avait dissociés, tantôt il établit un lien entre la résurrection du Christ et la résurrection des corps, enfin il explique que l'efficience du Baptême et de l'Eucharistie est liée à la résurrection du Christ, source de vie. Cependant le *Discours catéchétique* n'offre pas d'exposé suivi sur la résurrection : l'auteur procède par touches successives dans des déclarations réparties dans les chapitres consacrés respectivement à la création de l'homme, à l'Incarnation, au mystère pascal et aux sacrements.

Néanmoins, un examen plus attentif révèle que les différentes déclarations sur la résurrection jalonnent d'une certaine façon l'exposé sur les grandes étapes de l'histoire du salut, l'auteur s'attachant à montrer que cette histoire tire sa cohérence du fait que Dieu poursuit un dessein précis et agit selon un *skopos*. Quel est ce dessein, ce *skopos* d'après les données du traité ? Dès les premiers chapitres l'auteur dit du Logos qu'il « vit de lui-même », qu'il est « *autozôè* » (la vie

1. R. WINLING, « La résurrection du Christ comme principe explicatif et comme élément structurant dans le *Discours catéchétique* de Grégoire de Nysse », dans *StPatr* 23, Leuven 1989, p. 74-80. Pour la notion de « *skopos* », cf. M. HARL, « Le guetteur et la cible : les deux sens de *skopos* dans la langue religieuse des chrétiens », *REG* 74, 1981, p. 450-458.

même) et un peu plus loin il affirme que dans la surabondance de son amour, le Logos a ménagé la naissance d'un être
destiné à prendre part aux biens de Dieu (ch. 5). Or parmi
ces biens il y a la vie sans fin, la « vie immortelle » (ch. 5 et 8).
A la suite d'un mauvais usage de la liberté, l'homme, séduit
par le tentateur, devient pécheur et perd certains privilèges.
Dieu donne alors aux premiers parents les «tuniques de
peau», c'est-à-dire les revêt de la condition mortelle. Cependant, dans sa bonté, il met en œuvre un plan de salut qui
permettra de restaurer l'homme dans la forme initialement
prévue. Mais qui peut effectuer le rappel à la vie de celui qui
s'était perdu?...» A celui-là seul qui avait donné la vie à
l'origine il était possible et il convenait de ranimer la vie,
même déjà éteinte» (ch. 8). Certains, il est vrai, s'offusquent
de ce que le Logos incarné ait pratiqué les longs détours de
son existence terrestre, faisant même l'expérience de la mort.
En fait, dit l'auteur, c'est par là qu'il a pu exécuter son
dessein : sa mort signifie aussi dissociation de l'âme et du
corps ; mais en tant que Logos divin et puissance vivifiante, il
les réunit de nouveau, pour une union durable : c'est là la
résurrection (ch. 16). Dès lors la résurrection du Christ
devient principe de résurrection dont les effets s'étendent
progressivement à toute l'humanité (ch.16). Le Baptême,
nouvelle naissance, permet d'accéder à la vie qui rend possible la participation à la vie de Dieu (ch. 32). L'Eucharistie est
le remède salutaire de «ce corps qui s'est montré plus fort
que la mort et qui est devenu pour nous source de vie»
(ch. 37). On comprendra donc mieux des formulations aussi
denses que celle-ci : « Ce n'est pas, en effet, parce qu'il aurait
eu besoin d'entrer dans la vie que celui qui est éternel accepte
de naître dans un corps, mais c'est pour nous rappeler de la
mort à la vie. Comme il fallait ramener de la mort à la vie
notre nature tout entière, Dieu, s'étant penché sur notre
cadavre en tendant pour ainsi dire la main à l'être qui gisait,
s'est approché de la mort au point de prendre contact avec
l'état de cadavre et de fournir à la nature, au moyen de son

propre corps, le principe de la résurrection» (ch. 32). Tout tend à faire triompher la vie.

D'une certaine manière, on pourrait distinguer dans le traité des cadres et des niveaux de structuration qui s'inter-pénètrent :

— d'abord le cadre de la vie humaine consécutive à la chute et délimitée par la naissance et la mort qui consiste dans la dissociation de l'âme et du corps : « La vie humaine est enfermée entre deux limites» (ch. 22) ;

— ensuite le cadre représenté par la conception virginale du Christ et sa résurrection ;

— puis le cadre délimité par la nouvelle naissance, procu-rée par le Baptême, et par la résurrection des corps ;

— enfin le cadre englobant qui forme l'horizon dans lequel s'inscrivent les autres cadres et qui est constitué par le mys-tère de la Trinité de qui tout vient et vers laquelle tout va.

Entre ces cadres existe une différence de niveau et de confi-guration. Le premier de ces cadres est fermé, car il est délimité d'un côté par le non-être et de l'autre par la dissolution liée à la mort ; le deuxième, qui concerne le Logos incarné, est un cadre qui, dans les deux cas, est ouvert en direction du mys-tère de Dieu ; le troisième, qui se situe dans le prolongement du premier, est inauguré par la résurrection du Christ et brise d'une certaine façon la clôture du premier : c'est un cadre ouvert tendu vers l'accomplissement et la restauration de la forme originelle de l'homme ; le quatrième est un cadre englo-bant dans lequel s'inscrivent les autres. Ces cadres se situent à des niveaux différents, mais jouent entre eux, si bien qu'ils deviennent des champs dynamiques : le Logos fait éclater des limites et rend les croyants capables de passer d'un niveau à l'autre et d'accéder à des formes de vie toujours plus pleines.

La composition du traité révèle une indéniable originalité : il s'agit d'une sorte de composition en écho. Cette composi-tion a permis à l'auteur de faire valoir sa vision nettement dynamique et de rendre compte de ce qu'à l'heure actuelle nous nommons le devenir lié à l'histoire du salut.

IV. ASPECTS DOCTRINAUX

1. Dieu un et trine

a. *Les données : unicité de Dieu, trinité des personnes, égalité des personnes*

Dans le prologue, l'unicité de Dieu est très clairement affirmée en face des grecs qui professent le polythéisme et aussi en face des gnostiques qui prônent soit la hiérarchie des êtres divins soit le dualisme de type manichéen. Grégoire rappelle ensuite que la foi chrétienne enseigne à distinguer des «hypostases» en Dieu (ch. 1). Évitant de consacrer un développement spécial au Père, il aborde d'abord la question du Logos subsistant et ensuite celle de l'Esprit subsistant. S'appuyant sur des considérations d'ordre psychologique, il cherche à faire comprendre que Dieu «a» un Logos doué de vie, de volonté et de puissance, capable d'exécuter ce qu'il veut, mais voulant exclusivement le bien. Pour l'Esprit, l'auteur utilise le même type de raisonnement que pour le Logos : lui aussi est doué de subsistence et possède la volonté, l'activité, la toute-puissance. A l'adresse des juifs Grégoire fait appel à la preuve scripturaire, tirée, il est vrai, uniquement de l'*A.T.* et se limitant au commentaire d'un seul passage tiré du *Ps* 33, 6. Après avoir invité les esprits plus zélés à découvrir les autres preuves, il fait une déclaration de portée générale : «Qu'il existe un Logos de Dieu et un Pneuma de Dieu, forces substantielles ayant une subsistence propre, créatrices de tout ce qui a été fait, et embrassant tout ce qui existe, ressort clairement des Écritures inspirées de Dieu» (ch. 4). Pour conclure la première partie, Grégoire reprend le thème du «dénombrement», possible au sein de la Trinité, mais indissociable de l'affirmation de l'unité de Dieu.

L'interlocuteur qui admet ces prémisses a pratiquement accepté la vérité fondamentale de la foi chrétienne, d'où toutes les autres données de cette foi tirent leur origine. D'autres chapitres fournissent des compléments sur la Trinité, sur la nature et sur les attributs de Dieu. C'est ainsi qu'à propos de la foi, Grégoire insiste sur le rôle commun des trois Personnes (*prosôpa*) pour la nouvelle naissance opérée par le Baptême : « Celui qui est engendré dans la Triade est également engendré par le Père, le Fils et le Saint-Esprit » (ch. 39). Si on ne reconnaît pas le caractère incréé des trois Personnes, si avec les anoméens on estime que le Fils et l'Esprit sont créés, alors le Baptême n'est pas vraiment élévation à la vie divine (ch. 39). Dans ce contexte, Grégoire affirme l'égalité des trois Personnes et l'unité de nature en Dieu.

Pour rendre compte des relations d'origine au sein de la Trinité, l'auteur varie l'expression : tout d'abord il parle de la nature incorruptible qui « a » un Logos ou du « Logos de Dieu » ou du « Logos du Père » sans autre forme de commentaire. Puis après avoir employé une formulation techniquement peu élaborée : « Le Logos dont nous parlons est différent de Celui dont il est le Logos », il se fait plus précis : « D'une certaine façon, dit-il, cette notion fait partie de celles qui sont dites relatives (*pros ti*), puisqu'il faut à coup sûr, avec le Logos, entendre aussi le père du Logos ; le Logos, en effet, n'existerait pas, s'il n'était pas le Logos de quelqu'un. Si donc l'esprit des auditeurs distingue, par un terme qui exprime la relation, le Logos lui-même de celui dont il provient, nous ne risquerons plus que ce mystère, qui s'oppose aux conceptions des grecs, vienne s'accorder aux croyances de ceux qui sont attachés au judaïsme » (ch. 1). Pour ce qui est de l'Esprit, Grégoire déclare : « Nous l'envisageons comme une force substantielle, vivant en elle-même d'une existence propre, qu'on ne peut séparer de Dieu, en qui elle réside, ni du Logos de Dieu qu'elle accompagne... qui a une existence substantielle à la façon du Logos de Dieu... » (ch. 2). Il définit donc les relations des Personnes entre elles et souligne le lien entre le Logos et l'Esprit.

b. *Terminologie technique* : ousia-phusis-hupostasis- prosô-pon

Celui qui voudrait jauger le *Discours catéchétique* à l'aune de la formule normative *mia ousia-treis hupostaseis* risque la déconvenue, s'il n'est pas assez souple pour faire intervenir d'autres paramètres[1].

En effet, le relevé des occurrences de *ousia* et de *hupostasis* réserve des surprises. *Ousia* n'est pas souvent employé ; s'il l'est, il est parfois difficile de l'interpréter clairement dans le sens du terme technique théologique. Quant à *hupostasis*, dont l'emploi est plus fréquent, le champ sémantique en est très varié. En revanche, dans bien des passages, *phusis* est l'équivalent de *ousia*.

L'emploi de ousia

Le passage dans lequel *ousia* figure comme terme technique est le suivant : « Il a été démontré que ... le Logos de Dieu est une puissance qui subsiste substantiellement [*kat'ousian*] » (ch. 5). En revanche le passage : « Le mystère de la vérité nous enseigne à parler d'un Logos substantiel (*én ousiai*) et d'un Pneuma ayant la subsistence (*én hupostasei*) » (ch. 4) soulève un épineux problème. Le texte semble établir une équivalence entre *ousia* et *hupostasis*, ce qui serait conforme aux anathématismes du concile de Nicée. Mais comme le contexte invite à distinguer trois hypostases

---

1. Pour la terminologie trinitaire on consultera, entre autres, G. L. PRESTIGE, *Dieu dans la pensée patristique* ; TH. ZIEGLER, *Les petits traités trinitaires de Grégoire de Nysse* ; B. POTTIER, *Dieu et le Christ selon Grégoire de Nysse*. Le répertoire sur microfiches de C. FABRICIUS et D. RIDINGS, *A Concordance to Gregory of Nyssa*, Göteborg 1989, est précieux pour les recherches d'ordre terminologique.

dans l'unité de nature, les deux termes sont à prendre dans un sens plus général de «subsistant effectivement» (*ousia* pouvant aussi signifier *existence*). Restent cinq ou six passages, dans lesquels *ousia* a le sens de nature (ch. 6; 15; 24; 16). Il existe un cas où *hupokeiménon* a un sens équivalent de celui de *ousia* : «... expliquer comment la même réalité peut ... être divisée selon l'hypostase et n'être pas divisée selon la substance (*hupokeiménon*)» (ch. 3) ; dans un autre contexte le même mot est plutôt l'équivalent de «sujet» : «Si selon sa nature il (le Logos) fait un avec lui, en tant que sujet il en est différent» (ch. 1). On trouve d'autres emplois dans le Prologue et dans les chapitres 3; 5; 8; 10.

L'emploi de phusis

Le terme *phusis* apparaît souvent là où l'on s'attendrait à trouver *ousia* au sens technique théologique. C'est le cas pour les passages suivants : «On constate, en sens inverse, que l'unité de nature n'admet pas de partage» (ch. 3). — «L'erreur des grecs qui croient au polythéisme se trouve ruinée du fait que l'unité de nature annule l'idée imaginaire d'une pluralité» (ch. 3). — «De la conception juive, en revanche, on retiendra l'unité de nature» (ch. 3). Parfois il est question de la «nature divine» (ch. 5; 6), de la «nature incréée» (ch. 6). Mais souvent *phusis* est employé dans le sens courant de nature d'un être ou de nature d'une chose : par exemple «nature humaine» (ch. 8).

Comment expliquer l'apparente préférence de Grégoire de Nysse pour *phusis* par rapport à *ousia* ? Des auteurs qui ont étudié de près les acceptions des termes-clés du vocabulaire trinitaire font observer que *phusis* est un terme plus empirique, qui jouera d'ailleurs un rôle important dans les discussions sur l'Incarnation, antérieures aux conciles d'Éphèse et de Chalcédoine. Ainsi Prestige note : «Il signifie à peu de choses près la même chose que *ousia*, mais il est plus descriptif et s'applique plutôt à la fonction, tandis que *ousia* est métaphysique et porte sur la réalité. Les Personnes de la

Trinité ont une *phusis*, parce qu'elles ont une *énergeia*[1]»
Phusis implique donc l'idée d'exercer une fonction, une
activité et a une connotation plus dynamique que *ousia*.

L'emploi de hupostasis et de prosôpon

Le cas de hupostasis

Le mot *hupostasis* a connu des emplois variés dans la
langue courante, puis dans le langage de la philosophie. Le
terme a été aussi utilisé dans les œuvres théologiques avec des
acceptions qui ont évolué vers un sens très technique. A
l'époque du concile de Nicée (325), *hupostasis* est l'équivalent de *ousia*. Dans la suite, les discussions entre homoou-
siens, homéousiens et anoméens suscitent un effort de précision pour distinguer en Dieu l'ousie commune et les « trois »
que les Latins nomment *Personae*. Athanase était longtemps
hésitant ; en effet, selon lui, il était dangereux de parler de
trois hypostases ; car l'on donnait l'impression d'abonder
dans le sens des ariens qui, prenant *hypostase* au sens de
ousie, étaient prêts à parler de trois hypostases en Dieu au
sens de trois *ousies*, différentes et subordonnées entre elles :
dès lors on ne peut plus parler d'unité *d'ousie* en Dieu.
D'autre part, Athanase constatait que, parmi ses partisans,
ceux qui étaient portés à affirmer qu'en Dieu il y a trois
hypostases, insistaient en même temps sur l'unique *ousie* en
Dieu ; finalement il accepta les deux formulations. On sait
que ce furent les Cappadociens qui contribuèrent de façon
décisive à faire prévaloir la formule *mia ousia-treis hupostaseis*. La *Lettre 38* du corpus attribué à Basile, dont le véritable auteur, d'après les spécialistes, est Grégoire de Nysse,
part de la notion de nature commune propre aux individus
d'une même espèce ; l'individu, par rapport à ce qui est
commun (*koinon*), est marqué par des traits propres, par des

---

1. L. Prestige, *Dieu dans la pensée patristique*, p. 20. La citation tirée du
traité *Ad Abl.* donnée un peu plus loin, figure dans *GNO* III, 1, p. 48. Pour
ce qui est du *CE*, cf. B. Pottier, *Dieu et le Christ selon Grégoire de Nysse*,
p. 109-118.

caractères individuants (*idiôma, idion idiazon*) qui font du *koinon* une *hypostase*. Le *Discours catéchétique* offre plusieurs passages dans lesquels *hupostasis* est utilisé comme terme technique :

— ch. 1 : «Mais puisque la doctrine de la piété sait aussi discerner une différence d'hypostases dans l'unité de nature...»

— ch. 3 : «Selon l'hypostase, autre chose est le Pneuma, autre chose le Logos...»

— ch. 3 : «... la distinction selon les hypostases»

Mais dans d'autres passages, *hupostasis* se rapproche des acceptions que donne à ce terme le langage courant et signifie : réalité (ch. 1 ; 7) ; existence (ch. 8).

Il convient d'ajouter des formes, surtout participiales, du verbe *huphistèmi* qui vont dans le sens de «doué de subsistence»; parfois ces formes verbales sont accompagnées de *ousiôdôs* : c'est une manière de souligner le caractère de subsistence réelle du Logos, face à des adversaires qui sont portés à la nier.

Le cas de *prosôpon*

Le *Discours catéchétique* comporte un seul emploi de *prosôpon* au sens fort de *personne* : « D'après ce que transmet l'Évangile, il y a trois personnes (*prosôpa*) et trois noms par lesquels s'opère la naissance chez les croyants ; celui qui est engendré dans la Trinité est également engendré par le Père, le Fils et le Saint-Esprit » (ch. 39). Il sera question plus loin des relations entre *hupostasis* et *prosôpon*.

c. *Les notions de* dunamis *et d'*énergeia

Dans le *Discours catéchétique*, l'accent est mis sur la puissance et sur l'œuvre du Logos : «La volonté du Logos doit vouloir tout ce qui est bon, et, le voulant, elle doit absolument pouvoir le faire, et, le pouvant, elle ne saurait manquer d'efficacité, mais transformer en actes tous ses projets visant

le bien» (ch. 1). Ces affirmations soulèvent une question :
Grégoire attribue-t-il cette puissance (*dunamis-exousia*),
cette activité (*énergeia*) au Logos, à titre personnel, en tant
qu'hypostase ou bien estime-t-il que le Logos exerce une
activité et possède une puissance communes aux trois personnes de la Trinité ? Dans le premier cas, il fournirait, sans le
vouloir, des arguments à ceux qui lui reprochent de verser
dans le trithéisme. Le traité comporte les éléments de
réponse suivants : «En tant que subsistant par lui-même, le
Logos se distingue de Celui dont il tient la subsistence ; mais,
en tant qu'il manifeste en lui-même les caractères que l'on
observe en Dieu, il a la même nature que celui chez qui on
découvre les mêmes marques» (ch. 1). Ailleurs il déclare :
«Le pouvoir (*kratos*) de la monarchie ne se divise pas en
divinités différentes» (ch. 3). Mais on chercherait vainement
une indication claire sur la façon dont une hypostase met en
œuvre une puissance qui est une en Dieu. A ce sujet le traité
trinitaire *Ad Ablabium, quod non sunt tres dii* s'exprime de
manière plus satisfaisante. Les hommes, est-il dit, agissent à
titre individuel et de façon indépendante. Pour Dieu rien de
tel : le Père ne fait rien seul par lui-même indépendamment
du Fils ni le Fils indépendamment de l'Esprit : «Toute action
divine passant de Dieu à la création ... part du Père, progresse par le Fils et se parachève dans l'Esprit» (*Ad Abl.* 9,
GNO III,1, p. 48). Le *Contre Eunome*, de son côté, s'attache
à préciser les notions d' *énergeia* et de *dunamis*. La raison en
est qu'Eunome avait fondé une partie de son argumentation
sur le trinôme *ousia-dunamis-énergeia* en vue de distinguer
les trois personnes entre elles et de prouver leur subordination l'une par rapport à l'autre. En s'efforçant d'établir, dans
le *Contre Eunome*, que le Logos est *dunamis* de Dieu et qu'il
met cette puissance en œuvre pour la création, Grégoire
cherchait à ruiner la démonstration d'Eunome pour lequel le
Logos est la première créature. Dans le *Discours catéchétique*
les considérations sur ces notions de *dunamis-énergeia* occupent une place moins importante ; mais si on les met en

relation avec *ousia-phusis-hupostasis,* elles permettent de rendre compte de ce qu'on nommera l'activité des Personnes divines *ad extra.*

d. *Nature de Dieu*

Peut-on dire quelque chose de l'essence de Dieu? Le *Discours catéchétique* permet-il d'affirmer que telle perfection représente la base dernière et fondamentale de la divinité, la racine de toutes les autres perfections? Certains commentateurs de Grégoire de Nysse, se référant à d'autres œuvres, pensent que cette perfection fondamentale, c'est l'infinité (E. Mühlenberg) ou l'*Ipsum esse* (Diekamp) [1]. Le présent traité ne permet pas de dirimer le débat. En effet, il se range parmi les œuvres qui affirment l'incompréhensibilité de l'essence divine, même si l'insistance sur cet aspect est moins forte que dans des œuvres comme le *Contre Eunome.* De l'avis de Grégoire de Nysse, certaines vérités sont entourées d'un halo de mystère : l'esprit humain enfermé dans des limites, qu'il ne saurait franchir de lui-même, est incapable de connaître l'essence de Celui qui est infini. Cependant certaines assertions sont possibles à partir de ce que nous observons ou expérimentons et en fonction d'un raisonnement qui cherche l'objectivité : on peut parler de certains «attributs», liés à l'essence divine, en ayant recours à des termes variés qui demandent d'ailleurs à être épurés pour éviter tout anthro-

---

1. En plus de l'ouvrage cité dans la note précédente, cf. F. DIEKAMP, *Die Gotteslehre des heiligen Gregor von Nyssa* ; E. MÜHLENBERG, *Die Unendlichkeit Gottes* ; A.MEREDITH, « The Idea of God in Gregory of Nyssa », dans *Studien zu Gregor von Nyssa und der christlichen Spätantike,* p. 127-147. Ayant comparé différentes œuvres, ce dernier a constaté des déplacements dignes d'attention : dans le *De virginitate,* l'accent est mis sur la beauté parfaite ; dans le *CE,* sur l'infinité du Dieu incréé ; dans le *De orat. cat.,* sur la notion de perfection ; dans l'*In Canticum,* sur l'incognoscibilité et l'infinité de Dieu dans un contexte mystique ; dans le *De vita Moysis,* sur l'infinité du mouvement ascensionnel de l'homme vers un Dieu qui dépasse infiniment les possibilités de compréhension de l'intelligence humaine.

pomorphisme. De même, selon Grégoire, notre esprit est capable de saisir quelque chose des vérités qui proviennent de la révélation surnaturelle.

Les attributs de Dieu

Une liste exhaustive des passages dans lesquels l'auteur indique tel ou tel attribut de Dieu permettrait de mieux percevoir le sens des précisions qu'il apporte et le parti qu'il en tire pour la démonstration menée. C'est ainsi qu'il utilise des termes qui désignent ce qu'on nomme des « attributs négatifs » : infini (*apeiros*, ch. 10), non soumis au changement (*atreptos*, ch. 20 et 39), immuable (*amétablètos*, ch. 20 et *amétastatos*, ch. 39), incompréhensible (*akatanoètos*, ch. 14), incréé (*aktistos*, ch. 20 et 39), non soumis aux « *pathè* » (*apathès*, ch. 6). Certains attributs dits « positifs » jouent un rôle déterminant dans la justification de l'économie du salut : bonté, justice, sagesse, puissance, philanthropie, amour, prescience, omniprésence (ch. 20-26). L'auteur souligne d'ailleurs la nécessité de tenir compte de la synergie entre les attributs : ainsi, dit-il, la puissance sans la bonté aboutit à la tyrannie (ch. 20).

Grégoire parle souvent de la « nature incréée ». Sans aucun doute, il s'efforce de battre en brèche les démonstrations des anoméens. En effet, raisonnant à partir de notions comme celles d'inengendré, les ariens de la deuxième génération insistaient sur la ligne de différenciation d'ordre ontologique qui, au sein de la Trinité, sépare le Père nettement du Fils et de l'Esprit : seul le premier est incréé, les deux autres sont à considérer comme des créatures. D'accord avec ceux qui défendent l'orthodoxie nicéenne, Grégoire prend soin de spécifier clairement que les trois Personnes sont incréées ; dans ce contexte, cela revient à dire qu'elles sont consubstantielles et qu'elles ont en commun l'unique nature divine.

Un autre aspect important pour la systématisation que tente Grégoire est que la nature divine veut se communiquer : Dieu veut que l'homme, créé à son image, puisse participer aux perfections divines ; après la chute, l'homme reste l'objet de la «philanthropie» divine et le Logos lui-même revêt la forme humaine pour libérer et guérir l'homme et le rappeler à la grâce première : c'est ce que K. Rahner nomme l'«autocommunication» de Dieu. Grégoire va plus loin que d'autres Pères, puisqu'il précise que l'ange de la terre était initialement destiné à collaborer avec Dieu pour communiquer le bien (ch. 6) et que l'homme, placé aux confins du monde sensible et du monde intelligible, devait constituer un relais pour communiquer la grâce au reste de la création (ch. 6).

e. *Comparaison avec d'autres œuvres dogmatiques : le* Contre Eunome *et les* Petits traités trinitaires

Le *Discours catéchétique* ne s'étend pas sur la question trinitaire comme le font le *Contre Eunome* et les *Petits traités trinitaires*. Une rapide comparaison fera ressortir quelques différences et quelques convergences sous le rapport du vocabulaire et des thèmes théologiques.

Vocabulaire

Ce qui frappe l'attention dans le *Contre Eunome*, c'est la fréquence de l'emploi de *ousia* et l'effort de précision à propos de ce terme. Indubitablement, les besoins de la controverse ont marqué la démarche du Nysséen. C'est qu'Eunome avait fait de la notion d'ousie l'une des pièces maîtresses de son système. Pour lui, il existe une ousie suprême, la seule qui mérite ce nom au sens propre, la seule à posséder véritablement l'être : les ousies du Fils et du Saint-Esprit ne possèdent l'être que de façon participée, sont inférieures à l'ousie suprême et inégales entre elles-mêmes. Eunome pratique, sous ce rapport, une ontologie scalaire, proche du néo-platonisme. Selon des auteurs récents, Grégoire se serait inspiré de la distinction établie par Aristote entre la *prôtè ousia* qui est l'individu et la *deutéra ousia* qui est l'essence ou la quiddité ou aussi l'espèce. En effet, au point de vue du champ sémantique, le terme *ousia* est utilisé par Grégoire soit au sens philosophique soit au sens théologique. Le sens philosophique reprend le concept de *deutéra ousia*, désignant donc l'essence ou l'espèce. R. Hübner constate que, comme terme technique théologique, *ousia* est fréquemment employé dans le *Contre Eunome*, alors que celui de *hupostasis* l'est avec une fréquence beaucoup moins grande ; c'est probablement parce qu'Eunome lui-même ne raisonne guère à partir d'une catégorie dont il n'a pas besoin. Pour le *Contre Eunome*, ce qui est significatif, c'est que *hupostasis* a le sens technique de personne trinitaire dans 45 pour cent des cas ; pour le reste des occurrences, ce terme sert à désigner la consistance d'une chose, la consistance des mots, l'existence d'une chose [1].

Comme nous l'avons vu plus haut, le *Discours catéchétique* est plus que discret pour l'emploi du terme de *ousia :* celui de *phusis* lui est préféré.

Pour les *Petits traités trinitaires*, la situation se présente sous un autre jour. En effet, les occurrences des mots-clés donnent le tableau suivant [2] :

	Graec.	Diff. Ess.-hyp.	Eusth.	Abl.
Ousia	96	19	3	4
Hupostasis	35	32	6	11
Prosôpon	58	3	1	4
Phusis	6	11	30	62

En guise de conclusion on peut retenir quelques données qui résultent de cette rapide comparaison. Dans le *Discours catéchétique*, l'exposé sur la Trinité comporte des éléments fondamentaux, mais il est parfois moins précis que dans le *Contre Eunome*. Ainsi Grégoire ne soulève pas la question de l'*agennètos*, comme il le fait dans le *Contre Eunome*. Si l'on

---

1. Cf. B. POTTIER, *Dieu et le Christ selon Grégoire de Nysse*, p. 90-100.

2. Le tableau est de CH. STEAD, « Why not Three Gods ? », dans *Studien zu Gregor von Nyssa und der christlichen Spätantike*, Leiden 1989 et a été repris par B. POTTIER, *Dieu et le Christ selon Grégoire de Nysse*, p. 103.

étudie l'emploi de *hupostasis* dans le *Discours catéchétique*, on constate que le nombre des occurrences est proportionnellement plus élevé que pour *ousia*. C'est dire que les deux termes ne forment pas un couple indissociable dans l'esprit de l'auteur : à l'époque du moins où il rédige le *Discours catéchétique*, il privilégie le couple *phusis-hupostasis*. D'autre part, les notions de *dunamis-énergeia* jouent un rôle moins important que dans le *Contre Eunome*. Ces diverses données peuvent être prises en compte pour la datation du *Discours catéchétique*.

2. Christologie

Alors que pour la théologie trinitaire les Pères cappadociens ont apporté une contribution décisive, pour la christologie, en revanche, ils ont opéré avec des catégories qui ne leur ont pas permis d'arriver à des formulations pleinement satisfaisantes. Grégoire de Nysse, notamment, a tenu un langage qui lui a attiré tantôt l'accusation de diphysisme, tantôt celle de monophysisme. En fait, les besoins de la controverse l'ont forcé à mettre progressivement l'accent sur la réalité des deux natures qui se rencontrent en Jésus-Christ.

a. *Vocabulaire et terminologie*

1) Le vocabulaire utilisé pour désigner les termes divin et humain de l'union est assez varié, mais fait naître l'impression de n'être pas encore fixé. Un rapide relevé d'expressions est révélateur : « Union entre une nature divine et l'humain » (ch.10 ; cf. ch.19). — « Si vous vous demandez comment la divinité se mélange à l'humanité... » (ch. 11 ; cf ch. 14 et 32). — « Dieu a fait un séjour dans notre vie » (ch. 18). — « La divinité se cacha sous l'enveloppe de notre nature » (ch. 24). — « ... Pour que ce qui est nôtre, par son mélange avec le divin, pût devenir divin » (ch. 25). — « C'est en se mêlant à l'humanité, en en revêtant tous les caractères propres à la nature, la naissance, l'éducation, la croissance, et en franchissant toutes les étapes jusqu'à l'épreuve de la mort que Dieu a exécuté tout ce dont nous avons parlé plus haut... » (ch. 26). — « La nature terrestre semble indigne de cette étroite union avec la divinité » (ch. 27).

Tous ces passages dénotent une sorte de réticence à utiliser « Logos », « Fils de Dieu » et « Christ », lorsqu'il est question du Logos engagé dans le devenir humain. Il est vrai que l'interprétation de ces titres donne lieu à des divergences appréciables : les anoméens par exemple s'appuient sur *Ac* 2,13 pour soutenir que Jésus est devenu « Christ et Seigneur » seulement après la résurrection. D'un autre côté, à plusieurs reprises, Grégoire utilise *Théos* (non pas *Ho Théos*) là où l'on attendrait *Logos* : cf. ch. 11 ; 12 ; 1 ; 28. Enfin le lecteur peut éprouver une certaine gêne lorsque plusieurs développements comportent de nombreux verbes sans sujet exprimé, là où le sujet logique est Logos incarné ou Christ. Comment expliquer ce relatif silence autour de certains titres ? L'auteur a-t-il voulu éviter aux utilisateurs de son « manuel » de pénibles controverses avec des adversaires particulièrement coriaces ? C'est dans le *Contre Eunome* III qu'il s'efforce de façon conséquente de tirer les choses au clair. Serait-ce une preuve que le *Discours catéchétique* est antérieur au *Contre Eunome* III ?

2) Pour désigner le type d'union Grégoire emploie des termes variés ; l'étude des occurrences révèle que c'est le thème du « mélange » qui est privilégié. On constate que le vocabulaire n'a pas encore atteint le statut de la terminologie technique dont l'autorité s'impose : la variété de l'expression donne l'impression d'un effort de recherche du mot juste. Voici un bref aperçu sur les principaux thèmes abordés [1] :

---

1. Cf. J.R. Bouchet, « Le vocabulaire de l'union et du rapport des natures chez saint Grégoire de Nysse », dans *Revue Thomiste* 68, 1968, p. 533-582.

— Thème de l'entrée en contact : (*aptô* et ses composés) :

ch. 15 : « Pourquoi rougir de confesser que Dieu est entré en contact avec la nature humaine ? » (Cf. aussi ch.16) .

— Thème de l'entrelacement (*sumplokè*) :

ch. 24 : « ... La condescendance, qui incline le Seigneur vers la bassesse de notre nature, ..nous fait voir comment la divinité, étroitement unie [entrelacée] à la nature humaine, devient ceci en restant cela ».

— Thème du mélange (*mixis-krasis*) :

ch. 32 : « Le Dieu qui s'est manifesté s'est mêlé à la nature périssable... »

— Thème de l'union (*hénôsis*) :

ch.10 : « Qui nous empêche, quand nous concevons une union et un rapprochement entre une nature qui est divine et ce qui est humain, de conserver intacte dans ce rapprochement l'idée qu'on doit se faire de Dieu... ? »

A ces tournures on peut en ajouter d'autres formées à partir du verbe *ginomai* ou du substantif *génésis* qui demandent parfois à être compris au sens de « naître-naissance » :

ch. 9 : « ... une naissance humaine » ;

ch. 11 : « Que Dieu ait pris naissance dans la nature humaine... »

Les variations sur ce thème font appel à d'autres registres :

ch. 12 : « Dieu s'est manifesté dans la chair... »

ch. 26 : « Dieu... cachant la divinité sous l'enveloppe de la nature humaine ... »

ch. 32 : « L'homme en qui Dieu s'était incarné » (qui avait accueilli Dieu — *théodochos*) ».

Une seule fois Grégoire emploie le terme plus technique de *énanthrôpèsis*, qui n'a pas d'équivalent exact en français ; littéralement il faudrait traduire « le fait de se faire homme » :

ch. 26 : « Ce sont ces enseignements et d'autres du même genre que nous donne le grand mystère de l'Incarnation [*énanthrôpèséôs*]. »

Grégoire semble vouloir prouver que l'on peut exprimer de bien des façons la notion d'Incarnation à partir du moment où l'on a conscience de ce qui est fondamental : il utilise des registres fort différents avec une réelle virtuosité.

Portée du langage de l'union par mélange

Pour bien saisir la portée du langage axé sur le thème de l'union par mélange, il faut tenir compte de la charge philosophique du vocabulaire, provenant des courants antérieurs, et en même temps de la marque personnelle imprimée par Grégoire de Nysse.

Dans les milieux philosophiques, on distinguait globalement les types suivants de mélange[1] : la *sunchusis* quand deux substances se mêlent au point qu'il en résulte une troisième ; la *krasis di'holôn* — quand deux substances s'interpénètrent de façon telle que chacune garde ses propriétés, l'exemple couramment cité étant celui de l'eau mêlée au vin ; la *mixis kat'épikrateian* qui est le mélange selon la prédominance et qui entraîne normalement l'absorption de la réalité inférieure par la réalité supérieure. Némésius d'Émèse fait observer que dans les trois cas il s'agit de substances matérielles qui s'unissent et qu'il convient aussi d'envisager l'union par mélange de réalités intelligibles avec ce qui peut les recevoir, même avec des réalités corruptibles, union sans confusion ni altération *(asunchutôs — adiaphthora)*. Comme on le verra dans la suite, Grégoire se montre attentif au mélange du corps et de l'âme et de façon plus générale au mélange du sensible et de l'intelligible. L'âme ne se mélange pas au corps comme l'eau se mêle au vin, car il s'agit de l'union d'une réalité spirituelle et d'une réalité

1. J.R. Bouchet, art. cit., p. 551-560.

matérielle. L'âme garde ses propriétés : elle n'est pas circonscrite dans le corps comme dans un récipient. De même, la
nature divine qui entre en union avec la nature humaine
garde ses propriétés, car elle reste immuable, infinie (ch. 10).

b. L'Incarnation dans son déploiement : vision dynamique de l'Incarnation

La formule de Chalcédoine fait l'objet de critiques sous
prétexte que si elle introduit une clarté décisive dans le débat,
elle est néanmoins trop statique et ne tient pas compte du
devenir historique dans lequel le Logos incarné s'est
engagé [1]. Ce genre de reproche ne saurait être fait à Grégoire
de Nysse quand il parle de l'Incarnation.

A plusieurs reprises Grégoire énumère des événements et
des faits de la vie du Christ pour répondre aux adversaires qui
en font état dans leurs objections. Ainsi il mentionne : «... la
naissance humaine, la croissance depuis la petite enfance
jusqu'à la maturité, le fait de manger et de boire, la fatigue, le
sommeil, la douleur et les larmes, la fausse accusation et le
tribunal, la croix, la mort et la mise au tombeau, la résurrection d'entre les morts» (ch. 9). Avec une habile naïveté, il fait
comprendre aux adversaires que ce qu'ils ne veulent pas
admettre, «l'ange de la terre» en prend acte : «Il n'a jamais
constaté rien de semblable à ce qu'il voyait chez celui qui se
manifestait alors : une conception sans union sexuelle, une
naissance exempte de corruption, un allaitement de la part
d'une vierge, des voix provenant du monde invisible attestant
d'en haut la caractère merveilleux de sa dignité, la guérison
sans efforts et sans remèdes des infirmités naturelles...»
(ch. 23).

Parmi tous ces événements, ce qui retient particulièrement son attention, c'est, d'une part, la conception et la
naissance du Christ, et d'autre part, la mort et la résurrec-

---

1. A. GRILLMEIER, « Chalcédoine, fin ou commencement ? », dans Le
Christ dans la tradition chrétienne, Paris 1973, p. 567-570.

tion, car ces quatre données ont des implications christologiques déterminantes.

Aux adversaires qui trouvent que la naissance du Christ est liée au *pathos* du changement (ch.16), Grégoire réplique en faisant valoir les conditions qui ont précédé la naissance : les évangiles rapportent que le Christ est né d'une vierge. Qu'il ne soit pas un homme ordinaire, les miracles qui se produisent à l'occasion de la naissance ou ceux qu'il opère lui-même prouvent qu'en lui habite la puissance divine. Certes le Logos avec sa nature divine s'est uni à la nature humaine ; il s'est soumis à la naissance et à la mort ; mais ces deux formes de changement concernent la nature humaine et n'altèrent en rien la nature divine(ch. 13).

Pour ce qui est de la mort [1], les adversaires formulent les mêmes objections : elle serait aussi liée au *pathos* du changement. Grégoire invite à examiner à quoi mène la mort du Christ. Elle signifie indéniablement séparation de l'âme et du corps selon la loi de la nature humaine. Mais elle n'est pas suivie de la corruption du corps : Le Logos qui, lors de la conception s'était mêlé aux deux parties du composé humain, a de nouveau réuni le corps et l'âme après leur dissociation au moment de la mort, et il l'a fait pour une union durable (ch. 16). Ailleurs Grégoire explique que le Logos est resté présent à l'un et à l'autre après la mort, ce qui évite le début même de la corruption pour le corps [2].

Mais la résurrection en liaison avec l'exaltation du Christ représente en même temps une étape nouvelle pour l'humanité du Christ. L'auteur procède, il est vrai, par allusion : « L'homme en qui Dieu s'était incarné et qui fut élevé, par la

1. Cf. Plus loin la section consacrée à la valeur salvifique de la mort et de la résurrection du Christ.

2. Dans le *De tridui spatio*, l'*Antirrheticus* et *la Lettre 3*, Grégoire développe de façon très claire l'idée qu'en vertu de l'Incarnation le Logos s'est uni une fois pour toutes au composé humain et est resté présent auprès de l'âme et du corps, même lorsque, à la suite de la mort, ceux-ci ont été séparés : cf *De trid. spat.*, *GNO* IX, p. 290-294 ; *Antirrh...*, *GNO* III, 1, p. 153-154 ; *Epist.* 3, 22, *SC* 363, p. 141.

résurrection, ensemble avec la divinité, n'était pas venu d'ailleurs que de la pâte qui est la nôtre » (ch. 32) : le verbe composé *sunépartheis* signifie à la fois que le composé humain participe à la résurrection et à l'exaltation du Christ, qu'il reste étroitement uni au Logos sans être absorbé par la divinité, qu'il participe plus pleinement aux perfections divines, mais que c'est le Logos qui a l'initiative de l'élévation et de l'exaltation [1].

c. *Deux natures complètes en Jésus-Christ : vraiment Dieu, vraiment homme*

Vraiment homme

Certaines expressions peuvent paraître trop courtes, mais elles trouvent leur sens juste, si on procède par rapprochements avec d'autres formulations. Ainsi Grégoire parle de « celui qui est né dans la chair », littéralement qui « est devenu, qui a été dans la chair » : dans ce cas on peut se demander quel sens précis il donne à « chair ». Serait-il proche d'Apollinaire ? Or le *Discours catéchétique* dans son ensemble insiste sur l'idée que l'homme est à concevoir comme un composé de corps et d'âme, de sensible et d'intelligible. On peut même affirmer que tout l'exposé sur l'œuvre du salut repose sur l'idée que l'homme est corps et âme. A titre d'exemple on pourrait citer le texte suivant : « Nous affirmons que ... moyennant ce mélange ineffable et inexprimable, il a réalisé le plan selon lequel l'union, une fois effectuée, entre les deux éléments, c'est-à-dire son âme et son corps, est destinée à durer pour toujours » (ch.16). Ailleurs Grégoire explique ce que représentent pour l'homme la naissance et la mort : dans le ch. 26 par exemple il raisonne en termes d'union de l'âme

---

1. Selon J.R. BOUCHET, le thème de la présence du Logos auprès de l'âme et du corps du Christ séparés au moment de la mort est une manière d'affirmer « l'union hypostatique ». Cf. l'article cité p. 57, n. 1. Cf. aussi L.R. WICKHAM, « Soul and Body : Christ's Omnipresence », dans *The Easter Sermons of Gregory of Nyssa*, éd. Spira-Klock, p. 279-292.

et du corps pour la naissance ou bien de dissociation de l'âme et du corps pour la mort. Quant au mot âme, Grégoire lui donne le sens de âme raisonnable : les passages concernant *l'homme créé à l'image* mentionnent, entre autres, le privilège qui a été accordé à l'homme d'être doué de raison et de sagesse (ch. 5). Selon A. Grillmeier, Grégoire propose une christologie *Logos-anthrôpos*, que P. Maraval voit confirmée dans la *Lettre* 3 et B. Pottier dans le *Contre Eunome*[1]. C'est fort juste, mais on pourrait ajouter que Grégoire de Nysse est dichotomiste dès ses premières œuvres, que sous ce rapport il ne connaît pas les flottements d'Athanase et qu'il est proche des formules que le Pape Damase soumet aux orientaux, en 374, pour les mettre en garde contre l'apollinarisme[2].

Vraiment Dieu

Dans les premiers chapitres, Grégoire a cherché à établir que le Logos est pleinement Dieu, ayant en commun avec le Père et l'Esprit Saint la même nature divine et les mêmes perfections divines. Dans la suite de l'exposé, il s'attache à montrer que le Logos s'est fait homme et qu'il n'y a pas eu de changement dans sa condition divine lorsqu'il s'est incarné. Les preuves qu'il fait valoir sont diverses : *d'abord* les miracles qui concernent le Christ lui-même, tels que la naissance virginale (ch. 23) ; *ensuite* l'Incarnation en elle-même : « Tu n'ajoutes pas foi à ce miracle ? ... si ce qui est raconté au sujet du Christ s'était déroulé dans les limites de la nature, où serait le divin ? Mais si le récit dépasse la nature, ce sont les faits mêmes suscitant ton incrédulité, qui fournissent la preuve que celui que nous annonçons est Dieu » (ch.13) ; *puis* les actes de puissance qu'il accomplit : guérisons, multiplica-

1. A. GRILLMEIER, *Le Christ dans la tradition chrétienne*, p. 299-302 ; 327-337 ; P. MARAVAL, « La lettre 3 de Grégoire de Nysse dans le débat christologique », *RevSR* 61, 1987, p. 74-89 ; B. POTTIER, *Dieu et le Christ selon Grégoire de Nysse*, p. 270-271.
2. Cf. DzS, 146, *De incarnatione contra Apollinaristas*.

tion des pains, rappel de certains morts à la vie (ch. 23) ; *enfin*, le fait que le Christ est l'auteur de sa propre résurrection, ce qui est affirmé clairement dans plusieurs passages : « Il a de nouveau réuni ce qui était séparé comme avec une colle, je veux dire avec la puissance divine, en réajustant pour les joindre dans une union indestructible les parties qui avaient été séparées ; et c'est là la résurrection » (ch.16). — « Celui qui a de nouveau uni à son propre corps l'âme qu'il avait revêtue, en ayant recours à sa puissance mêlée à l'un et à l'autre dès l'union initiale... » (ch. 16). — « Dieu n'a pas empêché que la mort sépare l'âme du corps selon l'ordre inéluctable de la nature, mais, par la résurrection, il a de nouveau rétabli l'union entre les deux, de façon à ce qu'il soit lui-même la ligne de partage entre les deux domaines, celui de la mort et celui de la vie, en provoquant en lui-même l'arrêt de la dissolution de la nature et en devenant lui-même le point de départ du retour à l'union des deux après leur séparation » (ch.16).

Communication des idiomes et union « hypostatique »

Nulle part dans le *Discours catéchétique* n'est énoncé explicitement le principe selon lequel on peut attribuer à la personne de Jésus-Christ ce qui est propre soit à la nature divine soit à la nature humaine. Cependant l'un ou l'autre passage atteste de façon indirecte que Grégoire applique cette règle. Ainsi il fait état d'objections qui reposent sur l'idée qu'il est indigne de Dieu que le Logos se fasse homme en assumant les faiblesses de la condition humaine. La réponse est que certaines caractéristiques de cette condition ne sont pas mauvaises en elles-mêmes : la naissance du Christ n'est pas un *pathos* au sens propre du terme, ni non plus la mort : « Pour ce qui est de Dieu, nous affirmons qu'il a passé par les deux formes de changement de notre nature, dont l'une fait que l'âme s'unit au corps et l'autre, que le corps soit séparé de l'âme ; nous affirmons aussi qu'il s'est mêlé à chacun des deux éléments, c'est-à-dire à la partie sensible et à

la partie intelligible du composé humain et que, moyennant
ce mélange ineffable et inexprimable, il a réalisé le plan selon
lequel l'union, une fois effectuée, ... est destinée à durer pour
toujours » (ch. 16). De façon plus claire, dans une longue
énumération concernant les événements de la vie du Christ,
il déclare : « Il [le Logos Dieu] goûte à la mort » (ch. 15). Les
passages cités ont trait à l'abaissement volontaire du Logos
incarné. D'autres passages sont destinés à faire comprendre
que le moment de la résurrection-exaltation est important
pour la nature humaine en Jésus-Christ, puisque celle-ci est
associée à un degré plus élevé aux perfections divines. La
communication des idiomes n'est pas, pour Grégoire une
simple figure de rhétorique : elle signifie quelque chose de
fondamental pour la démonstration menée dans le cadre du
traité [1].

d. *Quelle est la raison dernière de l'Incarnation ?*

Athanase avait indiqué deux fins pour l'incarnation du
Logos. D'une part, le Logos voulait racheter l'homme par sa
mort sur la croix ; d'autre part, il voulait apporter aux hommes la vraie connaissance [2]. Grégoire insiste sur la première
fin, tout en se montrant original dans la présentation de ce
thème. Quant à la raison ultime de l'intervention du Logos en
faveur des hommes, c'est selon les deux auteurs, la *philanthrôpia*. A ce propos on ne peut s'empêcher de faire un
rapprochement avec le *Cur Deus Homo* [3] de saint Anselme.
Certes le contexte culturel est fort différent d'une œuvre à
l'autre ; de même la systématisation. Constatons cependant
que saint Anselme met l'accent sur la satisfaction que seul le
Christ peut apporter par sa mort librement acceptée et qui
représente la condition nécessaire et suffisante de la rédemption — il n'est guère question de résurrection — ; Grégoire

1. Cf p. 62, n. 1.
2. ATHANASE, *De Incarnatione*, *SC* 199, p. 289-325.
3. ANSELME DE CANTORBÉRY, *Pourquoi Dieu s'est fait homme*, *SC* 91.

de Nysse, en revanche, souligne le fait que c'est dans « la surabondance de son amour » que Dieu décide de sauver les hommes et de les rappeler à la grâce première moyennant la résurrection du Christ, qui devient principe de résurrection pour les hommes. Là où Anselme procède par focalisation sur un aspect, Grégoire propose une synthèse plus ouverte et moins juridique.

3. ANTHROPOLOGIE

a. *Le monde matériel, berceau de l'humanité*

Grégoire attribue la création du monde et de l'homme de façon spéciale au Logos : pour lui, cette œuvre du Logos est le fruit de la raison et de la sagesse : « Le monde est une œuvre bonne ainsi que tout ce qui se présente en lui comme fait avec art et sagesse » (ch. 1).

Le fait que le monde est bon permet de réfuter les théories qui accordent une place prépondérante au hasard, ou celles qui prétendent que la matière est mauvaise, ou encore celles qui mettent l'accent sur les imperfections du monde qu'il faudrait attribuer à la maladresse, à l'incompétence du démiurge, voire à la malveillance d'un dieu méchant. Grégoire sait se montrer sensible à l'harmonieuse organisation de l'univers : « En dépit des profondes oppositions qui existent entre les différents éléments, une certaine harmonie, assurant l'accord entre les éléments opposés, a été ménagée par la sagesse qui gouverne l'univers et de cette manière se trouve réalisée la consonance interne de toute la création. » Et il ajoute : « De la même manière, se produisent, sous l'effet de la sagesse divine, un mélange et une combinaison du sensible et de l'intelligible, pour que tout puisse également participer au bien » (ch. 6). Or ce mélange s'opère, d'une manière spécifique, dans l'homme.

Reconnaissons que, dans le *Discours catéchétique*, l'auteur ne s'étend guère sur l'ordre du monde, comme il le fait dans le *De hominis opificio.* De ce dernier ouvrage se dégage une vision dont les principaux aspects sont les suivants : la création en six jours obéit à un mouvement ascendant voulu par Dieu ; du moins parfait on s'élève progressivement à ce qui est plus parfait ; l'homme est le couronnement de cette évolution progressive[1] : l'auteur s'exprime clairement sur ce point : « Et toute la création, dans sa richesse, sur terre et sur mer, était prête, mais celui dont elle est le partage n'était pas [encore] là[2]. »

b. *L'homme créé à l'image*

Le Logos créateur d'un monde qui est bon avec tout ce qu'il renferme a aussi créé l'homme selon un plan destiné à conférer à celui-ci une place privilégiée. Appelé à la vie pour prendre part aux biens de Dieu (ch. 5), l'homme, créé à l'image de Dieu, a été doué de « vie, de raison, de sagesse et de tous les biens vraiment divins » (ch. 5). Dans l'un ou l'autre passage, l'auteur cherche à préciser ce qui constitue la dignité de cette créature unique, ainsi : « Doté de puissance à la suite d'un bienfait divin, l'homme avait été placé à un rang élevé, car il avait été chargé de régner sur la terre et sur tout ce qu'elle porte ; il avait un bel aspect, puisqu'il avait été fait à l'image même de l'archétype de la beauté ; il était exempt de *pathè*, puisqu'il était à l'image de Celui qui est impassible ; il avait une pleine liberté de langage, puisqu'il se délectait de voir Dieu qui se manifestait à lui face à face » (ch. 6). Parmi les privilèges accordés à l'homme figure la liberté qui est le fait d'être indépendant de toute nécessité et de pouvoir se déterminer librement : « Celui qui a créé l'homme en vue de le

---

1. H. Urs von Balthasar, « La philosophie du devenir et du désir », dans *Présence et pensée*, p. 1-80.

2. Cf. Grégoire de Nysse, *La création de l'homme*, *SC* 6, p. 89 ; à propos de cette phrase, J. Daniélou signale un passage de Cicéron : « Pour qui donc le monde a-t-il été fait, dira-t-on ? Il l'a été en réalité pour les êtres doués de raison » (*De natura deorum* II, 53).

faire participer à ses propres avantages et qui, en organisant sa nature, y a déposé les germes de tout ce qui est beau, pour que chacune de ces dispositions fît tendre le désir vers l'attribut correspondant, celui-là ne l'aurait pas privé du plus beau et du plus précieux de ces biens, je parle du don gracieux de l'indépendance. Si quelque nécessité, en effet, déterminait la vie humaine, l'image, sur ce point, serait mensongère, car elle serait altérée par un élément qui ne ressemble pas à l'archétype. Comment pourrait-on qualifier d'image de la nature souveraine ce qui est soumis et assujetti à certaines nécessités ? Ce qui a été fait en tout point à la ressemblance de la divinité devait nécessairement posséder dans sa nature la liberté et l'indépendance» (ch. 5). L'homme, créé à l'image, jouit aussi du privilège de l'immortalité (ch. 5). De même il participe à l'*apatheia*, qui n'est pas à confondre avec l'ataraxie, mais qui signifie libération par rapport à l'attrait des passions [1].

La conception de Grégoire se distingue de celle des philosophes grecs par des traits originaux. En effet, pour Platon, la ressemblance avec l'archétype caractérise tous les êtres dans la nature et signifie en même temps dégradation de la nature intelligible dans la réalité sensible. Pour Grégoire, seul parmi les êtres vivants, l'homme est à l'image de Dieu ; on ne saurait affirmer la même chose des autres êtres ni de la création matérielle. D'autre part, l'image n'est pas un pâle reflet du monde des Idées ; elle implique participation aux perfections divines et crée entre Dieu et l'homme une affinité, une parenté (*sungéneia*). La notion d'image selon Grégoire de Nysse a donc un contenu plus positif que celle de Platon [2].

---

1. Cf. R. Leys, *L'image de Dieu chez Grégoire de Nysse*, Paris 1951.

2. On trouvera des éléments de comparaison dans H. Urs von Balthasar, « La philosophie de l'image », dans *Présence et Pensée*, p. 81-100 ; R. Bernard, *L'image de Dieu d'après saint Athanase*, coll. *Théologie* 25 ; H. Crouzel, *Théologie de l'image de Dieu chez Origène*, coll. *Théologie* 34 ; A.G. Hamman, *L'homme image de Dieu*, Relais Études 2.

c. *L'homme, lieu de rencontre entre l'intelligible et le sensible : l'homme, esprit incarné*

Quelle est la place assignée à l'homme dans le monde ? La réponse donnée à cette question débouche sur celle du rôle que doit jouer l'homme par rapport au monde sensible. Selon Grégoire, nous avons une double perception de la réalité dans laquelle nous sommes immergés et dans laquelle la pensée distingue l'intelligible et le sensible : « Un grand intervalle les sépare l'un de l'autre, si bien que ni le monde sensible ne porte les marques de l'intelligible, ni le monde intelligible celles du sensible, mais que chacun d'eux est caractérisé par des qualités nettement opposées entre elles » (ch. 6). Cependant, dans le monde sensible, il existe une certaine harmonie entre les éléments opposés. De même, sous l'effet de la sagesse divine, « se réalisent un mélange et une combinaison du sensible et de l'intelligible, pour que tout puisse également participer au bien » (ch. 6). L'homme apparaît justement comme un mélange de l'intelligible et du sensible opéré par la nature divine,... « afin que ce qui est terrestre soit élevé par son union avec ce qui est divin et que par le mélange de la nature d'en bas avec celle qui est au-dessus du monde, une seule et même grâce s'étende également à travers toute la création » (ch. 6).

D'une certaine manière, la loi de l'Incarnation est comme préfigurée par ce mélange d'intelligible et de sensible, car le Logos en se mélangeant à un composé humain surélève en lui le sensible à travers l'intelligible posant ainsi le principe de la « spiritualisation » de la matière. En même temps, on peut faire remarquer avec J. Daniélou : « La présence de l'esprit dans le corps terrestre n'est pas le résultat d'une chute, mais celui d'une disposition de Dieu [1]. » L'importance de ce thème du mélange de l'intelligible et du sensible au niveau de l'homme se révélera plus clairement dans les considérations

---

1. J. Daniélou, *L'être et le temps*, p. 85.

de Grégoire sur l'œuvre de salut accomplie par le Christ à travers la mort et la résurrection.

d. L'homme est-il «capax Dei»?

Grégoire de Nysse se révèle comme un penseur perspicace, porté à discerner les différents aspects d'un problème comme celui de la possibilité d'une relation effective entre Dieu et l'homme. Certes, vue du côté de Dieu, cette relation est rendue possible par la toute-puissance de Dieu qui se manifeste au suprême degré dans l'abaissement de l'Incarnation : il en a été question plus haut. Néanmoins il convient de se demander si cette relation est possible du côté de l'homme. Y a-t-il chez ce dernier une capacité d'accueil? Existe-t-il une béance dans l'être même de l'homme? En définitive, la possibilité d'une authentique Incarnation en dépend. Grégoire apporte la réponse suivante : «Ainsi donc si l'homme accède à l'existence pour prendre part aux biens divins, il est forcément doté d'une constitution telle qu'il soit apte à avoir part à ces biens. Tout comme, en effet, l'œil, grâce à l'éclat d'éléments lumineux dont la nature l'a pourvu, participe à la lumière, attirant à lui, grâce à ce pouvoir inné, ce qui est de même nature, de même il fallait que fût mêlé à la nature humaine quelque chose qui fût en affinité avec le divin, de façon que, en raison de cette correspondance, elle fût portée par son élan vers ce qui lui est apparenté... L'homme, créé pour jouir des biens divins, devait avoir quelque affinité de nature avec ce à quoi il est destiné à participer. C'est pourquoi il a été doué de vie, de raison, de sagesse et de tous les biens dignes de la divinité, afin que chacun des ces privilèges lui fît éprouver le désir de ce qui lui est apparenté» (ch. 5).

e. Liberté faillible, péché : état premier-déchéance

A la vision avantageuse qui se dégage des développements sur l'homme image de Dieu, les adversaires peuvent opposer des faits tirés de l'expérience commune. Rien ne permet de constater le « caractère divin de l'âme » (ch. 5) : la condition actuelle de l'homme ne correspond nullement à la présentation flatteuse des privilèges dont le créateur est censé avoir gratifié l'homme.

Grégoire ne cherche pas à esquiver la difficulté et il donne une réponse circonstanciée en distinguant deux aspects : l'état actuel est, d'une part, la conséquence d'un choix opéré par une liberté faillible, séduite par une autre liberté faillible qui est celle de l'ange de la terre, et, d'autre part, c'est la conséquence d'une intervention de Dieu dictée par son amour envers l'homme, même après la chute, en vue de rendre possible la restauration de l'état premier.

La liberté, selon Grégoire, est l'un des privilèges les plus nobles de l'homme, mais elle est le fait d'un être créé et demande à être bien comprise. Une première erreur à écarter est celle qui consiste à prétendre que l'homme est soumis à des nécessités et qu'il n'a pas réellement de volonté indépendante. Des conceptions de ce genre étaient répandues dans le monde de l'époque et il est arrivé à Grégoire de rédiger un traité intitulé « Contra fatum » en vue de réagir contre le déterminisme stoïcien et le fatalisme astrologique. Dans le Discours catéchétique, il affiche la conviction que l'homme est doué de liberté : « Ce qui a été fait en tout point à la ressemblance de la divinité devait nécessairement posséder dans sa nature la liberté et l'indépendance » (ch. 5) ; mais il se montre soucieux d'expliquer comment l'homme a pu orienter son choix dans le sens du mal.

Une explication : liberté et changement

Comme nous l'avons vu plus haut, l'incréé est immuable, alors que le créé est changeant et muable : selon Grégoire de Nysse, le créé a une tendance naturelle au changement, vu qu'il accède à l'existence sous l'effet du changement originel que représente le passage du non-être à l'être. Or l'ange, à qui avait été confié par Dieu le gouvernement de la sphère terrestre, était lui-même soumis au changement en tant que créature, et il éprouva un violent sentiment de jalousie [1] à l'égard de l'homme qu'il voyait doté de privilèges divins : «Après qu'il eut fermé les yeux devant ce qui est bon et exempt d'envie,... cet être, au lieu d'envisager le bien, se mit à concevoir le contraire du bien : et c'est là l'envie» (ch. 6). Ce changement d'attitude provoqua des réactions en chaîne et déclencha un mouvement orienté dans une autre direction : «En effet, une fois que celui qui avait fait naître l'envie en lui-même en se détournant du bien fut sous l'emprise du penchant au mal — à la manière d'une pierre qui, arrachée du sommet d'une montagne, est emportée vers le bas sous l'effet de son propre poids — lui aussi, après avoir rompu les liens d'affinité naturelle avec le bien, et s'être incliné vers le mal, se vit emporté par son propre mouvement, pour ainsi dire sous l'effet de son propre poids, vers le dernier degré de la méchanceté» (ch. 6). Dès lors l'ange de la terre élabora des projets visant le mal et destinés à nuire à l'homme, objet de sa jalousie. Pour arriver à ses fins, il chercha à entraîner l'homme dans le mouvement vers le mal.

En tant qu'être créé, l'homme, de son côté, est soumis au changement qui se traduit sous forme de mouvement (*kinèsis*) pouvant revêtir deux formes : «L'une tend continuellement vers le bien et dans ce cas la progression ne connaît pas d'arrêt, puisqu'on ne peut concevoir de limite dans le domaine dans lequel on s'avance ; l'autre tend vers l'état opposé dont la caractéristique est la non-existence» (ch. 21). C'est dire que la liberté créée ne connaît pas la stabilité foncière qui lui permettrait de rester définitivement en repos : le changement est la loi même de son être. Mais comment une liberté orientée vers le bien peut-elle se laisser

1. Selon J. DANIÉLOU, la doctrine d'un ange préposé à la terre est attestée dans le judéo-christianisme ; le thème de la jalousie d'anges mauvais à l'égard d'Adam l'est dans l'apocalyptique juive de la fin du Ier siècle. IRÉNÉE, ORIGÈNE, MÉTHODE D'OLYMPE se font l'écho de cette conception. Cf. J. DANIÉLOU, *Théologie du judéo-christianisme*, p 139-151.

INTRODUCTION 73

détourner du mouvement vers le bien ? C'est que le mal prend les apparences du bien : « Pour ce qui est du bien, telle chose est réellement bonne selon sa nature, telle autre ne l'est pas au même titre, n'étant parée que d'une apparence de bien ; l'instance qui décide entre les deux, c'est l'intelligence qui a établi sa demeure en nous » (ch. 21).

C'est par ce biais que l'ange de la terre réussit son opération de séduction. Incapable d'exécuter son dessein par la force, il usa d'artifice pour circonvenir l'homme : « Lorsque donc l'intelligence, trompée dans son désir du vrai bien, se fut portée vers ce qui n'est pas, elle se laissa persuader, à la suite de la ruse du conseiller et de l'inventeur du vice, que le contraire du bien était le vrai bien — car la tromperie n'aurait pas produit ses effets, si l'apparence du bien n'avait pas enrobé, à la manière d'un appât, l'hameçon du vice — et l'homme tomba volontairement dans ce malheur, quand le plaisir l'eut amené à se courber sous le joug de l'ennemi de la vie » (ch. 21). De cette manière, l'homme, par un choix de sa volonté, « a fait entrer le mal dans sa nature » et est entraîné par « le mouvement vers le mal » (ch. 8).

f. *Conséquences de la chute : la condition mortelle de l'homme*

L'une des conséquences de la chute, c'est la condition mortelle de l'homme, qui est d'ailleurs moins un châtiment qu'un remède imaginé par la divine Providence.

Grégoire part de l'objection de ceux qui, dans leur indignation, trouvent que le pire des maux, c'est que notre existence prenne fin avec la mort. Pour sa réplique, Il s'appuie sur *Gn* 3, 21 où il est dit qu'après la chute, Dieu donna aux protoplastes des vêtements de peau. Écartant une interprétation trop littérale, il rejette l'idée qu'il s'agit de peaux de bêtes égorgées utilisées comme de simples vêtements et appliquées du dehors : « A mon avis, dit-il, le récit ne renvoie pas à des peaux de ce genre. ... Vu que toute peau séparée de l'animal est chose morte, je suis pleinement convaincu que celui qui cherchait à soigner notre disposition au mal, a, à partir de là, dans sa sage prévoyance, conféré aux hommes la faculté de mourir, empruntée à la nature privée de raison, sans toutefois la destiner à durer pour toujours» (ch. 8). La condition mortelle est en réalité étrangère à la vraie nature de l'homme : «Le vêtement fait partie de ces choses qui nous couvrent en provenant de l'extérieur, qui nous rendent service pour un temps, mais qui ne sont pas inhérentes à notre nature. Ainsi, selon une sage disposition, la condition mortelle, provenant de la nature des êtres privés de raison, servit à revêtir la nature qui, elle, a été créée en vue de l'immortalité ; elle en recouvre l'extérieur, non l'inté-rieur ; elle s'applique à la partie sensible de l'homme, mais ne touche pas à l'image divine elle-même» (ch. 8).

Dès lors, on pourrait se demander s'il ne convient pas de parler, pour l'homme, d'une double création : une première création serait à l'origine d'une humanité idéale, affranchie du poids du corps ; la deuxième, consécutive à la faute ini-tiale, amènerait Dieu à créer l'homme avec son corps maté-riel. Origène avait défendu cette thèse, tout comme Philon l'avait fait avant lui ; mais Grégoire, à la suite d'auteurs comme Méthode d'Olympe, la rejette. Pour lui, il convient de distinguer la création *én archèi* qui correspond à ce moment éternel, indivisible et hors de toute distension temporelle, où Dieu saisit en bloc l'origine, les causes, les forces de l'univers et crée d'un seul coup la substance de toutes choses... Concrè-tement, cet état n'a jamais existé pour nous et ne saurait se confondre avec l'état d'Adam dans le paradis terrestre [1].

Quand Grégoire parle de l'homme, il emploie des formules qui présentent l'être humain comme composé d'un corps et d'une âme. Le corps est défini comme un ensemble d'élé-ments assemblés organiquement et vivifiés par l'âme. Lors de la mort, le corps connaît la dissolution, en ce sens que les

---

1. Cf. Urs von Balthasar, *Présence et pensée*, Paris 1989, p. 39-44.

éléments se dispersent et retournent à ce qui leur est apparenté. A la différence du corps, l'âme est simple : Grégoire en donne la définition suivante : « L'âme est une substance créée, une substance vivante, spirituelle, qui introduit par elle-même dans un organisme corporel, capable de sensation, une puissance vivifiante et propre à saisir les réalités sensibles [1]. » Par rapport à une distinction courante dans la philosophie grecque, il précise : « Nous avons découvert en ce qui vit trois facultés distinctes : la première, nutritive, n'a pas la sensation ; la seconde, nutritive et sensitive à la fois, n'a pas l'activité rationnelle ; enfin, la dernière, rationnelle et parfaite, se répand à travers toutes les autres, en sorte qu'elle est présente en toutes et à l'esprit en sa partie supérieure. Cependant on ne doit pas en conclure que le composé humain soit formé d'un mélange de trois âmes que l'on pourrait considérer dans leurs délimitations propres. En réalité, l'âme, dans sa vérité et sa perfection, est une par nature, étant à la fois spirituelle et sans matière, et, par les sens, se trouvant mêlée à la nature matérielle [2]. »

g. *Conséquences de la chute : les* pathè *et les maux*

Même si au plus profond de son être est inscrite la marque de l'image, l'homme déchu vit désormais sous le régime des *pathè* [3]. Ce mot, difficile à rendre en raison de sa polyvalence, sert à désigner dans la langue courante tout ce qui affecte le corps et l'âme et comporte en général une connotation plus ou moins péjorative. Vu le parti qu'en tirent ceux qui formulent leurs objections contre l'incarnation du Logos, Grégoire essaie de clarifier le débat. D'après lui, il faut établir une

---

1. *De an.et res.*, *PG* 46, 30, tr. Terrieux, p. 79.
2. *De hom. opif.* 14, *SC* 6, p. 147.
3. Vu l'ambivalence du terme *pathos* et la difficulté d'en trouver l'équivalent exact, il semble préférable de garder *pathos* ou *pathè* en tenant compte de la précision apportée par Grégoire dans le passage cité un peu plus loin.

distinction fondamentale à propos des différentes acceptions : « Pour répondre à ces objections, nous avancerons
encore une fois le même argument, à savoir que le mot *pathos*
est employé tantôt au sens propre, tantôt au sens abusif.
Ainsi ce qui est en rapport avec la volonté et fait passer de la
vertu au vice, est vraiment un *pathos* ; tout ce qu'on voit dans
la nature se dérouler progressivement selon un enchaînement
qui lui est propre, devrait être appelé plus justement mode
d'agir que *pathos* : ainsi la naissance, la croissance, ... la
dissolution du composé et le retour des éléments au milieu
apparenté » (ch.16). Parmi les *pathè* au sens impropre figurent donc la naissance, la mortalité, mais aussi la sexualité.
Celle-ci a été voulue par Dieu en vue d'assurer le renouvellement des générations et la permanence de l'humanité pour
une durée fixée par la Providence divine. Alors que dans
d'autres ouvrages Grégoire parle, pour l'homme avant la
chute, d'un mode de reproduction semblable à celui des
anges et remplacé après la chute par le mode lié à la sexualité,
dans le *Discours catéchétique*, en revanche, il compare les
différents organes du corps humain entre eux et propose
deux observations. D'une part, les organes de la génération
pourvoient à l'avenir, alors que les autres assurent le maintien
dans la vie présente ; ils ont donc leur fonction propre.
D'autre part, ces organes l'emportent sur les autres, si l'on
prend en compte le critère de l'utilité : « C'est grâce à ces
organes que l'immortalité [1] est conservée pour l'humanité, si
bien que la mort qui agit sans cesse contre nous est d'une
certaine manière impuissante et inefficace, puisque la nature
comble chaque fois les vides par l'arrivée de ceux qui naissent
au fur et à mesure » (ch. 28).

Des *pathè* il convient de distinguer les souffrances, les
maladies, des maux divers (*kaka, pathèmata, algèdonés...*) :
c'est ce que nous nommerions le mal physique lié à la nature
humaine dans son état actuel. Sur ce point encore Grégoire

---

1. *Athanasia* a ici le sens dérivé de « survie ».

distingue entre maux dérivant du péché et «souffrances du corps qui viennent nécessairement se greffer sur le caractère inconsistant de notre nature» (ch. 8).

h. Le problème du mal

Nature du mal selon Grégoire de Nysse

A l'heure actuelle nous faisons couramment la distinction entre le mal physique, le mal moral et le mal métaphysique. Celle-ci permet de mieux conduire le débat sans pour autant apporter des réponses pleinement satisfaisantes pour les questions de fond. Pour Grégoire, le véritable mal consiste dans le refus volontaire du bien. Quant à la nature du mal, Grégoire reprend la conception des philosophes grecs qui enseignent que le mal est ce qui s'oppose au bien [1], mais qu'il n'a pas de consistance propre : «Tout comme la vue est une activité naturelle et la cécité la privation de cette activité naturelle, de même il y a opposition entre la vertu et le mal. Car il est impossible de concevoir l'origine du mal autrement que comme absence de la vertu... Aussi longtemps que le bien est présent dans notre nature, le mal n'a pas d'existence par lui-même ; mais une fois que le bien s'éloigne, le mal prend naissance» (ch. 5). Grégoire opte donc pour la conception platonicienne du mal à la suite d'autres Pères comme Origène : pour réfuter les différentes formes de dualisme, il leur oppose l'argument que le mal n'a pas de substance propre et qu'il n'existe pas de dieu mauvais à côté du Dieu bon.

---

1. Sur la nature du mal d'après la philosophie grecque, cf J.B. Hygen, «Das Böse», *TRE* 3, p. 8-17. Voir aussi E. Masson, «Le mal», dans *DTC* 9, 1679-1704 ; L. Lavelle, *Le mal et la souffrance*, Paris 1951 ; J. Nabert, *Essai sur le mal*, Paris 1970.

Dieu n'est pas l'auteur du mal

Le *Discours catéchétique* livre quelques éléments de théo-
dicée. En effet, Grégoire écarte de façon décidée la thèse de
ceux qui voudraient rejeter sur Dieu lui-même la responsabilité de l'apparition du mal : « Aucune émergence du mal ne
tire son origine de la volonté divine ; en effet, le mal lui-même
serait à l'abri du blâme, s'il était en droit de désigner Dieu
comme auteur et père du mal. En réalité le mal naît en
quelque sorte à l'intérieur de nous-mêmes, en surgissant sous
l'effet de notre volonté libre, chaque fois que l'âme s'éloigne
du bien » (ch. 5). Non seulement Dieu n'est pas l'auteur du
mal, mais il a même conçu un plan pour libérer l'homme du
mal : « Si donc l'on porte ses regards plus loin en envisageant
la fin que se propose dans sa sagesse celui qui gouverne
l'univers, on ne saurait plus, en bonne logique, désigner par
mesquinerie le créateur de l'humanité comme responsable
des maux de celle-ci, sous prétexte qu'il ignorait l'avenir, ou
bien, qu'ayant créé l'homme tout en connaissant l'avenir, il
n'est pas étranger à la tendance au mal » (ch. 8).

*Pourquoi Dieu a-t-il permis que le mal connaisse une telle
extension ?*

La question de la situation antérieure à l'avènement du
Christ n'est pas nouvelle. Irénée cherchait à y répondre en
présentant l'histoire de l'humanité comme celle d'une éducation progressive. La vision de Grégoire de Nysse est plus
pessimiste, du moins pour la période qui va jusqu'à l'Incarnation. Sa thèse est que le péché, une fois qu'il est introduit
dans l'humanité, a des répercussions sur la condition des
premiers parents et sur tous leurs descendants ; en plus le
péché acquiert un poids de plus en plus grand par accumulation des péchés de chaque génération. En même temps, le
péché connaît une sorte de croissance organique, qui provoque l'apparition de formes toujours nouvelles du mal et
entraîne des conséquences toujours plus graves : « Une fois
que l'homme se fut détourné du bien, toutes les formes du

mal s'introduisirent par voie de conséquence à la place du bien : ainsi le fait de s'éloigner de la vie entraîna en contre-partie la mort ; le fait de se priver de la lumière eut comme conséquence l'obscurité ; le défaut de vertu amena en échange le mal ; et toutes les formes du bien se virent rem-placées par la série des maux qui s'y opposent » (ch. 8). Pourquoi Dieu n'est-il pas intervenu plus tôt pour mettre fin à ces ravages grandissants ? A cette objection Grégoire répond en s'appuyant sur la pratique des médecins : quand ceux-ci ont à soigner une humeur infectieuse, ils attendent la formation d'un abcès extérieur pour intervenir : « Ainsi, une fois que la nature humaine fut en proie à l'infection du mal, le médecin de l'univers attendit que ne restât cachée dans notre nature aucune forme de méchanceté » (ch. 29). Pour illustrer encore mieux sa pensée, Grégoire donne des exemples tirés de l'Écriture : Dieu n'intervient pas tout de suite après l'acte criminel de Caïn qui révèle la jalousie et l'homicide ; Dieu attend que se révèlent d'autres formes du mal comme les vices des gens du temps de Noé, les turpitudes des habitants de Sodome, l'impiété des Égyptiens, l'arrogance des Assy-riens, les persécutions des prophètes par les membres de leur peuple, le massacre des enfants ordonné par Hérode : « Lors-que le péché fut arrivé à son comble et qu'il n'y eut plus aucune forme de perversité qui n'eût été osée par les hom-mes, alors Dieu se mit à soigner la maladie, non pas à ses débuts, mais dans son plein épanouissement, afin que le traitement s'étende à toute l'infirmité » (ch. 29) [1].

4. Sotériologie

La présentation que fait Grégoire de Nysse du péché, de sa prolifération et de ses conséquences sur la condition de l'homme forme le premier volet d'un diptyque dont le deuxième volet est constitué par l'œuvre de salut accomplie

---

1. Cf. Athanase, *De Inc.*, *SC* 199, p. 281.

par le Christ, à travers sa mort et sa résurrection. Mais pour cette œuvre de restauration, l'Incarnation joue un rôle indispensable pour conférer à ces deux événements leur portée universelle. D'autre part, d'après le *Discours catéchétique*, l'œuvre salvifique ne concerne pas uniquement la rançon versée pour le péché, elle signifie en même temps libération, guérison, changement d'orientation, nouvelle naissance, divinisation.

1. *L'Économie du salut*

Grégoire emploie souvent le mot *économie* [1], mais avec des acceptions variées : économie providentielle du monde (ch. 12), vues de Dieu sur l'homme (ch. 35), passion du Christ (ch.16 ; 32 ; 35), grâce du Baptême (ch. 34). Ces expressions figurent dans des passages destinés à faire comprendre que l'œuvre de salut obéit à un plan qui se déroule selon la volonté d'un Dieu qui décide de sauver l'homme, même pécheur, pour qu'il puisse vivre selon sa vocation première et participer à la vie divine.

Que signifie la notion de salut ? Le verbe *sôzô* et les mots qui dérivent de la même racine sont des termes qui offrent des avantages, vu leur valeur englobante, mais l'auteur ne les

---

1. Le champ sémantique de *oikonomia* est très étendu dans la langue profane : cf. LIDDEL-SCOTT, *Greek — English Lexikon* . Dans les textes patristiques on retrouve en partie les acceptions de la langue courante, mais en plus, *oikonomia* devient une sorte de terme technique. Il est alors utilisé pour désigner, au sens étroit, les événements et faits de la vie du Christ, de la naissance jusqu'à la mort et à la résurrection, et au sens large, toutes les interventions de Dieu dans le cours de l'histoire : dans les deux cas on entend rattacher ces faits et gestes au plan que Dieu veut réaliser au bénéfice de l'homme. Cf. LAMPE, *Patristic Greek Lexikon*. GRÉGOIRE emploie souvent ce mot, soit avec son acception chrétienne, soit avec les acceptions de la langue profane. Cf. J.R. BOUCHET, « Remarques sur le sens du mot *oikonomia* dans la langue de Grégoire de Nysse », dans *Écriture et culture*, p. 194-196 ; ID., « La vision de l'économie du salut selon saint Grégoire de Nysse », *RSPT* 52, 1968, p. 613-644.

utilise pas trop souvent. D'ailleurs, même s'il en avait fait un usage plus fréquent, il faudrait néanmoins se demander quel contenu il donne à des termes de ce genre. Or de nombreux passages du traité fournissent des éléments de réponse à cette question. C'est ainsi qu'on trouve des formulations générales : « Il fallait ramener de la mort à la vie notre nature entière. » (ch. 32) ou bien : « Il fallait ramener [l'homme] à la condition première » (ch. 15) ; pour illustrer cela, il convient de se rappeler ce qui a été dit sur les privilèges accordés initialement à l'homme. Parfois les formulations sont plus détaillées, mais sont faites dans un langage imagé : « Notre nature languissante à la suite de la maladie avait besoin du médecin ; l'homme tombé avait besoin de celui qui le relève ; celui qui avait perdu la vie avait besoin de celui qui donne la vie ; celui qui était déchu de la participation au bien avait besoin de celui qui le ramène au bien ; l'homme enfermé dans les ténèbres désirait la présence de la lumière ; le captif cherchait le rédempteur ; le prisonnier, le défenseur ; celui qui portait le joug de la servitude, le libérateur » (ch. 15). C'est dire que pour Grégoire le salut a de multiples aspects : guérison, relèvement, rédemption. rappel à la vie, illumination, retour au bien, libération. Parfois est exprimée l'idée que tous les événements de la vie du Christ contribuent à des titres divers à la réalisation de l'œuvre de salut ; ainsi : « En se mêlant à l'humanité et en assumant tous les caractères propres à notre nature, la naissance, l'éducation, la croissance, et en parcourant toutes les étapes de la vie jusqu'à l'épreuve de la mort, Dieu a accompli tout ce dont nous avons parlé plus haut : il a délivré l'homme du mal » (ch. 26).

2. *Les différents aspects de l'œuvre salvifique*

La réalisation de l'œuvre du salut s'inscrit dans un devenir, si bien que l'on peut distinguer des étapes ; mais pour mieux saisir la portée et l'ampleur de cette œuvre, il est préférable d'organiser l'exposé selon un ordre logique plutôt que selon un ordre chronologique dicté par la succession des événements.

A. *Le trompeur trompé : les droits du démon et le thème de la rançon*

L'une des théories de Grégoire de Nysse qui a polarisé l'attention de certains commentateurs est celle du trompeur trompé : elle est faite pour frapper l'imagination, repose sur la notion de rachat par voie de rançon et fait état d'un droit du démon [1].

Le raisonnement tel qu'il se déploie dans le *Discours catéchétique* peut se résumer en quelques phrases. L'homme, abusé par le tentateur, avait vendu volontairement sa liberté et était devenu esclave d'une autorité tyrannique. Cependant la justice interdisait à Dieu de faire appel à la supériorité de son pouvoir pour arracher de force l'homme à celui qui était devenu son maître et qui avait sur lui un droit formel. La justice exigeait que le possesseur eût le choix de la rançon : « Le mode d'échange adopté pour le rachat de l'homme asservi montre la justice (de Dieu) » (ch. 23). Voyant les miracles accomplis par le Christ, le prince de la mort estima qu'il aurait intérêt à demander en rançon celui qui, par ses œuvres de puissance, sortait de l'ordinaire. En fait, il s'était trompé, car celui qui se livrait en rançon avait caché sa divinité sous le voile de la nature humaine : Dieu punit le trompeur, en utilisant le même procédé que celui-ci : « Le trompeur se voit rendre, selon la règle de la justice, ce dont il a jeté les semences selon sa propre volonté ; car lui qui, auparavant, avait trompé l'homme par l'appât du plaisir, est, à son tour, trompé par l'enveloppe humaine de celui qui se présente à lui. Mais l'intention qui dicte le procédé fait que l'opération tourne au bien. En effet, l'un avait mis en œuvre sa tromperie en vue de la corruption de la nature ; l'autre, à la

---

1. Sur la théorie des droits du démon, voir, entre autres, J. Rɪᴠɪᴇ̀ʀᴇ, *Le dogme de la rédemption. Étude théologique*, p. 90-96.

fois juste, bon et sage, eut recours à la tromperie en vue du salut de celui qui s'était perdu, mais aussi de celui qui avait causé notre perte » (ch. 26).

Grégoire de Nysse aborde-t-il le thème de la descente aux enfers ?[1]

Si on s'arrête à ce niveau d'analyse, on est en droit de se demander si effectivement le prince de la mort a lâché sa proie en échange du Christ. Ceux qui vivaient dans l'Hadès ont-ils effectivement été délivrés ? Grégoire ne consacre pas de développement détaillé à ce thème comme il l'a fait pour le rachat par rançon. Quelques indications méritent cependant d'être examinées. Par exemple : « Contre quelle rançon eût-il échangé celui qu'il détenait, si ce n'est manifestement contre un objet d'échange qui dépassait celui-là en élévation et en grandeur ? » (ch. 23) ; ou bien : « L'ennemi comprit que, dans cet échange, ce qui lui était proposé dans le Christ avait une valeur plus grande que ce qu'il détenait. Pour cette raison, il choisit (le Christ) comme rançon de ceux qui étaient enfermés dans la prison de la mort » (ch. 23) ; ou bien encore : « Et il (Paul) s'exprime de façon encore plus claire dans un autre passage quand il s'adresse aux Philippiens : 'Au nom de Jésus-Christ tout genou fléchira dans les cieux, sur la terre et

1. Cf. G. JOUASSARD, « L'abandon du Christ en croix dans la tradition grecque du IVe siècle », dans *RevSR* 5, 1925, p. 609-633 ; J. LEBON, « Une ancienne opinion sur la condition du Christ dans la mort », *RHE* 23, 1927, p. 5-42 ; J. DANIÉLOU, « L'état du Christ dans la mort d'après Grégoire de Nysse », *HJ* 77, 1958, p. 63-72 ; J. LEBOURLIER, « A propos de l'état du Christ dans la mort », *RSPT* 46, 1962, p. 629-649 et 1963, p. 161-180 ; A. GRILL-MEIER, « Der Gottessohn im Totenreich », dans *Mit Ihm und in Ihm*, 1975, p. 76-174 ; M. CANÉVET, « La mort du Christ et le mystère de sa personne humano-divine dans la théologie du IVe siècle », *Les quatre Fleuves* 15-16, 1982, p. 71-92 ; R. WINLING, « La résurrection du Christ dans les traités pseudo-athanasiens Contra Apollinarium », *RevSR* 62, 1988, p. 27-41 et 101-110 ; ID., « La mort et la résurrection du Christ dans l' *Antirrheticus adversus Apollinarem* de Grégoire de Nysse », *REAug* 35, 1989, p. 12-43 ; ID., « Mort et résurrection du Christ dans les traités Contre Eunome« de Grégoire de Nysse », *RevSR* 64, 1990, p. 127-140 et 251-269.

sous la terre'. Dans ce passage, il englobe en une seule appellation toute la partie transversale (de la croix) en désignant par l'expression sur la terre tout l'intervalle qui sépare ceux qui sont dans les cieux et ceux qui sont sous la terre» (ch. 32).

Dans d'autres passages l'auteur tient un langage plus général, en évoquant le salut par libération. Ainsi : « Celui qui par bonté voulait nous arracher (au prince de la mort) pour nous rendre à la liberté conçut un mode d'action, non pas tyrannique, mais conforme à la justice pour réaliser le salut» (ch. 22) ; de même : «Le propre de la lumière, c'est de faire disparaître les ténèbres et le propre de la vie, c'est de détruire la mort. Puisque, pour nous être laissés entraîner hors du droit chemin, nous avons été, à l'origine, détournés de la vie et précipités dans la mort, qu'y a-t-il d'invraisemblable dans le mystère (de notre foi) lorsqu'il nous enseigne que la pureté s'attache à ceux qui étaient souillés par le péché, la vie à ceux qui étaient morts, que les égarés trouvent un guide, afin que la souillure disparaisse, que l'égarement soit guéri et que ce qui était mort revienne à la vie?» (ch. 24). Retenons enfin un texte reposant sur une autre comparaison, celle du labyrinthe dans lequel sont enfermés des hommes incapables de trouver l'issue sans l'intervention d'un guide averti : « Pense de même que le labyrinthe de cette vie serait inextricable pour la nature humaine, si l'on n'y prenait la même route que celle par laquelle celui qui y était entré a réussi à franchir l'enceinte qui la clôture. Par labyrinthe j'entends de façon métaphorique la prison sans issue de la mort, où avait été enfermé l'infortuné genre humain. Qu'avons-nous donc vu arriver au chef qui devait nous guider vers notre salut? Durant trois jours, il est resté dans la mort, ensuite il est revenu à la vie. Pour nous-mêmes il faut imaginer quelque chose de semblable» (ch. 35).

Grégoire ne parle pas explicitement de la descente du Logos aux enfers. Quand il évoque le sort du corps du Christ après la mort, il note avec une grande sobriété : «Tout être, une fois qu'il est mort, a un séjour approprié, conforme à sa nature, à savoir la terre dans laquelle il est déposé et enseveli.» Le guide de notre vie, en raison de sa mort, est, lui aussi, «descendu sous terre» (ch. 35) ; et il ajoute : «De même que lui, l'homme venu d'en haut, après avoir assumé l'état de cadavre, et avoir été déposé dans la terre, est revenu à la vie le troisième jour...» (ch. 35). Pour les deux derniers passages on trouve l'adjectif *hupogeios* qui, d'après le contexte, devrait se traduire par «sous terre», «enterré», ce qui désigne clairement la mise au tombeau et ne renvoie pas directement au thème de l'Hadès.

Quelle est la visée de ces textes ?

Au vu des différents textes cités plus haut, on peut se demander si l'auteur envisage uniquement le cas de ceux qui sont retenus prisonniers dans l'Hadès : s'agit-il d'un acte de libération global et instantané en faveur de ceux qui ont vécu avant l'Incarnation? Dans ce cas, Grégoire soulèverait d'autres problèmes bien épineux et pourrait encourir le reproche d'inconséquence. Rappelons les développements sur la prolifération du mal : pécheurs et justes seraient-ils également bénéficiaires de cette libération instantanée? Ou bien convient-il de pratiquer une autre interprétation qui consiste à envisager l'œuvre de libération de l'humanité en général? Dans ce cas, le Christ libère ceux qui sont déjà morts, ceux qui vivent sur terre et ceux qui y vivront au fil des générations : une libération de ce genre pourrait donc comporter des modalités quelque peu différentes en fonction de certaines situations, mais elle traduirait mieux la notion de salut universel.

A défaut d'indications claires fournies par le traité au sujet de l'interprétation à retenir, il est possible de trouver des éléments de solution dans d'autres œuvres de Grégoire de Nysse. C'est ainsi que l'on peut esquisser un rapprochement entre le thème de la «prison de la mort» et celui de la «caverne». J. Daniélou a étudié la thématique de la caverne et en arrive aux conclusions suivantes. Grégoire a repris le thème platonicien bien connu selon lequel le monde visible est semblable à une caverne dans laquelle on ne peut voir que l'ombre des choses. Tout en ayant recours à cette comparaison, il esquisse aussi un rapprochement entre la caverne et la vie humaine : celle-ci est un lieu où règnent les ténèbres, une prison (*phroura*). Cependant, à la différence de Platon, il ne désigne pas, par ce terme, le monde de la matière, mais la vie humaine marquée par la mortalité et les *pathè*. L'expression «prison de la mort» trouve par là son explication [1].

Une autre clé est fournie par quelques paragraphes du traité *De anima et resurrectione*. Grégoire écarte tout d'abord la conception selon laquelle l'Hadès est un lieu souterrain qui sert de réceptacle pour les âmes après la mort. Il retient une autre hypothèse fondée sur la théorie de Ptolémée sur la rotondité de la terre, qui entraîne des changements pour les représentations cosmologiques traditionnelles : il renonce à toute idée de localisation, car, estime-t-il, l'âme, incorporelle, n'est soumise à aucune contrainte au point qu'elle pourrait être enfermée en certains lieux [2]. A propos de *Ph* 2,11, il livre le commentaire suivant : « Il ne me semble pas que le divin apôtre, en distinguant des positions dans l'espace (*topikôs*) pour la substance spirituelle, ait donné à une partie le nom de céleste, à une autre celui de terrestre, à l'autre celui de souterraine ; mais ces termes viennent de ce qu'existent trois conditions de la nature raisonnable, l'une qui dès l'origine a eu en partage la vie incorporelle et que nous nommons angélique, une autre qui a été enlacée à la chair et que nous disons humaine et une autre qui par la mort a été libérée de la chair... Il appelle céleste la nature angélique et incorporelle, terrestre celle qui est enlacée au corps, souterraine celle qui est maintenant séparée du

1. J. DANIÉLOU, «Le mythe de la caverne», dans *L'être et le temps*, p. 165-175.
2. *De an. et res.*, *PG* 46, 67-70, tr. J. Terrieux, p. 116-119.

corps ou même toute autre nature à côté de celles que nous
avons dites et que nous ne refuserons pas d'appeler démons
ou esprits [1]. » L'Hadès est donc une condition de vie, un état,
et non un lieu.

En conclusion, deux remarques s'imposent. Pour ce qui
est de la théorie de la rançon versée à celui qui avait trompé
l'homme, Grégoire a cédé à une sorte d'ivresse démonstra-
tive, en oubliant un principe qu'il a formulé ailleurs : une
métaphore doit être utilisée à bon escient, car elle a ses
limites (ch. 10). Le reproche que fait Grégoire de Nazianze
est fondé : « A qui donc et pourquoi a-t-il été versé, ce sang
répandu pour nous, ce noble et précieux sang d'un Dieu
devenu notre prêtre et notre victime ? Si c'est au démon,
quelle injure ! Comment supposer qu'il reçoive non seulement une rançon de Dieu, mais Dieu lui-même en rançon [2] ? »
En ce qui concerne la libération des âmes détenues en captivité dans l'Hadès, il ne faut pas se laisser abuser par l'une ou
l'autre formulation un peu équivoque. Grégoire ne parle pas
de descente aux enfers. Certes il fallait éviter de manier ce
thème pour ne pas fournir d'armes aux ariens qui en tiraient
argument pour affirmer que le Logos n'est pas pleinement
Dieu. Mais en même temps Grégoire pouvait renoncer à cette
thématique, parce qu'il avait trouvé une solution qui permet-
tait le dépassement de la problématique : pour lui, il convenait de parler de condition ou d'état et de renoncer à tout
essai de localisation.

B. *Le Christ vivificateur : la portée salvifique de la mort et de
la résurrection du Christ*

La relative ampleur des développements sur le trompeur
trompé risque de fausser les perspectives et d'occulter

1. *De an. et res.*, *PG* 46, 71 ; tr. Terrieux, 55, p. 120.
2. Grégoire de Nazianze, *Orat.* 45, *PG* 36, 654. Au fond, les mêmes
déviations ont pu se produire à propos du thème du rachat par le sang. Cf
J. Rivière, *Le dogme de la rédemption. Étude théologique*, p. 230-250.

d'autres aspects finalement plus importants de la réflexion menée par Grégoire. En effet, l'une des questions capitales pour lui est de savoir pourquoi la mort du Christ, indissociable de la résurrection, a pu acquérir une portée salvifique universelle. Sous ce rapport, il ne manque ni d'originalité ni de puissance spéculative.

a. La mort de l'homme, une possibilité de purification prévue par Dieu

Comme nous l'avons vu plus haut pour l'anthropologie, Dieu, en conférant à l'homme la condition mortelle, a agi par miséricorde en vue d'assurer le salut de l'homme déchu. Certes la mort signifie séparation de l'âme et du corps, le corps lui-même étant voué à la décomposition ; néanmoins, si la partie sensible se dissout, elle n'est pas détruite ou anéantie. La dissolution est le retour de cette partie sensible aux éléments du monde dont elle est formée. Pour illustrer ces propos, Grégoire donne l'exemple du vase rempli par malveillance de plomb fondu ; celui-ci, s'étant solidifié, ne peut plus être versé. Le propriétaire brise l'enveloppe du vase et après avoir extrait le plomb, redonne au vase sa forme initiale : « C'est de cette façon que procède l'artiste qui modèle le vase qui est le nôtre : comme le mal s'était mélangé à la partie sensible, je veux dire à la partie corporelle, le créateur, après avoir désagrégé la matière qui avait reçu le mal, modèlera de nouveau, au moyen de la résurrection, le vase débarrassé de l'élément contraire, et lui rendra sa beauté première, en le reconstituant à partir des éléments primitifs » (ch. 8).

La mort par décomposition atteint seulement le corps. Mais l'âme elle-même peut connaître la mort, dans la mesure où elle se sépare de Dieu : « Pour l'âme nous désignons par le nom de mort sa séparation d'avec la vraie vie » (ch. 8). Elle ne connaît pas la dissolution, puisqu'elle est non composée ; mais elle aussi a besoin d'être débarrassée des souillures résultant de ses fautes. Dans la vie présente, elle peut se purifier par la pratique des vertus ; si cette purification n'intervient pas, l'âme sera purifiée après la mort au prix d'une expiation douloureuse.

La mort par séparation de l'âme et du corps acquiert donc aussi une valeur positive, en ce sens qu'elle est la condition préalable de la purification de l'âme et du corps et en même temps, moyennant la résurrection, d'une nouvelle union qui restaure l'état premier de l'homme : « Pour cette raison, l'homme retourne de nouveau à la terre en se décomposant à la manière d'un vase d'argile, afin que, une fois que sera éliminée l'impureté qu'il renferme en lui, il soit rétabli par la résurrection dans sa forme originelle » (ch. 8 ; cf. aussi ch. 35).

b. *La mort-résurrection du Christ comme point de départ de la restauration de l'état premier de l'homme*

Que signifie la résurrection pour le Christ lui-même ?

Le plan de salut prévoit la mort et la résurrection du Christ comme condition nécessaire de l'œuvre de restauration. Pour ramener l'homme à la condition originelle, celui qui avait créé l'homme devait intervenir : « A celui-là seul qui avait donné la vie à l'origine il était possible et convenable de ranimer la vie même déjà éteinte » (ch. 8). L'œuvre de salut comporte une dimension créatrice : celui qui a créé l'homme à l'origine doit intervenir en vue d'une re-création.

Cependant Dieu n'agit pas au nom de sa toute-puissance en procédant par décrets de sa volonté : il s'agit non pas de créer *ex nihilo*, mais de partir de ce qui existe, même dans un état de déchéance, en vue de restaurer l'homme dans son état premier. A cette fin, Dieu avait prévu que le Logos s'incarnerait et passerait par la mort : « Comme la vie humaine s'inscrit entre deux limites, si, après avoir franchi l'une, il n'avait pas atteint l'autre, son dessein n'aurait été réalisé qu'à moitié, puisqu'il n'aurait pas expérimenté l'un des deux états propres à notre nature » (ch. 32). Grégoire va jusqu'à dire que la naissance du Christ n'est pas cause de la mort, en ce sens que la mort atteint inexorablement tout homme qui naît et que le

Christ s'est soumis à la loi commune : « C'est au contraire à
cause de la mort que le Logos a accepté la naissance dans un
corps » (ch. 32). Pour sauver l'homme avec sa nature complète, avec son corps et son âme, le Logos incarné s'est soumis
lui-même à la mort : « Comme il fallait ramener de la mort à la
vie notre nature tout entière, Dieu, s'étant penché sur notre
cadavre en tendant pour ainsi dire la main à l'être qui gisait,
s'est approché de la mort au point de prendre contact avec
l'état de cadavre et de fournir à la nature, au moyen de son
propre corps, le principe de la résurrection, en ressuscitant
avec lui en même temps l'homme tout entier en puissance »
(ch. 32). De textes de ce genre se dégage l'affirmation que Le
Logos en s'incarnant s'unit à l'humanité revêtue des « tuniques de peau », et donc soumise à la loi de la mort. Pour le
Christ aussi la mort représente séparation de l'âme et du
corps ; mais il convient de distinguer très nettement entre la
séparation entre le corps et l'âme, conforme à la loi commune
de la mort, et la séparation entre le Logos et le composé
humain au moment de la mort : pour Grégoire, la première se
produit réellement, alors que la deuxième n'intervient pas.
C'est ce que l'on peut déduire de textes comme le suivant :
« Celui qui a de nouveau uni à son propre corps l'âme qu'il
avait revêtue, grâce à sa puissance mêlée à l'un et à l'autre dès
l'union initiale... » (ch. 16). En termes encore un peu voilés,
l'auteur formule l'idée que l'Incarnation signifie que le Logos
est lié indissociablement à l'âme et au corps et qu'il reste
présent auprès de l'un et de l'autre même au moment de la
mort. Le langage sera plus clair dans d'autres œuvres comme
le *Contre Eunome* III ou l'*Antirrheticus adversus Apollinarem* ou aussi le *De tridui spatio* [1]. Faut-il en conclure que les
choses se sont précisées dans l'esprit de Grégoire et que donc

1. A titre d'exemple : « La nature divine, unie intimement à la fois à l'âme
et au corps et faisant un avec l'un et avec l'autre, puisque les dons de Dieu
sont sans repentance, ne se retire ni de l'un ou de l'autre, mais reste auprès
d'eux sans discontinuité » (*Antirrhet.*, *GNO* III, 1, 22 ; la citation donnée
provient de Rm 11, 29)

le *Discours catéchétique* est antérieur aux œuvres susmentionnées ?

Quoi qu'il en soit, le Christ réalise en lui ce qui sert de point de départ pour la résurrection des hommes : « En effet, comme notre nature avait été entraînée, en vertu de la constitution qui lui est propre, même dans le cas (du Christ), vers la séparation de l'âme et du corps, il a de nouveau réuni ce qui était séparé comme avec une colle, je veux dire avec la puissance divine, en réajustant pour les joindre dans une union indestructible les parties qui avaient été séparées. Et c'est cela la résurrection, le retour après la séparation des éléments qui avaient été étroitement liés, à une union indissoluble, les deux formant un tout étroitement uni » (ch. 16) [1].

Ici il faut marquer un temps d'arrêt et soulever une question. Si la mort est destinée à purifier le composé humain en vue de le ramener à la grâce originelle, la mort du Christ entraîne-t-elle aussi des conséquences pour son corps et son âme ? La réponse obvie est qu'il n'y a nul besoin de purification pour l'âme qui est sans péché et pour le corps qui n'est pas marqué par les séquelles du péché : c'est pourquoi le corps a échappé à la décomposition. Mais un autre aspect est fondamental : la condition initiale de l'homme ne comportait pas la mortalité. Il faut admettre que l'humanité du Christ est libérée aussi de la condition mortelle. Cet aspect n'est pas franchement abordé dans le traité, mais l'un ou l'autre passage fournit des indications allant dans ce sens. Si la résurrection du Christ « ramène à la condition première », elle permet de retrouver les privilèges accordés par Dieu : parmi eux figure l'immortalité. Par ailleurs, Grégoire ne parle guère de corps glorifié, mais il mentionne le thème de l'exaltation, dont il a été déjà question plus haut : « ... L'homme en qui Dieu s'était incarné et qui fut élevé, en vertu de la résurrection ensemble avec la divinité » (ch. 32). On trouve aussi une

---

1. La comparaison avec le roseau qui figure dans l'*Antirrh.* est plus parlante (*GNO* III, 1, 226) ; cf. R. WINLING, « La résurrection du Christ dans l'Antirrheticus« », *REAug* 35, 1989, p. 30-31. Cf. p. 226, n. 2.

mention du thème de la divinisation : «... pour qu'au moyen de la chair assumée par lui et déifiée avec lui, se trouvât sauvé ce qui est apparenté à la chair» (ch. 35).

c. *Portée salvifique de la résurrection du Christ*

Dans plusieurs textes déjà cités s'exprime l'idée que la résurrection du Christ est le «point de départ» de la résurrection des hommes. La résurrection représente une victoire sur la mort, remportée par le Christ ; le bénéfice de cette victoire sur la mort s'étend à toute l'humanité : «De même que la mort prit son départ dans un seul homme et s'est transmise en même temps à toute la nature humaine, de la même manière la résurrection, trouvant son origine en un seul, s'étend, grâce à un seul, à toute l'humanité» (ch. 16). C'est à partir de la résurrection du Christ que «l'union de ce qui avait été séparé s'étend, en puissance, à toute la nature humaine également» (ch.16). Il en résulte que le Christ en personne est la ligne de partage entre deux domaines, la ligne de séparation entre deux ordres entre lesquels il y a discontinuité : «Et tel est le mystère de l'économie de Dieu à propos de la mort et de la résurrection d'entre les morts : Dieu n'a pas empêché que la mort sépare l'âme du corps selon l'ordre inéluctable de la nature, mais par la résurrection il a de nouveau rétabli l'union entre les deux, de façon à ce qu'il soit lui-même la ligne de démarcation entre les deux domaines, celui de la mort et celui de la vie, en provoquant en lui-même l'arrêt de la dissolution de la nature par la mort et en devenant lui-même le point de départ du retour à l'union des deux après leur séparation» (ch.16).

Cet arrêt signifie inversion d'un mouvement : si jusque là le péché connaissait une extension grandissante, la mort et la résurrection du Christ signifient que ce mouvement d'extension, parvenu à son comble, a atteint son amplitude maximale et qu'il se produit dorénavant un mouvement en sens inverse ; celui-ci prend son essor à partir de la résurrection du Christ et refoule progressivement la puissance de la mort au profit de celle de la vie. Non seulement l'extension du domaine de la mort est contenue et arrêtée, mais un mouvement contraire s'est déclenché, entraînant la régression de la puissance mortifère du péché et le rétrécissement progressif de son domaine. Refoulement de la mort au profit de la vie, la résurrection du Christ est principe de vivification, car elle rend l'homme à la vie, à une vie qui ne prendra plus jamais fin : l'homme retrouve ainsi l'immortalité pour laquelle il a été créé et lui aussi est dépouillé des « tuniques de peau » (ch. 16).

C. *Autres aspects du salut en Jésus-Christ*

Grégoire de Nysse ne se contente pas de la théorie du rachat présentée sous forme de petit drame. Profondément marqué par la langage de l'Écriture, polyphonique dans sa diversité, il sait à l'occasion varier les registres et évoquer d'autres aspects du salut.

Un langage varié

Il lui arrive de faire appel à d'autres thèmes, d'origine biblique, suggérant telle ou telle composante d'un salut qui, en définitive, est multidimensionnel. Voici un texte déjà cité qu'il est bon de relire en fonction des indications fournies sur les divers aspects du salut : « En effet, notre nature minée par la maladie avait besoin du médecin ; l'homme tombé avait besoin de celui qui le relève ; celui qui avait perdu la vie avait besoin de celui qui donne la vie ; celui qui était déchu de la participation au bien avait besoin de celui qui le ramène au bien ; l'homme enfermé dans les ténèbres désirait la présence de la lumière ; le captif cherchait celui qui le rachète ; le prisonnier, le défenseur ; celui qui portait le joug de la servitude, le libérateur » (ch. 15). Cette période comporte toute une gamme thématique. L'auteur se fait l'écho de la tradition patristique reflétant les efforts déployés pour dire le salut apporté par Jésus-Christ, en conformité avec le langage pluriel de l'Écriture. Certes il privilégie l'un ou l'autre thème, mais on ne constate pas chez lui la volonté de systématisation qui procède par élimination de thèmes au profit d'une théorie, censée fournir l'explication décisive, comme ce sera le cas au Moyen âge avec la théorie de la satisfaction de saint Anselme [1].

Le texte cité mérite d'être mis en relation avec des passages dans lesquels s'exprime la conviction que le Logos incarné doit passer par les différentes étapes de la vie humaine pour pouvoir accomplir pleinement l'œuvre de salut. Ainsi, Grégoire fait état de l'objection suivante : « Pourquoi effectuer de longs détours qui consistent à revêtir la nature corporelle, à entrer dans la vie par la voie de la naissance, à parcourir successivement tous les âges de la vie, à goûter la mort, pour atteindre ainsi le but fixé, moyennant la résurrection de son propre corps ? » (ch.15). Il répond que le salut est à ce prix : « Comme la vie humaine avait été souillée par le péché dans son commencement et dans sa fin et dans tout l'intervalle entre les deux, la puissance purificatrice devait opérer partout pour éviter de purifier l'une des parties et de négliger la purification de l'autre. C'est pourquoi, comme notre vie se situe entre deux limites, je veux dire entre le commencement et la fin, on trouve à chacune des deux extrémités la puissance qui redresse notre nature et qui a été en contact avec le commencement, s'est étendue de là jusqu'à la fin et a embrassé tout ce qui se situe dans l'intervalle. » (ch. 27) C'est

---

1. Cf. ANSELME DE CANTORBÉRY, *Cur Deus Homo*, SC 91. Les indications thématiques très brèves font naître l'impression que GRÉGOIRE rappelle aux destinataires du manuel tout un répertoire qui est censé être connu. Sur la façon de dire le salut en Jésus-Christ, cf. J.RIVIÈRE, *Le dogme de la rédemption. Essai d'étude historique*, Paris 1905 ; ID. *Le dogme de la rédemption. Étude théologique*, Paris 1914 ; ID., art. « Rédemption », *DTC* 13/2, col. 1912-2004 ; H. E. W. TURNER, *Jésus le Sauveur. Essai sur la doctrine patristique de la rédemption* (tr. de l'anglais), Le Cerf, Paris 1965 ; B. SESBOÜÉ, *Jésus-Christ l'unique médiateur*, coll. *Jésus et Jésus-Christ* 33, Desclée, Paris 1988.

dire que tous les événements de la vie du Christ ont, chacun à sa façon, une dimension sotériologique.

Quelques autres thèmes majeurs

a. Purification

Le thème de la purification apparaît tout au long des développements sur l'économie du salut, le plus souvent en rapport avec celui de la mort-résurrection du Christ. Cette relative insistance vient de ce que, dans l'esprit de l'auteur, il y a un lien étroit entre le péché et la mort, d'une part, et la vie, la résurrection et *l'apatheia*, d'autre part. Plusieurs métaphores et comparaisons sont destinées à mieux faire saisir la manière dont s'effectue cette purification et le sens qu'elle revêt. Pour s'en faire une idée, il faudrait redonner la plupart des citations concernant le thème de la mort-résurrection du Christ : pour éviter les redites, on se contentera d'indiquer les données les plus caractéristiques :

— La mort fait partie du plan de Dieu pour permettre la purification de l'homme déchu.
— La mort-résurrection du Christ inaugure le processus de purification.
— Le Baptême rend actif le principe de purification.

Des comparaisons, parfois largement développées, cherchent à illustrer des affirmations plus abstraites :

— Le vase brisé, ch. 8.
— Le tissu à nettoyer, ch. 27.
— L'or purifié des scories par le feu, ch. 26 et 35.
— La purification par le feu, ch. 40.

Grégoire peut recourir ensuite à des formulations plus denses et moins concrètes, parce que le lecteur dispose de données plus concrètes à travers les explications et les comparaisons : par exemple comme préambule à un développement sur le Baptême il rappelle : « Il a été dit plus haut que la mort a été introduite dans la nature humaine par la Providence divine selon son plan de salut, pour que le mal s'écoulât à l'occasion de la séparation de l'âme et du corps et que l'homme reconstitué, sous l'effet de la résurrection, se retrouvât sain et sauf, libre de toute forme de *pathos*, intact et exempt de tout mélange avec le mal » (ch. 35). On aura compris que la purification concerne ce que nous nommons la rémission des péchés. A tenir compte de l'ensemble des textes, on en arrive à la conclusion que Grégoire distingue deux sortes de purifications. Il parle, à l'occasion, du remède de la vertu qui permet à l'âme de se débarrasser des souillures contractées par elle à la suite de ses fautes (ch. 8). Mais le plus souvent il envisage la purification due aux effets de la mort et de la résurrection du Christ : dans ce cas il s'agit de l'élimination du mal entré dans notre nature à la suite de la faute des premiers parents ; c'est un mal radical qui pèse sur tout homme. On ne peut s'empêcher de penser à ce qu'on nommera plus tard péché originel.

b. *Guérison : le Christ médecin*

Le *Discours catéchétique* contient de nombreuses allusions au thème du Christ-médecin au point que l'on pourrait faire une présentation du plan de Dieu sur l'homme grâce à un vocabulaire relatif à ce thème. Par un libre mouvement de sa volonté, l'homme a fait « entrer le mal dans sa nature à la manière d'un poison agrémenté de miel » (ch. 8). « Le médecin qui soigne notre disposition au mal » confère aux hommes la condition mortelle qui permet finalement de libérer l'homme des *pathè* et de le purifier des séquelles du péché. La nature affaiblie par le mal « a été visitée par la puissance divine » (ch. 28). Certes Dieu avait différé le traitement, pour que le mal atteigne son *akmè* (ch. 29). C'est à ce moment que Dieu se mit à soigner la maladie (ch. 29). La guérison est liée à la mort et à la résurrection du Christ, qui nous procure « l'écoulement du poison du mal » (ch. 35) et nous obtient la guérison.

Les multiples comparaisons, tirées du domaine de la médecine, se justifient donc dans un exposé qui accorde une si large place, d'une part, à l'homme qui, à la suite du péché, souffre de maladies qui conduisent à la mort et, d'autre part, au Christ qui s'est incarné pour guérir et ramener à la vie. L'un des textes les plus prégnants est peut-être celui qui évoque le Christ-médecin dans une situation-limite, où il doit faire appel à sa puissance divine et mettre en œuvre une force de guérison qui est une force de résurrection : «... Dieu, s'étant penché sur notre cadavre en tendant pour ainsi dire la main à l'être qui gisait, s'est approché de la mort au point de prendre contact avec l'état de cadavre et de fournir à la nature, au moyen de son propre corps, le principe de la résurrection» (ch. 32).

c. *Le Christ guide*

C'est à partir de l'exemple du labyrinthe que s'explique le mieux la visée de Grégoire lorsqu'il parle du Christ qui nous sert de guide. A la suite du péché, l'homme qui s'est égaré (ch. 8), vit au milieu des ténèbres, dans la prison de la mort. Livré à lui-même, l'homme est incapable d'échapper à cette situation et de trouver une issue pour accéder à la liberté. Il lui faut quelqu'un qui puisse le conduire hors de ce lieu de captivité (ch. 8) : «Ceux qui, égarés dans l'enchevêtrement d'un labyrinthe, ne savent en trouver l'issue et qui rencontrent quelqu'un qui en a l'expérience, arrivent, en marchant à sa suite, à parcourir jusqu'à la sortie les méandres compliqués et trompeurs des bâtiments; ils n'en seraient pas sortis, s'ils n'avaient pas suivi le guide pas à pas. Pense de même que le labyrinthe de cette vie serait inextricable pour la nature humaine, si l'on ne prenait pas la même route que celle par laquelle celui qui y était entré a réussi à franchir l'enceinte qui la clôture. Par labyrinthe j'entends désigner, de façon métaphorique, la prison sans issue de la mort, dans laquelle avait été enfermé l'infortuné genre humain» (ch. 35).

Le Christ-guide ne se contente pas de faire office de bon pasteur qui accompagne les siens en indiquant le chemin à l'intérieur d'un domaine qui lui est connu. En vertu de sa puissance divine, il ouvre un passage là où l'homme est inexorablement renvoyé à son impuissance. En triomphant de la mort, il ouvre l'accès à la vie.

Enfin le Christ-guide se dresse contre les forces hostiles et provoque l'arrêt du mouvement qui entraîne vers la mort et provoque l'extension du domaine du mal ; bien plus, il fait que le mouvement s'inverse et il nous insère dans cet autre mouvement qui, tendu vers Dieu, nous fait participer toujours plus pleinement aux biens divins

d. *Divinisation*

Même si le thème de la divinisation n'occupe pas une place de premier plan dans le traité, il en est fait mention à la fois pour l'humanité du Christ et pour les hommes auxquels s'étend le principe de la résurrection. Ce qui se produit pour l'humanité du Christ, élevée et divinisée lors de la résurrection (ch. 32 et 35) est paradigmatique, toutes proportions gardées, de ce qui se passera pour les hommes. Ainsi, parlant de ces derniers, l'auteur précise : «Jadis, il (le Logos) s'est mélangé à notre être pour que notre être fût divinisé par ce mélange avec le divin, après avoir été arraché à la mort et délivré de la tyrannie de l'ennemi ; car son retour de la mort à la vie devient pour la race mortelle le principe du retour à la vie immortelle» (ch. 25).

3. *Appropriation du salut : sacrements, foi, vie, thème de la nouvelle naissance*

Les derniers chapitres du traité apportent des précisions sur les conditions que l'homme doit remplir pour pouvoir participer au salut. Ces conditions concernent les sacrements, la foi, la vie chrétienne.

SACREMENTS

a. *Le Baptême, sacrement de la régénération*

Partant de la question : « Comment les rites sacramentels du Baptême peuvent-ils devenir source de vie et procurer la nouvelle naissance ? », Grégoire déploie une argumentation qui repose sur la notion de présence active de Dieu auprès de ceux qui l'invoquent et prient en son nom (ch. 34). C'est Dieu qui, en définitive, amène à son achèvement l'acte qui est en train de s'accomplir. Si la formation de l'homme à partir d'une semence insignifiante est expliquée communément comme se produisant sous l'effet de la puissance divine, il est logique d'admettre aussi une intervention de la puissance divine pour effectuer la régénération par le Baptême (ch. 34). Celui-ci réalise l'assimilation à la mort et à la résurrection du Christ ; mais la différence tient au fait que le Baptême n'est qu'une imitation incomplète de la mort-résurrection et que la purification n'est pas complète : « Ce n'est pas une disparition complète, mais une solution de continuité du mal » (ch. 35). D'ailleurs afin que ce résultat, pour incomplet qu'il soit, puisse être obtenu, il faut du côté de l'homme le repentir qui consiste à se détourner du péché (ch.35). Comme pour mieux souligner le fait que le salut ne joue pas automatiquement, sans contribution de la part de l'homme, Grégoire introduit une distinction à propos de la résurrection des morts : « Il est impossible, dis-je, de ressusciter sans la régénération du Baptême, et je n'envisage pas la recréation et la restauration du composé humain, car notre nature doit nécessairement s'acheminer vers cet état dans tous les cas, sous l'effet de ses propres lois conformément aux dispositions de celui qui l'a organisée, qu'elle reçoive la grâce liée au Baptême ou qu'elle demeure exclue de cette initiation : je parle ici de la restauration qui ramène à la vie bienheureuse, divine, exempte de toute affliction. Tous ceux qui obtiennent la faveur de revenir à l'existence grâce à la résurrection ne retournent pas à la même vie, mais il y a une grande différence entre ceux qui sont purifiés et ceux qui ont besoin d'être purifiés » (ch. 35). Ceux qui sont purifiés et qui mènent un genre de vie conforme au Baptême s'acheminent vers l'*apatheia* et la béatitude ; les autres dont les *pathè* se sont endurcis et qui sont restés sans Baptême et sans repentir, connaîtront « le creuset du fondeur », et seront rendus à Dieu après une purification qui s'étend sur une longue durée.

b. *L'Eucharistie*

L'Eucharistie a son efficacité propre qui concerne en premier lieu l'élément corporel. Par ce sacrement, nos corps reçoivent en eux la puissance vivifiante du corps glorifié du Christ et cette union avec « l'être immortel » les fait participer à l'immortalité : « Pour ces raisons, il s'implante comme une semence dans tous les croyants, suivant l'économie de la grâce, au moyen de cette chair, dont la consistance est assurée par le pain et le vin, et il se mêle au corps des croyants, afin que l'union avec ce qui est immortel permette à l'homme de participer à l'incorruptibilité » (ch. 37).

c. *Foi*

Les sacrements eux-mêmes n'agissent pas à la manière de rites magiques. La puissance de Dieu se trouve liée à un choix et à des dispositions de réceptivité de la part de l'homme. Demander le Baptême suppose une décision personnelle : « La naissance spirituelle dépend de la volonté de celui qui naît... Je prétends donc qu'il est bon que celui qui éprouve le désir de sa propre régénération connaisse d'avance par le raisonnement quel père il a intérêt à avoir et de qui il a avantage à tenir sa nature » (ch. 39). Le choix se fait entre la vie immuable et l'existence marquée par l'instabilité : croire que les trois personnes de la Trinité représentent la nature incréée, c'est opter pour la vie immuable. Professer avec les anoméens que le Fils et l'Esprit sont des créatures, c'est opter pour la naissance d'en bas (ch. 39). Ainsi Grégoire peut-il dire : « L'efficacité de ce qui s'accomplit dépend de la disposition du cœur de celui qui s'approche de l'économie du sacrement : s'il reconnaît que la sainte Triade est incréée, il entre dans la vie stable et immuable ; mais s'il voit dans la Triade la nature créée, à la suite d'une conception erronée, et s'il reçoit le Baptême dans cette idée, il naît à nouveau à l'existence soumise au changement et à la variation » (ch. 39).

Vie chrétienne

Grégoire est assez réaliste pour savoir que la régénération par les sacrements n'est pas nécessairement suivie d'effets qui manifestent une transformation : « Celui qui continue à vivre dans les mêmes conditions, je ne vois pas comment on peut penser qu'il est devenu un autre, du moment que rien de ce qui est caractéristique en lui n'a connu de changement » (ch. 40). Ce changement devrait s'effectuer dans le sens du mieux, dans le sens de la renonciation au péché ; mais si les vices continuent à se manifester dans la vie de quelqu'un qui s'est soumis au bain de purification, c'est que le Baptême est rendu stérile par la faute de celui qui ne s'amende pas : la grâce du Baptême ne se traduit pas en formes spécifiques d'agir. Si déjà on a acquis la dignité d'enfant de Dieu, il faut imiter Dieu en se montrant généreux, en pardonnant, en étant juste (ch. 40).

On aura remarqué que dans les chapitres relatifs à l'appropriation du salut Grégoire a souvent recours au thème de la régénération ou de la nouvelle naissance : il apporte ainsi un complément au vocabulaire utilisé ailleurs pour parler du salut.

COMMENT LE SALUT PEUT-IL AVOIR UNE PORTÉE UNIVERSELLE ?

Comme nous l'avons vu, le Christ représente la ligne de démarcation entre la vie et la mort, provoque l'arrêt de l'extension du mal et est le point de départ d'un mouvement qui joue dans le sens inverse de celui qui tend vers la mort. Mais comment rendre compte de la portée universelle de l'œuvre salvifique du Christ ? Comment expliquer que chaque homme puisse bénéficier, du moins en puissance, des effets salutaires des actes sauveurs ?

1. *Principes explicatifs*

a. — A propos de la prolifération du mal, Grégoire a énoncé un principe qui, toutes proportions gardées, vaut aussi pour la dynamique du bien : «Il est communément admis que le point de départ de tout ce qui arrive est la cause qui détermine ce qui en découle par voie de conséquence... Pour la maladie les conséquences sont la faiblesse, l'inactivité, le dégoût de la vie. De la même manière, toutes les autres choses ont un lien de cause à effet avec le point de départ respectif» (ch. 6). L'application de ce principe au cas des ravages du mal consécutifs à la chute des protoplastes est faite un peu plus loin : « Une fois que l'homme se fut détourné du bien, toutes les formes du mal s'introduisirent par voie de conséquence à la place du bien ; ainsi le fait de s'éloigner de la vie entraîna en contrepartie la mort ; le fait de se priver de la lumière eut comme conséquence l'obscurité ; le défaut de vertu amena en échange le mal, et toutes les formes du bien se virent progressivement remplacées par la série des maux qui s'y opposent» (ch. 8). Le principe énoncé repose donc sur la notion d'enchaînement causal des phénomènes : une fois posé dans la réalité, tel fait ou tel événement suscite des réactions en chaîne. Si donc il est dit de la mort-résurrection qu'elle est un point de départ, il convient de penser qu'elle a des retentissements qui agissent dans le sens contraire des forces de la mort : « La divinité… se cacha sous l'enveloppe de notre nature, de façon que… de cette manière la vie étant allée s'établir dans la mort et la lumière étant venue briller dans les ténèbres, ce qui est conçu comme opposé à la lumière et à la vie disparaisse. Car, selon leur nature, ni les ténèbres ne peuvent subsister en présence de la lumière, ni la mort exister, quand la vie est en activité… Le propre de la lumière, c'est de faire disparaître les ténèbres ; le propre de la vie, c'est de détruire la mort » (ch. 24 ; cf.. aussi ch. 26).

b — A la lumière d'un exemple Grégoire énonce un autre principe qui se réfère à la vie organique : « De même que pour notre corps, l'activité d'un seul des organes des sens provoque une sensation commune à l'ensemble de l'organisme qui est uni à cet organe, de même pour la nature tout entière qui forme en quelque sorte un seul être, la résurrection d'un seul membre s'étend à l'ensemble et, de la partie, se communique au tout, en raison de la cohésion et de l'unité de la nature » (ch. 32). Il s'agit d'un principe de solidarité organique, formulé à propos des répercussions du bien. La différence avec le principe de l'enchaînement causal vient de ce que ce dernier a quelque chose de plus linéaire et de plus déterministe. Le second semble mieux adapté au domaine où jouent la liberté et la conscience et vise moins l'enchaînement causal que l'extension par propagation à tout un organisme.

c. — Dans le cadre de la théologie sacramentaire, Grégoire fait appel au thème du levain dans la pâte pour présenter l'idée de développement organique et faire comprendre comment des effets peuvent se communiquer progressivement à un ensemble dans le sens de la transformation en profondeur. Il part de l'exemple de celui qui, ayant absorbé un poison, prend un remède servant d'antidote : celui-ci doit pénétrer, comme le poison, dans les organes vitaux et se répandre à partir de là, pour que l'effet du remède se fasse sentir dans le corps tout entier. Or le mal a exercé son influence funeste sur l'homme : le remède est le corps du Christ que nous recevons dans l'Eucharistie : « (Le remède) n'est rien d'autre que ce

corps qui s'est montré plus fort que la mort et qui est devenu
pour nous source de la vie. Tout comme un peu de levain,
comme le dit l'apôtre, rend semblable à lui toute la pâte, de
même le corps rendu immortel par Dieu, une fois introduit
dans le nôtre, change et transforme celui-ci tout entier à sa
ressemblance » (ch. 32). Retenons que la métaphore du levain
implique l'idée d'une pénétration progressive et celle d'une
action transformante concernant toute la masse [1].

d. — D'où vient la force agissante de ces principes ? Grégoire apporte la réponse, en insistant sur la nécessité de
l'intervention de Dieu en vue d'assurer l'efficacité du processus de développement. C'est ainsi qu'il prend l'exemple de la
formation de l'homme à partir d'une semence apparemment
insignifiante. Quel rapport y a-t-il entre cette semence et
l'homme formé, doué de raison et de liberté ? Il répond :
« Chaque personne interrogée s'empresse de dire que c'est
par un effet de la puissance divine que cette semence devient
un homme et que, sans elle, cette semence reste inerte et
inefficace » (ch. 32). Pour le cas du Baptême, l'explication est
la même : les rites sont efficaces et procurent l'insertion du
baptisé dans le mystère de la mort et de la résurrection du
Christ, parce que Dieu est présent et agissant dans ces rites
(ch. 34). De façon plus générale, on peut dire que le salut
opère de façon efficace, parce que c'est Dieu qui, d'une
manière ou d'une autre, lui confère l'efficience, mais en
respectant les lois de la croissance organique.

2. *Un salut aux dimensions du monde*

La résurrection rendra aussi l'homme capable de remplir
une fonction à l'égard du monde sensible. En effet, comme
nous l'avons vu, Dieu avait créé l'homme comme composé de
sensible et d'intelligible, pour que tout puisse participer

1. Cet aspect a été étudié d'une manière approfondie par R. HÜBNER, *Die
Einheit des Leibes Christi bei Gregor von Nyssa.*

également au bien et que rien de ce qui existe ne soit exclu de la nature supérieure (ch. 6). Le récit de la création confirme que ce mélange est voulu par Dieu, «pour que l'élément terrestre s'élevât par son union avec la divinité et que cette seule et même grâce pût s'étendre également à travers toute la création» (ch. 6). Ces propos, qui ne sont pas d'une totale transparence, gagnent en clarté si on les rapproche de certains passages relatifs à l'homme microcosme.

La logique du système devait amener Grégoire à affirmer la disparition totale du mal, même chez l'auteur du mal. Celui-ci avait trompé l'homme en vue de corrompre la nature humaine; Dieu en retour a trompé le trompeur pour sauver l'homme, mais en même temps il procure un avantage décisif à l'auteur de notre perte : «Lorsque la vie se trouve rapprochée de la mort, la lumière des ténèbres, l'incorruptibilité de la corruption, alors disparaît et va au non-être ce qui est mauvais, pour le bien de celui qui est purifié de ces maux» (ch. 26). De façon encore plus claire il est dit que Dieu «guérit l'auteur même du mal» (ch. 26). Grégoire entrevoit un avenir où tout sera réconcilié : «Une fois que, au prix de longs détours, la nature aura été débarrassée du mal qui maintenant y est mêlé et attaché et que seront rétablis dans leur condition originelle ceux qui sont maintenant plongés dans le mal, alors à l'unisson s'élèvera l'action de grâces de toute la création, et de la bouche de ceux qui auront été châtiés au cours de cette purification et de la bouche de ceux qui n'auront pas du tout eu besoin de purification» (ch. 26). Pour désigner la restauration de tous les êtres dans l'état originel, Grégoire emploie le mot *apocastase*, qui provient du vocabulaire de l'astronomie.

3. *Un salut non automatique : respect de la liberté*

Grégoire de Nysse n'esquive pas les questions qui se posent au fur et à mesure qu'il avance dans la démonstration. Ainsi, après avoir parlé du traitement qui s'étend à toute l'infirmité humaine, il rapporte trois objections. Tout d'abord, on fait valoir que même après l'application du traitement la vie humaine ne cesse d'être troublée par les fautes. Grégoire répond par un exemple : le serpent qui a reçu sur la tête le coup mortel n'est pas immobilisé sur le champ, car la queue reste animée d'un principe vital et continue de bouger. C'est dire aussi qu'il n'y a pas de transformation instantanée (ch. 30). Un autre argument manié par les adversaires est que la grâce de l'Évangile ne s'étend pas à tous les hommes. Dieu aurait-il refusé de faire bénéficier tous les hommes des biens du salut ? Qu'en est-il alors de sa bonté ? Ou bien Dieu n'a-t-il pas le pouvoir d'assurer le salut de tous les hommes ? Qu'en est-il alors de sa toute-puissance ? La réponse se fait en plusieurs temps. D'abord, l'auteur écarte une explication selon laquelle Dieu adresse l'invitation à la foi au gré du hasard, si bien que les uns seraient appelés, d'autres en revanche exclus de l'appel. Il rappelle que lors des débuts de la prédication apostolique se produisit le miracle des langues : grâce à l'intervention de l'Esprit, le message proclamé put être compris par tous ceux qui étaient présents, de quelque langue qu'ils fussent. Cela signifie que Dieu destine le message à tous les peuples (ch. 30). Cependant, cette volonté d'universalité peut se heurter à la libre volonté de l'homme : « Celui qui exerce sa libre domination sur toutes choses a permis, en raison du prix extrême qu'il attache à l'homme, que nous disposions aussi d'un domaine, dont chacun serait le seul maître. Il s'agit de la volonté libre, faculté exempte de servitude et douée d'autonomie, trouvant son fondement dans l'indépendance de la raison » (ch. 30). Chacun peut donc faire son choix entre l'adhésion à l'annonce de la bonne nouvelle ou le refus de l'appel. Enfin, certains font valoir que Dieu pourrait amener de force les récalcitrants à adopter la foi chrétienne. Mais alors, réplique Grégoire, où serait le mérite d'une conduite droite observée en fonction d'un choix libre ? Il serait impossible de porter un jugement de valeur sur les différentes manières de vivre. Le refus ou l'acceptation de la foi dépendent donc des dispositions personnelles de chacun.

Une conclusion se dégage de ces réflexions : ce n'est pas l'union entre le Logos et la nature humaine qui entraîne par elle-même le salut de la nature humaine ; ce n'est pas le contact physique entre les deux qui procure automatiquement les avantages de l'œuvre salvifique. Le salut dépend aussi de la libre adhésion à la bonne nouvelle, de la foi personnelle et de la sincérité d'une vie chrétienne tendue vers l'accomplissement de la volonté aimante de Dieu.

4. *La croix comme symbole de l'universalité du salut*

Il est vrai que dans le *Discours catéchétique* l'auteur ne traite pas explicitement de la valeur expiatoire de la mort du Christ sur la croix : ceux qui étudient la sotériologie de Grégoire à partir des catégories traditionnelles seront déçus sous ce rapport. Cependant une lecture attentive invite à dépasser l'étonnement peut-être amusé que provoque sa théorie du trompeur trompé et de la rançon versée au démon et à surmonter l'éventuel accès de déception. En effet, comme nous l'avons vu, Grégoire aborde la question de fond à laquelle d'autres se soustraient : il se demande ce que signifie la mort du Christ et il cherche à dire à sa façon en quoi réside sa portée salvifique. Pour lui, la mort du Christ trouve sa raison dans le fait qu'elle est la condition, voulue par Dieu, pour que l'homme puisse être purifié du péché et retrouver l'accès à la vie immortelle.

Grégoire ne s'étend pas sur les conditions matérielles de la mort du Christ sur la croix ; il se contente d'une rapide allusion au caractère ignominieux de cette mort (ch. 32). Quand il parle de la croix, il insiste sur le symbolisme attaché à celle-ci. A ce propos, il déclare qu'il se réfère à une tradition. De fait, l'enseignement légué par les théologiens antérieurs est riche et varié. J. Daniélou, entre autres, fait valoir que la croix, outre qu'elle est le gibet du supplice infamant du Christ, est censée avoir une signification théologique. En tant que croix glorieuse elle est associée au triomphe du Christ ; elle accompagne celui-ci lors de la sortie de l'Hadès ; elle s'élève avec lui au moment de l'Ascension ; elle se manifeste avec lui lors de la Parousie. Par là s'exprime le contenu salutaire de l'événement pascal. Dans l'effort d'explicitation de ce contenu, les Pères cherchent à interpréter la valeur symbolique de la matière (bois, arbre de vie, charrue) et celui de la forme (Tau, mât avec vergues, bras étendus pour la prière, geste de rassemblement) [1].

Grégoire retient ce qui est expression de l'universalité de l'action salvifique. Il part de l'affirmation que Dieu se répand à travers tout et s'étend à tout ce qui existe : Dieu est partout présent. Cette présence est nécessaire pour assurer la permanence du monde, car rien ne peut subsister sans être dans le sein de celui qui donne l'être. La croix quadriforme avec ses quatre prolongements à partir du centre désigne tout l'univers dans sa hauteur et dans sa profondeur, dans sa largeur et dans sa longueur (*Ep* 3,18 ; *Ph* 2,11). Celui qui s'est étendu sur la croix est celui qui unit étroitement l'univers et ajuste celui-ci à lui-même : il devient le point de jonction de l'univers, tout comme le centre de la croix est le point de jonction des différentes branches ; ainsi il maintient dans l'existence tout ce qui existe et en assure la permanence. « Toute la création se ramène à lui comme à son centre, tourne autour de lui et tient de lui sa cohésion » (ch. 32).

---

1. Pour le symbolisme de la croix, cf. notamment J. DANIÉLOU, « Le symbolisme cosmique de la Croix », *LMD* 75, 1963, p. 24-36 ; *Théologie du Judéo-christianisme*, p. 290-318 ; H. DROBNER, *Die drei Tage zwischen Tod und Auferstehung*, p. 147-158.

5. *Pertinence de la « théorie physique de la rédemption »
que Ritschl et Harnack prêtent à Grégoire de Nysse* [1]

A. Ritschl est à l'origine d'une interprétation qui, relayée
par A. Harnack, a connu un succès assez étonnant. A. Ritschl
établit une distinction entre deux conceptions de la rédemption : d'une part, les Pères auraient conçu la rédemption
comme résultat de l'enseignement du Christ-Lumière
s'adressant aux hommes pris individuellement ; d'autre
part, elle s'opérerait par entrée en contact du Logos avec
l'humanité, prise dans son ensemble, à la faveur de l'Incarnation. Le *Discours catéchétique*, entre autres, attesterait
que Grégoire a donné une forme systématique à cette théorie,
qu'on peut nommer « rédemption physique ». Harnack
reprend ces thèses en les simplifiant. Dans sa *Dogmengeschichte* il précise que Grégoire enseigne que le Logos a
assumé, non pas une nature humaine individuelle, mais toute
la nature humaine : en Jésus-Christ la nature humaine globale s'est unie à la divinité. Il concède cependant que le
Nysséen parle parfois de contribution personnelle à apporter
par le croyant Dans le *Précis de dogmatique*, Harnack sché-
matise encore plus : il en arrive à dire que Grégoire a enseigné
expressément que le Christ n'a pas assumé un être humain
individuel. Comme deuxième Adam, il a assumé la nature
humaine tout entière ; donc il ne convient pas de parler d'une
Incarnation individuelle, mais d'une sorte d'Incarnation col-

---

1. A. RITSCHL, *Die christliche Lehre von der Rechtfertigung und Versöh-
nung*, I, Bonn 1882 [2], p. 4-15 ; A. VON HARNACK, *Lehrbuch der Dogmengeschichte*, II, Darmstadt 1887 [2], p. 166-168, tr. fr. *Histoire des dogmes*, 1993 (à
la suite des observations critiques de K. HOLL, Amphilokus von Ikonien in
seinem Verhältnis zu den *grossen Kappadoziern*, HARNACK formula le jugement en termes plus nuancés, tout en le maintenant pour l'essentiel ; ID.,
Grundriss der Dogmengeschichte, Freiburg 1889, p. 133-134 ; J.RIVIÈRE, *Le
dogme de la rédemption. Essai d'étude historique*, Paris 1905, p. 142-159 ;
ID., *Le dogme de la rédemption. Étude théologique*, Paris 1914, p. 176-185
et p. 373-466 ; R. HÜBNER, *Die Einheit des Leibes Christi*, p. 2-25.

lective ; la rédemption serait conçue comme « un processus physico-pharmacologique ».

J. Rivière, qui rend compte de cette théorie, fait observer que point n'est besoin d'en chercher l'origine dans la philosophie platonicienne : la notion de salut s'appliquant à toute l'humanité peut fort bien s'expliquer à partir du thème biblique de la solidarité existant dans le corps mystique entre le Christ-Tête et les membres de ce corps. Le même auteur estime cependant que ce qui nous sauve, c'est l'Incarnation et la résurrection et qu'il n'y a pas autre chose dans le *Discours catéchétique*, mais il reconnaît que dans d'autres œuvres de Grégoire on trouve des allusions à la portée salvifique de la mort du Christ, notamment en ce qui concerne l'idée de substitution, de sacrifice, d'expiation, d'obéissance.

A propos des jugements portés par ces auteurs qui raisonnent en fonction de la rédemption dite « objective », il faut rappeler que ce qui figure au premier plan de leurs considérations, c'est la satisfaction apportée par le Christ par sa mort sur la croix et la justification obtenue par cette mort ; pour eux, c'est la mort du Christ qui se situe au cœur du mystère de la rédemption. La sotériologie contemporaine a tendance à élargir la problématique et à prendre en considération les différents mystères de la vie du Christ, plus spécialement l'Incarnation, la mort et la résurrection et cherche à dépasser une présentation centrée de façon trop exclusive sur la mort sur la croix.

Quoi qu'il en soit, les précisions apportées plus haut sur la portée du langage sur la purification, sur d'autres aspects et d'autres thématiques du salut en Jésus-Christ, sur la manière dont le salut apporté par Jésus-Christ peut s'étendre à tous les hommes, devraient amener à renoncer à des présentations trop schématisées et à des jugements trop peu nuancés relatifs à la sotériologie exposée dans le *Discours catéchétique*.

6. *Christocentrisme de la présentation*

Au terme du parcours effectué, une constatation s'impose : la présentation de Grégoire de Nysse est nettement christocentrique. Tout est dominé par la haute figure du Logos, qui après avoir créé l'homme à l'image de Dieu, s'incarne pour sauver celui qui avait connu la chute et était tombé au pouvoir de la mort. L'image qui traduit le mieux cette vision est celle du Christ qui se penche sur l'homme gisant sans vie et le prend par la main pour le relever (ch. 32). L'Esprit Saint n'est mentionné qu'occasionnellement : on ne saurait s'appuyer sur le traité pour prouver que la théologie orientale n'est pas oublieuse de l'Esprit comme l'est la théologie occidentale.

V. RAISON — FOI. PHILOSOPHIE ET THÉOLOGIE

Dans l'ensemble les jugements portés sur le *Discours caté-chétique* soulignent l'effort de cohérence déployé par l'auteur. Déjà Lenain de Tillemont se montre sensible à cet aspect : « La *Grande Catéchèse* n'est pas un discours fait aux catéchumènes, mais une introduction pour les catéchistes, à qui elle apprend à prouver, par le raisonnement, les mystères de notre foi à ceux qui ne sont pas capables de déférer à l'autorité de nos Écritures [1]. » Ce souci de rigueur logique s'exprime à travers la répétition insistante de *kat'akolou-thian* et de *akolouthon* : d'après le contexte il s'agit bien d'un effort conséquent de présentation rationnelle. Bien sûr, on évitera de revenir à ce qui a été dit plus haut à ce sujet, mais il convient d'aborder une question de fond : à partir de quel donné Grégoire raisonne-t-il ? dans quelle mesure les arguments proviennent-ils uniquement de la philosophie, de la cosmologie et de l'anthropologie grecques ?

---

1. SÉBASTIEN LENAIN DE TILLEMONT, *Mémoires pour servir à l'histoire ecclésiastique des six premiers siècles*, t. IX, Paris 1703, p. 610.

A. Le donné sur lequel porte sa réflexion

Des déclarations d'intention et la démonstration telle qu'elle est menée permettent de définir de façon précise le donné à partir duquel Grégoire organise sa démonstration : même si l'argumentation emprunte des éléments à la philosophie de l'époque, ce que l'auteur cherche à justifier, c'est la recevabilité, par une raison éclairée, des vérités de la religion chrétienne.

Le *Discours catéchétique* n'est pas un traité de philosophie exposant des questions d'anthropologie et de psychologie à la lumière de la seule raison humaine. Grégoire renonce à la polémique et à la controverse, telle qu'elle est pratiquée dans le *Contre Eunome* ou l'*Antirrheticus adversus Apollinarem*. De même, il s'abstient de livrer un enseignement concernant la vie spirituelle, comme c'est le cas dans l'*In Canticum Canticorum*.

Le but avoué est d'apporter une contribution à l'effort nécessaire pour «proposer à l'écoute des infidèles la parole digne de foi de la doctrine» (Prol. 1). A côté de *didachè* on trouve d'autres expressions pour désigner ce qui constitue l'objet de la réflexion : «mystère de la piété» (Prol. 1) — «enseignement de la piété» (ch. 1) — «enseignement du mystère» (ch. 30). La matière sur laquelle porte l'effort réflexif est donc ce que nous nommerions le donné de la foi.

Ce donné est fondamental, car si l'on s'écarte de cet enseignement, on tombe dans l'hérésie : c'est le cas par exemple de ceux qui suivent les manichéens à propos de l'origine du mal (ch. 7), ou les anoméens pour ce qui est des relations d'égalité des Personnes au sein de la Trinité (ch. 39).

Il est loisible de se demander si le *Discours catéchétique* est sous-tendu par une confession de foi clairement repérable. A l'évidence la structure de ce traité n'est pas commandée par celle d'une confession de foi normative du type du symbole de Nicée ou du symbole dit de Constantinople, comportant trois articles nettement distincts et pourtant articulés entre eux. Le *D.C.* est plus proche de certaines règles de foi, dont la première partie est une confession de foi trinitaire et dont la deuxième partie est consacrée à l'œuvre de salut accomplie en faveur de l'homme [1]. De façon plus globale, on peut dire que la progression, dans ses grandes lignes, est jalonnée par les moments importants de l'histoire du salut.

Tradition doctrinale et théologique

Il convient de distinguer ces deux aspects, car Grégoire se réfère tantôt à la doctrine de l'Église, tantôt à des thèses provenant de certains courants théologiques.

1. Tradition doctrinale

Certaines allusions prouvent à leur façon que Grégoire prend en compte une doctrine commune qui, tout en dérivant de l'Écriture, s'est constituée progressivement. L'effort d'explicitation théologique que cela suppose était suscité aussi bien par le besoin d'approfondissement de la foi par les croyants que par les exigences de la controverse avec les hérétiques et les non-chrétiens. Une formule comme «L'enseignement de la piété sait discerner une différence d'hypostases» (ch. 1) renvoie à un passé récent auquel Grégoire est mêlé directement. Dans bien des chapitres, il s'attache à justifier le bien-fondé de la doctrine qui exprime la foi de L'Église.

2. Tradition théologique : Influences-sources

Grégoire a assumé un héritage théologique, en ce sens qu'il a repris des «théologoumènes» provenant de certains de ses

---

1. A propos des confessions de foi et de la règle de la foi, cf. D. Van den Eynde, *Les normes de l'enseignement chrétien dans la littérature patristique des trois premiers siècles*, Paris 1933 ; J.N.D. Kelly, *Early Christian Creeds*, London 1950.

devanciers. Les études consacrées à son œuvre ont cherché à
repérer les théologiens dont il s'est inspiré : pour l'ensemble
de l'œuvre, on cite Origène, Méthode d'Olympe et Athanase
comme sources privilégiées. En réalité la culture théologique
de Grégoire est assez étendue : il connaît d'autres traditions
théologiques qui, selon certains spécialistes, remontent en
partie à la théologie judéo-chrétienne ; Irénée, Basile et Grégoire de Nazianze l'ont marqué à coup sûr. Pour ce qui est du
Discours catéchétique, voici ce qu'on peut dire globalement
de l'influence d'Origène, de Méthode d'Olympe et d'Athanase [1].

a. Origène

On sait quelle a été l'influence de l'origénisme sur les
théologiens du IVe siècle. Cela est en partie vrai d'Arius, mais
l'est plus encore des adversaires des ariens. Les Cappadociens
notamment ont été marqués par la tradition origénienne,
surtout à travers Grégoire le Thaumaturge, disciple d'Origène. La *Philocalie*, faite d'extraits d'Origène, est un hommage rendu à ce théologien par Basile de Césarée et Grégoire
de Nazianze. Quant à Grégoire de Nysse, il avait d'Origène
une connaissance assez étendue, selon des chercheurs
comme F. Diekamp.

D'Origène Grégoire reprend un type de démarche pour
aborder les problèmes religieux. Comme l'Alexandrin, il fait
appel à la philosophie grecque ; il est convaincu que les idées
communes établies par la raison humaine et les conceptions
liées à la réflexion philosophique peuvent confirmer la doctrine chrétienne et servir à rendre compte des vérités de foi.
Comme Origène, il utilise les « dépouilles des Égyptiens », en

---

1. Au sujet de l'influence exercée par les théologiens mentionnés sur
l'auteur du *Discours cartéchétique*, cf. F. Diekamp, *Die Gotteslehre*,
p. 27-47 ; J.H. Srawley, Introduction, *The Catechetical Oration*, p. XIX-
XXX ; L. Méridier, Introduction, *Discours catéchétique*, p. XVIII-XLVI ;
R. Hübner, *Die Einheit des Leibes Christi*, p. 54 s. ; E. Mühlenberg, *Die
Unendlichkeit Gottes*, p. 76 s., 170 s.

l'occurrence celles de la pensée païenne. Il doit à Origène
bien des idées provenant de Philon.

A propos d'aspects doctrinaux plus particuliers,
l'influence d'Origène, directe ou indirecte, est repérable
pour des théories comme celles du mal ou aussi de *l'apocatastase*. Néanmoins Grégoire n'est pas un disciple servile. Là
où Origène est porté au subordinatianisme, Grégoire insiste
sur l'égalité des Personnes au sein de la Trinité (ch. 39). Si
Origène enseigne que Dieu a donné un corps à l'homme
seulement après la chute, Grégoire explique que dès l'origine
Dieu a réalisé l'union de la nature intelligible et de la nature
sensible (ch. 6), les tuniques de peau figurant la condition
mortelle accordée à l'homme pour un temps (ch. 8). Origène
adopte plutôt la division tripartite : noûs, âme, corps ; Grégoire s'en tient normalement à la division bipartite : corps,
âme raisonnable.

b. Méthode d'Olympe

La meilleure preuve que Grégoire savait se montrer indépendant par rapport à des maîtres comme Origène est que
sur quelques points il a suivi Méthode d'Olympe, qui est
connu pour avoir rejeté assez catégoriquement certaines thèses origéniennes. Comme Méthode, Grégoire est hostile à
l'idée de la préexistence des âmes, défendue par Origène ;
comme Méthode, il refuse de suivre Origène à propos de la
thèse selon laquelle le corps n'a été donné à l'homme
qu'après la chute ou à propos de la théorie origénienne
concernant la résurrection d'un corps qui ne garderait du
corps matériel que «l'*eidos*» de ce corps. Il défend la même
thèse que Méthode au sujet du rôle du premier et du
deuxième Adam : le péché d'Adam a implanté un principe du
mal dans la nature humaine, la résurrection du Christ est
devenue pour l'humanité un principe de vie. La définition de
la mort comme séparation de l'âme et du corps de Grégoire
rejoint celle de Méthode dans le *De Res.* I, 38. Le développement sur l'ange de la terre et l'envie de celui-ci à l'égard de

l'homme rappelle le *De Res.* I, 37. L'interprétation des tuniques de peau est la même chez les deux auteurs.

c. Athanase

La parenté est assez grande entre le *De Incarnatione* d'Athanase et une partie non négligeable du *Discours catéchétique*. Plusieurs thèmes de ce traité se trouvent formulés en termes proches de ceux de l'œuvre d'Athanase. Ainsi ce dernier montre l'homme parvenu aux derniers confins du mal : Grégoire, de son côté, explique que Dieu attend que le mal soit parvenu à son comble, avant d'intervenir(ch. 6). L'objection que Dieu aurait pu assurer le salut de l'homme par un acte de sa volonté sans recourir à l'Incarnation, se retrouve dans le *Discours catéchétique* (ch. 15 et 17), même si la réfutation se fait différemment. Athanase développe le même argument que Grégoire à propos du Logos qui n'est pas enfermé dans un corps pas plus que ne l'est l'âme (ch.10). Le symbolisme de la croix est interprété par les deux théologiens en fonction des mêmes textes de Paul, même s'il y a déplacement d'accent. Les deux invoquent les miracles comme preuve du caractère divin de l'œuvre du Christ. Pour les deux auteurs, les progrès de l'Église coïncident avec le recul de l'idolâtrie et la disparition du culte du Temple. On trouvera dans les notes des différents chapitres de nombreuses citations tirées du *Contra gentes* et du *De Incarnatione* d'Athanase.

B. CULTURE PROFANE ET CULTURE PHILOSOPHIQUE

1. *Culture profane*

L'attitude de Grégoire de Nysse à l'égard de la culture de l'époque est faite de prudence. Il partage les idées de Basile qui, dans son traité *Aux jeunes gens. Sur la manière de tirer profit des lettres helléniques*[1], recommandait la fréquenta-

---

1. Le texte a été établi et traduit par F. BOULENGER, *CUF*, Paris 1965.

tion des auteurs profanes, tout en mettant en garde contre les dangers que présente la littérature grecque. De la culture profane font aussi partie la formation à la rhétorique ainsi qu'une initiation à la philosophie et aux sciences. Ainsi se comprend le passage qui figure dans le *De vita Moysis* : «Notons toutefois que ceux qui, conduits par lui (Moïse), s'avancent dans la voie de la vertu ne doivent pas être dépourvus des richesses de l'Égypte ni dédaigneux des ressources des étrangers... Il convient de voir là... un ordre de l'Écriture à ceux à qui la vertu a rendu la liberté, de se munir également des richesses de la culture profane dont les païens tirent avantage, comme la philosophie morale et la philosophie de la nature, la géométrie et l'astronomie, la dialectique et toutes les autres sciences des païens; notre guide nous ordonne de les soustraire à l'usage des Égyptiens qui les possèdent, pour nous en servir à l'occasion, quand il faut parer le Temple de la Révélation avec les trésors de la sagesse humaine... Nous voyons cela se produire encore de nos jours : beaucoup apportent en don à l'Église de Dieu leur culture profane, comme l'illustre Basile qui, après avoir accumulé au temps de sa jeunesse les plus beaux trésors de l'Égypte, les consacra à Dieu, pour qu'ils servent à l'ornement du vrai tabernacle, qui est l'Église [1]. »

Grégoire n'a pas suivi la même filière que Basile pour assimiler la culture profane de l'époque ; néanmoins il a fait des études assez solides pour pouvoir embrasser la profession de rhéteur. On sait qu'il fallut les pressions amicales de Grégoire de Nazianze et de Basile pour le faire renoncer à ce genre d'activité. En tout cas, les œuvres de Grégoire prouvent qu'il était rompu à l'art de la rhétorique [2] et de la dialectique et qu'il avait de solides connaissances dans le

---

1. *De vita Moysis*, *SC* 1 bis, p. 64. Ce thème vient d'ORIGÈNE.
2. L'ouvrage de L. MÉRIDIER, *L'influence de la seconde sophistique sur l'œuvre de Grégoire de Nysse*, Paris 1906, garde toute sa valeur sous ce rapport, même si le *Discours catéchétique* est cité moins souvent que d'autres œuvres.

domaine des sciences naturelles, de l'astronomie et de la médecine. Un traité comme le *De anima et resurrectione* révèle incidemment qu'il était au courant des théories de Ptolémée sur le mouvement circulaire des astres et qu'il en a tiré des conclusions pour les représentations de l'Hadès[1].

2. *Culture philosophique*

Les commentateurs de Grégoire de Nysse se sont tous montrés attentifs aux emprunts faits par Grégoire à la philosophie grecque[2]. La question qui peut se poser pour ses œuvres en général vaut tout spécialement pour le *Discours catéchétique*. En effet, il s'agit d'un effort conséquent de présentation rationnelle s'adressant à des interlocuteurs imprégnés des catégories de la philosophie de l'époque avec tout le syncrétisme qui la caractérise. De plus, l'auteur s'efforce de réfuter des objections formulées par des adversaires puisant leurs arguments dans les différents systèmes de pensée contemporains.

Certes, pour des points précis, il est parfois difficile de se prononcer sur l'origine exacte de telle acception : par exemple à propos de la notion *d'ousie* et *d'hypostase*, les uns penchent pour une influence prépondérante du stoïcisme, les autres pour une origine plutôt aristotélicienne. Ces interprétations divergentes tiennent au fait qu'au IVe siècle, il existe une sorte de *koinè* philosophique, qui s'est constituée à partir d'éléments empruntés à des systèmes différents ; c'est dire que les frontières entre systèmes concurrents ne sont pas nettement respectées, si bien qu'il y a interférence entre les divers courants.

Les influences que l'on peut déceler dans le traité étudié sont diverses. Au premier plan figure le platonisme, mais on trouve aussi des traces de stoïcisme et de néo-platonisme.

---

1. *De an. et res.*, cf. p. 86.
2. Des approches plus globales sont pratiquées dans *Écriture et culture philosophique* (1971) et dans *Gregor von Nyssa und die Philosophie* (1976).

a. Platon

Le *Discours catéchétique* baigne dans une sorte d'ambiance platonicienne, ce qui a pu amener des érudits comme Harnack à parler de Grégoire le platonicien [1]. Cela peut s'expliquer par l'influence d'Origène et de Philon et dans ce cas il faudrait parler d'influence indirecte de Platon sur Grégoire. Cependant bien des passages font naître l'impression que Grégoire connaît l'œuvre de Platon de première main. Quoi qu'il en soit, il doit au platonisme ses théories de l'immutabilité de la nature divine, de l'affinité entre Dieu et l'homme, du mal qui est privation du bien, du péché qui résulte du fait que le mal a pris l'apparence du bien, de l'intelligible à distinguer du sensible.

b. Le stoïcisme

L'influence du stoïcisme se manifeste surtout dans les considérations sur la grandeur de l'homme : l'univers est fait pour les êtres raisonnables, le monde a été préparé pour l'homme. La nature royale de l'homme, la sympathie universelle, la providence, l'ordonnance du monde conforme aux lois du Logos, tous ces thèmes sont chers aux stoïciens. Largement utilisés dans le *De hominis opificio*, ils sont simplement suggérés dans le *Discours catéchétique*. De même Grégoire se montre sensible à un aspect de la théorie de la connaissance des stoïciens : selon eux, la connaissance est limitée par la nature du sujet connaissant, l'homme étant enfermé dans sa sphère d'être. E. von Ivanka est d'avis que la source directe pour ces aspects du stoïcisme est Posidonius, de l'enseignement duquel Cicéron a rapporté des fragments dans son *De natura deorum* [2].

---

1. Voir, entre autres : H.F. Cherniss, *The Platonism of Gregory of Nyssa*, 1930 ; E. von Ivanka, *Plato christianus* ; J. Daniélou, *Platonisme et théologie mystique*.

2. K. Gronau, *Posidonius und die jüdisch-christliche. Genesisexegese*, Leipzig 1914 (pour Grégoire de Nysse, cf. 112-281) ; E. von Ivanka, « Die Quelle von Ciceros *De natura deorum* II, 45-60. Posidonius bei Gregor von

GRÉGOIRE DE NYSSE

Cependant Grégoire sait garder son originalité dans l'utilisation des thèses stoïciennes. La doctrine de la création lui permet de redresser le monisme et l'immanentisme du système stoïcien. De même il se montre réservé à l'égard du thème de l'homme microcosme, car d'aucuns pourraient en conclure que l'homme est en quelque sorte image du macrocosme. Pour Grégoire, l'homme est image de Dieu et, à ce titre, il a un statut fort différent du monde matériel. Les stoïciens enseignaient aussi que l'âme est localisée dans le cœur ; Grégoire rejette la limitation résultant de la localisation et affirme que l'âme n'est pas circonscrite par des limites corporelles : elle est présente partout (ch. 10).

c. Le néo-platonisme.

Au IVe siècle, il existe un courant de pensée qui représente un réel danger pour le christianisme : c'est le néo-platonisme. Le platonisme s'était enrichi au cours des siècles d'apports divers provenant d'autres mouvements philosophiques comme l'aristotélisme et le stoïcisme et avait donné naissance au moyen platonisme, puis au néo-platonisme. Depuis l'époque de Celse, ce courant s'était amplifié et à partir d'Ammonius Sakkas il avait pris une coloration religieuse, au point que le pouvoir politique cherchait parfois à s'appuyer sur lui, quand il voulait mener la lutte contre le christianisme. Au IVe siècle, l'empereur Julien voit en lui un allié pour la rénovation de la religion païenne dans le sens d'un certain mysticisme.

Les Pères cappadociens ne pouvaient ignorer le néoplatonisme : leurs études profanes leur avaient fait découvrir cette forme de philosophie ; leur responsabilité de pasteurs les confrontaient à la contestation du christianisme de la part des milieux néo-platoniciens. Pour le cas de Grégoire, diverses approches ont été pratiquées en vue de relever des traces d'influences néo-platoniciennes. J. Daniélou a plutôt étudié

Nyssa », *Archivum philologicum* 51, 1935, p. 10-21 ; J. LAPLACE, Introduction à *La création de l'homme, SC* 6, p. 19-22.

les influences littérales de Plotin sur l'œuvre du Nysséen [1].
P. Courcelle a affiné la recherche en examinant quel état du
texte de Plotin était connu de Grégoire et il arrive à la
conclusion que cet auteur a connu Plotin à travers l'édition
commentée de Porphyre [2]. E. von Ivanka a privilégié la
recherche thématique : il pense que le principe du « rayonnement » a influencé Grégoire : chaque être, dans sa sphère
propre, a tendance à produire une image de lui-même par
rayonnement à partir de lui-même. Certes l'image a moins de
plénitude que le modèle. Mais ce qui est supérieur pénètre ce
qui est inférieur, l'image participant à la perfection du
modèle. Certes Grégoire rejette le schème scalaire de l'éma-
nation, mais il exploite le thème du rayonnement en le reliant
à celui du soleil qui progressivement réduit le domaine des
ténèbres [3].

Il nous semble qu'il existe une autre voie d'approche pour
l'examen de l'importance des influences néo-platoniciennes.
Dans le *Discours catéchétique* figurent de nombreuses objections qui sont censées être formulées par les interlocuteurs
non chrétiens. Or on sait que les auteurs des œuvres antichré-
tiennes les plus marquantes appartiennent au moyen-
platonisme et au néo-platonisme ; on peut reconstituer une
filière qui partant de Celse et passant par Porphyre mène à
l'empereur Julien. Si Celse a été réfuté par Origène, Porphyre l'a été par Méthode d'Olympe, que Grégoire a lu, par
Eusèbe de Césarée, et plus tard par Augustin. De même le
traité de Julien « *Contra Galilaeos* » avait encore assez de
notoriété à la fin du IVe siècle pour que Cyrille d'Alexandrie
se décidât à rédiger le *Contra Julianum* [4]. Dans un contexte
chaque fois différent reparaissent des arguments qui restent
les mêmes. Vulgarisés dans les milieux païens, ils ont été

1. J. DANIÉLOU, *L'être et le temps*, passim.

2. P. COURCELLE, « Grégoire de Nysse lecteur de Porphyre », *REG* 80,
1967, p. 402-406.

3. E. VON IVANKA, *Plato christianus*.

4. CYRILLE D'ALEXANDRIE, *Contra Julianum*, PG, 76, 489-1006, SC 322.

repris constamment, avec des accentuations différentes, dans les controverses et les discussions. Celse se demande si Dieu ne pouvait pas agir par un acte de puissance pour sauver l'homme, pourquoi l'avènement du sauveur se produit si tard, d'où vient le mal ; il estime qu'en descendant sur terre, Dieu subit un changement : or Dieu doit être immuable. Porphyre formule des objections relatives à l'utilité de l'Incarnation, au caractère ignominieux de la mort sur la croix, à la possibilité qu'a un être impassible de souffrir, au retard de la rédemption, à l'efficacité de l'eau baptismale pour la purification liée au Baptême. Julien l'empereur a repris une bonne partie de ces objections, d'après ce que nous en savons à travers le *Contra Julianum*.

Puisque ces objections avaient cours dans les milieux cultivés, Grégoire ne pouvait éviter de les prendre en considération dans son traité. Il devait donc être assez familiarisé avec la pensée néo-platonicienne pour pouvoir, dans un premier temps, saisir l'ossature logique d'une argumentation destinée à formuler une objection, pour en évaluer la pertinence, pour montrer les failles du raisonnement ; dans un deuxième temps, il devait s'employer à proposer une solution de dépassement se situant dans le prolongement de la question soulevée et pouvant être comprise, sinon admise, par l'interlocuteur néo-platonicien. Le propos de Grégoire lui interdit d'ailleurs le ton de la polémique et de l'invective, car les interlocuteurs visés ne sont pas considérés comme étant tous de mauvaise foi, vu qu'ils songent éventuellement à se convertir à la religion chrétienne.

En conclusion, on peut dire que Grégoire connaît les lieux communs de la pensée de l'époque ; mais il ne suit pas celle-ci jusqu'au bout. Il pratique le redressement, l'*épanorthôsis*. S'il fait appel à la philosophie de son temps ou s'il en accepte l'interpellation, il en connaît aussi les limites : il ne la suit qu'aussi longtemps qu'elle ne ruine pas la vérité chrétienne.

C. Situation faite à l'Écriture

La tradition doctrinale et théologique à laquelle se réfère Grégoire de Nysse repose sur l'Écriture. On connaît le souci des Pères de rester fidèles au donné révélé qui figure dans l'Ancien et le Nouveau Testament ; l'histoire des dogmes atteste que ce sont des données bibliques qui sont à l'origine de la réflexion théologique sur la Trinité, la création du monde et de l'homme, la chute, l'Incarnation, la rédemption, la mort et le résurrection du Christ et leur portée salvifique, les effets des sacrements, la vie chrétienne, les fins dernières. Grégoire partage ce souci de la fidélité à l'Écriture[1]. Mais comme dans son traité il essaie de justifier rationnellement la doctrine chrétienne face à des interlocuteurs qui se situent encore en dehors de la religion chrétienne, il fait preuve de beaucoup de réserve dans le recours à l'Écriture.

S'il renvoie à certains passages bibliques, c'est tout d'abord pour *illustrer* ses affirmations à l'aide d'exemples tirés, entre autres, de l'Écriture. Ainsi pour faire comprendre la notion de mal, il cite le fratricide de Caïn, les péchés des contemporains de Noé, ceux des habitants de Sodome, de l'Égypte, de l'Assyrie, le massacre des enfants ordonné par Hérode (ch. 29). Ou bien il énumère des faits concernant la vie du Christ : naissance, croissance, fatigue, douleurs, jugement, crucifixion, mise au tombeau (ch. 9). Ailleurs il fait état des miracles accomplis par le Christ au grand étonnement du prince de la mort (ch. 23). De même il fait appel à l'Écriture pour montrer que celle-ci, s'exprimant dans un langage concret, de type narratif, dit la même chose que ce qui vient d'être formulé en termes abstraits, par exemple : « C'est ce que montre le récit de la création » (ch. 5), ou « C'est une doctrine toute semblable que Moïse nous expose à la manière d'un historien » (ch. 8).

---

1. Pour une étude d'ensemble, cf M. Canévet, *Grégoire de Nysse et l'herméneutique biblique*. Pour l'ensemble des références bibliques, cf. *Biblia Patristica* V.

Ce qui pourrait créer la surprise est que l'auteur ne commente pas longuement ces passages auxquels il renvoie ; il doit supposer que ces passages sont connus, non pas nécessairement de la part des interlocuteurs, mais de la part des catéchistes à qui est destiné le traité. Les catéchistes ont toute liberté pour fournir le détail des différents faits et événements.

Mais il arrive à Grégoire de partir de l'Écriture pour établir des faits ou donner une interprétation : à ce sujet il définit une règle d'interprétation : « Puisque tout ce qui a été dit et tout ce qui s'est passé dans l'Évangile a un sens plus élevé et plus divin et qu'il ne s'y rencontre rien qui ne se révèle en définitive comme un mélange du divin et de l'humain, si bien que la parole et les faits se produisent de façon humaine et que le sens caché livre une révélation de ce qui est divin, il conviendrait, en bonne logique,... de voir dans la mort le côté humain et de rechercher avec soin, dans la manière de mourir, l'élément divin » (ch. 32). C'est à la lumière de ce principe qu'il cherche à dégager « l'enseignement plus profond que contient la croix » (ch. 32). Mais rares sont les textes où il se livre à l'interprétation ainsi définie : il tient sans aucun doute à respecter la loi du genre littéraire qu'il pratique dans le traité.

Parfois l'Écriture est invoquée à titre de *preuve* à l'appui d'une thèse. Ainsi pour prouver que les trois Personnes de la Trinité interviennent pour la nouvelle génération, Grégoire cite successivement *Jn* 3,6 ; *1 Co* 4,15 ; *Ep* 4,6 (ch. 39). De même, après avoir expliqué que la naissance du Christ n'est pas de l'ordre d'une simple naissance humaine, il cite en substance l'évangéliste qui dit que la mère du Christ était vierge (ch. 13).

Cette apparente réserve peut être trompeuse, car il faut se rendre à l'évidence que le langage de Grégoire de Nysse est profondément imprégné de celui de l'Écriture, même si certains passages ont une allure plutôt philosophique. C'est de façon assez spontanée qu'il émaille son discours de termes

variés et d'expressions métaphoriques appartenant au répertoire biblique. Les citations explicites tirées de l'Ancien et du
Nouveau Testament sont plutôt rares, mais nombreuses sont
les citations implicites et les renvois au matériau biblique : les
références qui figurent au bas des pages du texte grec sont
assez éloquentes, elles sont loin d'être complètes si l'on
prend en considération tout ce qui a une saveur biblique.

Ce qui risque d'intriguer le lecteur curieux, c'est que, dans
les premiers chapitres du traité, Grégoire ne fait appel à la
preuve scripturaire que pour établir la vérité de la doctrine
trinitaire face aux objections des juifs. Et encore, il se
contente d'une seule citation de l'Ancien Testament. Mais
dans la suite de l'exposé il s'appuie sur l'Écriture avec une
fréquence croissante : il y puise des exemples concrets destinés à illustrer les propos abstraits qu'il tient, fait état de
miracles et de faits considérés comme preuves de la nature
divine du Christ, invoque l'Écriture pour rendre compte du
symbolisme de la croix et de la portée du Baptême. Il s'agit
d'une utilisation progressive correspondant pour ainsi dire
au cheminement de ceux qui, acceptant la démonstration,
pénètrent de façon progressive dans le secret de la doctrine
chrétienne.

VI. DATATION DU *DISCOURS CATÉCHÉTIQUE*

Les spécialistes qui, au XXe siècle, se sont engagés dans la
délicate opération de datation des œuvres de Grégoire de
Nysse ne sont pas parvenus à un accord sur la date du
Discours catéchétique[1]. Bien plus, certains d'entre eux ont
été amenés à rectifier leur avis : ainsi J. Daniélou, ayant

---

77. J. Daniélou, « La chronologie des sermons de Grégoire de Nysse »,
RevSR 29, 1955, p. 346-372 ; Id., « La chronologie des œuvres de Grégoire de
Nysse », *StPatr* 7, *TU* 92, Berlin 1966 ; G. May, « Die Chronologie des Lebens
und der Werke des Gregor von Nyssa », dans *Écriture et culture*,
p. 51-66 ; J. Barbel, *Die grosse katechetische Rede*, p. 218-225.

retenu d'abord la date de 385, a proposé ensuite 381, après l'article de Lebourlier sur une découverte que signale Grégoire dans le *De tridui spatio*. Certains autres croient devoir aller jusqu'en 386-387. Compte tenu des différentes évaluations, on arrive à une fourchette qui va de 381 à 387. Faute d'accord, il n'est pas interdit d'examiner à frais nouveaux les données fournies par la critique interne et la critique externe.

1. UNE DONNÉE INCONTOURNABLE FOURNIE PAR LE *DISCOURS CATÉCHÉTIQUE*

En toute hypothèse, il faut prendre en compte le passage suivant : « Pour ceux qui cherchent un exposé plus complet, il existe d'autres ouvrages dans lesquels nous avons naguère abordé cette question, en l'examinant à fond avec tout le soin dont nous sommes capable, et dans lesquels, tout en soutenant des controverses contre les adversaires, nous avons aussi étudié pour elles-mêmes les objections qui nous ont été opposées » (ch 38). Comment a-t-on interprété ces données ?

a. *En faveur d'une date plus récente*

a) Certains commentateurs estiment que Grégoire entend désigner les traités *Contre Eunome*. Ceux qui songent à l'ensemble de ces traités retiennent 384-385 ; ceux qui incluent dans ces travaux les écrits contre Apollinaire en arrivent à 386-387.

b) On fait valoir la maturité théologique à laquelle est parvenu l'auteur du *Discours catéchétique*. Celle-ci s'expliquerait mieux, pensent certains, si le traité a été rédigé après les écrits contre Eunome ou même les écrits contre Apollinaire.

c) Le passage sur le sort de Jérusalem prouve éventuellement que l'auteur a rédigé son traité après le voyage au cours duquel il a visité cette ville.

b. *En faveur d'une date plus ancienne*

Lebourlier [1] attire l'attention sur un passage du sermon *De tridui spatio*, dans lequel Grégoire annonce comme une découverte récente le thème de la présence du Logos auprès du corps et de l'âme du Christ, séparés au moment de la mort. Cette donnée amène J. Daniélou à proposer 381, et non plus 385, pour le *Discours catéchétique*, qui aurait donc été publié à l'époque du *Contre Eunome* I et II.

c. *En faveur d'un réexamen*

Une lecture attentive appelle, au titre de la critique interne et de la critique externe, un certain nombre d'observations, que nous présentons de la façon suivante :

a) Le traité ne mentionne pas explicitement le thème du *Prôtotokos-Premier-né*, largement commenté dans la *Réfutation de la confession d'Eunome*, qui pourrait dater de 384-386, ni celui de l'*Agennètos* qui occupe une place relativement importante dans l'argumentation du *Contre Eunome* I. Or, théoriquement le *Discours catéchétique* se prêtait aussi à l'utilisation de ce thème dans le cadre des développements sur la Trinité. Pourquoi le silence autour de ce thème, si le traité a été rédigé après le *Contre Eunome* I et II ou même à l'époque de la rédaction de la *Réfutation* ?

b) Pour la théologie trinitaire, le *Discours catéchétique* se situe comme en retrait par rapport au *Contre Eunome* en ce qui concerne la terminologie : le mot *ousia* est employé de façon plutôt discrète, alors que *phusis* est à l'honneur. De même, il n'est guère question de l'œuvre de sanctification du Saint-Esprit, ni de *l'homotimie*, ce qui est surprenant à l'époque du concile de Constantinople de 381.

---

1. Cf. J. LEBOURLIER, « A propos de l'état du Christ dans la mort », *RSPT* 47, 1963, p. 161-180.

c) Des réticences se manifestent à propos de l'emploi du titre de *Christ* ou de celui de *Fils de Dieu*. Après le *Contre Eunome*, Grégoire n'aurait pas dû éprouver des réticences de ce genre, vu qu'il avait commencé à tirer les choses au clair dans ces traités.

d) Le *Discours catéchétique* ne comporte pas de passage clairement dirigé contre Apollinaire : la problématique du *noûs* du Christ remplacé par le Logos est absente de ce traité.

e) Dans le *Discours catéchétique*, Grégoire parle claire-ment de la possibilité de connaître Dieu à travers les *éner-geiai* et l'auteur n'insiste pas sur l'incompréhensibilité de Dieu ; dans le *Contre Eunome*, en revanche, l'impossibilité de connaître l'essence de Dieu devient un thème majeur.

f) Le *Discours catéchétique* contient des passages marqués par une sorte d'ardeur juvénile à expliquer et à démontrer, et par la conviction intime que les arguments avancés ne peu-vent pas ne pas rencontrer l'assentiment : nombreux sont les passages dans lesquels figurent des expressions comme : «nécessairement», «de toute nécessité», destinées à faire comprendre que l'argumentation s'impose avec une force contraignante. En face d'Eunome, Grégoire semble avoir adopté une autre attitude ; alors qu'Eunome est présenté comme un virtuose de la dialectique, Grégoire adopte un profil bas et ne cesse de rappeler les limites de la raison humaine.

g) Pour l'un ou l'autre passage, comme celui qui concerne le trompeur trompé, il semble déplacé de parler de pleine maturité théologique.

h) Les chapitres sur la foi, la vie chrétienne, les fins der-nières représentent le prolongement normal des chapitres précédents au point de vue des idées. Néanmoins, le style nous semble d'une autre venue. On ne peut se défaire de l'impression d'un ajout à une œuvre déjà rédigée. De même le chapitre 35 soulève tout à coup une problématique à laquelle on ne s'attendait pas : l'auteur fait une distinction entre la résurrection pour la vie nouvelle et la résurrection à la fin des temps, alors que jusque-là il n'avait pas fait allusion à la deuxième forme de résurrection. N'y a-t-il pas là aussi une précision introduite après coup, éventuellement à la suite d'une relecture critique, faite par Grégoire lui-même ou par quelqu'un d'autre ? Cette même question est suggérée par l'absence d'une vraie péroraison, ce qui est surprenant de la part d'un écrivain habile à manier les règles de la rhétorique.

i) Le réalisme invite à se poser la question suivante : comment cet auteur a-t-il pu trouver le temps et la force nécessaires pour rédiger entre 381 et 385 toutes les œuvres qu'on lui attribue pour cette période et notamment des œuvres de longue haleine comme les traités contre Eunome, effectuer tous ces déplacements qui le mènent successivement à Antioche, auprès de sa sœur Macrine, au concile de Constantinople en 381, aux synodes qui se tiennent dans cette même ville en 382 et en 383, en Arabie et à Jérusalem ? Tout cela suppose une puissance de travail hors du commun.

2. Proposition sous forme d'hypothèse

a) Certes Grégoire renvoie à des travaux dèjà connus, à des œuvres de controverse. Ne pourrait-on pas penser à certains traités sur la Trinité, d'autant plus qu'il mentionne ces travaux dans un chapitre consacré en réalité à la foi en la Trinité. Par ailleurs, comme on l'a vu plus haut, au point de vue de la terminologie *ousia-phusis*, le *Discours catéchétique* semble plus proche de tel petit traité sur la Trinité que du *Contre Eunome*.

b) La datation de la mort de Basile proposée par P. Maraval permettrait d'étaler les œuvres sur une période un peu plus longue [1].

---

1. Cf. P. Maraval, « La date de la mort de Basile de Césarée », *REAug* 34, 1988, p. 25-38.

c) Du point de vue de l'atmosphère générale, le *Discours catéchétique* est assez proche du *De anima et resurrectione* et du *De hominis opificio*. Il est loisible d'admettre qu'il a été rédigé à peu près à la même époque. Or il existe un large accord pour la thèse de l'antériorité de ces traités par rapport aux traités contre Eunome.

d) A l'époque où il est en exil, Grégoire a pu former le projet de fournir à ceux qui s'occupaient de catéchèse dans son diocèse un instrument de travail qui soit en fait une synthèse de théologie et un manuel d'apologétique, permettant de répondre à différentes objections provenant de non-chrétiens. Ce sont eux qui sont les vrais destinataires, auxquels il s'adresse par l'entremise de responsables de catéchèse. C'est à leur intention qu'il a pu commencer la rédaction de ce traité.

e) Si on retient une date antérieure à 381, on en arrive à suggérer l'idée que la rédaction du *Discours catéchétique* pourrait se situer avant celle du *Contre Eunome*, du moins pour l'essentiel, les deux derniers chapitres ayant pu être ajoutés ultérieurement. Cette éventualité est-elle à rejeter au nom de l'invraisemblance ? On peut estimer que Grégoire a pu rédiger assez rapidement des traités aussi difficultueux que le *Contre Eunome* et y aborder des questions tellement complexes parce que justement l'ossature de son système était acquise et que, pour certains aspects, il a pu préciser l'expression et affiner l'argumentation dans la suite. En envisageant cette solution, on ne diminue en rien la stature d'un théologien qui a de quoi étonner à l'heure actuelle et par là on rend peut-être mieux compte de son évolution. En tout cas, la solution suggérée ne revendique nullement le statut de la chose prouvée : elle est à considérer comme une simple hypothèse de travail ; des recherches comparatives plus affinées permettront de la confirmer, de l'affiner ou bien de l'infirmer.

VII. L'ÉDITION UTILISÉE

Le texte grec que nous suivons est celui donné par E.
Mühlenberg, *Gregorii Nysseni Oratio Catechetica, Opera
dogmatica minora*, Vol. III, Pars IV, dans la collection *Gregorii Nysseni Opera*, Leiden, Brill 1996. Pour plus de détails,
on est prié de se reporter à l'Introduction qui comporte une
présentation descriptive des manuscrits, le stemma de ces
manuscrits et une longue partie explicative. L'auteur justifie
la répartition des manuscrits en deux groupes et fournit le
relevé des indices qui permettent l'établissement de familles
et de filières. Il signale les passages repris par Théodoret de
Cyr dans *l'Éranistès*, par Léonce de Byzance dans son florilège *Contra Nestorium et Eutychèn*, par l'auteur de la *Doc-
trina Patrum de Incarnatione* et par le florilège *Ad Anasta-
sii Sinaitae Quaestiones et responsiones*, par Euthymius
dans sa *Panoplia dogmatica*. Ensuite l'auteur s'explique sur
la subdivision en chapitres et leur numérotation, pour
laquelle il n'existe pas de répartition uniforme ; lui-même a
renoncé à une répartition en chapitres. Par rapport à Srawley,
E. Mühlenberg utilise d'autres sigles pour désigner les
manuscrits par souci d'harmonisation avec les dénominations retenues pour les œuvres de Grégoire de Nysse déjà
publiées dans la collection *GNO*. Il se montre d'accord avec
Srawley pour la répartition des manuscrits en deux groupes,
même après la consultation de manuscrits dont l'érudit
anglais ne disposait pas. Néanmoins, à la différence de
Srawley, il croit devoir accorder la préférence aux leçons du
premier groupe. Il rend hommage à Srawley pour son acribie
et sa perspicacité. Si pour le texte critique on ne constate que
quelques rares divergences concernant surtout des formes
nominales et verbales, l'apparat critique en revanche atteste
des différences de présentation résultant de l'emploi de sigles
spécifiques.

Nous signalerons dans les notes, les variantes les plus significatives entre le texte collationné par E. Mühlenberg et celui établi par J.H. Srawley

TRADUCTION, INTRODUCTION ET COMMENTAIRE

La traduction de L. Méridier (1908) a été réalisée d'après l'édition critique du *Discours catéchétique* établie par Srawley et publiée en 1903. Srawley lui-même élabora une traduction en anglais qui parut en 1917. Une nouvelle traduction en français, réalisée par les soins d'Annette Maignan, fut publiée en 1978 dans la collection *Les Pères de l'Église* sous le titre de *La catéchèse de la foi*[1]. La présente traduction s'appuie sur le texte critique établi par E. Mühlenberg pour la collection *GNO*. Le souci du traducteur a été de serrer le texte de près, d'en respecter le mouvement et surtout d'éclairer la portée du traité grâce à une introduction et à un commentaire assez détaillés. De cette manière, le lecteur trouvera les indications nécessaires sur le contexte dans lequel s'inscrit cette œuvre, sur la cohérence de l'exposé, sur l'intérêt théologique des sujets abordés, sur les précisions rendues possibles par les rapprochements avec d'autres œuvres de Grégoire de Nysse ou avec des traités d'autres théologiens. De même, il pourra se faire une idée plus précise de l'argumentation mise en œuvre pour permettre une meilleure intelligence de la foi. Ainsi il lui sera plus facile de saisir l'originalité d'une synthèse due à un théologien qui a cherché à mettre la philosophie de l'époque au service de la théologie et qui ne manque pas d'envergure.

N.B. : Pour faciliter le travail de comparaison entre le texte de la *Patrologie grecque*, ceux de Srawley et de Méridier, d'une part, et celui de *GNO*, d'autre part, il paraît utile de

---

1. M. ALTENBURGER — F. MANN, *Bibliographie zu Gregor von Nyssa*, indique les différentes traductions réalisées jusqu'en 1988.

conserver la subdivision en chapitres commune au premier groupe, même si cette division n'est pas toujours convaincante. Pour la même raison, il nous a semblé avantageux d'indiquer en marge du texte grec les changements de colonnes pour la *PG* 45 et de pages pour le *GNO* III, IV.

Pour le commentaire il convenait de s'appuyer sur les précieuses observations de J.H. Srawley, sur les pertinentes remarques de J. Barbel, sur les études très variées consacrées à Grégoire de Nysse depuis quelques décennies.

TEXTE ET TRADUCTION

ΛΟΓΟΣ ΚΑΤΗΧΗΤΙΚΟΣ

Πρόλογος

E. Mühlenberg
(M)
GNO III, IV,
p. 5

Ὁ τῆς κατηχήσεως λόγος ἀναγκαῖος μέν ἐστι τοῖς προεστηκόσι τοῦ μυστηρίου τῆς εὐσεβείας [a], ὡς ἂν πληθύνοιτο τῇ προσθήκῃ τῶν σῳζομένων [b] ἡ ἐκκλησία, τοῦ κατὰ τὴν διδαχὴν πιστοῦ λόγου [c] τῇ ἀκοῇ τῶν ἀπίστων προσα-
5 γομένου · οὐ μὴν ὁ αὐτὸς τῆς διδασκαλίας τρόπος ἐπὶ πάντων ἁρμόσει τῶν προσιόντων τῷ λόγῳ, ἀλλὰ κατὰ τὰς τῶν θρησκειῶν διαφορὰς μεθαρμόζειν προσήκει καὶ τὴν κατήχησιν, πρὸς τὸν αὐτὸν μὲν ὁρῶντας τοῦ λόγου σκοπόν, οὐχ ὁμοιοτρόπως δὲ ταῖς κατασκευαῖς ἐφ' ἑκάστου χρωμένους. Ἄλλαις
10 γὰρ ὑπολήψεσιν ὁ ἰουδαΐζων προείληπται καὶ ὁ τῷ ἑλληνισμῷ

---

a. Cf. 1 Tm 3, 16   b. Cf. Ac 2, 47   c. Cf. Tt 1, 9

1. *Katèchein* est utilisé dans le *N.T.* pour un enseignement de type oral : cf. Lc 1,4 ; Ac 18,25 ; Rm 2,18 ; 1 Co 14,19. Dès le IIe siècle, *katèchèsis* désigne l'enseignement qui est lié au Baptême (*2 Clément*, 17,1). Cf. H.W. BEYER, art. « *Katècheô* », *TWNT*.
2. Pour *proestèkosi* cf. Rm 12,8 ; 1 Th 5, 2 ; 1 Tm 5, 17 ; HERMAS, *Vis.* 2, 4, 3 ; JUSTIN, *Apol.* 1, 67.
3. Cf.1 Tm 3, 16 ; le sens rejoint celui de « mystère » dans Ep 1, 9 ; 3, 3 ; Col 1, 26, de dessein éternel de Dieu, jadis caché et maintenant révélé. *Eusébeia* désigne une attitude d'adhésion fidèle à une doctrine sûre. Ici l'expression a le sens courant de foi chrétienne avec sa dimension de vérité révélée, en partie impénétrable à notre esprit. Mais ailleurs Grégoire emploie l'expression pour les sacrements. Cf. J. IBAÑEZ — F. MENDOZA, « Naturaleza de la eusebeia en Gregorio de Nisa », dans *Gregor von Nyssa und die Philosophie*, éd. H. Dörrie, Leiden 1972, p. 261-277.

DISCOURS CATÉCHÉTIQUE

PROLOGUE

Considérations préalables : Méthodes d'argumentation

L'enseignement catéchétique[1] doit nécessairement être pratiqué par ceux qui sont préposés[2] au mystère de la piété[a3], afin que l'Église puisse connaître l'accroissement par l'augmentation du nombre des sauvés[b], en proposant à l'écoute[4] des infidèles la parole digne de foi conforme à la doctrine[c5]. Cependant, la même méthode d'enseignement n'est pas également appropriée à l'ensemble de ceux qui s'approchent pour écouter la parole ; il convient d'adapter la catéchèse à la diversité des croyances religieuses et, tout en visant par l'enseignement le même objectif, d'avoir recours à des arguments[6] variant selon les différents cas. En effet, autres sont les présupposés[7] d'où part l'adepte du judaïsme[8], autres ceux d'où part celui qui vit en milieu

---

4. *Akoè* est à mettre en relation avec *katèchèsis* et le thème de la *pistis ex akoès* (Rm 10, 17 ; Ga 3, 2).

5. Cf. *Tt* 1, 9. *Didachè* désigne l'enseignement des apôtres transmis par la voie de la prédication et qui fournit une base sûre à celle-ci. Voir K.H. Rengstorf, art. *Didaskô, TWNT* 2, p. 138-168 et J.P. Audet, *La Didachè. Instructions des apôtres*, Paris 1958, p. 249-252.

6. Le terme grec suggère l'idée d'« argument qui emporte la conviction ».

7. *Hupolèpsis* : cf. Basile, *Contre Eunome* I, 10, 19.27 ; I, 14, 36 ; II, 16, 30 ; *SC* 299 et 305.

3. Cf. Introduction : 'contexte religieux', p. 19 s.

συζῶν ἑτέραις· ὅ τε ἀνόμοιος καὶ ὁ μανιχαῖος καὶ οἱ κατὰ
Μαρκίωνα καὶ Οὐαλεντῖνον καὶ Βασιλείδην καὶ ὁ λοιπὸς κατά-
λογος τῶν κατὰ τὰς αἱρέσεις πλανωμένων ἰδίαις ἕκαστος ὑπολήψεσι προειλημμένοι ἀναγκαίαν ποιοῦσι τὴν πρὸς τὰς ἐκεί-
15 νων ὑπονοίας μάχην · κατὰ γὰρ τὸ εἶδος τῆς νόσου καὶ τὸν
M 6 τρόπον τῆς θεραπείας προσαρμοστέον. Οὐ τοῖς αὐτοῖς | θερα-
πεύσεις τοῦ ἕλληνος τὴν πολυθεΐαν καὶ τοῦ ἰουδαίου τὴν περὶ
τὸν μονογενῆ Θεὸν ᵈ ἀπιστίαν, οὐδὲ ἀπὸ τῶν αὐτῶν τοῖς κατὰ
τὰς αἱρέσεις πεπλανημένοις ἀνατρέψεις τὰς ἠπατημένας περὶ
20 τῶν δογμάτων μυθοποιΐας · οὐ γὰρ δι᾽ ὧν ἄν τις ἐπανορ-
PG 12 θώσαιτο τὸν | σαβέλλιον, διὰ τῶν αὐτῶν ὠφελήσει καὶ τὸν
ἀνόμοιον, οὐδὲ ἡ πρὸς τὸν μανιχαῖον μάχη καὶ τὸν ἰουδαῖον
ὀνίνησιν, ἀλλὰ χρή, καθὼς εἴρηται, πρὸς τὰς προλήψεις τῶν

d. Cf. Jn 1, 18

1. Cf. Introduction : 'culture profane et culture philosophique', p. 116 s.
2. Selon les anoméens, le Fils, non seulement n'est pas égal au Père, il ne
lui est même pas semblable. GRÉGOIRE a combattu l'anoméisme notamment
dans ses traités *CE* (*GNO* I et II), à la suite de son frère BASILE (*Contre
Eunome*, SC 299 et 305).
3. Le manichéisme, qui propose une doctrine dualiste, est assez répandu
au IVᵉ siècle. GRÉGOIRE réfute à plusieurs reprises des thèses manichéennes :
ch. 5-8 ; 26 ; 28. Voir H. CH. PUECH, *Le manichéisme, son fondateur, sa
doctrine*, Paris 1949 ; A. BÖHLIG, art. «Manichäismus», *TRE* 22, p. 25-45
avec une importante bibliographie.
4. MARCION se différencie d'autres gnostiques en renonçant aux spéculations sur les éons et en radicalisant l'opposition entre le Dieu bon et le Dieu
mauvais. Cf. IRÉNÉE, *Adversus Haereses* I et II, SC 263-264 et 293-294 ;
TERTULLIEN, *Adversus Marcionem*, SC 365, 368, 399. Pour une bibliographie récente, cf. B. ALAND, art. «Marcion-Marcioniten», *TRE* 22, p. 89-101.
5. VALENTIN, qui a vécu à Rome de 135 à 160, a enseigné un gnosticisme
caractérisé par l'exubérance des spéculations sur les éons. *L'Évangile de
vérité*, trouvé à une date assez récente, a été sinon rédigé par lui, du moins
écrit sous son inspiration. Les disciples de VALENTIN peuvent être répartis en
deux groupes. A la branche occidentale appartiennent notamment PTOLÉ-
MÉE et HÉRACLÉON ; à la branche orientale THÉODOTE et MARC. Encore durant
la deuxième moitié du IVᵉ siècle il existe des cercles valentiniens. Pour les
débuts, cf. IRÉNÉE, *AH* I, SC 264 ; TERTULLIEN, *Contre les Valentiniens*,

grec[1]; l'anoméen[2], le manichéen[3], les sectateurs de Marcion[4], de Valentin[5], de Basilide[6] et toute la série de ceux qui se sont égarés dans l'hérésie et dont chacun est imbu de préjugés particuliers rendent indispensable la lutte contre les croyances respectives; en effet, la forme du traitement demande à être adaptée à la nature de la maladie. Ce n'est pas par les mêmes remèdes que l'on traitera le polythéisme du grec et le refus du juif de croire au Dieu Monogène[d7]. Quant à ceux qui se sont fourvoyés dans l'hérésie, ce n'est pas avec les mêmes procédés qu'on les convaincra de la fausseté des fictions mensongères qu'ils ont inventées au sujet des doctrines religieuses; en effet, les raisonnements grâce auxquels on aura pu remettre le sabellien[8] dans le droit chemin ne sont pas les mêmes que ceux qui seront profitables pour l'anoméen, et le combat mené contre le manichéen sera sans profit pour le juif; mais, comme on vient de le dire, il faut prendre

SC 280, 281; F.M. SAGNARD, *La gnose valentinienne et le témoignage de saint Irénée*, Paris 1947; pour les siècles suivants, cf notamment les textes de Nag-Hammadi publiés dans la collection *Bibliothèque copte de Nag-Hammadi*, Sections « *Textes* » et « *Études* », édit. J.E. MÉNARD, P. POIRIER, M. ROBERGE.

6. BASILIDE, qui a séjourné à Alexandrie entre 120 et 145, a rédigé un évangile et un commentaire de celui-ci, des odes et des hymnes. Les basilidiens attachaient beaucoup d'importance au baptême du Christ : la grande Église a repris cette fête qui se répand au IVe siècle. Grégoire est l'un des premiers témoins de cette innovation. Cf. J.H. WASZINK, art. « Basilides », *RAC* 1, 1218-1225; WINRICH A. LÖHR, *Basilides und seine Schule*, Mohr, Tübingen 1995.

7. La lecture *monogénès théos* n'est pas attestée par tous les manuscrits du *N.T.*, dont certains portent *monogénès huios*. Cf. *The Greek New Testament*, éd. ALAND[3], 1983, p. 322, n.5, qui offre une liste significative d'auteurs de l'ère patristique, regroupés en fonction de la leçon qu'ils ont retenue. Cf. aussi *Biblia patristica*.

8. Sabellius est l'un des représentants les plus connus du monarchianisme modaliste; voir TERTULLIEN, *Adversus Praxean*, *CCL* II, p. 1159-1205. S'appuyant sur la théorie des catégories stoïciennes selon laquelle un être peut avoir plusieurs modes d'apparaître, les sabelliens enseignent qu'entre le Père, le Fils et l'Esprit il n'existe aucune différence réelle : la Trinité n'est que la trinité des modes de manifestation d'un Dieu qui en soi est unique et toujours le même.

ἀνθρώπων βλέπειν καὶ κατὰ τὴν ἐγκειμένην ἑκάστῳ πλάνην
25 ποιεῖσθαι τὸν λόγον, ἀρχάς τινας καὶ προτάσεις εὐλόγους ἐφ᾽
ἑκάστης διαλέξεως προβαλλόμενον, ὡς ἂν διὰ τῶν παρ᾽ ἀμφο-
τέροις ὁμολογουμένων ἐκκαλυφθείη κατὰ τὸ ἀκόλουθον ἡ ἀλήθεια.

Οὐκοῦν ὅταν πρός τινα τῶν ἑλληνιζόντων ἡ διάλεξις ᾖ,
30 καλῶς ἂν ἔχοι ταύτην ποιεῖσθαι τοῦ λόγου τὴν ἀρχήν, πότερον
εἶναι τὸ θεῖον ὑπείληφεν ἢ τῷ τῶν ἀθέων συμφέρεται δόγ-
ματι. Εἰ μὲν οὖν μὴ εἶναι λέγοι, ἐκ τῶν τεχνικῶς καὶ σοφῶς
κατὰ τὸν κόσμον οἰκονομουμένων προσαχθήσεται πρὸς τὸ διὰ
τούτων εἶναί τινα δύναμιν τὴν ἐν τούτοις διαδεικνυμένην καὶ
35 τοῦ παντὸς ὑπερκειμένην ὁμολογῆσαι · εἰ δὲ τὸ μὲν εἶναι μὴ
ἀμφιβάλλοι, εἰς πλῆθος δὲ θεῶν ταῖς ὑπονοίαις ἐκφέροιτο,

---

1. Le passage qui va de *oukoûn* jusque vers la fin du ch. 3 figure dans
EUTHYMIUS, *Pan. dogm.* 1, 3, 1, *PG* 130, p. 33.

2. *To theion* avec son halo d'indétermination convient mieux que *théos* à
ce qu'il s'agit de faire admettre dans un premier temps de l'argumentation,
à savoir l'existence d'une divinité. *To theion* est aussi utilisé pour désigner le
Dieu unique chrétien ; l'expression figure dans le *N.T.* dans des passages à
coloration hellénistique : ex. Ac 17, 27, 29 ; 2 P 1, 3. Cf. art. «Theios»,
TWNT 3, p. 65-123. D'autre part, *dogma* a, dans ce contexte, le sens non pas
de «dogme», mais de «doctrine» (philosophique ou religieuse) ou d'«opinion».

3. PLATON demande des châtiments sévères pour l'athéisme de ceux qui
ne croient pas en l'existence des dieux» ou qui prétendent que «tout est vide
de dieux» (*Lois* X, 908 b, *CUF*, t.12, 1, p. 180-181). Par ailleurs on traitait
d'athées ceux qui n'admettaient pas les dieux de la cité, par ex. Socrate ; le
même reproche est fait aux chrétiens à ce titre-là.

4. Cet argument peut s'appuyer sur l'Écriture (Sg 13, 1 et 3 ; Si 17, 5 ; Rm
1, 19-20) et sur la philosophie platonicienne et néo-platonicienne (Cf. PLA-
TON, *Banquet* 211 c ; PLOTIN, *Enn.* 1, 6, 1), et se retrouve chez bien des Pères.
Cf. ATHANASE, *Contra gentes*, qui s'appuie sur la connaissance de Dieu à
partir de la contemplation du monde, pour prouver l'unicité du créateur :
«La création, par son ordre et son harmonie, comme par une écriture, fait
connaître et proclame son maître et son créateur... Puisque le monde qu'il a
créé est unique, il est nécessaire de croire que son créateur est unique.»

en considération les préjugés des différents individus et
adapter l'enseignement en fonction de l'erreur ancrée en
chacun d'eux, en avançant, dans chaque discussion, des principes et des propositions plausibles, afin que, sur la base des
points admis par les deux parties, la vérité puisse être dévoilée grâce à la cohérence logique de l'argumentation.

PREMIÈRE PARTIE

LE DIEU UN ET TRINE — THÉOLOGIE

1. LA FOI EN UN SEUL DIEU

Donc[1], toutes les fois que la discussion s'engage avec
quelqu'un qui appartient au milieu grec, il serait bon de se
demander tout d'abord : admet-il l'existence de la divinité[2]
ou bien se range-t-il à l'opinion des athées[3] ? Pour le cas où il
prétend qu'il n'y a pas de divinité, on l'amènera, à partir de la
savante et sage ordonnance du monde, à reconnaître qu'il
existe une puissance qui s'y manifeste et qui est supérieure à
l'univers[4] ; pour le cas où il ne met pas en doute l'existence
d'une divinité, mais se montre porté à croire à une pluralité
de dieux, faisons appel à son endroit à une argumentation[5]
du genre suivant. Estime-t-il que la divinité est parfaite ou
imparfaite ? Si, comme cela est probable, il se prononce en

(*Contra gentes*, SC 18 bis, 39, p. 186-185). GRÉGOIRE aborde le même thème
dans les ch. 12 et 15 du *Disc. cat.* et dans le *In Cantic.* 11. Voir aussi *In Eccles.
hom.* 1, 1, SC 416, p. 107-111 ; *In Hexaem.*, *PG* 44, 73 B ; *Vit. Moys.*,
SC 1 bis, p. 77-80. Cf F. DIEKAMP, *Die Gotteslehre des heiligen Gregor von
Nyssa*, p. 63-66.
   5. Pour *akolouthia* : cf. Introduction, p. 32 s.

M 7   τοιαύτη χρησόμεθα | πρὸς αὐτὸν τῇ ἀκολουθίᾳ, πότερον
τέλειον ἢ ἐλλιπὲς ἡγεῖται τὸ θεῖον. Τοῦ δὲ κατὰ τὸ εἰκὸς τὴν
τελειότητα προσμαρτυροῦντος τῇ θείᾳ φύσει, τὸ διὰ πάντων
40   αὐτὸν τῶν ἐνθεωρουμένων τῇ θεότητι τέλειον ἀπαιτήσομεν,
ὡς ἂν μὴ σύμμικτον ἐκ τῶν ἐναντίων θεωροῖτο τὸ θεῖον, ἐξ
ἐλλιποῦς καὶ τελείου. Ἀλλ᾽ εἴτε κατὰ τὴν δύναμιν, εἴτε κατὰ
τὴν τοῦ ἀγαθοῦ ἐπίνοιαν, εἴτε κατὰ τὸ σοφόν τε καὶ ἄφθαρτον
καὶ ἀΐδιον καὶ εἴ τι ἄλλο θεοπρεπὲς νόημα τῇ θεωρίᾳ προσ-
45   κείμενον τύχοι, ἐν παντὶ τὴν τελειότητα θεωρεῖσθαι περὶ τὴν
θείαν φύσιν κατὰ τὸ εὔλογον τῆς ἀκολουθίας ταύτης συγκαταθήσεται. Τούτου δὲ δοθέντος οὐκέτ᾽ ἂν εἴη χαλεπὸν τὸ ἐσκε-
δασμένον τῆς διανοίας εἰς πλῆθος θεῶν πρὸς μιᾶς θεότητος
περιαγαγεῖν ὁμολογίαν · εἰ γὰρ τὸ τέλειον ἐν παντὶ δοίη περὶ
50   τὸ ὑποκείμενον ὁμολογεῖσθαι, πολλὰ δὲ εἶναι τὰ τέλεια διὰ
τῶν αὐτῶν χαρακτηριζόμενα λέγοι, ἀνάγκη πᾶσα ἐπὶ τῶν
μηδεμιᾷ παραλλαγῇ διακρινομένων ἀλλ᾽ ἐν τοῖς αὐτοῖς θεωρουμένων ἢ ἐπιδεῖξαι τὸ ἴδιον ἤ, εἰ μηδὲν ἰδιαζόντως κατα-
λαμβάνοι ἡ ἔννοια ἐφ᾽ ὧν τὸ διακρῖνον οὐκ ἔστι, μὴ ὑπονοεῖν
55   τὴν διάκρισιν · εἰ γὰρ μήτε παρὰ τὸ πλέον καὶ ἔλαττον τὴν
διαφορὰν ἐξευρίσκοι — διότι τὴν ἐλάττωσιν ὁ τῆς τελειότητος
οὐ παραδέχεται λόγος — μήτε τὴν παρὰ τὸ χεῖρον καὶ
προτιμότερον — οὐ γὰρ ἂν ἔτι θεότητος ὑπόληψιν σχοίη, οὗ ἡ
τοῦ χείρονος οὐκ ἄπεστι προσηγορία — μήτε κατὰ τὸ ἀρχαῖον

---

1. Dans le *CE* II, GRÉGOIRE se livre à des considérations plus circonstanciées sur ce terme d'*épinoia*, utilisé par EUNOME dans sa controverse avec
BASILE. G.W.H. LAMPE, dans *A Patristic Greek Lexikon*, p. 528, souligne la
différence entre EUNOME, qui donne à ce terme le sens plutôt péjoratif de
« fiction, imagination », et BASILE, qui définit l'*épinoia* comme « activité
réflexive de l'esprit à partir des données de la perception ». Le même mot sert
aussi à désigner le résultat de cette activité et pourrait alors se rendre par
« concept ». GRÉGOIRE se déclare d'accord avec BASILE, mais se montre
original en soulignant la valeur heuristique de l'*épinoia* : « Selon moi,
l'*épinoia* est une voie d'approche dans la recherche portant sur les choses
inconnues ; partant d'une première connaissance concernant l'objet étudié,
elle s'appuie sur ce qui s'en rapproche et s'y rattache et arrive à découvrir ce
qui en découle » (*CE* II, 182, *GNO* I, p. 277). Cf. A. ORBE, « La Epinoia.
Algunos preliminares historicos de la distincion *kat'épinoian* », dans *Ana-*

faveur de la perfection de la nature divine, demandons-lui de reconnaître à la divinité la perfection sous le rapport de tous les attributs envisagés, pour éviter que la divinité ne soit considérée comme un mélange des contraires que sont l'imparfait et le parfait. Que ce soit à propos de la puissance ou de la faculté de concevoir[1] le bien, de la sagesse, de l'incorruptibilité, de l'éternité ou de toute autre conception digne de la divinité qui se présente à la réflexion, l'interlocuteur accordera, en raison de la cohérence logique du raisonnement, que la perfection[2] est à envisager partout dans la nature divine. Si ce point est accordé, il ne saurait plus être difficile d'amener sa pensée, dispersée sur une multitude de dieux, à reconnaître une divinité unique. Si, en effet, l'interlocuteur concédait qu'il faut accorder en tout une perfection absolue à ce qui est l'objet de la discussion, tout en prétendant qu'il existe de nombreux êtres parfaits présentant les mêmes caractères, il faudrait de toute nécessité, pour ces êtres qui ne se distinguent par aucune différence et qui, au contraire, sont envisagés avec les mêmes attributs, ou bien montrer ce qui est propre à chacun ou bien, si la pensée ne peut percevoir aucune propriété spécifique là où n'existe pas de différence, renoncer à supposer des distinctions. Car, si l'on ne découvre pas de différence de l'ordre du plus ou du moins — du fait que la notion de perfection exclut l'idée d'amoindrissement —, ni de l'ordre du moins bon et du meilleur — car la divinité ne saurait plus se concevoir là où subsisterait l'appellation de moins bon —, ni de l'ordre de l'ancienneté ou de la nouveauté — car la non-éternité est

lecta Gregoriana 64, Rome 1955 ; B. POTTIER, *Dieu et le Christ selon Grégoire de Nysse*, p. 143-176.

3. *Téleios* s'applique à tous les êtres pourvus des éléments constitutifs de leur nature. Ainsi la nature humaine du Christ est parfaite, quand elle possède le *noûs*. Voir F. DIEKAMP qui analyse les différents attributs dans *Die Gotteslehre des heiligen Gregor von Nyssa*, p. 203-260 et E. MÜHLENBERG, *Die Unendlichkeit Gottes*. Il convient de préciser que la « perfection » affecte tous les autres attributs du coefficient de l'absolu.

60 καὶ πρόσφατον — τὸ γὰρ μὴ ἀεὶ ὂν ἔξω τῆς περὶ τὸ θεῖόν ἐστιν
ὑπολήψεως — ἀλλ᾽ εἷς καὶ ὁ αὐτὸς τῆς θεότητος λόγος, οὐδε-
M 8 μιᾶς ἰδιότητος ἐν οὐδενὶ κατὰ τὸ εὔλογον εὑρισκο|μένης,
ἀνάγκη πᾶσα πρὸς μιᾶς θεότητος ὁμολογίαν συνθλιβῆναι τὴν
πεπλανημένην περὶ τοῦ πλήθους τῶν θεῶν φαντασίαν · εἰ γὰρ
65 τὸ ἀγαθὸν καὶ τὸ δίκαιον, τό τε σοφὸν καὶ τὸ δυνατὸν ὡσαύτως
λέγοιτο, ἥ τε ἀφθαρσία καὶ ἡ ἀϊδιότης καὶ πᾶσα εὐσεβὴς διάνοια κατὰ τὸν αὐτὸν ὁμολογοῖτο τρόπον, πάσης κατὰ πάντα
λόγον διαφορᾶς ὑφαιρουμένης, συνυφαιρεῖται κατ᾽ ἀνάγκην τὸ
τῶν θεῶν πλῆθος ἀπὸ τοῦ δόγματος, τῆς διὰ πάντων ταὐ-
70 τότητος εἰς τὸ ἓν τὴν πίστιν περιαγούσης.

PG 13 Α΄. Ἀλλ᾽ ἐπειδὴ καὶ ὁ τῆς εὐσεβείας λόγος οἶδέ τινα διάκρισιν ὑποστάσεων ἐν τῇ ἑνότητι τῆς φύσεως βλέπειν, ὡς ἂν
μὴ τῇ πρὸς τοὺς ἕλληνας μάχῃ πρὸς τὸν ἰουδαϊσμὸν ἡμῖν ὁ
λόγος ὑπενεχθείη, πάλιν προσήκει διαστολῇ τινὶ τεχνικῇ καὶ
5 τὴν περὶ τοῦτο πλάνην ἐπανορθώσασθαι. Οὐδὲ γὰρ τοῖς ἔξω
τοῦ καθ᾽ ἡμᾶς δόγματος ἄλογον εἶναι τὸ θεῖον ὑπείληπται ·
τοῦτο δὲ παρ᾽ ἐκείνων ὁμολογούμενον ἱκανῶς διαρθρώσει τὸν
ἡμέτερον λόγον · ὁ γὰρ ὁμολογῶν μὴ ἄλογον εἶναι τὸν Θεὸν
πάντως λόγον ἔχειν τὸν μὴ ἄλογον συγκαταθήσεται. Ἀλλὰ

---

1. A plusieurs reprises, Grégoire utilise des expressions comme
Kat'anankèn, Anankè pasa, Anankaiôs pour souligner la force contrai-
gnante de l'argumentation. L'argument formulé a été repris par Ps.-
CYRILLE, *De Trinitate* 4 et par JEAN DAMASCÈNE, *De fide orthodoxa* 1, 5.

2. Pour *hupostasis, ousia, phusis, prosôpon* : voir Introduction, p. 47 s.

3. Pour les notions de Logos divin et de logos humain, Grégoire est
l'héritier d'une longue tradition chrétienne qui s'appuie elle-même sur un
triple héritage : celui de la philosophie grecque (Héraclite, Platon, Aristote,
stoïcisme), celui de la pensée juive et chrétienne (importance du *dabar*,
tendance à la personnification du Logos chez Philon, prologue de l'*Évangile
de Jean*), celui du gnosticisme (Logos révélateur, sauveur). Le Logos peut
être envisagé sous différents aspects : 1. Aspect cosmologique : le Logos en
tant que créateur et en tant que maintenant le monde dans l'existence. —
2. Aspect noétique : le Logos en tant que fondement de la vérité. — 3. Aspect
moral : le Logos en tant que fondement de la loi morale. — 4. Aspect

exclue de la notion de divinité —, si donc la notion de divinité reste une et la même et que le raisonnement logique ne découvre nulle part aucun trait particulier, il en découle que la fiction erronée d'une multitude de dieux doit nécessairement céder la place à l'aveu de l'unicité de la divinité. En effet, si la bonté et la justice, la sagesse et la puissance lui sont attribuées au même degré, si l'incorruptibilité, l'éternité et tout autre attribut conforme à la piété lui sont reconnus au même titre, et si donc toute différence disparaît, quel que soit le raisonnement suivi, par voie de conséquence disparaît nécessairement [1] avec elle la croyance à la pluralité des dieux, puisque l'identité en tout point conduit à croire à l'unité.

2. Le Logos divin

a. Le Logos de Dieu

I. Mais puisque la doctrine de la piété sait aussi discerner une différence d'hypostases [2] dans l'unité de nature, il convient d'éviter que, dans la lutte contre les grecs, notre exposé ne nous porte vers le judaïsme, et de corriger à son tour, à l'aide d'une distinction pertinente, l'erreur relative à ce point. Effectivement, même ceux qui sont étrangers à nos croyances ne conçoivent pas la divinité sans logos [3] et leur accord avec nous sous ce rapport nous permettra d'expliquer, de façon adéquate, notre conception du Logos. En effet, celui qui accorde que Dieu n'est pas dénué de logos concédera inévitablement que celui qui n'est pas dépourvu de logos possède un logos. A la vérité, c'est par la même dénomination

psychologique : le Logos en tant que forme originelle de la pensée. — 5. Aspect révélateur : le Logos en tant que Parole révélatrice. — 6. Aspect sotériologique : le Logos en tant qu'auteur du salut. Les Pères du IIe et du IIIe siècle n'échappent pas toujours à la tendance au subordinatianisme. On verra plus loin comment Grégoire cherche à éviter les conclusions abusives qui pourraient être tirées de son exposé. Cf. J. Lebreton, *Histoire du dogme de la Trinité*, t. 1-2, Paris 1927 et 1928 ; A. Grillmeier, *Le Christ dans la tradition chrétienne* ; G.L. Prestige, *Dieu dans la pensée patristique*.

10 μὴν καὶ ὁ ἀνθρώπινος ὁμωνύμως λέγεται λόγος. Οὐκοῦν εἰ
λέγοι καθ᾽ ὁμοιότητα τοῦ παρ᾽ ἡμῖν καὶ τὸν τοῦ Θεοῦ λόγον
ὑπονοεῖν, οὕτω μεταχθήσεται πρὸς τὴν ὑψηλοτέραν ὑπόληψιν · ἀνάγκη γὰρ πᾶσα κατάλληλον εἶναι πιστεύειν τῇ φύσει
τὸν λόγον, ὡς καὶ τὰ ἄλλα πάντα · καὶ γὰρ δύναμίς τις καὶ ζωὴ
15 καὶ σοφία περὶ τὸ ἀνθρώπινον βλέπεται · ἀλλ᾽ οὐκ ἄν τις ἐκ τῆς
ὁμωνυμίας τοιαύτην καὶ ἐπὶ τοῦ Θεοῦ τὴν ζωὴν ἢ τὴν δύναμιν
ἢ τὴν σοφίαν ὑπονοήσειεν, ἀλλὰ πρὸς τὸ τῆς φύσεως τῆς
M 9 ἡμετέρας μέτρον συνταπεινοῦνται καὶ αἱ τῶν | τοιούτων ὀνο-
μάτων ἐμφάσεις. Ἐπειδὴ γὰρ φθαρτὴ καὶ ἀσθενὴς ἡμῶν ἡ
20 φύσις, διὰ τοῦτο ὠκύμορος ἡ ζωή, ἀνυπόστατος ἡ δύναμις,
ἀπαγὴς ὁ λόγος · ἐπὶ δὲ τῆς ὑπερκειμένης φύσεως τῷ μεγα-
λείῳ τοῦ θεωρουμένου πᾶν τὸ περὶ αὐτῆς λεγόμενον συνε-
παίρεται. Οὐκοῦν κἂν λόγος Θεοῦ λέγηται, οὐκ ἐν τῇ ὁρμῇ τοῦ
φθεγγομένου τὴν ὑπόστασιν ἔχειν νομισθήσεται, καθ᾽ ὁμοιό-
25 τητα τοῦ ἡμετέρου μεταχωρῶν εἰς ἀνύπαρκτον, ἀλλ᾽ ὥσπερ ἡ
ἡμετέρα φύσις ἐπίκηρος οὖσα καὶ ἐπίκηρον τὸν λόγον ἔχει,
οὕτως ἡ ἄφθαρτος καὶ ἀεὶ ἑστῶσα φύσις ἀΐδιον ἔχει καὶ
ὑφεστῶτα τὸν Λόγον.
    Εἰ δὲ τοῦτο κατὰ τὸ ἀκόλουθον ὁμολογηθείη τὸ ὑφεστάναι
30 τὸν τοῦ Θεοῦ Λόγον ἀϊδίως, ἀνάγκη πᾶσα ἐν ζωῇ τοῦ Λόγου
τὴν ὑπόστασιν εἶναι ὁμολογεῖν. Οὐ γὰρ καθ᾽ ὁμοιότητα τῶν
λίθων ἀψύχως ὑφεστάναι τὸν λόγον εὐαγές ἐστιν οἴεσθαι. Ἀλλ᾽

---

1. *Apagès* a le sens de instable, inconstant, variable. Cf. ATHANASE : « Ce
Verbe donc, comme je l'ai dit, n'est pas comme celui de l'homme... Les
hommes, ont un verbe composé et inconsistant » (*Contra gentes, SC* 18 bis,
p. 187-189). Grégoire insiste sur la notion de subsistence du Logos : il a
conscience des limites de l'analyse de type psychologique qui, à elle seule, ne
suggère pas clairement l'idée d'une hypostase distincte pour le Logos.
    2. Grégoire formule de façon claire le principe de l'analogie : selon lui,
une certaine connaissance de Dieu est possible ; mais ce que nous affirmons
de Dieu doit toujours être entendu dans un sens éminent. Denys l'Aréopa-
gite parlera plus tard de la voie d'éminence qui couronne la voie d'affirmation et la voie de négation. L'argumentation de Grégoire a été en partie
reprise par THÉODORET DE CYR, *De theologia Sanctae Trinitatis* 5 et JEAN
DAMASCÈNE, *De fide orthodoxa* 1, 6.

que l'on désigne le logos humain. Or donc, si l'interlocuteur
déclare qu'il conçoit le logos divin à la ressemblance de notre
logos, il pourra être amené ainsi à une conception plus élevée.
En effet, de toute nécessité, il faut croire que, comme toutes
les autres facultés, le logos est proportionné à la nature (de
l'être). On constate bien chez l'homme une certaine puissance, une vie, une sagesse ; cependant, personne ne se base-
rait sur la similitude des termes pour supposer en Dieu une
vie, une puissance et une sagesse du même genre que les
nôtres ; mais le sens de ces mots s'affaiblit en proportion des
limites de notre nature ; et comme notre nature est périssable
et chétive, il en résulte que notre vie est de courte durée,
notre puissance inconsistante, notre logos instable [1]. Pour la
nature suréminente, par contre, tous les termes employés
pour en parler ont un sens qui gagne en plénitude en proportion de la grandeur du sujet considéré. Par conséquent,
même si on parle d'un logos de Dieu, il ne faudrait pas
s'imaginer qu'il tire sa subsistence de l'acte de celui qui parle
et que, à la ressemblance de notre propre logos, il passe
ensuite de nouveau à l'inexistence ; mais tout comme notre
nature périssable a un logos périssable, de même la nature
incorruptible et éternelle possède un Logos éternel et subsistant [1].

b. *Le Logos est Vie*

Ainsi, une fois que la suite logique du raisonnement aura
fait admettre que le Logos de Dieu subsiste éternellement,
l'interlocuteur sera forcé de concéder que la subsistence du
Logos implique la vie [3]. Ce serait, en effet, contraire à la piété
de penser que le Logos est doué d'une subsistence de l'ordre
de l'inanimé, à la manière des pierres. S'il subsiste comme
être pensant et incorporel, il possède sûrement la vie ; si, par
contre, il est dépourvu de vie, il n'a absolument plus aucune
forme de subsistence. Or justement on vient de démontrer

3. Cf. plus loin ch. X et XV.

148 GRÉGOIRE DE NYSSE

εἰ ὑφέστηκε νοερόν τι χρῆμα καὶ ἀσώματον ὤν, ζῇ πάντως · εἰ
δὲ τοῦ ζῆν κεχώρισται, οὐδὲ ἐν ὑποστάσει πάντως ἐστίν.
35 Ἀλλὰ μὴν ἀσεβὲς ἀπεδείχθη τὸν τοῦ Θεοῦ Λόγον ἀνυπό-
στατον εἶναι. Οὐκοῦν συναπεδείχθη κατὰ τὸ ἀκόλουθον τὸ ἐν
ζωῇ τοῦτον θεωρεῖσθαι τὸν Λόγον. Ἁπλῆς δὲ τῆς τοῦ Λόγου
φύσεως κατὰ τὸ εἰκὸς εἶναι πεπιστευμένης καὶ οὐδεμίαν
διπλόην καὶ σύνθεσιν ἐν ἑαυτῇ δεικνυούσης, οὐκέτ᾽ ἄν τις κατὰ
40 μετουσίαν ζωῆς τὸν Λόγον ἐν ζωῇ θεωροίη — οὐ γὰρ ἂν ἐκτὸς
εἴη συνθέσεως ἡ τοιαύτη ὑπόληψις τὸ ἕτερον ἐν ἑτέρῳ λέγειν
εἶναι — ἀλλ᾽ ἀνάγκη πᾶσα τῆς ἁπλότητος ὁμολογουμένης
αὐτοζωὴν εἶναι τὸν Λόγον οἴεσθαι, οὐ ζωῆς μετουσίαν.

M 10   Εἰ οὖν ζῇ ὁ Λό|γος ὁ ζωὴ ὤν, καὶ προαιρετικὴν πάντως
45 δύναμιν ἔχει · οὐδὲν γὰρ ἀπροαίρετον τῶν ζώντων ἐστί. Τὴν δὲ
προαίρεσιν ταύτην καὶ δυνατὴν εἶναι κατὰ τὸ ἀκόλουθον εὐ-
σεβές ἐστι λογίζεσθαι · εἰ γὰρ μή τις τὸ δυνατὸν ὁμολογοίη, τὸ
ἀδύνατον πάντως κατασκευάσει. Ἀλλὰ μὴν πόρρω τῆς περὶ
PG 16 τὸ θεῖον ὑπολήψεώς ἐστι τὸ | ἀδύνατον · οὐδὲν γὰρ τῶν ἀπεμ-
50 φαινόντων περὶ τὴν θείαν θεωρεῖται φύσιν, ἀνάγκη δὲ πᾶσα
τοσαύτην εἶναι ὁμολογεῖν τοῦ Λόγου τὴν δύναμιν, ὅση ἐστὶ καὶ
ἡ πρόθεσις, ἵνα μή τις μίξις τῶν ἐναντίων καὶ συνδρομὴ περὶ
τὸ ἁπλοῦν θεωροῖτο, ἀδυναμίας τε καὶ δυνάμεως ἐν τῇ αὐτῇ
προθέσει θεωρουμένων, εἴπερ τὸ μέν τι δύναιτο, πρὸς δέ τι
55 ἀδυνάτως ἔχοι, πάντα δὲ δυναμένην τὴν τοῦ Λόγου προαίρεσιν
πρὸς οὐδὲν τῶν κακῶν τὴν ῥοπὴν ἔχειν — ἀλλότρια γὰρ τῆς
θείας φύσεως ἡ πρὸς κακίαν ὁρμή — ἀλλὰ πᾶν ὅτιπέρ ἐστιν
ἀγαθόν, τοῦτο καὶ βούλεσθαι, βουλομένην δὲ πάντως καὶ
δύνασθαι, δυναμένην δὲ μὴ ἀνενέργητον εἶναι, ἀλλὰ πᾶσαν
60 ἀγαθοῦ πρόθεσιν εἰς ἐνέργειαν ἄγειν.

---

1. Cf. Introduction : section 'Participation', p. 35 s. Le passage semble
viser, entre autres, les ariens (cf. *CE* I, 273-274, *GNO* I, p. 106-107). Pour le
raisonnement, voir PLOTIN, *Ennéades* III, 8, 8.
2. A signaler les effets de style reposant sur la reprise des mots-clés et des
mouvements rythmiques, qui font naître l'impression d'une avancée irrésis-
tible vers l'affirmation qui représente le couronnement de la phrase.

qu'il est impie de prétendre que le Logos de Dieu n'a pas de subsistence. En bonne logique, on a donc établi, en même temps, que le Logos dont il est question ne peut être considéré que comme possédant la vie. Or, comme la vraisemblance fait admettre que la nature du Logos est simple, et comme celle-ci ne se révèle en elle-même ni double ni composée, on ne saurait plus concevoir que le Logos est vivant uniquement par participation à la vie [1] ; une telle supposition, selon laquelle une chose serait contenue dans une autre, ne dépasserait pas la notion de composé ; mais, si l'on reconnaît la simplicité du Logos, il faut nécessairement admettre l'idée que le Logos est Vie en lui-même et éviter l'idée qu'il ne fait que participer à la vie.

c. *Volonté et puissance du Logos*

Si donc le Logos vit, parce qu'il est lui-même la vie, il dispose aussi, à part entière, de la faculté de vouloir, car aucun être vivant n'est dépourvu de volonté. Mais logiquement il est conforme à la piété de considérer cette volonté comme dotée de puissance. Car refuser de lui reconnaître la puissance reviendrait à la supposer radicalement impuissante. Mais justement l'impuissance est étrangère à la notion de divin. En effet, on ne saurait envisager dans la nature divine aucun élément discordant ; et il s'avère nécessaire de convenir que la puissance du Logos est du même ordre de grandeur que sa volonté, pour éviter d'envisager, dans ce qui est simple, un mélange et une rencontre des contraires ; sinon, on constaterait l'impuissance et la puissance dans la même volonté, si vraiment celle-ci, tout en étant puissante dans certains cas, était impuissante dans d'autres. Étant toute-puissante, la volonté du Logos doit nécessairement n'être encline à rien de mauvais, car la tendance au mal est étrangère à la nature divine ; par contre, tout ce qui est bon, elle doit le vouloir, et, le voulant, elle doit absolument pouvoir le faire, et, pouvant le faire, elle ne saurait manquer d'efficacité, mais doit transformer en actes tous ses projets de bien [2].

Ἀγαθὸν δὲ ὁ κόσμος **ᵃ** καὶ τὰ ἐν αὐτῷ πάντα σοφῶς τε καὶ
τεχνικῶς θεωρούμενα. Ἆρα τοῦ Λόγου ἔργα τὰ πάντα τοῦ
ζῶντος μὲν καὶ ὑφεστῶτος, ὅτι Θεοῦ Λόγος ἐστί, προαι-
ρουμένου δὲ ὅτι ζῇ, δυναμένου δὲ πᾶν ὅτιπερ ἂν ἕληται, αἱρου-
65   μένου δὲ τὸ ἀγαθόν τε καὶ σοφὸν πάντως, καὶ εἴ τι τῆς
κρείττονος σημασίας ἐστίν. Ἐπεὶ οὖν ἀγαθόν τι ὁ κόσμος
ὁμολογεῖται, ἀπεδείχθη δὲ διὰ τῶν εἰρημένων τοῦ Λόγου
ἔργον τὸν κόσμον εἶναι τοῦ τὸ ἀγαθὸν καὶ αἱρουμένου καὶ
M 11   δυναμένου, ὁ δὲ Λόγος οὗτος | ἕτερός ἐστι παρὰ τὸν οὗ ἐστι
70   Λόγος.

Τρόπον γάρ τινα τῶν πρός τι λεγομένων καὶ τοῦτό ἐστιν,
ἐπειδὴ χρὴ πάντως τῷ Λόγῳ καὶ τὸν Πατέρα τοῦ Λόγου
συνυπακούεσθαι · οὐ γὰρ ἂν εἴη Λόγος, μή τινος ὢν Λόγος. Εἰ
οὖν διακρίνει τῷ σχετικῷ τῆς σημασίας ἡ τῶν ἀκουόντων
75   διάνοια αὐτόν τε τὸν Λόγον καὶ τὸν ὅθεν ἐστίν, οὐκέτ᾽ ἂν ἡμῖν
κινδυνεύοι τὸ μυστήριον ταῖς ἑλληνικαῖς μαχόμενον ὑπολήψεσι τοῖς τὰ τῶν ἰουδαίων πρεσβεύουσι συνενεχθῆναι · ἀλλ᾽ ἐπ᾽
ἴσης ἑκατέρων τὴν ἀτοπίαν ἐκφεύξεται, τόν τε ζῶντα τοῦ
Θεοῦ Λόγον καὶ ἐνεργὸν καὶ ποιητικὸν ὁμολογῶν, ὅπερ ἰου-
80   δαῖος οὐ δέχεται, καὶ τὸ μὴ διαφέρειν κατὰ τὴν φύσιν αὐτόν τε
τὸν Λόγον καὶ τὸν ὅθεν ἐστίν. Ὥσπερ γὰρ ἐφ᾽ ἡμῶν ἐκ τοῦ νοῦ
φαμὲν εἶναι τὸν λόγον, οὔτε δι᾽ ὅλου τὸν αὐτὸν ὄντα τῷ νῷ οὔτε
παντάπασιν ἕτερον — τῷ μὲν γὰρ ἐξ ἐκείνου εἶναι ἄλλο τι καὶ
οὐκ ἐκεῖνό ἐστι, τῷ δὲ αὐτὸν τὸν νοῦν εἰς τὸ ἐμφανὲς ἄγειν

a. Cf. Gn 1, 31

---

1. *Hupokeimenon* est souvent employé dans un sens proche de « sujet » :
cf *CE* I, 228 qui met en garde contre l'erreur de Sabellius : celui-ci admet
trois dénominations pour un seul sujet » (*hupokeimenoi*). Mais un peu plus
loin, GRÉGOIRE ajoute : « Mais si quelqu'un affirme que les hypostases ne
doivent pas être effacées et qu'il ne faut pas attribuer à une seule personne
(*prosôpôi*) trois dénominations différentes, alors son langage sera tenu pour
fidèle selon la parole de l'apôtre et pour digne d'être pleinement reçu. » Le
rapprochement entre ces deux passages amène à la conclusion que *hupokeimenon* et *prosôpon* sont pratiquement synonymes dans cette séquence
précise. Ailleurs *hupokeimenon* renvoie plutôt à *ousia* : c'est dire que
Grégoire n'opte pas toujours pour l'univocité des termes qu'il utilise. Cf.
Introduction : 'terminologie trinitaire', p. 45 s.

d. *Le Logos créateur*

Or le monde[a] est une œuvre bonne, ainsi que tout ce qui en lui se présente à nos yeux comme fait avec art et sagesse. Donc tout est œuvre du Logos, du Logos vivant et subsistant, puisqu'il est le Logos de Dieu ; du Logos doué de volonté, puisqu'il vit ; capable de réaliser tout ce qu'il choisit de faire ; choisissant ce qui est absolument bon et sage et tout ce qui porte le signe de l'excellence. Il est donc reconnu que le monde est une œuvre bonne et il a été démontré plus haut qu'il est l'œuvre du Logos qui choisit le bien et qui a la puissance de le réaliser ; mais ce Logos est différent de Celui dont il est le Logos.

e. *Relations (d'origine) entre le Père et le Fils*

D'une certaine manière, cette notion de Logos fait partie de celles qui sont dites relatives, puisqu'il faut, à coup sûr, avec le Logos, entendre aussi le Père du Logos ; le Logos, en effet, n'existerait pas, s'il n'était pas le Logos de quelqu'un. Si donc l'esprit des auditeurs distingue, par un terme qui exprime une relation, le Logos lui-même de Celui dont il tire son origine, nous ne risquerions plus que ce mystère, qui s'oppose aux conceptions des grecs, vienne s'accorder aux croyances de ceux qui sont attachés au judaïsme ; bien au contraire, il évitera également l'inconséquence des uns et des autres, en reconnaissant que le Logos de Dieu est à la fois vivant, actif et créateur — ce que le juif n'admet pas — et qu'il n'y a pas de différence de nature entre le Logos lui-même et Celui dont il procède. Ainsi, en effet, nous disons, à propos de nous-mêmes, que notre logos provient de notre *noûs*, sans pour autant s'identifier totalement à lui ni en être totalement différent — car du fait qu'il provient de lui, il est quelque chose de différent et n'est pas identique à lui, mais d'autre part, du fait que le logos manifeste le *noûs*, il ne saurait être considéré comme entièrement différent ; mais si selon sa nature il fait un avec lui, en tant que sujet [1] il en est

85 οὐκέτ᾽ ἂν ἕτερόν τι παρ᾽ ἐκεῖνον ὑπονοοῖτο, ἀλλὰ κατὰ τὴν
φύσιν ἓν ὢν ἕτερον τῷ ὑποκειμένῳ ἐστίν — οὕτω καὶ ὁ τοῦ
Θεοῦ Λόγος τῷ μὲν ὑφεστάναι καθ᾽ ἑαυτὸν διήρηται πρὸς
ἐκεῖνον παρ᾽ οὗ τὴν ὑπόστασιν ἔχει, τῷ δὲ ταῦτα δεικνύειν ἐν
ἑαυτῷ, ἃ περὶ τὸν Θεὸν καθορᾶται, ὁ αὐτός ἐστι κατὰ τὴν
90 φύσιν ἐκείνῳ τῷ διὰ τῶν αὐτῶν γνωρισμάτων εὑρισκομένῳ ·
εἴτε γὰρ ἀγαθότης, εἴτε δύναμις, εἴτε σοφία, εἴτε τὸ ἀϊδίως
εἶναι, εἴτε τὸ κακίας καὶ θανάτου καὶ φθορᾶς ἀνεπίδεκτον, εἴτε
M 12 τὸ ἓν | παντὶ τέλειον, εἴτε τι τοιοῦτον ὅλως σημεῖόν τις ποιοῖτο
τῆς τοῦ Πατρὸς καταλήψεως, διὰ τῶν αὐτῶν εὑρήσει σημείων
95 καὶ τὸν ἐξ ἐκείνου ὑφεστῶτα Λόγον.

PG 17   Β´. Ὥσπερ δὲ τὸν Λόγον ἐκ τῶν καθ᾽ ἡμᾶς ἀναγωγικῶς ἐπὶ
τῆς ὑπερκειμένης ἔγνωμεν φύσεως, κατὰ τὸν αὐτὸν τρόπον
καὶ τῇ περὶ τοῦ Πνεύματος ἐννοίᾳ προσαχθησόμεθα, σκιάς
τινας καὶ μιμήματα τῆς ἀφράστου δυνάμεως ἐν τῇ καθ᾽ ἡμᾶς
5 θεωροῦντες φύσει. Ἀλλ᾽ ἐφ᾽ ἡμῶν μὲν τὸ πνεῦμα ἡ τοῦ ἀέρος
ἐστὶν ὁλκή, ἀλλοτρίου πράγματος πρὸς τὴν τοῦ σώματος σύστασιν ἀναγκαίως εἰσελκομένου τε καὶ προχεομένου, ὅπερ ἐν
τῷ καιρῷ τῆς ἐκφωνήσεως τοῦ λόγου φωνὴ γίνεται, τὴν τοῦ
λόγου δύναμιν ἐν ἑαυτῇ φανεροῦσα. Ἐπὶ δὲ τῆς θείας φύσεως
10 τὸ μὲν εἶναι Πνεῦμα Θεοῦ εὐσεβὲς ἐνομίσθη, καθὼς ἐδόθη καὶ
Λόγον εἶναι Θεοῦ διὰ τὸ μὴ δεῖν ἐλλιπέστερον τοῦ ἡμετέρου

---

1. Euthymius reproduit le texte en substance, en ayant recours à une
autre construction.

2. *Anagôgikôs* désigne le procédé par lequel le lecteur de l'Écriture
« remonte » du sens littéral au sens spirituel : ici l'adverbe désigne la démarche qui consiste à partir de l'expérience humaine pour « remonter » vers le
mystère de Dieu : il s'agit bien d'une forme d'analogie, ce qui explique que
dans certains manuscrits figure la variante *analogikôs*. La méthode de la
« remontée » est possible, parce que nous portons en nous « une ombre et une
image de la puissance ineffable » ; on attendrait la mention de l'homme
« image de Dieu » : il en sera question plus loin. Cf. ATHANASE : « Aussi quand
l'âme se débarrasse de toute la souillure du péché répandue sur elle et ne
garde dans sa pureté que la ressemblance de l'image, à juste titre, quand
cette image est illuminée, elle y contemple, comme dans un miroir, le Verbe,

différent ; il en est de même pour le Logos de Dieu : en tant
qu'il subsiste par lui-même, il se distingue de Celui dont il
tient la subsistence ; mais, en tant qu'il manifeste en lui-
même les caractères que l'on observe en Dieu, il a la même
nature que Celui chez qui on découvre les mêmes marques.
Que ce soient la bonté, la puissance, la sagesse, l'éternité, le
fait d'être exempt du mal, de la mort, de la corruption, que ce
soient la perfection en toute chose ou tout autre attribut de ce
genre dont on ferait un signe distinctif de l'idée de Père, c'est
par ces mêmes signes que l'on reconnaîtra le Logos qui tient
de celui-ci sa subsistence [1].

3. LE PNEUMA

II. De même que nous avons appris à connaître le Logos en
nous élevant de la condition qui est la nôtre jusqu'à la nature
suprême, de la même manière nous serons amenés à nous
faire une idée de l'Esprit en considérant dans la nature qui
nous est propre comme une ombre et une image de la puissance ineffable [2]. Mais en nous, le souffle [3] consiste dans
l'aspiration de l'air, élément étranger, qui, nécessaire pour la
conservation de notre corps, est aspiré, puis exhalé, et qui
devient son, au moment où la parole s'exprime, en manifestant ainsi la puissance du logos en elle. La piété nous fait
admettre qu'il existe un Pneuma de Dieu dans la nature
divine, tout comme elle a admis qu'il y a un Logos de Dieu.

---

image du Dieu Père, et en lui contemple le Père dont le Sauveur est l'image »
(*Contra gentes*, SC 18, p. 178). Grégoire diffère d'Athanase en ce sens qu'il
parle de la connaissance du Pneuma à partir des « ombres » et des « images »
que nous portons en nous.

3. Le passage relatif à la comparaison entre le pneuma humain et le
pneuma divin a été repris sous forme de paraphrase par THÉODORET DE CYR,
De Trinit. 6 et par JEAN DAMASCÈNE, *De fide orthod.* 1, 7.

λόγου τὸν τοῦ Θεοῦ εἶναι Λόγον, εἴπερ τούτου μετὰ πνεύματος
θεωρουμένου ἐκεῖνος δίχα Πνεύματος εἶναι πιστεύοιτο · οὐ
μὴν ἀλλότριόν τι καθ' ὁμοιότητα τοῦ ἡμετέρου πνεύματος
15 ἔξωθεν ἐπεισρεῖν τῷ Θεῷ καὶ ἐν αὐτῷ γίνεσθαι τὸ Πνεῦμα
θεοπρεπές ἐστιν οἴεσθαι, ἀλλ' ὡς Θεοῦ Λόγον ἀκούσαντες οὐκ
ἀνυπόστατόν τι πρᾶγμα τὸν Λόγον ᾠήθημεν οὐδὲ ἐκ μαθή-
σεως ἐγγινόμενον, οὔτε διὰ φωνῆς προφερόμενον, οὔτε μετὰ
τὸ προενεχθῆναι διαλυόμενον, οὐδὲ ἄλλο τι πάσχοντα τοιοῦτον,
20 οἷα περὶ τὸν ἡμέτερον λόγον θεωρεῖται πάθη, ἀλλ' οὐσιωδῶς ὑφεστῶτα, προαιρετικόν τε καὶ ἐνεργὸν καὶ παντοδύ-
M 13   ναμον, οὕτω καὶ Πνεῦμα μεμαθηκότες Θεοῦ | τὸ συμπαρο-
μαρτοῦν τῷ Λόγῳ καὶ φανεροῦν αὐτοῦ τὴν ἐνέργειαν, οὐ πνοὴν
ἄσθματος ἐννοοῦμεν — ἢ γὰρ ἂν καθαιροῖτο πρὸς ταπει-
25 νότητα τὸ μεγαλεῖον τῆς θείας δυνάμεως, εἰ καθ' ὁμοιότητα
τοῦ ἡμετέρου καὶ τὸ ἐν αὐτῷ Πνεῦμα ὑπονοοῖτο — ἀλλὰ
δύναμιν οὐσιώδη αὐτὴν ἐφ' ἑαυτῆς ἐν ἰδιαζούσῃ ὑποστάσει
θεωρουμένην, οὔτε χωρισθῆναι τοῦ Θεοῦ ἐν ᾧ ἔστιν ἢ τοῦ
Λόγου τοῦ Θεοῦ ᾧ παρομαρτεῖ δυναμένην οὔτε πρὸς τὸ ἀνύ-
30 παρκτον ἀναχεομένην, ἀλλὰ καθ' ὁμοιότητα τοῦ Θεοῦ Λόγου
καθ' ὑπόστασιν οὖσαν, προαιρετικήν, αὐτοκίνητον, ἐνεργόν,
πάντοτε τὸ ἀγαθὸν αἱρουμένην καὶ πρὸς πᾶσαν πρόθεσιν
σύνδρομον ἔχουσαν τῇ βουλήσει τὴν δύναμιν.

Γ΄. Ὥστε τὸν ἀκριβῶς τὰ βάθη τοῦ μυστηρίου διασκοπού-
μενον ἐν μὲν τῇ ψυχῇ κατὰ τὸ ἀπόρρητον μετρίαν τινὰ κατα-

---

1. Cf. ch. XVI, p. 222, n. 1. Grégoire utilise *pathos* assez souvent : comme
il n'existe pas d'accord au sujet d'un terme français qui rende compte des
différentes acceptions — à part le mot « pâtir » peu courant (cf BADIÉ,
Encyclopédie philosophique Universelle, *PUF*, 1990) — il semble préférable de garder le mot grec au singulier ou au pluriel. D'autres traducteurs
ont opté pour cette solution.

2. *Én idiazousei hupostasei* : cf Introduction, '*Hupostasis*', p. 49.

3. A signaler l'insistance sur l'hypostase de l'Esprit grâce à deux expressions offrant le même sens fort.

Car il ne faut pas que le Logos de Dieu soit inférieur à notre logos, ce qui serait le cas si justement chez ce dernier on pouvait observer un pneuma, alors qu'on croirait que le Logos de Dieu est sans Pneuma. Cependant, il serait indigne de Dieu de penser qu'un élément étranger, comme cela se produit pour notre souffle à nous, afflue de l'extérieur pour se répandre en Dieu et devenir Pneuma en Lui ; mais, lorsque plus haut nous avons entendu parler d'un Logos de Dieu, nous n'avons pas pensé qu'il fût un objet dépourvu de subsistence, ni qu'il fût un acquis de la connaissance, ni qu'il se manifestât par la voix, pour s'évanouir une fois qu'il est exprimé, ni qu'il fût soumis à aucun des *pathè*[1] que nous observons dans notre logos, mais nous avons estimé qu'il subsiste substantiellement et qu'il est doué de volonté, d'activité, de toute-puissance. De la même façon, ayant appris qu'il existe aussi un Pneuma de Dieu, qui accompagne le Logos et manifeste son activité, nous ne le concevons pas comme le souffle de la respiration — car ce serait rabaisser à notre petitesse la grandeur de la puissance divine que de concevoir le Pneuma de Dieu à la ressemblance du nôtre — nous le considérons au contraire comme une force substantielle qui est perçue en elle-même comme hypostase propre[2], ne pouvant être séparée de Dieu, en qui elle est, ni du Logos de Dieu qu'elle accompagne, qui ne se répand pas au-dehors pour s'anéantir ensuite, mais qui subsiste comme hypostase[3] à la ressemblance du Logos de Dieu, qui possède la volonté, qui se meut d'elle-même, est active, choisissant toujours le bien et ayant pour toute décision un pouvoir à la mesure de sa volonté.

4. Unité et Trinité

III. Il en résulte que celui qui scrute attentivement les profondeurs du mystère, parvient dans son esprit à une

νόησιν τῆς κατὰ τὴν θεογνωσίαν διδασκαλίας λαμβάνειν, μὴ
μέντοι δύνασθαι λόγῳ διασαφεῖν τὴν ἀνέκφραστον ταύτην τοῦ
5 μυστηρίου βαθύτητα. Πῶς τὸ αὐτὸ καὶ ἀριθμητόν ἐστι καὶ
διαφεύγει τὴν ἐξαρίθμησιν, καὶ διῃρημένως ὁρᾶται καὶ ἐν
μονάδι καταλαμβάνεται, καὶ διακέκριται τῇ ὑποστάσει καὶ οὐ
διώρισται τῷ ὑποκειμένῳ ; Ἄλλο γάρ τι τῇ ὑποστάσει τὸ
Πνεῦμα καὶ ἕτερον ὁ Λόγος καὶ ἄλλο πάλιν ἐκεῖνο οὗ καὶ ὁ
10 Λόγος ἐστὶ καὶ τὸ Πνεῦμα, ἀλλ' ἐπειδὰν τὸ διακεκριμένον ἐν
τούτοις κατανοήσῃς, πάλιν ἡ τῆς φύσεως ἑνότης τὸν δια-
μερισμὸν οὐ προσίεται, ὡς μήτε τὸ τῆς μοναρχίας σχίζεσθαι
κράτος εἰς θεότητας διαφόρους κατατεμνόμενον, μήτε τῷ
M 14 ἰουδαϊκῷ δόγματι συμβαίνειν τὸν λόγον, | ἀλλὰ διὰ μέσου τῶν
15 δύο ὑπολήψεων χωρεῖν τὴν ἀλήθειαν, ἑκατέραν τε τῶν
αἱρέσεων καθαιροῦσαν καὶ ἀφ' ἑκατέρας παραδεχομένην τὸ
PG 20 χρήσιμον. Τοῦ μὲν γὰρ ἰουδαίου καθαιρεῖται τὸ δόγμα τῇ τε
τοῦ Λόγου παραδοχῇ καὶ τῇ πίστει τοῦ Πνεύματος, τῶν δὲ
ἑλληνιζόντων ἡ πολύθεος ἐξαφανίζεται πλάνη τῆς κατὰ φύσιν
20 ἑνότητος παραγραφομένης τὴν πληθυντικὴν φαντασίαν. Πά-

---

1. En parlant de connaissance limitée, Grégoire annonce la phrase destinée à souligner qu'en définitive le mystère de la Trinité est incompréhensible.
2. « Peut être dénombré, tout en échappant au dénombrement » : précision couramment apportée depuis Justin : Le Fils, dit-il, est *arithmôi
hétéron*. Cf. *Dialogue avec Tryphon* 128.
3. Dans le passage « L'unité de la nature n'admet pas de division... »,
Grégoire cherche à réfuter l'accusation éventuelle de trithéisme. Ailleurs il
insiste aussi sur l'unité en Dieu : Dieu est l'Un (*ho heis*), le Seul (*ho monos*),
il est le seul Bien (*Ref.* 2, *GNO* II, p. 321 ; *CE* II, *GNO* II, p. 45 ; *In Cant.
hom.* 8, *GNO* VI, p. 258). La nature en Dieu est une monade unique, indivise
(la même idée est exprimée aussi par *monarchia* : *Disc. cat.* 3 ; *CE* I, *GNO* I,
p. 179) qui ne peut être augmentée par addition, ni être diminuée par
soustraction (voir *Ad Abl.*, *GNO* III, 1, p. 39-40). Voir Athanase : « ...si bien
qu'il y a deux, le Père et le Fils, mais qu'il n'y a qu'une seule monade de la
Divinité indivisible et indissociable. On ne saurait donc parler que d'un seul
principe de la Divinité et non de deux ; par conséquent, à proprement parler,
il s'agit d'une monarchie » (*Contra arianos* 4, 1, *PG* 26). Grégoire de
Nazianze. : « Nous honorons la monarchie... non une monarchie délimitée
par une seule personne... mais une monarchie constituée par l'égale dignité

certaine intelligence, limitée[1] il est vrai en raison de son caractère ineffable, de la doctrine concernant la connaissance de Dieu, sans pouvoir toutefois exprimer clairement par la parole la profondeur indicible de ce mystère ni expliquer comment la même réalité peut à la fois être objet de dénombrement et échapper au dénombrement[2], être perçue comme comportant des distinctions et être conçue comme unité, être divisée selon l'hypostase et n'être pas divisée selon la substance. En effet, selon l'hypostase, autre chose est l'Esprit et autre chose le Logos et encore autre chose est celui dont ils sont le Logos et l'Esprit ; mais quand on a compris ce qui les distingue, on constate, en sens inverse, que l'unité de nature n'admet pas de partage[3], si bien que le pouvoir de la monarchie ne se divise pas par partage entre des divinités différentes et que, d'autre part, notre doctrine ne rejoint pas les croyances juives ; mais la vérité tient le milieu entre les deux conceptions et, tout en triomphant de chacune des deux écoles[4], elle leur emprunte ce que chacune d'entre elles renferme de bon. La croyance du juif se trouve réfutée par l'assentiment au Logos et par la foi à l'Esprit ; l'erreur des grecs qui croient au polythéisme, est ruinée du fait que l'unité de nature annulle l'idée fausse[5] d'une pluralité[6]. En revanche, de la conception juive on retiendra l'unité de

de nature, l'accord de volonté, l'identité de mouvement et le retour à l'unité de ceux qui viennent d'elle — ce qui est impossible quand il s'agit de la nature procréée — ; de la sorte, même s'il y a différence du point de vue du nombre, il n'y a, du moins, pas de coupure au point de vue de la substance » (*Orat.* 29, 2, *SC* 250, p. 179). Voir aussi Basile, *Lettre* 210, 4-5, *Lettres*, t. 2, *CUF*, p. 193-196.

4. *Hairesis* est employé dans son sens premier de « école de pensée — secte philosophique ».

5. *Phantasia* désigne, entre autres, l'action de se figurer par l'imagination, l'image qui se présente à l'esprit. Selon Aristote, elle est vraie ou fausse représentation. Selon les stoïciens, le terme désigne une représentation erronée sans objectivité, une idée qui ne correspond pas à la réalité. Ici le mot signifie « représentation fausse ».

6. Reproduit dans Jean Damascène, *De fide orthodoxa* 1, 7.

λιν δὲ αὖ ἐκ μὲν τῆς ἰουδαικῆς ὑπολήψεως ἡ τῆς φύσεως ἑνότης
παραμενέτω · ἐκ δὲ τοῦ ἑλληνισμοῦ ἡ κατὰ τὰς ὑποστάσεις
διάκρισις μόνη, θεραπευθείσης ἑκατέρωθεν καταλλήλως τῆς
ἀσεβοῦς ὑπονοίας · ἔστι γὰρ ὥσπερ θεραπεία τῶν μὲν περὶ τὸ
25 ἓν πλανωμένων ὁ ἀριθμὸς τῆς Τριάδος, τῶν δὲ εἰς πλῆθος
ἐσκεδασμένων ὁ τῆς ἑνότητος λόγος.

Δ΄. Εἰ δὲ ἀντιλέγοι τούτοις ὁ ἰουδαῖος, οὐκέτ᾽ ἂν ἡμῖν ἐκ
τοῦ ἴσου δύσκολος ὁ πρὸς ἐκεῖνον γενήσεται λόγος. Ἐκ γὰρ
τῶν συντρόφων αὐτῷ διδαγμάτων ἡ τῆς ἀληθείας ἔσται φανέ-
ρωσις. Τὸ γὰρ εἶναι Λόγον Θεοῦ καὶ Πνεῦμα Θεοῦ, οὐσιωδῶς
5 ὑφεστώσας δυνάμεις, ποιητικάς τε τῶν γεγενημένων καὶ
περιεκτικὰς τῶν ὄντων, ἐκ τῶν θεοπνεύστων Γραφῶν ἐναρ-
γέστερον δείκνυται · ἀρκεῖ δὲ μιᾶς μαρτυρίας ἐπιμνησθέντας
τοῖς φιλοπονωτέροις καταλιπεῖν τῶν πλειόνων τὴν εὕρεσιν.
Τῷ λόγῳ τοῦ Κυρίου, φησίν, *οἱ οὐρανοὶ ἐστερεώθησαν καὶ τῷ*
10 *πνεύματι τοῦ στόματος αὐτοῦ πᾶσα ἡ δύναμις αὐτῶν* [a]. Ποίῳ
λόγῳ καὶ ποίῳ πνεύματι ; Οὔτε γὰρ ῥῆμα ὁ λόγος, οὔτε ἄσθμα
τὸ πνεῦμα. Ἢ γὰρ ἂν καθ᾽ ὁμοιότητα τῆς ἡμετέρας φύσεως καὶ
τὸ θεῖον ἐξανθρωπίζοιτο, εἰ τοιούτῳ κεχρῆσθαι λόγῳ καὶ
M 15 τοιούτῳ πνεύματι τὸν τοῦ | παντὸς ποιητὴν δογματίζοιε. Τίς
15 δὲ καὶ δύναμις ἀπὸ ῥημάτων καὶ ἄσθματος τηλικαύτη, ὡς
ἐξαρκεῖν πρὸς οὐρανῶν σύστασιν καὶ τῶν ἐν τούτοις δυνάμεων ; Εἰ γὰρ ὅμοιος τῷ ἡμετέρῳ ῥήματι καὶ ὁ τοῦ Θεοῦ
Λόγος καὶ τὸ Πνεῦμα τῷ πνεύματι <καὶ> ὁμοία πάντως ἐκ
τῶν ὁμοίων ἡ δύναμις καὶ ὅσην ὁ ἡμέτερος τοσαύτην καὶ ὁ τοῦ
20 Θεοῦ Λόγος τὴν ἰσχὺν ἔχει — ἀλλὰ μὴν ἀνενέργητά τε καὶ

---

a. Ps 33, 6

1. « Unité — trinité » : voir Introduction : 'hypostase — ousie', p. 47-50.
2. Pour les autres « témoignages », on peut penser à des passages comme
Sg 1, 7 ; Ps 104, 29-30 ; 139, 7 ; Jb 23, 4. Pour ce qui est de Ps 33, 6, Grégoire
retient l'interprétation couramment adoptée de son temps. En réalité, dans
ce passage, le logos et le pneuma ne sont pas hypostasiés. A signaler que
Grégoire renonce à faire valoir des citations tirées du *N.T.*, étant donné qu'il
a en vue les juifs.

nature, et de la conception grecque, la seule distinction selon l'hypostase, en appliquant ainsi un remède approprié à la forme d'impiété respective. En effet, le dénombrement au sein de la Triade est comme un remède pour ceux qui s'égarent au sujet de l'unité et la doctrine de l'unité, un remède pour ceux qui se sont dispersés dans la multiplicité [1].

5. La Trinité dans l'Écriture

IV. S'il arrivait que le juif nous contredise sur ce point, la discussion avec lui ne sera plus aussi difficile : en effet, c'est à partir des enseignements dont il s'est nourri que sera rendue manifeste la vérité. Qu'il existe un Logos de Dieu et un Pneuma de Dieu, forces substantielles ayant leur subsistence, créatrices de tout ce qui a été fait et embrassant tout ce qui existe, cela ressort clairement des Écritures inspirées de Dieu. Il suffit de rappeler un seul de ces témoignages, en laissant aux esprits plus zélés le soin de découvrir la plupart des autres. « C'est par le logos du Seigneur, est-il dit, que les cieux ont été faits, et par le pneuma de sa bouche, toute leur armée [a2]. » Par quel logos et quel pneuma ? Car ici logos ne signifie pas « parole (humaine) » et pneuma ne signifie pas « souffle ». En réalité, on prêterait à la divinité un caractère humain, à la ressemblance de notre nature, si l'on soutenait que le créateur de l'univers a eu recours à un logos et à un pneuma de ce genre. Mais quelle force provenant du langage et du souffle serait assez grande pour assurer la constitution des cieux et des armées qu'ils renferment ? En effet, si le Logos de Dieu est semblable à notre parole et si le Pneuma de Dieu est semblable à notre souffle, la puissance émanant de ces éléments semblables est absolument semblable ; et dans cette hypothèse, le Logos de Dieu a une puissance qui n'est pas plus grande que la nôtre. Mais, justement, les paroles que

160 GRÉGOIRE DE NYSSE

ἀνυπόστατα τὰ παρ' ἡμῖν ῥήματα καὶ τὸ τοῖς ῥήμασι συνδιεξ-
ερχόμενον πνεῦμα — ἄπρακτα πάντως καὶ ἀνυπόστατα
κἀκεῖνα κατασκευάσουσιν οἱ πρὸς τὴν ὁμοιότητα τοῦ παρ'
ἡμῖν λόγου τὸ θεῖον κατάγοντες. Εἰ δέ, καθὼς λέγει Δαβίδ,
25 ἐστερεώθησαν Τῷ λόγῳ Κυρίου οἱ οὐρανοὶ καὶ αἱ δυνάμεις
αὐτῶν [a] ἐν τῷ πνεύματι τοῦ Θεοῦ τὴν σύστασιν ἔσχον, ἄρα
συνέστηκε τὸ τῆς ἀληθείας μυστήριον Λόγον ἐν οὐσίᾳ καὶ
Πνεῦμα ἐν ὑποστάσει λέγειν ὑφηγούμενον.

Ε΄. Ἀλλὰ τὸ μὲν εἶναι Λόγον Θεοῦ καὶ Πνεῦμα διά τε τῶν
κοινῶν ἐννοιῶν ὁ ἕλλην καὶ διὰ τῶν γραφικῶν ὁ ἰουδαῖος ἴσως
οὐκ ἀντιλέξει · τὴν δὲ κατὰ ἄνθρωπον οἰκονομίαν τοῦ Θεοῦ
Λόγου κατὰ τὸ ἴσον ἑκάτερος αὐτῶν ἀποδοκιμάσει ὡς ἀπί-
5 θανόν τε καὶ ἀπρεπῆ περὶ Θεοῦ λέγεσθαι. Οὐκοῦν ἐξ ἑτέρας
ἀρχῆς καὶ εἰς τὴν περὶ τούτου πίστιν τοὺς ἀντιλέγοντας προσ-
αξόμεθα · Λόγῳ τὰ πάντα γεγενῆσθαι καὶ Σοφίᾳ παρὰ τοῦ τὸ
πᾶν συστησαμένου [a] πιστεύουσιν ἢ καὶ πρὸς ταύτην
δυσπειθῶς ἔχουσι τὴν ὑπόληψιν ; | Ἀλλ' εἰ μὴ δοῖεν λόγον
10 καθηγεῖσθαι καὶ σοφίαν τῆς τῶν ὄντων συστάσεως, ἀλογίαν τε
καὶ ἀτεχνίαν τῇ ἀρχῇ | τοῦ παντὸς ἐπιστήσουσιν. Εἰ δὲ τοῦτο
ἄτοπόν τε καὶ ἀσεβές, ὁμολογεῖται πάντως ὅτι λόγον τε καὶ

a. Ps 33,6
a. Cf. Sg 9, 1 ; Ps 104, 24 ; Pr 8, 22-26 ; Jn 1, 3

1. Ici *hupostasis* est synonyme de *ousia* comme dans les anathématismes de Nicée. SRAWLEY note : « Teaching us to speak of a Word in actual being and a Spirit in subsistence » (p. 19, note 14).
2. L'expression *koinai ennoiai* se rencontre fréquemment chez Origène dans le sens de notions morales ou religieuses communes à tous les hommes. Certes, Grégoire de Nysse rejette parfois abruptement certains aspects de la pensée grecque, comme inconciliables avec la foi ; mais il lui arrive aussi d'exprimer son estime pour la philosophie, parce qu'elle permet de rendre plausibles certaines vérités de la foi.
3. Cf. Introduction : section 'Sotériologie-Économie', p. 79 s.
4. GRÉGOIRE aborde la question en détail dans les ch. IX à XXIX.

nous proférons sont inefficaces et inconsistantes tout comme le souffle qui s'exhale ensemble avec elles à mesure qu'elles sont prononcées. Ceux qui ravalent la divinité à la ressemblance de notre logos présentent donc aussi le Logos et le Pneuma de Dieu comme absolument inefficaces et inconsistants. Mais si vraiment, comme le dit David, les cieux ont été faits par le logos du Seigneur et si leurs armées se maintiennent par le pneuma de Dieu, alors est solidement établi le mystère de la vérité qui nous enseigne à parler d'un Logos substantiel[1] et d'un Pneuma ayant la subsistence.

Deuxième partie

A. CRÉATION DE L'HOMME — ORIGINE DU MAL

1. Création de l'homme

a. *L'incréé et le créé*

V. Qu'il existe un Logos de Dieu et un Pneuma de Dieu, le grec à partir des notions communes[2] et le juif à partir des Écritures ne le contesteront peut-être plus ; mais chacun des deux rejettera également l'économie[3] de l'Incarnation du Logos de Dieu sous prétexte qu'elle est invraisemblable et que c'est une manière de parler indigne de Dieu[4]. Par conséquent, nous partirons d'un principe différent pour amener nos adversaires à accepter aussi cet aspect de notre foi. Croient-ils que tout a été créé par le Logos et la Sagesse de celui qui a organisé l'univers[a] ou bien donnent-ils difficilement leur adhésion à cette conception ? S'ils n'accordent pas qu'un logos et une sagesse ont dirigé l'organisation de ce qui existe, ils poseront l'incohérence et la maladresse comme principe d'origine de l'univers. Mais du moment que c'est là une conception absurde et impie, ils reconnaîtront, il faut

σοφίαν ἡγεμονεύειν τῶν ὄντων ὁμολογήσουσιν [ἀλλὰ μὴν ἐν
τοῖς φθάσασιν ἀποδέδεικται μὴ αὐτὸ τοῦτο ῥῆμα ὢν ὁ τοῦ
15 Θεοῦ Λόγος, ἢ ἕξις ἐπιστήμης τινὸς ἢ σοφίας, ἀλλὰ κατ᾽
οὐσίαν τις ὑφεστῶσα δύναμις, προαιρετική τε παντὸς ἀγαθοῦ
καὶ ἐν ἰσχύϊ πᾶν τὸ κατὰ προαίρεσιν ἔχουσα], ἀγαθοῦ δὲ ὄντος
τοῦ κόσμου τὴν τῶν ἀγαθῶν προεκτικήν τε καὶ ποιητικὴν
δύναμιν αἰτίαν εἶναι. Εἰ δὲ τοῦ κόσμου παντὸς ἡ ὑπόστασις τῆς
20 τοῦ Λόγου δυνάμεως ἐξῆπται, καθὼς ἡ ἀκολουθία παρέδειξεν,
ἀνάγκη πᾶσα καὶ τῶν τοῦ κόσμου μερῶν μὴ ἄλλην ἐπινοεῖν
αἰτίαν τινὰ τῆς συστάσεως ἀλλ᾽ ἢ τὸν Λόγον αὐτόν, δι᾽ οὗ τὰ
πάντα τὴν εἰς τὸ γενέσθαι πάροδον ἔσχε.

Τοῦτον δὲ εἴτε Λόγον, εἴτε Σοφίαν, εἴτε Δύναμιν, εἴτε
25 Θεόν, εἴτε ἄλλο τι τῶν ὑψηλῶν τε καὶ τιμίων ὀνομάζειν τις
ἐθέλοι, οὐ διοισόμεθα · ὅ τι γὰρ ἂν εὑρεθῇ δεικτικὸν τοῦ ὑποκειμένου ῥῆμα ἢ ὄνομα, ἕν ἐστι τὸ διὰ τῶν φωνῶν σημαι-
νόμενον · ἡ ἀΐδιος τοῦ Θεοῦ δύναμις, ἡ ποιητικὴ τῶν ὄντων, ἡ
εὑρετικὴ τῶν μὴ ὄντων, ἡ συνεκτικὴ τῶν γεγονότων, ἡ
30 προορατικὴ τῶν μελλόντων. Οὗτος τοίνυν ὁ Θεὸς Λόγος, ἡ
M 17 Σοφία, ἡ Δύναμις, ἀπεδείχθη κατὰ τὸ ἀκόλουθον | τῆς ἀνθρω-
πίνης φύσεως ποιητής, οὐκ ἀνάγκῃ τινὶ πρὸς τὴν τοῦ ἀνθρώπου κατασκευὴν ἐναχθείς, ἀλλ᾽ ἀγάπης περιουσίᾳ τοῦ τοιούτου ζῴου δημιουργήσας τὴν γένεσιν · ἔδει γὰρ μήτε τὸ φῶς
35 ἀθέατον, μήτε τὴν δόξαν ἀμάρτυρον, μήτε ἀναπόλαυστον

---

1. *Héxis* a le sens de possession : voir PLATON, *Théétète* 192 a, pour qui
héxis épistèmès est possession du savoir au sens de libre disposition de ce
savoir. La phrase est caractérisée par des effets de rhétorique : anaphore,
parisosis, homeoteleuton, solennité du ton.
2. Les manuscrits hésitent entre *oréktikèn* et *proéktikèn* Srawley signale
que Hésychius et Suidas (*La Suda*) proposent de lire *proétikèn*.
3. Cf. GRÉGOIRE DE NAZIANZE, *Orat.* 28, 6, *SC* 250, p. 111-113. Cf.
PLATON, *Timée* 29 e.
4. Cf. ATHANASE, *De Incarn.* 18, 19, *SC* 199, p. 311-319 et *Contra gentes*
2, *SC* 18, p. 111-114.
5. La liberté de la création est affirmée à l'encontre notamment des
gnostiques ou des philosophes d'après lesquels le monde et l'homme sont le
résultat d'une évolution, en quelque sorte nécessaire, à partir de l'Être divin.

bien en convenir, qu'un logos et une sagesse gouvernent l'univers. Or, dans ce qui précède, il a été démontré que le Logos de Dieu n'est pas du tout la même chose que la parole ou la possession [1] d'une science ou d'une sagesse (acquises), mais qu'il est une puissance qui subsiste substantiellement, qui choisit le bien en tout, et qui a le pouvoir de tout faire selon sa volonté, et que, comme le monde est bon, il a pour cause la puissance qui dispose [2] du bien et le crée. Si donc la subsistence de l'univers dépend de la puissance du Logos, comme l'enchaînement logique du raisonnement l'a montré, il est absolument nécessaire d'admettre que, pour l'organisation des différentes parties de l'univers, il n'y a pas d'autre cause que le Logos lui-même, de qui toutes choses tiennent l'accès à l'existence.

b. *Création de l'homme par le Logos*

Qu'on veuille l'appeler Logos ou Sagesse ou Puissance ou Dieu ou lui donner un autre nom sublime et vénérable, nous n'engagerons pas de discussion sur ce point. Quel que soit en effet le mot ou le nom que l'on trouve pour dénommer le sujet, une seule réalité est désignée par ces paroles, à savoir la puissance éternelle de Dieu, qui crée ce qui existe, conçoit ce qui n'est pas encore, maintient ensemble les choses créées, prévoit celles qui le seront. Or, ainsi que la suite logique du raisonnement l'a montré, ce Dieu Logos [3], Sagesse, Puissance, est le créateur de la nature humaine, lui qu'aucune nécessité [4] n'a poussé à former l'homme, mais qui, dans la surabondance de son amour [5], a suscité par un acte créateur la genèse d'un tel être. En effet, sa lumière ne devait pas rester invisible, ni sa gloire sans témoins, ni sa bonté sans

---

La vraie raison de la création est, pour Grégoire, la « surabondance de l'amour de Dieu ». A noter que *agapè* est un terme biblique que Grégoire semble préférer ici à un terme plus philosophique comme *agathotès*. Mais souvent il emploie *philanthrôpia* au sens de « amour de Dieu pour l'homme ».

αὐτοῦ εἶναι τὴν ἀγαθότητα, μήτε τὰ ἄλλα πάντα ὅσα περὶ τὴν
θείαν καθορᾶται φύσιν ἀργὰ κεῖσθαι, μὴ ὄντος τοῦ μετέχοντός
τε καὶ ἀπολαύοντος.

Εἰ τοίνυν ἐπὶ τούτοις ὁ ἄνθρωπος εἰς γένεσιν ἔρχεται, ἐφ᾽
40 ᾧτε μέτοχος τῶν θείων ἀγαθῶν γενέσθαι, ἀναγκαίως τοιοῦτος
κατασκευάζεται, ὡς ἐπιτηδείως πρὸς τὴν τῶν ἀγαθῶν μετουσίαν ἔχειν · καθάπερ γὰρ ὁ ὀφθαλμὸς διὰ τῆς ἐγκειμένης αὐτῷ
φυσικῶς αὐγῆς ἐν κοινωνίᾳ τοῦ φωτὸς γίνεται, διὰ τῆς
ἐμφύτου δυνάμεως τὸ συγγενὲς ἐφελκόμενος, οὕτως ἀναγ-
45 καῖον ἦν ἐγκραθῆναί τι τῇ ἀνθρωπίνῃ φύσει συγγενὲς πρὸς τὸ
θεῖον, ὡς ἂν διὰ τοῦ καταλλήλου πρὸς τὸ οἰκεῖον τὴν ἔφεσιν
ἔχοι. Καὶ γὰρ καὶ ἐν τῇ τῶν ἀλόγων φύσει, ὅσα τὸν ἔνυδρον καὶ
ἐναέριον ἔλαχε βίον, καταλλήλως ἕκαστον τῷ τῆς ζωῆς εἴδει
κατεσκευάσθη, ὡς οἰκεῖον ἑκατέρῳ καὶ ὁμόφυλον διὰ τῆς
50 ποιᾶς τοῦ σώματος διαπλάσεως τῷ μὲν τὸν ἀέρα, τῷ δὲ τὸ
ὕδωρ εἶναι. Οὕτως οὖν καὶ τὸν ἄνθρωπον ἐπὶ τῇ τῶν θείων
ἀγαθῶν ἀπολαύσει γενόμενον ἔδει τι συγγενὲς ἐν τῇ φύσει
πρὸς τὸ μετεχόμενον ἔχειν. Διὰ τοῦτο καὶ ζωῇ, καὶ λόγῳ, καὶ
σοφίᾳ, καὶ πᾶσι τοῖς θεοπρεπέσιν ἀγαθοῖς κατεκοσμήθη, ὡς
55 ἂν δι᾽ ἑκάστου τούτων πρὸς τὸ οἰκεῖον τὴν ἐπιθυμίαν ἔχοι.
Ἐπεὶ οὖν ἓν τῶν περὶ τὴν θείαν φύσιν ἀγαθῶν καὶ ἡ ἀϊδιότης [a]
M 18   ἐστίν,| ἔδει πάντως μηδὲ τούτου τὴν κατασκευὴν εἶναι τῆς
φύσεως ἡμῶν ἀπόκληρον, ἀλλ᾽ ἔχειν ἐν ἑαυτῇ τὸ ἀθάνατον, ὡς
ἂν διὰ τῆς ἐγκειμένης δυνάμεως γνωρίζοι τε τὸ ὑπερκείμενον
60 καὶ ἐν ἐπιθυμίᾳ τῆς θείας ἀϊδιότητος εἴη.

a. Cf. Sg 2, 23

1. Passage parallèle : « Pour la participation à Dieu il faut absolument,
dans la nature du participant, quelque chose d'apparenté à ce à quoi il
participe. C'est pourquoi l'Écriture dit que l'homme a été créé à l'image de
Dieu, afin qu'il puisse voir le semblable par le semblable. Et la vision de Dieu
est la vie de l'âme » (De infant., GNO III, 2, p. 79.)
2. « ...L'œil participe de la lumière... » : Srawley signale que cette conception trouve son parallèle dans PLATON, Tim. 45 b-d et ARISTOTE, De sensu 2.

bénéficiaires, ni toutes les autres qualités que nous voyons attachées à la nature divine demeurer inefficaces, du fait qu'il n'y aurait eu personne pour y participer et en jouir.

c. *Homo capax Dei*

Ainsi donc si l'homme accède à l'existence en vue de prendre part aux biens divins, il est forcément doté d'une constitution telle qu'il soit apte à avoir part à ces biens [1]. Tout comme, en effet, l'œil, grâce au rayonnement lumineux dont la nature l'a pourvu, participe de la lumière [2], attirant à lui, grâce à cette faculté innée, ce qui est de même nature, de même il était nécessaire que fût mêlé à la nature humaine quelque chose qui fût en affinité avec le divin, de façon que, en raison de cette correspondance, elle fût portée par son élan vers ce qui lui est apparenté. Ainsi même pour ce qui est de la nature des êtres privés de raison et vivant dans l'eau ou dans les airs, chacun d'entre eux a été créé avec une constitution correspondant à son genre de vie, de façon que, moyennant une configuration particulière de leur corps, l'air fût pour l'un, l'eau pour l'autre l'élément apparenté et approprié. Il en va de même pour l'homme : créé pour jouir des biens divins, il devait avoir quelque affinité de nature avec ce à quoi il est appelé à participer. C'est pourquoi il a été doué de vie, de raison, de sagesse et de tous les biens dignes de la divinité, afin que chacun de ces privilèges lui fît éprouver le désir de ce qui lui est apparenté. Puisque l'éternité est aussi l'un des biens attachés à la divinité [a], notre nature ne devait à aucun prix en être privée dans sa constitution, mais elle devait posséder en elle-même la disposition à l'immortalité, pour que, grâce à cette capacité innée, elle pût connaître ce qui lui est supérieur et éprouver le désir de l'éternité divine.

Ταῦτά τοι περιληπτικῇ φωνῇ δι᾽ ἑνὸς ῥήματος ὁ τῆς κοσ-
μογονείας ἐνεδείξατο λόγος, κατ᾽ εἰκόνα Θεοῦ τὸν ἄνθρωπον
γεγενῆσθαι [b] λέγων · ἐν γὰρ τῇ ὁμοιώσει τῇ κατὰ τὴν εἰκόνα
PG 24   πάντων | ἐστὶ τῶν τὸ θεῖον χαρακτηριζόντων ἡ ἀπαρίθμησις
65   καὶ ὅσα περὶ τούτων ἱστορικώτερον ὁ Μωϋσῆς διεξέρχεται ἐν
διηγήσεως εἴδει δόγματα ἡμῖν παρατιθέμενος τῆς αὐτῆς
ἔχεται διδασκαλίας [c] · ὁ γὰρ παράδεισος ἐκεῖνος καὶ ἡ τῶν
καρπῶν ἰδιότης, ὧν ἡ βρῶσις οὐ γαστρὸς πλησμονήν, ἀλλὰ
γνῶσιν καὶ ἀϊδιότητα ζωῆς τοῖς γευσαμένοις δίδωσι [d], πάντα
70   ταῦτα συνᾴδει τοῖς προτεθεωρημένοις περὶ τὸν ἄνθρωπον, ὡς
ἀγαθῆς τε καὶ ἐν ἀγαθοῖς οὔσης κατ᾽ ἀρχὰς ἡμῖν τῆς φύσεως.

Ἀλλ᾽ ἀντιλέγει τυχὸν τοῖς εἰρημένοις ὁ πρὸς τὰ παρόντα
βλέπων καὶ οἴεται διελέγχειν τὸν λόγον οὐκ ἀληθεύοντα τῷ μὴ
ἐν ἐκείνοις νῦν, ἀλλ᾽ ἐν πᾶσι σχεδὸν τοῖς ὑπεναντίοις ὁρᾶσθαι
75   τὸν ἄνθρωπον — ποῦ γὰρ τῆς ψυχῆς τὸ θεοειδές ; Ποῦ δὲ ἡ
ἀπάθεια τοῦ σώματος ; Ποῦ τῆς ζωῆς τὸ ἀΐδιον ; — ὠκύ-
M 19   μορον, ἐμπαθές, ἐπίκηρον, πρὸς πᾶσαν παθη|μάτων ἰδέαν
κατά τε σῶμα καὶ ψυχὴν ἐπιτήδειον. Ταῦτα καὶ τὰ τοιαῦτα
λέγων καὶ κατατρέχων τῆς φύσεως ἀνατρέπειν τὸν ἀποδο-
80   θέντα περὶ τοῦ ἀνθρώπου λόγον οἰήσεται. Ἀλλ᾽ ὡς ἂν μηδα-
μοῦ τῆς ἀκολουθίας ὁ λόγος παρατραπείη, καὶ περὶ τούτων ἐν
ὀλίγοις διαληψόμεθα. Τὸ νῦν ἐν ἀτόποις εἶναι τὴν ἀνθρωπίνην

b. Gn 1, 27   c. Cf. Gn 1, 26   d. Cf. Gn 2, 8-10

1. Cf. Introduction, p. 68, n. 2, pour les indications bibliographiques.
2. Moïse propose des doctrines sous forme de récits : c'est la raison pour
laquelle Grégoire, à la suite d'autres Pères, pratique l'interprétation « ana-
gogique » ou « spirituelle ». Cf. ORIGÈNE, De Princ. 4, 1-3, SC 268, p. 257-321.
3. Le premier homme n'avait pas besoin de nourriture corporelle, car
l'union à Dieu le maintenait en vie : l'arbre de vie est interprété allégorique-
ment ; ses fruits représentent une nourriture spirituelle. Cf. De hom. opif. :
« Tous deux (David et Salomon) pensent que le bienfait unique de la jouissance qui nous est accordée, c'est le vrai Bien lui-même, qui est précisément
tout bien. David dit : « Jouissez du Seigneur » et Salomon nomme « arbre de
vie » cette Sagesse même qui « est le Seigneur » (SC 6, p. 174).

d. *L'homme créé à l'image et à la ressemblance de Dieu*

Tout cela, le récit de la création du monde l'indique d'une expression qui englobe tout, lorsqu'il dit que l'homme a été fait à l'image de Dieu [b1] ; car la ressemblance qui est celle de l'image comporte l'ensemble de ce qui caractérise la divinité, et tout ce que Moïse raconte sur ce point, plutôt à la manière d'un historien, en nous présentant les doctrines sous la forme du récit [2], entretient des liens avec le même enseignement [c]. En effet, le paradis dont il parle et les propriétés de ses fruits, qui procurent à ceux qui en mangent [d] non pas l'apaisement des besoins de l'estomac [3], mais la connaissance et la vie éternelle, tout cela s'accorde avec les considérations précédentes sur l'homme, selon lesquelles, à l'origine, notre nature était bonne et vivait entourée de biens.

e. *Condition de l'homme plongé dans le malheur*

Mais il peut arriver que cette affirmation soit contestée par celui qui, prenant en compte la situation présente, estime pouvoir réfuter ce discours comme contraire à la vérité, sous prétexte qu'actuellement l'homme, loin de vivre au milieu de ces biens, se voit dans une situation presque entièrement opposée. Où est en effet la ressemblance de l'âme avec Dieu ? Où est l'*apatheia* [4] pour ce qui est du corps ? Où est l'éternité de vie ? Vie brève, sujétion aux *pathè*, caducité, disposition à subir toutes les variétés de souffrances physiques et morales, voilà les arguments, avec d'autres du même genre, qu'il avancera pour charger notre nature, et il pensera réfuter ainsi l'enseignement que nous avons proposé au sujet de l'homme. Mais pour éviter que notre exposé ne s'écarte en rien du droit fil de l'enchaînement logique, nous donnerons aussi quel-

---

4. *Apateia* signifie être libre des souffrances corporelles et en même temps être libre des passions de l'âme, des tendances désordonnées (*De virg.*, *SC* 119, p. 392) C'est la conséquence de la souveraineté de l'esprit qui régit la vie inférieure et oriente toutes les tendances vers le bien.

ζωὴν οὐχ ἱκανός ἐστιν ἔλεγχος τοῦ μηδέποτε τὸν ἄνθρωπον ἐν
ἀγαθοῖς γεγενῆσθαι · ἐπειδὴ γὰρ Θεοῦ ἔργον ὁ ἄνθρωπος, τοῦ
85 δι' ἀγαθότητα τὸ ζῷον τοῦτο παραγαγόντος εἰς γένεσιν, οὐκ
ἄν τις εὐλόγως, οὗ ἡ αἰτία τῆς συστάσεως ἀγαθότης ἐστί,
τοῦτον ἐν κακοῖς γεγενῆσθαι παρὰ τοῦ πεποιηκότος καθυ-
ποπτεύσειεν, ἀλλ' ἕτερόν ἐστιν αἴτιον τοῦ ταῦτά τε νῦν περὶ
ἡμᾶς εἶναι καὶ τῶν προτιμοτέρων ἐρημωθῆναι. Ἀρχὴ δὲ πάλιν
90 καὶ πρὸς τοῦτον ἡμῖν τὸν λόγον οὐκ ἔξω τῆς τῶν ἀντιλεγόντων
ἐστὶ συγκαταθέσεως · ὁ γὰρ ἐπὶ μετουσίᾳ τῶν ἰδίων ἀγαθῶν
ποιήσας τὸν ἄνθρωπον καὶ πάντων αὐτῷ τῶν καλῶν τὰς ἀφορμὰς ἐγκατασκευάσας τῇ φύσει, ὡς ἂν δι' ἑκάστου καταλλήλως πρὸς τὸ ὅμοιον ἡ ὄρεξις φέροιτο, οὐκ ἂν τοῦ καλλίστου
95 τε καὶ τιμιωτάτου τῶν ἀγαθῶν ἀπεστέρησε, λέγω δὴ τῆς κατὰ
τὸ ἀδέσποτον καὶ αὐτεξούσιον χάριτος · εἰ γάρ τις ἀνάγκη τῆς
ἀνθρωπίνης ἐπεστάτει ζωῆς, διεψεύσθη ἂν ἡ εἰκὼν κατ' ἐκεῖνο
τὸ μέρος, ἀλλοτριωθεῖσα τῷ ἀνομοίῳ πρὸς τὸ ἀρχέτυπον ·|
M 20   τῆς γὰρ βασιλευούσης φύσεως ἡ ἀνάγκαις τισὶν ὑπεζευγμένη
100 τε καὶ δουλεύουσα πῶς ἂν εἰκὼν ὀνομάζοιτο ; Οὐκοῦν τὸ διὰ
πάντων πρὸς τὸ θεῖον ὡμοιωμένον ἔδει πάντως ἔχειν ἐν τῇ
φύσει τὸ αὐτοκρατὲς καὶ ἀδέσποτον, ὥστε ἆθλον ἀρετῆς εἶναι
τὴν τῶν ἀγαθῶν μετουσίαν.

Πόθεν οὖν, ἐρεῖς, ὁ διὰ πάντων τοῖς καλλίστοις τετιμημένος
105 τὰ χείρω τῶν ἀγαθῶν ἀντηλλάξατο ; Σαφὴς καὶ ὁ περὶ τούτου
λόγος · οὐδεμία κακοῦ γένεσις ἐκ τοῦ θείου βουλήματος τὴν
ἀρχὴν ἔσχεν — ἢ γὰρ ἂν ἔξω μέμψεως ἦν ἡ κακία θεὸν ἑαυτῆς
ἐπιγραφομένη ποιητὴν καὶ πατέρα — ἀλλ' ἐμφύεταί πως τὸ
κακὸν ἔνδοθεν τῇ προαιρέσει τότε συνιστάμενον, ὅταν τις ἀπὸ
110 τοῦ καλοῦ γένηται τῆς ψυχῆς ἀναχώρησις. Καθάπερ γὰρ ἡ

---

1. Le passage qui va de *To nun én atopois* jusqu'à la fin du chapitre figure
dans Euthymius, *Pan. dogm.* 1, 6.
2. La liberté et l'indépendance sont des propriétés fondamentales de
l'homme, image de Dieu. Cf. l'explication du péché et de l'appropriation du
salut.

ques courtes explications sur ce point. Le fait [1] qu'actuellement la vie humaine se déroule dans des conditions insolites
n'est pas un argument suffisant pour prouver que jamais
auparavant l'homme n'a vécu en possession de ces biens. En
effet, puisque l'homme est l'œuvre de Dieu, qui dans sa
bonté a fait accéder cet être à l'existence, personne ne saurait
raisonnablement nourrir le soupçon que celui dont la constitution a sa source dans cette bonté, a été confiné dans une
situation de malheur par son créateur. Il y a une autre raison
qui explique notre condition actuelle et la perte d'une situation d'un plus grand prix. Une fois de plus, le point de départ
de notre argumentation n'est pas sans pouvoir obtenir
l'assentiment des adversaires. En effet, celui qui a créé
l'homme en vue de lui donner part à ses propres biens et qui
a déposé dans sa nature les germes de tout ce qui est beau
pour que chacun d'entre eux fît tendre le désir vers l'attribut
correspondant, celui-là ne l'aurait pas privé du plus beau et
du plus précieux de ces biens, je parle du don gracieux de
l'indépendance et de la liberté [2]. Si quelque nécessité, en
effet, déterminait la vie humaine, l'«image» sur ce point
précis, serait mensongère, car elle serait altérée par une
dissemblance avec l'archétype. Comment pourrait-on qualifier d'image de la nature souveraine ce qui est soumis et
assujetti à certaines nécessités? Ainsi donc ce qui a été
conformé en tout point à la divinité devait, à coup sûr,
posséder dans sa nature la liberté et l'indépendance, de façon
que la participation aux biens fût le prix du combat mené par
la vertu.

2. Origine du mal

a. *Nature du mal*

Mais, diras-tu, d'où vient que celui qui a été paré, sous
tous les rapports, des plus beaux privilèges ait reçu en
échange de ces biens ce qui est de l'ordre du mal? Sur ce

ὅρασις φύσεώς ἐστιν ἐνέργεια, ἡ δὲ πήρωσις στέρησίς ἐστι τῆς
φυσικῆς ἐνεργείας, οὕτω καὶ ἡ ἀρετὴ πρὸς τὴν κακίαν ἀντι-
PG 25   καθέστηκεν · οὐ γὰρ ἔστιν ἄλλως κακίας γένεσιν ἐννοῆσαι ἢ
ἀρετῆς ἀπουσίαν · ὥσπερ γὰρ τοῦ φωτὸς ὑφαιρεθέντος ὁ
115   ζόφος ἐπηκολούθησε, παρόντος δὲ οὐκ ἔστιν, οὕτως ἕως ἂν
παρῇ τὸ ἀγαθὸν ἐν τῇ φύσει ἀνύπαρκτόν τί ἐστι καθ᾽ ἑαυτὴν ἡ
κακία, ἡ δὲ τοῦ κρείττονος ἀναχώρησις τοῦ ἐναντίου γίνεται
γένεσις. Ἐπεὶ οὖν τοῦτο τῆς αὐτεξουσιότητός ἐστι τὸ ἰδίωμα,
τὸ κατ᾽ ἐξουσίαν αἱρεῖσθαι τὸ καταθύμιον, οὐχ ὁ θεός σοι τῶν
120   παρόντων ἐστὶν αἴτιος κακῶν, ἀδέσποτόν τε καὶ ἄνετόν σοι
κατασκευάσας τὴν φύσιν, ἀλλ᾽ ἡ ἀβουλία τὸ χεῖρον ἀντὶ τοῦ
κρείττονος προελομένη.|

M 21   ϛʹ. Ζητεῖς δὲ καὶ τὴν αἰτίαν τυχὸν τῆς κατὰ τὴν βουλὴν
διαμαρτίας · εἰς τοῦτο γὰρ ἡ ἀκολουθία τὸν λόγον φέρει. Οὐκοῦν πάλιν ἀρχή τις ἡμῖν κατὰ τὸ εὔλογον εὑρεθήσεται, ἢ καὶ
τοῦτο σαφηνίσει τὸ ζήτημα. Τοιοῦτόν τινα λόγον παρὰ τῶν
5   πατέρων διεδεξάμεθα — ἔστι δὲ ὁ λόγος οὐ μυθώδης διήγησις, ἀλλ᾽ ἐξ αὐτῆς τῆς φύσεως ἡμῶν τὸ πιστὸν ἐπαγόμενος
— · διπλῆ τίς ἐστιν ἐν τοῖς οὖσιν ἡ κατανόησις, εἰς τὸ νοητόν

1. Grégoire envisage ici le mal moral et propose l'explication des philosophes grecs : le mal est privation du bien. Il y revient dans la suite.
2. Les « Pères » dont il est question sont-ils ceux qui ont transmis cette
tradition de génération en génération depuis les origines (cf *Genèse*)? Ou
bien s'agit-il de prédécesseurs comme Justin, Irénée, Origène, Athanase ?
3. Pour GRÉGOIRE, la *théôria* est, avant tout, une activité de l'esprit qui
cherche à connaître la réalité intelligible au-delà des apparences sensibles ;
mais Grégoire connaît la polyvalence du terme, qui sert à désigner le fait de
voir, la connaissance scientifique qui procède par analyse et synthèse, ou
bien la juste perception des sens de l'Écriture, ou encore la contemplation
mystique. Voir J. DANIÉLOU, Platonisme et *théologie mystique*, p. 162 s. ;
W. VÖLKER, Gregor von Nyssa als Mystiker, avec une liste de références,
p. 146 s. ; J. DANIÉLOU, art. « Contemplation » dans *DSp* 2, col. 1872-1885.
4. Grégoire souligne la sagesse du Créateur qui, malgré l'opposition entre
certains éléments, réussit néanmoins à établir l'harmonie dans la création.
Tout en reprenant les schèmes platoniciens de l'intelligible et du sensible, il

point encore l'explication est claire. Aucune émergence du mal ne tire son origine de la volonté divine ; en effet, le mal serait à l'abri du blâme, s'il était en droit de désigner Dieu comme auteur et père du mal. Mais en réalité le mal naît en quelque sorte à l'intérieur de nous-mêmes, en surgissant sous l'effet de notre volonté libre, chaque fois que l'âme s'éloigne du bien. Tout comme, en effet, la vue est une activité naturelle et la cécité la privation de cette activité naturelle, de même il y a opposition entre la vertu et le mal. Car il est impossible de concevoir l'origine du mal autrement que comme absence de la vertu [1]. De même que l'obscurité s'installe à mesure que la lumière s'éteint, alors qu'elle ne règne pas quand la lumière brille, de même, aussi longtemps que le bien est présent dans notre nature, le mal n'a pas d'existence par lui-même ; mais une fois que le bien s'éloigne, le mal prend naissance. Comme donc la spécificité de la volonté libre est de pouvoir choisir librement l'objet désiré, ce n'est pas Dieu qui est la cause de tes maux actuels, puisqu'il a créé ta nature indépendante et libre ; mais la cause de ces maux, c'est ton irréflexion qui a choisi le moins bon au lieu du meilleur.

b. *Possibilité du mal : l'intelligible et le sensible.*

VI. Tu chercheras peut-être aussi à connaître la raison de cette transgression volontaire ; en effet, c'est la suite logique du raisonnement qui t'amène à te poser cette question. Ici encore s'offrira un point de départ, conforme à la raison, qui permettra d'élucider à son tour ce problème. Voici, à ce sujet, l'enseignement qui nous a été transmis de la part des Pères [2] ; cet enseignement n'est pas un récit de type mythique, mais il tire de notre nature même ses motifs de crédibilité. De l'ensemble des êtres nous avons une double perception et la raison qui voit juste [3] distingue ce qui est intelligible de ce qui est sensible [4]. En dehors de ces deux domaines, on ne saurait

innove, en introduisant les catégories de l'incréé et du créé : Cf. Introduction : 'Hiérarchie des êtres', p. 35.

τε καὶ αἰσθητὸν τῆς θεωρίας διῃρημένης καὶ οὐδὲν ἂν παρὰ
ταῦτα καταληφθείη ἐν τῇ τῶν ὄντων φύσει τῆς διαιρέσεως
10 ταύτης ἔξω φερόμενον. Διῄρηται δὲ ταῦτα πρὸς ἄλληλα πολ-
λῷ τῷ μέσῳ, ὡς μήτε τὴν αἰσθητὴν ἐν τοῖς νοητοῖς εἶναι
γνωρίσμασι μήτε ἐν τοῖς αἰσθητοῖς ἐκείνην, ἀλλ᾽ ἀπὸ τῶν
ἐναντίων ἑκατέραν χαρακτηρίζεσθαι · ἡ μὲν γὰρ νοητὴ φύσις
ἀσώματόν τι χρῆμά ἐστι καὶ ἀναφὲς καὶ ἀνείδεον · ἡ δὲ αἰσθη-
15 τὴ κατ᾽ αὐτὸ τὸ ὄνομα ἐντός ἐστι τῆς διὰ τῶν αἰσθητηρίων
κατανοήσεως. Ἀλλ᾽ ὥσπερ ἐν αὐτῷ τῷ αἰσθητῷ κόσμῳ, πολ-
λῆς πρὸς ἄλληλα τῶν στοιχείων οὔσης ἐναντιώσεως, ἐπινε-
νόηταί τις ἁρμονία διὰ τῶν ἐναντίων ἁρμοζομένη παρὰ τῆς τοῦ
παντὸς ἐπιστατούσης σοφίας καὶ οὕτω πάσης γίνεται πρὸς
20 ἑαυτὴν συμφωνία τῆς κτίσεως οὐδαμοῦ τῆς φυσικῆς ἐναντιότητος τὸν τῆς συμπνοίας εἱρμὸν διαλυούσης, κατὰ τὸν αὐτὸν
M 22 τρόπον καὶ τοῦ αἰσθητοῦ πρὸς τὸ νοητὸν γίνεταί τις | κατὰ
θείαν σοφίαν μίξις τε καὶ ἀνάκρασις, ὡς ἂν πάντα τοῦ καλοῦ
κατὰ τὸ ἴσον μετέχοι καὶ μηδὲν τῶν ὄντων ἀμοιροίη τῆς τοῦ
25 κρείττονος φύσεως. Διὰ τοῦτο τὸ μὲν κατάλληλον τῇ νοητῇ
φύσει χωρίον ἡ λεπτὴ καὶ εὐκίνητός ἐστιν οὐσία, κατὰ τὴν
ὑπερκόσμιον λῆξιν, πολλὴν ἔχουσα τῷ ἰδιάζοντι τῆς φύσεως
πρὸς τὸ νοητὸν τὴν συγγένειαν, προμηθείᾳ δὲ κρείττονι πρὸς

---

1. Pour la notion d'harmonie du monde, cf. Intr., p. 39. Ici Grégoire attire
l'attention sur le fait que Dieu a opéré dans l'homme le mélange de l'intelligible et du sensible, « pour que l'élément terrestre s'élevât par son union
avec la divinité et que cette seule et même grâce pût s'étendre également à
toute la création » (ch. VI). Il prépare ainsi les développements sur la portée
de l'œuvre de restauration du Christ, dont les effets s'étendent, à travers
l'homme, à toute la création. La compénétration réciproque sera pleinement
réalisée lors de l'apocatastase à la fin des temps : Dieu a voulu mettre toute la
création dans un rapport d'affinité, de façon que la partie inférieure ne soit
pas privée entièrement des hauteurs célestes et que le ciel ne le soit pas
entièrement des choses terrestres. Par l'intermédiaire de la créature
humaine, il fut donné à chaque élément, par participation, quelque chose de
ce qui est propre à l'autre » (De orat. domin., GNO VII, 2). Cf. aussi De hom.
opif. 16, SC 6, p. 151-152.

concevoir rien, dans la nature, qui puisse échapper à cette distinction. Un grand intervalle les sépare l'un de l'autre, si bien que ni le monde sensible ne porte les marques de l'intelligible, ni le monde intelligible celles du sensible, mais que chacun d'eux est caractérisé par des qualités nettement opposées entre elles. En effet, la nature intelligible est quelque chose d'incorporel, d'impalpable, elle est sans forme ; la nature sensible, conformément à son nom, tombe sous la perception des sens. Mais tout comme dans le monde sensible lui-même, en dépit des profondes oppositions qui existent entre les différents éléments, une certaine harmonie, assurant l'accord entre les éléments opposés, a été ménagée par la sagesse qui gouverne l'univers, et que de cette manière se trouve réalisée la consonance interne de toute la création [1], sans que jamais aucune dissonance naturelle ne rompe la continuité de cet ordre harmonieux, de la même manière se réalisent, sous l'effet de la sagesse divine, un mélange et une combinaison du sensible et de l'intelligible, pour que tout puisse également participer au bien et que rien de ce qui existe ne soit exclu de la participation à la nature supérieure. C'est pourquoi, bien que la sphère appropriée à la nature intelligible soit la substance subtile et se mouvant facilement qui, en vertu de la place [2] qu'elle s'est vue assigner dans la partie supérieure de l'univers, possède une grande affinité [3] avec l'intelligible en raison du caractère particulier de sa nature, cependant une sagesse supérieure a fait que se pro-

---

2. *Lèxis* de *lanchanô* signifie, d'après les commentateurs, destin ou lieu. Les deux traductions se justifient. Voir *De orat. dom.* 4, *PG* 44, 1165.

3. A propos de cet emploi de *sungeneia* J. BARBEL signale un texte de JAMBLIQUE qui exprime la même idée : Le corps céleste a une très grande affinité avec l'essence incorporelle des dieux » (*De mysteriis Aegypt.* 1, 17) : il est question de l'éther que Grégoire désigne ici comme léger et mobile.

τὴν αἰσθητὴν κτίσιν γίνεταί τις τοῦ νοητοῦ συνανάκρασις, ὡς
30 ἂν μηδὲν ἀπόβλητον εἴη τῆς κτίσεως ᵃ, καθώς φησιν ὁ ἀπόστολος, μηδὲ τῆς θείας κοινωνίας ἀπόκληρον. Τούτου χάριν ἐκ
νοητοῦ τε καὶ αἰσθητοῦ τὸ κατὰ τὸν ἄνθρωπον μίγμα παρὰ τῆς
θείας ἀναδείκνυται φύσεως, καθὼς διδάσκει τῆς κοσμογενείας
ὁ λόγος · Λαβὼν γὰρ ὁ θεός, φησίν, χοῦν ἀπὸ τῆς γῆς τὸν |
PG 28 35 ἄνθρωπον ἔπλασε ᵇ καὶ διὰ τῆς ἰδίας ἐμπνεύσεως τῷ πλάσ-
ματι τὴν ζωὴν ἐνεφύτευσεν, ὡς ἂν συνεπαρθείη τῷ θείῳ τὸ
γήϊνον καὶ μία τις κατὰ τὸ ὁμότιμον διὰ πάσης τῆς κτίσεως ἡ
χάρις διήκοι, τῆς κάτω φύσεως πρὸς τὴν ὑπερκόσμιον συγκιρ-
ναμένης.

40   Ἐπεὶ οὖν, τῆς νοητῆς κτίσεως προϋποστάσης καὶ ἑκάστῃ
τῶν ἀγγελικῶν δυνάμεων πρὸς τὴν τοῦ παντὸς σύστασιν ἐνεργείας τινὸς παρὰ τῆς τῶν πάντων ἐπιστατούσης ἐξουσίας
προσνεμηθείσης, ἥν τις δύναμις καὶ ἡ τὸν περίγειον τόπον
M 23 συνέχειν τε καὶ περικρατεῖν | τεταγμένη, εἰς αὐτὸ τοῦτο
45 δυναμωθεῖσα παρὰ τῆς τὸ πᾶν οἰκονομούσης δυνάμεως, εἶτα
κατεσκευάσθη τὸ γήϊνον πλάσμα τῆς ἄνω δυνάμεως ἀπεικόνισμα — τοῦτο δὴ τὸ ζῷον ὁ ἄνθρωπος — καὶ ἦν ἐν αὐτῷ τὸ
θεοειδὲς τῆς νοητῆς φύσεως κάλλος ἀρρήτῳ τινὶ δυνάμει
συγκεκραμένον, δεινὸν ποιεῖται καὶ οὐκ ἀνεκτὸν ὁ τὴν περί-
50 γειον οἰκονομίαν λαχών, εἰ ἐκ τῆς ὑποχειρίου αὐτῷ φύσεως

---

a. Cf. 1 Tm 4, 4   b. Gn 2, 7

---

1. GRÉGOIRE rejette l'idée d'une localisation de l'âme ou du *noûs* dans le
cœur ou dans le cerveau, comme l'enseignaient les stoïciens et les platoniciens (cf. CICÉRON, *Tuscul.* 1, 19 ; PLATON, *Tim.* 70 ; cf. aussi PLOTIN, *Enn.* 4,
3, 20). Dans le *De anima et resur.* il précise : « Tant que demeure constitué le
composé fait d'éléments, il y a animation de chacun d'eux en particulier,
puisque de manière égale et semblable l'âme pénètre dans toutes les parties
dont est formé un corps complet. » Et il va jusqu'à admettre que l'âme reste
présente à chaque élément même après la dissolution que représente la mort
(*O.c.*, *PG* 44, 69 b, tr. Terrieux, p. 97).
2. *Énéphuteusén* : cf. PLATON, *Tim.* 42 a ; la lecture *énéphusèsén* est due
au désir d'harmoniser avec *Gn* 2, 7, version des *LXX*.

duise un mélange[1] de l'intelligible avec la création sensible,
de façon à ce que rien dans la création ne soit rejeté[a], comme
le dit l'apôtre, ni privé de la communion avec la divinité. Pour
cette raison l'homme apparaît comme un mélange de l'intelligible et du sensible opéré par la nature divine, comme
l'enseigne le récit de la création du monde : « Dieu, ayant pris
une motte de terre, en forma l'homme et, de son propre
souffle, il implanta[2] la vie dans son ouvrage[b] », afin que ce
qui est terrestre fût élevé par son union avec ce qui est divin
et que par le mélange de la nature d'en bas avec celle qui est
au-dessus du monde, une seule et même grâce pût s'étendre
également à travers toute la création.

c. *Jalousie de l'ange de la terre.*

Rôle assigné à l'ange de la terre

La création intelligible existait antérieurement à l'autre et
chacune des puissances angéliques se vit assigner, par l'autorité qui dirige toutes choses, une part d'activité en vue de
l'organisation de l'univers[3]. L'une de ces puissances avait été
chargée de maintenir et de gouverner la sphère terrestre et
s'était vu attribuer, par la puissance qui ordonne l'univers, les
pouvoirs requis pour cette fonction. Ensuite fut modelée à
partir de la terre la créature qui est l'image de la puissance
suprême ; et cet être était l'homme. Il portait en lui la beauté,
de caractère divin, de la nature intelligible, mêlée à une force
ineffable. Mais celui à qui échut le gouvernement de la terre
tint pour étrange et intolérable que, provenant de la nature

---

3. Les puissances angéliques sont chargées, entre autres, de l'organisation et de la surveillance de l'univers. Voir J. MICHL., art. « Engel », *RAC* 5,
53-110 : l'idée se trouve aussi dans ORIGÈNE, *Contra Cels.* 5, 30, *SC* 147, dans
la *Dém. apost.* 11 et 16 d'IRÉNÉE, *SC* 406, dans MÉTHODE D'OLYMPE (*Res.* 1,
37, *CSG* 278). Voir d'autres auteurs comme JEAN DAMASCÈNE, *De fide orth.* 2,
3, *PG* 94, 872. J. Daniélou a établi que les sources de ces spéculations sont
à chercher dans l'apocalyptique juive, qui parle, entre autres, de la jalousie d'anges mauvais par rapport à Adam (cf. *Théologie du judéo-
christianisme*).

ἀναδειχθήσεταί τις οὐσία πρὸς τὴν ὑπερέχουσαν ἀξίαν ὡμοιω-
μένη.

Τὸ δ' ὅπως ἐπὶ τὸ πάθος κατερρύη τοῦ φθόνου ὁ ἐπὶ μηδενὶ
κακῷ κτισθεὶς παρὰ τοῦ τὸ πᾶν ἐν ἀγαθότητι συστησαμένου
55 τὸ μὲν δι' ἀκριβείας ἐπεξιέναι οὐ τῆς παρούσης πραγματείας
ἐστί, δυνατὸν δ' ἂν εἴη καὶ δι' ὀλίγου τοῖς εὐπειθεστέροις
παραθέσθαι τὸν λόγον. Τῆς γὰρ ἀρετῆς καὶ τῆς κακίας οὐχ ὡς
δύο τινῶν καθ' ὑπόστασιν φαινομένων ἡ ἀντιδιαστολὴ θεωρεῖται · ἀλλ' ὥσπερ ἀντιδιαιρεῖται τῷ ὄντι τὸ μὴ ὂν καὶ οὐκ
60 ἔστι καθ' ὑπόστασιν εἰπεῖν τὸ μὴ ὂν ἀντιδιαστέλλεσθαι πρὸς τὸ
ὄν, ἀλλὰ τὴν ἀνυπαρξίαν ἀντιδιαιρεῖσθαι λέγομεν πρὸς τὴν
ὕπαρξιν, κατὰ τὸν αὐτὸν τρόπον καὶ ἡ κακία τῷ τῆς ἀρετῆς
ἀντικαθέστηκε λόγῳ, οὐ καθ' ἑαυτήν τις οὖσα, ἀλλὰ τῇ ἀπουσίᾳ νοουμένη τοῦ κρείττονος · καὶ ὥσπερ φαμὲν ἀντιδιαι-
65 ρεῖσθαι τῇ ὁράσει τὴν πήρωσιν, οὐ καθ' ἑαυτὴν οὖσαν τῇ φύσει
τὴν πήρωσιν, ἀλλὰ προλαβούσης ἕξεως στέρησιν, οὕτω καὶ
τὴν κακίαν ἐν τῇ τοῦ ἀγαθοῦ στερήσει θεωρεῖσθαι λέγομεν,
M 24 οἷόν τινα σκιὰν τῇ ἀναχωρήσει τῆς ἀκτῖνος ἐπισυμβαίνουσαν.
Ἐπειδὴ τοίνυν ἡ ἄκτιστος φύσις τῆς κινήσεως τῆς κατὰ
70 τροπὴν καὶ μεταβολὴν καὶ ἀλλοίωσίν ἐστιν ἀνεπίδεκτος, πᾶν
δὲ τὸ διὰ κτίσεως ὑποστὰν συγγενῶς πρὸς τὴν ἀλλοίωσιν ἔχει,
διότι καὶ αὐτὴ τῆς κτίσεως ἡ ὑπόστασις ἀπὸ ἀλλοιώσεως
ἤρξατο τοῦ μὴ ὄντος εἰς τὸ εἶναι θείᾳ δυνάμει μετατεθέντος,
κτιστὴ δὲ ἦν καὶ ἡ μνημονευθεῖσα δύναμις, αὐτεξουσίῳ κινή-
75 ματι τὸ δοκοῦν αἱρουμένη, ἐπειδὴ πρὸς τὸ ἀγαθόν τε καὶ

1. Grégoire évoque les conséquences funestes du *phthonos* dans *La vie de
Moïse* : « La jalousie nous a chassés du Paradis, s'étant faite serpent pour
séduire Ève... est l'aiguillon mortel, le glaive caché, la maladie de notre
nature ;... elle considère comme un malheur non son propre mal, mais le
bien d'autrui » (*De vit. Moys.*, SC 1 bis, p. 114). Cf. Sg 2, 24 : « C'est par
l'envie du diable que le péché est entré dans le monde » ; la *Lettre* de
CLÉMENT DE ROME décrit les suites funestes de la jalousie par laquelle la mort
est entrée dans le monde (ch. III — VI, SC 167, p. 103-109) ; IRÉNÉE insiste
sur la jalousie de l'ange dans des termes assez proches de ceux de GRÉGOIRE :
« L'ange, voyant les nombreuses faveurs que l'homme avait reçues de Dieu,
lui porta envie et en fut jaloux. Il se perdit lui-même et fit tomber l'homme
dans le péché, en le persuadant de violer le commandement de Dieu »
(*Démonstration* 16, SC 62, p. 55).

soumise à sa domination, un être fait à la ressemblance de la dignité suréminente fît son apparition.

Comment l'ange de la terre est-il tombé sous l'emprise du pathos *de l'envie? Le mal comme non-être et le change-ment.*

Pour ce qui est de savoir comment est tombé sous l'emprise du *pathos* de l'envie [1] celui qui n'avait été créé en vue d'aucune forme de mal par celui qui a organisé l'univers selon le bien, il n'appartient pas au présent écrit de l'étudier en détail ; mais il serait possible d'en proposer une explica-tion, même brève, à ceux qui ont l'esprit assez réceptif. En effet, l'opposition entre la vertu et le vice ne se conçoit pas comme celle de deux choses qui se manifesteraient comme ayant chacune sa subsistence ; mais de même que le non-être est distingué de l'être, sans qu'il soit possible de dire que ce qui n'est pas s'oppose, selon la subsistence, à ce qui est — car nous disons bien que la non-existence s'oppose à l'existence — de la même manière aussi le vice s'oppose à l'idée de vertu, non que le vice existe en lui-même, mais parce qu'il est conçu comme absence du bien. Et comme nous disons que la cécité s'oppose à la vue, non que la cécité existe naturellement par elle-même, mais parce que la possession précède la privation, de même nous disons que le vice est à concevoir comme privation du bien, à la manière d'une ombre qui progresse à mesure que recule la lumière. Or, alors que la nature incréée n'admet pas le mouvement dans le sens d'un changement, d'une transformation, d'une altération, par contre, tout ce qui existe sous l'effet d'un acte de création a une tendance innée au changement, puisque l'existence même de la créa-tion s'origine dans un changement, du fait que la puissance divine a fait passer du non-être à l'être [2] ; quant à la puissance mentionnée plus haut, elle aussi avait été créée, et par un

2. Pour la notion de changement, cf. Introduction. Pour le changement lié à l'Incarnation, les Pères emploient aussi le mot *alloiôsis* : dans la *Vie de Moïse*, GRÉGOIRE déclare que Dieu a accepté l'*alloiôsis* par condescendance (*SC* 1 bis, p. 39-40).

ἄφθονον ἐπέμυσεν ὄμμα, ὥσπερ ὁ ἐν ἡλίῳ τοῖς βλεφάροις τὰς
ὄψεις ἀποβαλὼν σκότος ὁρᾷ, οὕτω κἀκεῖνος αὐτῷ τῷ μὴ
θελῆσαι τὸ ἀγαθὸν κατανοῆσαι τὸ ἐναντίον τῷ ἀγαθῷ κατενόησε · τοῦτο δέ ἐστιν ὁ φθόνος [c].

80   Ὁμολογεῖται δὲ παντὸς πράγματος ἀρχὴν τῶν μετ᾽ αὐτὴν
κατὰ τὸ ἀκόλουθον ἐπισυμβαινόντων αἰτίαν εἶναι · οἷον τῇ
ὑγείᾳ τὸ εὐεκτεῖν, τὸ ἐργάζεσθαι, τὸ καθ᾽ ἡδονὴν βιοτεύειν, τῇ
δὲ νόσῳ τὸ ἀσθενεῖν, τὸ ἀνενέργητον εἶναι, τὸ ἐν ἀηδίᾳ τὴν
PG 29   ζωὴν ἔχειν, οὕτω | καὶ τὰ ἄλλα πάντα ταῖς οἰκείαις ἀρχαῖς
85   κατὰ τὸ ἀκόλουθον ἕπεται. Ὥσπερ οὖν ἡ ἀπάθεια τῆς κατ᾽
ἀρετὴν ζωῆς ἀρχὴ καὶ ὑπόθεσις γίνεται, οὕτως ἡ διὰ τοῦ
φθόνου γενομένη πρὸς κακίαν ῥοπὴ τῶν μετ᾽ αὐτὴν πάντων
ἀναδειχθέντων κακῶν ὁδὸς κατέστη · ἐπειδὴ γὰρ ἅπαξ πρὸς
M 25   τὸ κακὸν τὴν ῥοπὴν| ἔσχεν ὁ τῇ ἀποστροφῇ τῆς ἀγαθότητος ἐν
90   ἑαυτῷ γεννήσας τὸν φθόνον, ὥσπερ λίθος ἀκρωρείας ἀπορ-
ραγεὶς ὑπὸ τοῦ ἰδίου βάρους πρὸς τὸ πρανὲς συνελαύνεται,
οὕτω κἀκεῖνος τῆς πρὸς τὸ ἀγαθὸν συμφυΐας ἀποσπασθεὶς καὶ
πρὸς κακίαν βρίσας αὐτομάτως οἷόν τινι βάρει πρὸς τὸν
ἔσχατον τῆς πονηρίας ὅρον συνωσθεὶς ἀπηνέχθη καὶ τὴν
95   διανοητικὴν δύναμιν, ἣν εἰς συνέργιαν τῆς τοῦ κρείττονος
μετουσίας ἔσχε παρὰ τοῦ κτίσαντος, ταύτην εἰς εὕρεσιν τῶν
κατὰ κακίαν ἐπινοουμένων συνεργὸν ποιησάμενος, εὐμηχάνως περιέρχεται δι᾽ ἀπάτης τὸν ἄνθρωπον, αὐτὸν ἑαυτοῦ
γενέσθαι πείσας φονέα τε καὶ αὐτόχειρα. Ἐπειδὴ γὰρ διὰ τῆς

c. Cf. Sg 2, 24

---

1. L'*apatheia* signifie, pour Dieu, exemption de toute faiblesse ou de
toute atteinte des *pathè* (cf. ch. XV) ; le Christ jouit de ce privilège pour sa
nature divine (ch. XII). Les anges, par don gracieux de Dieu, participent de
l'*apatheia* divine, en ce sens qu'ils jouissent de l'impassibilité (absence des
passions), de la pleine maîtrise par rapport au péché ; cf. J. DANIÉLOU,
Platonisme et théologie mystique. Pour les rapports avec le stoïcisme, cf. M.
SPANNEUT, *Le stoïcisme des Pères de l'Église.*
2. La comparaison avec la pierre dévalant la montagne illustre l'idée que
le mal se répand selon une dynamique qui joue dans le sens inverse de celui
de la lumière et de la vie.

mouvement de sa libre volonté elle avait choisi ce qu'elle jugeait être bon ; après qu'il eut fermé les yeux devant ce qui est bon et exempt d'envie, tout comme un homme qui en plein soleil abaisse les paupières et ne perçoit plus que de l'obscurité, ainsi cet être, au lieu d'envisager le bien, se mit à concevoir le contraire du bien : et c'est là l'envie[c].

d. *L'ange déchu cherche à tromper l'homme*

Il est communément admis que le point de départ de tout ce qui arrive est la cause qui détermine ce qui en découle par voie de conséquence. Ainsi la santé a pour conséquences la bonne condition physique, l'activité, la joie de vivre, alors que pour la maladie les conséquences sont la faiblesse, l'inactivité, le dégoût de la vie. De la même manière, toutes les autres choses ont un lien de cause à effet avec leur point de départ respectif. Donc, tout comme l'*apatheia*[1] est le point de départ et la condition d'une vie conforme à la vertu, de même le penchant au vice provenant de l'envie fraie la voie à tous les maux qui font leur apparition à sa suite. En effet, une fois que celui qui avait fait naître l'envie en lui-même en se détournant du bien fut sous l'emprise du penchant au mal — à la manière d'une pierre qui, arrachée du sommet d'une montagne, est emportée vers le bas sous l'effet de son propre poids[2] — lui aussi, après avoir rompu les liens d'affinité naturelle avec le bien, et s'être incliné vers le mal, se vit emporté par son propre mouvement, pour ainsi dire sous l'effet de son propre poids, vers le dernier degré de la méchanceté ; et la faculté de penser qu'il tenait de son créateur en vue de l'aider à faire participer d'autres au bien, il la mit à son propre service en vue de l'élaboration de projets visant le mal et, grâce à ses ruses, il réussit à circonvenir habilement l'homme, en le persuadant de se donner la mort

100 θείας εὐλογίας δυναμωθεὶς ὁ ἄνθρωπος ὑψηλὸς μὲν ἦν τῷ
ἀξιώματι — βασιλεύειν γὰρ ἐτάχθη τῆς γῆς τε καὶ τῶν ἐπ᾽
αὐτῆς πάντων ᵈ — καλὸς δὲ τὸ εἶδος — ἀπεικόνισμα γὰρ τοῦ
ἀρχετύπου ἐγεγόνει κάλλους ᵉ — ἀπαθὴς δὲ τὴν φύσιν — τοῦ
γὰρ ἀπαθοῦς μίμημα ἦν — ἀνάπλεως δὲ παρρησίας αὐτῆς
105 κατὰ πρόσωπον τῆς θείας ἐμφανείας κατατρυφῶν, ταῦτα δὲ
τῷ ἀντικειμένῳ τοῦ κατὰ τὸν φθόνον πάθους ὑπεκκαύματα ἦν.

Ἰσχύϊ δέ τινι καὶ βίᾳ δυνάμεως κατεργάσασθαι τὸ κατὰ
γνώμην οὐχ οἷός τε ἦν — ὑπερίσχυε γὰρ ἡ τῆς εὐλογίας τοῦ
Θεοῦ δύναμις τῆς τούτου βίας — διὰ τοῦτο ἀποστῆσαι τῆς
110 ἐνισχυούσης αὐτὸν δυνάμεως μηχανᾶται, ὡς ἂν εὐάλωτος
αὐτῷ πρὸς τὴν ἐπιβουλὴν καταστάιη, καὶ ὥσπερ ἐπὶ λύχνου
M 26 τοῦ πυρὸς τῆς θρυαλλίδος | περιδεδραγμένου, εἴ τις ἀδυνατῶν
τῷ φυσήματι σβέσαι τὴν φλόγα ὕδωρ ἐμμίξειε τῷ ἐλαίῳ, διὰ
τῆς ἐπινοίας ταύτης ἀμαυρώσει τὴν φλόγα, οὕτω δι᾽ ἀπάτης
115 τῇ προαιρέσει τοῦ ἀνθρώπου τὴν κακίαν ἐμμίξας ὁ ἀντικεί-
μενος σβέσιν τινὰ καὶ ἀμαύρωσιν τῆς εὐλογίας ἐποίησεν, ἧς
ἐπιλειπούσης ἐξ ἀνάγκης τὸ ἀντικείμενον ἀντεισέρχεται.
Ἀντίκειται δὲ τῇ ζωῇ μὲν ὁ θάνατος, ἡ ἀσθένεια δὲ τῇ
δυνάμει, τῇ εὐλογίᾳ δὲ ἡ κατάρα, τῇ παρρησίᾳ δὲ ἡ αἰσχύνη,
120 καὶ πᾶσι τοῖς ἀγαθοῖς τὰ κατὰ τὸ ἐναντίον νοούμενα. Διὰ
τοῦτο ἐν τοῖς παροῦσι κακοῖς ἐστι νῦν τὸ ἀνθρώπινον, τῆς

---

d. Cf. Gn 1, 28-30   e. Cf. Sg 2, 24

---

1. A propos de *parrhèsia*, J. Daniélou donne, une citation du *De orat.
dom.* 5, : « Tu vois jusqu'à quelle hauteur le Seigneur élève, à travers les mots
de la prière, ceux qui l'écoutent. Il change la nature humaine en une essence
plus divine et ordonne que ceux qui s'approchent de Dieu deviennent dieux.
Pourquoi, dit-il, te présentes-tu devant Dieu comme un esclave, opprimé par
la peur et tourmenté par ta conscience ? Pourquoi te fermes-tu toi-même à la
confiance, qui repose sur la liberté de l'âme et qui, à l'origine, était liée à
l'essence de ta nature ? » ; cf.*Platonisme et théologie mystique*, p. 122. Voir
aussi art. « *Parrhèsia* », *TWNT* 5, 869-884. — Le tableau brossé par Grégoire est une présentation idéalisée de l'état premier de l'homme. Cf.
Introduction : 'Anthropologie ; les deux créations', p. 74.

de sa propre main. Doté de puissance à la suite d'un bienfait divin, l'homme avait été placé à un rang élevé, car il avait été chargé de régner sur la terre et sur tout ce qu'elle porte [d] ; l'homme avait un bel aspect, puisqu'il avait été fait à l'image même de l'archétype de la beauté [e] ; il était exempt de *pathè*, puisqu'il était à l'image de Celui qui est impassible ; il avait une pleine liberté de langage [1], puisqu'il se délectait de voir Dieu qui se manifestait à lui face à face ; et tout cela contribuait à attiser chez l'adversaire la passion de l'envie.

e. *Chute de l'homme : l'homme se laisse séduire*

Mais il n'était pas en mesure d'exécuter son dessein en ayant recours à la force et à la violence dans l'exercice de son pouvoir, car la puissance de la bénédiction de Dieu l'emportait sur la violence de celui-ci ; c'est pourquoi il usa d'artifices en vue de détacher l'homme de la puissance qui lui donnait la force, afin d'en faire une proie facile à prendre dans les rets de ses machinations [2]. Il en va comme pour une lampe dont la mèche est entièrement prise par le feu : si, en étant dans l'incapacité d'éteindre la flamme en soufflant dessus, on mélange de l'eau à l'huile, on parvient à faire s'évanouir la flamme par cet expédient ; de même l'adversaire, ayant mêlé par fraude le mal à la volonté libre de l'homme, a provoqué en quelque sorte l'extinction et la disparition du bienfait divin, dont l'absence d'influence ouvre nécessairement la voie à ce qui lui est opposé. Or à la vie s'oppose la mort ; à la puissance, la faiblesse ; à la bénédiction, la malédiction ; à la liberté de parler en toute franchise, la honte ; à tout ce qui est bien, ce qu'on considère comme étant le contraire. Pour toutes ces raisons, le genre humain se trouve plongé dans les maux

---

2. Grégoire insiste sur les ruses et les machinations du Tentateur : c'est une façon habile de préparer le développement sur le Trompeur trompé (ch. XIX-XXVI). Dans le ch. XXI, il explique mieux comment le Tentateur dissimule l'hameçon du péché sous des apparences attrayantes. Voir aussi *De an. et res.*, *PG* 46, 148 C, tr. Terrieux, p. 198 ; *De virg.* 12, 4, *SC* 119, p. 421.

ἀρχῆς ἐκείνης τοῦ τοιούτου τέλους τὰς ἀφορμὰς παρα-
σχούσης.

Ζ΄. Καὶ μηδεὶς ἐρωτάτω, εἰ προειδὼς τὴν ἀνθρωπίνην
συμφορὰν ὁ Θεὸς τὴν ἐκ τῆς ἀβουλίας αὐτῷ συμβησομένην
ἦλθεν εἰς τὸ κτίσαι τὸν ἄνθρωπον, ᾧ τὸ μὴ γενέσθαι μᾶλλον
ἴσως ἢ τὸ ἐν κακοῖς εἶναι λυσιτελέστερον ἦν. Ταῦτα γὰρ οἱ τοῖς
5 μανιχαϊκοῖς δόγμασι δι' ἀπάτης παρασυρέντες εἰς σύστασιν
τῆς ἑαυτῶν πλάνης προβάλλουσιν, ὡς διὰ τούτου πονηρὸν
PG 32   εἶναι τὸν τῆς ἀνθρωπίνης φύσεως κτίστην ἀποδεικνύοντες · εἰ
γὰρ ἀγνοεῖ μὲν τῶν ὄντων οὐδὲν ὁ Θεός, ἐν κακοῖς δὲ ὁ
ἄνθρωπος, οὐκέτ' ἂν ὁ τῆς ἀγαθότητος τοῦ Θεοῦ διασῴζοιτο
10 λόγος, εἴπερ ἐν κακοῖς μέλλοντα τὸν ἄνθρωπον ζήσεσθαι πρὸς
τὸν βίον παρήγαγεν · εἰ γὰρ ἀγαθῆς φύσεως ἡ κατὰ τὸ ἀγαθὸν
ἐνέργεια πάντως ἐστίν, ὁ λυπηρὸς οὗτος καὶ ἐπίκηρος βίος
οὐκέτ' ἄν, φησίν, εἰς τὴν τοῦ ἀγαθοῦ δημιουργίαν ἀνάγοιτο,
M 27   ἀλλ' | ἕτερον χρὴ τῆς τοιαύτης ζωῆς αἴτιον οἴεσθαι, ᾧ πρὸς
15 πονηρίαν ἡ φύσις ἐπιρρεπῶς ἔχει.
  Ταῦτα γὰρ πάντα καὶ τὰ τοιαῦτα τοῖς μὲν ἐν βάθει καθάπερ
τινὰ δευσοποιὸν βαφὴν τὴν αἱρετικὴν παραδεδεγμένοις ἀπάτην ἰσχύν τινα διὰ τῆς ἐπιπολαίου πιθανότητος ἔχειν δοκεῖ,
τοῖς δὲ διορατικωτέροις τῆς ἀληθείας σαθρὰ ὄντα καὶ πρό-
20 χειρον τὴν τῆς ἀπάτης ἀπόδειξιν ἔχοντα σαφῶς καθορᾶται.
Καί μοι δοκεῖ καλῶς ἔχειν τὸν ἀπόστολον ἐν τούτοις συνή-
γορον τῆς κατ' αὐτῶν κατηγορίας προστήσασθαι · διαιρεῖ γὰρ
ἐν τῷ πρὸς Κορινθίους λόγῳ τάς τε σαρκώδεις καὶ τὰς

---

1. Pour réfuter le dualisme de Marcion, Grégoire reprend la théorie
platonicienne du mal considéré comme privation du bien, n'ayant pas
d'existence propre et n'étant pas une réalité substantielle en lui-même. A ce
titre, Dieu ne saurait être rendu responsable du mal, lui qui est l'auteur de ce
qui existe et non de ce qui n'existe pas, lui qui a voulu le bien de l'homme.
2. L'image de la teinture indélébile pourrait provenir, d'après Srawley, de
PLATON, *Rép.* 429 e-430 a. On pourrait aussi citer ARISTOTE, *Éthique à
Nicomaque* 2, 2.

présents, la séduction initiale représentant le point de départ
de l'évolution qui a abouti à un tel résultat.

3. Qui est responsable du mal ?

Les malheurs de l'homme sont-ils dus à un dieu enclin au
   mal ?

VII. Et que personne ne demande si c'est en prévoyant le
malheur qui allait s'abattre sur l'humanité comme conséquence de son imprudence que Dieu a procédé néanmoins à
la création de l'homme, alors qu'il eût été peut-être plus
avantageux pour celui-ci de ne pas être que d'être entouré de
maux. C'est là en effet l'argument qu'avancent, en vue de
fonder leur erreur, ceux qui se sont laissés entraîner par
séduction vers les doctrines manichéennes, quand ils cherchent à démontrer grâce à cela que le créateur de la nature
humaine est mauvais [1]. En effet, si vraiment Dieu n'ignore
rien de ce qui est et si par ailleurs l'homme vit dans le
malheur, il ne serait plus possible de maintenir la doctrine de
la bonté de Dieu, puisqu'il aurait fait accéder à l'existence
l'homme tout en le destinant à vivre au milieu des maux. Car
si l'activité conforme au bien est nécessairement le propre
d'une nature bonne, cette vie affligeante et périssable ne
saurait plus, disent-ils, être imputée à l'activité créatrice de
celui qui est bon ; mais pour une telle vie il faut supposer un
autre auteur, naturellement enclin au mal.

En quoi consiste le mal ?

Tous ces arguments et d'autres du même genre ont apparemment, à cause de leur caractère captieux, une certaine
force auprès de ceux qui sont imprégnés en profondeur des
tromperies hérétiques comme d'une teinture indélébile [2] ;
mais ceux qui sont doués d'une plus grande perspicacité
pour la vérité voient clairement que ces arguments sont de

πνευματικὰς τῶν ψυχῶν καταστάσεις ᵃ, δεικνύς, οἶμαι, διὰ
25 τῶν λεγομένων ὅτι οὐ δι' αἰσθήσεως τὸ καλὸν ἢ τὸ κακὸν
κρίνειν προσήκει, ἀλλ' ἔξω τῶν κατὰ τὸ σῶμα φαινομένων τὸν
νοῦν ἀποστήσαντας αὐτὴν ἐφ' ἑαυτῆς τοῦ καλοῦ τε καὶ τοῦ
ἐναντίου διακρίνειν τὴν φύσιν. Ὁ γὰρ πνευματικός, φησίν,
ἀνακρίνει τὰ πάντα ᵇ. Ταύτην οἶμαι τὴν αἰτίαν τῆς τῶν δογ-
30 μάτων τούτων μυθοποιίας τοῖς τὰ τοιαῦτα προφέρουσιν ἐγγε-
γενῆσθαι, ὅτι πρὸς τὸ ἡδὺ τῆς σωματικῆς ἀπολαύσεως τὸ
ἀγαθὸν ὁριζόμενοι διὰ τὸ πάθεσι καὶ ἀρρωστήμασιν ὑποκεῖ-
σθαι κατ' ἀνάγκην τὴν τοῦ σώματος φύσιν σύνθετον οὖσαν καὶ
εἰς διάλυσιν ῥεοῦσαν, ἐπακολουθεῖν δέ πως τοῖς τοιούτοις
35 παθήμασιν ἀλγεινήν τινα αἴσθησιν πονηροῦ θεοῦ τὴν ἀνθρω-
M 28 ποποιίαν| ἔργον εἶναι νομίζουσιν, ὡς, εἴγε πρὸς τὸ ὑψηλότερον
ἔβλεπεν αὐτοῖς ἡ διάνοια καὶ τῆς περὶ τὰς ἡδονὰς διαθέσεως
τὸν νοῦν ἀποικίσαντες ἀπαθῶς ἐπεσκόπουν τὴν τῶν ὄντων
φύσιν, οὐκ ἂν ἄλλο τι κακὸν εἶναι παρὰ τὴν πονηρίαν ᾠήθησαν.
40 Πονηρία δὲ πᾶσα ἐν τῇ τοῦ ἀγαθοῦ στερήσει χαρακτηρίζεται,
οὐ καθ' ἑαυτὴν οὖσα οὐδὲ καθ' ὑπόστασιν θεωρουμένη · κακὸν
γὰρ οὐδὲν ἔξω προαιρέσεως ἐφ' ἑαυτοῦ κεῖται, ἀλλὰ τὸ μὴ
εἶναι [τὸ ἀγαθὸν] οὕτω κατονομάζεται · τὸ δὲ μὴ ὂν οὐχ ὑφέστηκε, τοῦ δὲ μὴ ὑφεστῶτος δημιουργὸς ὁ τῶν ὑφεστώτων
45 δημιουργὸς οὐκ ἔστιν.

a. 1 Co 2, 14 s.   b. 1 Co 2, 15

mauvais aloi et qu'ils fournissent les moyens de prouver leur caractère fallacieux. Et il est bon, à ce qu'il me semble, de produire l'apôtre comme défenseur à l'appui des accusations que nous portons contre eux sur ce point. En effet, dans son discours aux Corinthiens, il distingue les dispositions charnelles et les dispositions spirituelles des âmes [a], montrant, à mon avis, par ces paroles, qu'il ne convient pas de juger le bien ou le mal d'après les données de la sensation, mais qu'il faut dégager son esprit des apparences corporelles, en vue de discerner, dans sa spécificité, la nature du bien et celle du mal : «L'homme spirituel, dit-il en effet, juge de tout [b]». Selon moi, c'est pour les raisons suivantes que ces doctrines qui relèvent de la fiction ont pu naître dans l'esprit de ceux qui exposent des idées de ce genre : ils définissent le bien en fonction du plaisir procuré par les jouissances corporelles ; et comme la nature du corps, qui est composée et entraînée vers la dissolution, est nécessairement exposée aux *pathè* et aux infirmités et qu'une sensation douloureuse accompagne, d'une manière ou d'une autre, des états de ce genre, ils estiment que la création de l'homme est l'œuvre d'un dieu méchant. Mais si leur intelligence avait su s'élever plus haut et si, affranchissant leur esprit de la disposition au plaisir, ils avaient considéré sans passion la nature de la réalité, ils n'auraient pas pensé qu'il y a un mal autre que le mal (moral). Tout mal se caractérise par la privation du bien, car le mal n'existe pas en lui-même et ne peut être conçu comme réalité subsistante ; en effet, aucun mal n'existe pour lui-même en dehors de la volonté, mais il tire son nom du fait qu'il n'est pas le bien. Or ce qui n'est pas n'a pas de subsistence ; et l'auteur de ce qui n'a pas de subsistence n'est pas celui qui a créé la réalité subsistante.

Οὐκοῦν ἔξω τῆς τῶν κακῶν αἰτίας ὁ Θεός, ὁ τῶν ὄντων οὐχ
ὁ τῶν μὴ ὄντων ποιητὴς ὤν, ὁ τὴν ὅρασιν οὐ τὴν πήρωσιν
δημιουργήσας, ὁ τὴν ἀρετὴν οὐ τὴν στέρησιν αὐτῆς ἀναδείξας,
ὁ ἆθλον τῆς προαιρέσεως τὸ τῶν ἀγαθῶν γέρας τοῖς κατ᾽
50 ἀρετὴν πολιτευομένοις προθείς, οὐκ ἀνάγκῃ τινὶ βιαίᾳ πρὸς τὸ
ἑαυτῷ δοκοῦν ὑποζεύξας τὴν ἀνθρωπίνην φύσιν καθάπερ τι
σκεῦος ἄψυχον ἀκουσίως πρὸς τὸ καλὸν ἐφελκόμενος. Εἰ δὲ
τοῦ φωτὸς ἐξ αἰθρίας καθαρῶς περιλάμποντος ἑκουσίως τις
ἀποβάλοι τοῖς βλεφάροις τὴν ὅρασιν, ἔξω τῆς τοῦ μὴ βλέπειν
55 αἰτίας ὁ ἥλιος.|

PG 33
M 29

Η΄. Ἀλλ᾽ ἀγανακτεῖ πάντως ὁ πρὸς τὴν διάλυσιν βλέπων
τοῦ σώματος καὶ χαλεπὸν ποιεῖται τῷ θανάτῳ τὴν ζωὴν ἡμῶν
διαλύεσθαι καὶ τοῦτό φησι τῶν κακῶν ἔσχατον εἶναι τὸ τὸν
βίον ἡμῶν τῇ νεκρότητι σβέννυσθαι. Οὐκοῦν ἐπισκεψάσθω διὰ
5 τοῦ σκυθρωποῦ τούτου τὴν ὑπερβολὴν τῆς θείας εὐεργεσίας ·
τάχα γὰρ ἂν μᾶλλον διὰ τούτου προσαχθείη θαυμάσαι τὴν
χάριν τῆς περὶ τὸν ἄνθρωπον τοῦ Θεοῦ κηδεμονίας. Τὸ ζῆν διὰ
τὴν τῶν καταθυμίων ἀπόλαυσιν αἱρετόν ἐστι τοῖς τοῦ βίου
μετέχουσιν, ὡς εἴ γέ τις ἐν ὀδύναις διαβιώῃ, παρὰ πολὺ τῷ
10 τοιούτῳ τὸ μὴ εἶναι τοῦ ἀλγεινῶς εἶναι προτιμότερον κρίνεται.
Οὐκοῦν ἐξετάσωμεν εἰ ὁ τῆς ζωῆς χορηγὸς πρὸς ἄλλο τι
βλέπει, καὶ οὐχ ὅπως ἂν ἐν τοῖς καλλίστοις βιώημεν.

---

1. Le sens de *dialusis*, entouré d'un certain flou au début de ce chapitre,
sera précisé ultérieurement : dissolution ne signifie pas anéantissement.
2. La mort est un bienfait (*euergésia*), après la chute de l'homme, car elle
met fin aux souffrances grandissantes dues à la décrépitude du vieillisse-
ment, mais surtout elle permet de ramener « la nature (humaine) à la grâce
primitive ».

Dieu ne saurait être responsable du mal

Ainsi donc Dieu n'est pas la cause du mal, lui qui est l'auteur de ce qui est, non de ce qui n'est pas ; qui a créé la vue et non la cécité ; qui a fait naître la vertu et non la privation de la vertu ; qui a proposé comme récompense de leur libre choix à ceux qui vivent selon la vertu le privilège de jouir des biens (suprêmes), et cela sans avoir soumis la nature humaine à son bon plaisir par voie de nécessité et de contrainte, en le tirant vers le bien contre son gré, à la manière d'un objet inanimé. Si quelqu'un, en abaissant les paupières, empêche de plein gré la vue de s'exercer, alors que la lumière brille de tout son éclat dans un ciel pur, le soleil ne saurait être rendu responsable du fait qu'il ne voit pas.

4. VIE, MORT, RÉSURRECTION.

a. *La mort, sujet d'indignation et de scandale*

VIII. Mais celui qui tourne son attention vers la dissolution [1] du corps, éprouve la plus vive indignation : il admet difficilement que notre existence trouve sa fin dans la mort ; le pire des maux, prétend-il, c'est que notre vie s'éteigne dans l'état de mort. Qu'il sache donc discerner, dans ce sombre destin, la surabondance de la bienveillance divine [2] ! Ainsi sera-t-il peut-être plutôt conduit à admirer la gracieuse sollicitude de Dieu à l'égard de l'homme. Vivre dans la jouissance de ce qui est agréable, tel est le souhait de ceux qui participent à la vie, si bien que lorsque quelqu'un passe sa vie dans l'affliction, il juge qu'il est de loin préférable, dans ces conditions, de ne pas être que de mener une vie faite de souffrances. Examinons donc si celui qui pourvoit à l'organisation de cette vie a eu une autre visée que celle de nous faire vivre dans les meilleures conditions.

188   GRÉGOIRE DE NYSSE

Ἐπειδὴ γὰρ τῷ αὐτεξουσίῳ κινήματι τοῦ κακοῦ τὴν κοινωνίαν ἐπεσπασάμεθα, διά τινος ἡδονῆς οἷόν τι δηλητήριον
15 μέλιτι παραρτυθὲν τῇ φύσει τὸ κακὸν καταμίξαντες καὶ διὰ
τοῦτο τῆς κατὰ τὸ ἀπαθὲς νοουμένης μακαριότητος ἐκπεσόν-
τες πρὸς τὴν κακίαν μετεμορφώθημεν, τούτου ἕνεκεν οἷόν τι
σκεῦος ὀστράκινον ᵃ πάλιν ὁ ἄνθρωπος εἰς γῆν ἀναλύεται,
ὅπως ἂν τῆς νῦν ἐναπειλημμένης αὐτῷ ῥυπαρίας ἀποκριθείσης
20 εἰς τὸ ἐξ ἀρχῆς σχῆμα διὰ τῆς ἀναστάσεως ἀναπλασθείη ᵇ, εἴ
γε τὸ κατ᾽ εἰκόνα ἐν τῇ παρούσῃ ζωῇ διέσωσατο. Τὸ δὲ
M 30 | τοιοῦτον δόγμα ἱστορικώτερον μὲν καὶ δι᾽ αἰνιγμάτων ὁ
Μωϋσῆς ἡμῖν ἐκτίθεται, πλὴν ἔκδηλον καὶ τὰ αἰνίγματα τὴν
διδασκαλίαν ἔχει. Ἐπειδὴ γάρ, φησίν, ἐν τοῖς ἀπηγορευμένοις
25 ἐγένοντο οἱ πρῶτοι ἄνθρωποι καὶ τῆς μακαριότητος ἐκείνης
ἀπεγυμνώθησαν, δερματίνους ἐπιβάλλει χιτῶνας τοῖς πρωτο-
πλάστοις ὁ κύριος ᶜ, οὔ μοι δοκεῖ πρὸς τὰ τοιαῦτα δέρματα τοῦ
λόγου τὴν διάνοιαν φέρων — ποίων γὰρ ἀποσφαγέντων τε καὶ
δαρέντων ζώων ἐπινοεῖται αὐτοῖς ἡ περιβολή ; — ἀλλ᾽ ἐπειδὴ

a. 2 Co 4, 7   b. Cf. Gn 3, 19   c. Cf. Gn 3, 21

1. L'image du vase de terre pourrait s'expliquer à partir de Jr 18, 4-6 ; Rm
9, 20. On la trouve dans la *II*ᵉ *Lettre* de CLÉMENT DE ROME (homélie du
IIᵉ siècle) : « Nous sommes de l'argile dans les mains du maître ; car comme
le potier, lorsqu'il façonne un vase et que celui-ci est déformé ou endommagé
par ses mains, le façonne de nouveau, mais lorsqu'il l'a placé dans le four, ne
peut plus l'aider... » (*Patres apostolici* 8, 2, éd. F.X. FUNK, p. 193). THÉO-
PHILE D'ANTIOCHE, de son côté, dit : « De même qu'un vase, dont la façon
présente quelque défaut, est refondu ou remodelé pour devenir nouveau et
parfait, ainsi en est-il de l'homme qui passe par la mort : il est brisé, pour
ainsi dire, afin qu'à la résurrection il soit trouvé intact — je veux dire sans
tache, juste, immortel » (*Ad Autolycum* 2, 26, SC 20, p. 165). MÉTHODE
D'OLYMPE donne une version un peu modifiée : « Comme un artiste refond
une statue défigurée dans ses éléments premiers pour la refaire sans défaut,
de même Dieu agit avec l'homme, afin de faire disparaître par la mort et la
résurrection toutes les taches et déformations, afin de le façonner, dans sa
toute-puissance, aussi beau qu'à l'origine » (*De resur.* 1, 6 et 44, CSG 278). La
proposition entre doubles crochets manque dans certains manuscrits.

b. *La mort doit être comprise à la lumière de la résurrection*

Puisque par un libre mouvement de notre volonté nous sommes en communion avec le mal, du fait que, sous l'effet d'un sentiment de plaisir, nous avons mélangé le mal à notre nature en l'y introduisant comme une sorte de poison funeste agrémenté de miel, et que, déchus, à la suite de cette faute, de la félicité que notre esprit associe à l'*apatheia*, nous avons subi une transformation qui nous porte au mal, pour cette raison l'homme retourne de nouveau à la terre en se décomposant, à la manière d'un vase d'argile [a] [1], afin que, une fois que sera éliminée l'impureté qu'il renferme en lui, il soit rétabli par la résurrection dans sa forme originelle [b] [[dans la mesure où, dans la vie présente, il aura su garder en lui l'image de Dieu]]. C'est une doctrine semblable que nous présente Moïse, mais plutôt à la manière d'un historien et par voie d'allégories [2]. Du reste, ces allégories elles-mêmes comportent un enseignement très clair. En effet, dit Moïse, après que les premiers hommes se furent adonnés à ce qui était défendu et qu'ils eurent été dépouillés de la félicité qui était la leur jusque là, le Seigneur revêtit les premiers hommes créés de tuniques de peau [c] [3] ; à mon avis, le sens du récit ne renvoie pas à des peaux de ce genre ; car quels sont les animaux qui, une fois égorgés et écorchés, sont censés leur

---

2. « Par voie d'allégories » : cf. Nb 12, 8 (*LXX*) et 1 Co 13,12). Ces passages sont un autre fondement de l'interprétation allégorique. Voir plus haut, p. 152, n. 2 sur *anagôgikôs*.

3. Cette interprétation allégorique des tuniques de peau se rencontre chez Méthode d'Olympe, *De Resur.* 1, 37 qui semble l'avoir reprise de Clément d'Alexandrie, *Strom.* 3,1. Irénée rapporte que selon la gnose ptoléméenne la tunique de peau est l'élément charnel perceptible par les sens » (*AH* I, 5, 5, *SC* 264, p. 89). Pour Grégoire ces peaux signifient la condition mortelle : à ce sujet, voir Introduction : 'la condition mortelle'.

30 πᾶν δέρμα χωρισθὲν τοῦ ζῴου νεκρόν ἐστι πάντως οἶμαι τὴν
πρὸς τὸ νεκροῦσθαι δύναμιν, ἢ τῆς ἀλόγου φύσεως ἐξαίρετος
ἦν, ἐκ προμηθείας μετὰ ταῦτα τοῖς ἀνθρώποις ἐπιβεβληκέναι
τὸν τὴν κακίαν ἡμῶν ἰατρεύοντα, οὐχ ὡς εἰς ἀεὶ παραμένειν ·
ὁ γὰρ χιτὼν τῶν ἔξωθεν ἡμῖν ἐπιβαλλομένων ἐστί, πρόσκαιρον
35 τὴν ἑαυτοῦ χρῆσιν παρέχων τῷ σώματι οὐ συμπεφυκὼς τῇ
φύσει.

Οὐκοῦν ἐκ τῆς τῶν ἀλόγων φύσεως ἡ νεκρότης οἰκονο-
μικῶς περιετέθη τῇ εἰς ἀθανασίαν κτισθείσῃ φύσει, τὸ ἔξωθεν
αὐτῆς περικαλύπτουσα οὐ τὸ ἔσωθεν, τὸ αἰσθητὸν τοῦ ἀνθρώ-
40 που μέρος διαλαμβάνουσα, αὐτῆς δὲ τῆς θείας εἰκόνος οὐ προσ-
απτομένη. Λύεται δὲ τὸ αἰσθητόν, οὐκ ἀφανίζεται · ἀφανισμὸς μὲν γάρ ἐστιν ἡ εἰς τὸ μὴ ὂν μεταχώρησις, λύσις δὲ ἡ εἰς τὰ
τοῦ κόσμου στοιχεῖα πάλιν ἀφ' ὧν τὴν σύστασιν ἔσχε διά-
χυσις. Τὸ δὲ ἐν τούτοις γενόμενον οὐκ ἀπόλωλε, κἂν ἐκφεύγῃ
45 τὴν κατάληψιν τῆς ἡμετέρας αἰσθήσεως. Ἡ δὲ αἰτία τῆς
λύσεως δήλη διὰ τοῦ ῥηθέντος ἡμῖν ὑποδείγματος · ἐπειδὴ
γὰρ ἡ αἴσθησις πρὸς τὸ παχύ τε καὶ | γήϊνον οἰκείως ἔχει,
κρείττων δὲ καὶ ὑψηλοτέρα τῶν κατ' αἴσθησιν κινημάτων ἡ
νοερὰ φύσις, διὰ τοῦτο τῆς περὶ τὸ καλὸν κρίσεως ἐν τῇ
50 δοκιμασίᾳ τῶν αἰσθήσεων ἁμαρτηθείσης, τῆς δὲ τοῦ καλοῦ
διαμαρτίας τὴν τῆς ἐναντίας ἕξεως ὑπόστασιν ἐνεργησάσης,
τὸ ἀχρειωθὲν ἡμῶν μέρος τῇ παραδοχῇ τοῦ ἐναντίου λύεται. Ὁ

M 31
PG 36

---

1. L'homme était destiné originellement à l'immortalité et à l'incorruptibilité : « La nature humaine, créée pour dominer le monde,... a été faite
comme une image vivante qui participe de l'archétype par la dignité et le
nom ; ... au lieu de pourpre, elle est revêtue de la vertu, le plus royal de tous
les vêtements ; au lieu d'un sceptre, elle s'appuie sur la bienheureuse immortalité » (De opif. hom. 4, SC 6, p. 95).

2. Grégoire établit une distinction très nette entre la dissolution et la
destruction comprise comme anéantissement. Peut-être y a-t-il à l'arrière-
plan la conception stoïcienne du retour aux éléments du monde. Voir G.
DELLING, art. « Stoicheion », TWNT 7, 672-682. L'auteur signale que Philon
infléchit cette doctrine en spécifiant que c'est le corps humain qui est
composé à partir des quatre éléments et que l'âme est d'une nature différente.

avoir fourni ces vêtements ? Mais, vu que toute peau séparée de l'animal est chose morte, je suis pleinement convaincu que celui qui cherchait à soigner notre disposition au mal, a, à partir de là, dans sa sage prévoyance, conféré aux hommes la faculté de mourir, empruntée à la nature privée de raison, sans toutefois la destiner à subsister pour toujours [1]. En effet, le vêtement fait partie de ces choses qui nous couvrent en provenant de l'extérieur, qui nous rendent service pour un temps, mais qui ne sont pas inhérentes à notre nature.

La mort, sage disposition pour rendre l'homme à l'immortalité

Ainsi, selon une sage disposition, la condition mortelle, provenant de la nature des êtres privés de raison, servit à revêtir la nature qui, elle, a été créée en vue de l'immortalité ; elle en recouvre l'extérieur, non l'intérieur ; elle s'applique à la partie sensible de l'homme, mais ne touche pas à l'image divine elle-même. Or, la partie sensible se dissout, mais n'est pas anéantie [2] ; car l'anéantissement consiste à passer au non-être, alors que la dissolution consiste dans la désagrégation suivie du retour aux éléments du monde dont elle était constituée. Ce qui est retourné à ces éléments n'a pas péri, même si cela échappe à notre perception sensible. La cause de cette dissolution s'explique clairement à partir de l'exemple que nous avons donné plus haut. En effet, vu que la perception a des liens d'étroite affinité avec ce qui est matière consistante et terrestre et que la nature douée d'intelligence est supérieure aux mouvements de la sensation et plus élevée qu'eux, vu aussi que le discernement du bien a été faussé par le jugement arbitral des sens et que cette erreur d'évaluation au sujet du bien a entraîné la naissance de l'état contraire, pour toutes ces raisons la partie de nous-mêmes, devenue inutile pour avoir accueilli ce qui lui est contraire, connaît la dissolution. Voici ce que signifie l'exemple. Supposons un

δὲ τοῦ ὑποδείγματος λόγος τοιοῦτός ἐστι · δεδόσθω τι σκεῦος
ἐκ πηλοῦ συνεστηκέναι, τοῦτο δὲ πλῆρες ἔκ τινος ἐπιβουλῆς
55 γεγενῆσθαι τετηκότος μολίβδου, τὸν δὲ μόλιβδον ἐγχεθέντα
παγῆναι καὶ μένειν ἀπρόχυτον · ἀντιποιεῖσθαι δὲ τοῦ σκεύους
τὸν κεκτημένον, ἔχοντα δὲ τοῦ κεραμεύειν τὴν ἐπιστήμην
περιθρύψαι τῷ μολίβδῳ τὸ ὄστρακον, εἶθ' οὕτω πάλιν κατὰ τὸ
πρότερον σχῆμα πρὸς τὴν ἰδίαν ἑαυτοῦ χρῆσιν ἀναπλάσαι τὸ
60 σκεῦος κενὸν τῆς ἐμμιχθείσης ὕλης γενόμενον. Οὕτως οὖν καὶ
ὁ τοῦ ἡμετέρου σκεύους πλάστης, τῷ αἰσθητικῷ μέρει — τῷ
κατὰ τὸ σῶμά φημι — τῆς κακίας καταμιχθείσης διαλύσας
τὴν παραδεξαμένην τὸ κακὸν ὕλην, πάλιν ἀμιγὲς τοῦ ἐναντίου
διὰ τῆς ἀναστάσεως ἀναπλάσας πρὸς τὸ ἐξ ἀρχῆς κάλλος
65 ἀναστοιχειώσει τὸ σκεῦος.
   Ἐπειδὴ δὲ σύνδεσίς τις καὶ κοινωνία τῶν κατὰ ἁμαρτίαν
παθημάτων γίνεται τῇ τε ψυχῇ καὶ τῷ σώματι, καί τις ἀνα-
λογία τοῦ σωματικοῦ θανάτου πρὸς τὸν ψυχικόν ἐστι θάνατον · ὥσπερ γὰρ ἐν σαρκὶ τὸ τῆς αἰσθητῆς χωρισθῆναι ζωῆς
70 προσαγορεύομεν θάνατον, οὕτω καὶ ἐπὶ τῆς ψυχῆς τὸν τῆς
M 32   ἀληθοῦς | ζωῆς χωρισμὸν θάνατον ὀνομάζομεν. Ἐπεὶ οὖν μία
τίς ἐστιν ἡ τοῦ κακοῦ κοινωνία, καθὼς προείρηται, ἐν ψυχῇ τε
θεωρουμένη καὶ σώματι — δι' ἀμφοτέρων γὰρ πρόεισι τὸ
πονηρὸν εἰς ἐνέργειαν — διὰ τοῦτο ὁ μὲν τῆς διαλύσεως θάνα-
75 τος <ὁ> ἐκ τῆς τῶν νεκρῶν δερμάτων ἐπιβολῆς τῆς ψυχῆς οὐχ

---

1. *Aprochuton* est un hapax.
2. L'artisan qui s'y connaît dans l'art de la poterie brise l'enveloppe : le
vase n'est pas encore cuit au four et donc la pâte d'argile reste malléable.
3. Pour le thème du Créateur qui « remodèle l'humanité », cf. ch. 35 et 40.
Les mots *anamorphôsis, métamorphôsis, métathésis, métabolè, métapoiè-
sis, anastoicheiôsis, métastoicheiôsis* sont utilisés par Grégoire pour exprimer l'idée de « restauration » de la nature humaine par le Christ.
4. *Sundésis* signifie proprement le fait d'être lié ensemble, le fait d'être
étroitement uni. Grégoire a souligné ailleurs le caractère ineffable de
l'union du corps et de l'âme : « L'union de l'esprit et de l'ensemble corporel
représente au contraire une liaison indicible et impensable ; elle ne se réalise
pas dans le corps — comment l'incorporel serait-il au pouvoir du corps ? —
elle ne se réalise pas non plus à l'extérieur — comment l'incorporel
contiendrait-il en lui quoi que ce soit ? — mais l'esprit, selon un mode hors

vase fait d'argile ; celui-ci à la suite d'un acte de malveillance a été rempli de plomb fondu ; une fois versé, le plomb est devenu solide et dès lors on ne peut plus le faire couler hors du vase [1]. Le propriétaire redemande son vase et, maîtrisant l'art du potier, il enlève en la brisant l'enveloppe d'argile [2] qui enserre le plomb ; ensuite il redonne au vase sa forme première en vue de le rendre à son usage propre, après l'avoir vidé ainsi de la matière qui s'y était mélangée. C'est de la même façon que procède l'artiste qui modèle le vase qui est le nôtre : comme le mal s'était mélangé à la partie sensible, je veux dire à la partie corporelle, (le Créateur), après avoir désagrégé la matière qui avait reçu le mal, modèlera de nouveau, au moyen de la résurrection, le vase débarrassé de l'élément contraire, et lui rendra sa beauté première en le reconstituant à partir des éléments primitifs [3].

c. *Le cas du corps et le cas de l'âme. Mort de l'âme — mort du corps*

Puisqu'entre l'âme et le corps il existe une certaine union [4] et une certaine communauté dans la participation aux maux liés au péché et qu'il y a une certaine analogie entre la mort du corps et celle de l'âme — de même que, en effet, pour la chair nous appelons mort le fait qu'elle soit séparée de la vie sensible, de même pour l'âme nous désignons par le terme de mort sa séparation d'avec la vraie vie — puisque donc, comme on l'a dit plus haut, une commune participation au mal s'observe pour l'âme et le corps, du fait que chacun des deux contribue à conférer au mal son efficacité, il en découle que la mort sous forme de dissolution, qui résulte du revêtement avec les peaux mortes, n'atteint pas l'âme. Comment en effet pourrait se décomposer ce qui n'est pas composé ? Mais comme l'âme a besoin, elle aussi, d'être

de toute imagination et de toute pensée, s'approchant de notre nature de telle sorte qu'il se joint à elle, est à la fois en elle et autour d'elle sans pourtant y avoir son siège ni l'enfermer en lui » (*De hom. opif.*, *SC* 6, p. 150).

ἅπτεται — πῶς γὰρ ἂν διαλυθείη τὸ μὴ συγκείμενον ; — ἐπεὶ
δὲ χρεία τοῦ κἀκείνης τὰς ἐμφυείσας ἐξ ἁμαρτιῶν κηλῖδας διά
τινος ἰατρείας ἐξαιρεθῆναι, τούτου ἕνεκεν ἐν μὲν τῇ παρούσῃ
ζωῇ τὸ τῆς ἀρετῆς φάρμακον εἰς θεραπείαν τῶν
80   τοιούτων προσετέθη τραυμάτων · εἰ δὲ ἀθεράπευτος μένοι, ἐν
τῷ μετὰ ταῦτα βίῳ τεταμίευται ἡ θεραπεία. Ἀλλ' ὥσπερ εἰσί
τινες κατὰ τὸ σῶμα τῶν παθημάτων διαφοραί, ὧν αἱ μὲν ῥᾶον,
αἱ δὲ δυσκολώτερον τὴν θεραπείαν προσίενται ἐφ' ὧν καὶ
τομαὶ καὶ καυτήρια καὶ πικραὶ φαρμακοποσίαι πρὸς τὴν
85   ἀναίρεσιν τοῦ ἐνσκήψαντος τῷ σώματι πάθους παραλαμβά-
νονται, τοιοῦτόν τι καὶ ἡ μετὰ ταῦτα κρίσις εἰς θεραπείαν τῶν
τῆς ψυχῆς ἀρρωστημάτων κατεπαγγέλλεται, ὃ τοῖς μὲν χαυ-
νοτέροις ἀπειλὴ καὶ σκυθρωπῶν ἐστιν ἐπανάστασις, ὡς ἂν
φόβῳ τῆς τῶν ἀλγεινῶν ἀντιδόσεως πρὸς τὴν φυγὴν τῆς κα-
90   κίας σωφρονισθείημεν, τοῖς δὲ συνετωτέροις ἰατρεία καὶ θεραπεία παρὰ τοῦ τὸ ἴδιον πλάσμα πρὸς τὴν ἐξ ἀρχῆς ἐπανάγοντος
M 33   χάριν εἶναι πιστεύεται. Ὡς γὰρ οἱ τοὺς ἥλους τε καὶ | τὰς
ἀκροχορδόνας παρὰ φύσιν ἐπιγενομένας τῷ σώματι διὰ τομῆς
ἢ καύσεως ἀποξύοντες οὐκ ἀνώδυνον ἐπάγουσι τῷ εὐεργε-
95   τουμένῳ τὴν ἴασιν — πλὴν οὐκ ἐπὶ βλάβῃ τοῦ ὑπομένοντος τὴν
τομὴν ἄγουσιν — οὕτω καὶ ὅσα ταῖς ψυχαῖς ἡμῶν διὰ τῆς τῶν
PG 37   παθημάτων κοινωνίας ἀποσαρκωθείσαις ὑλώδη πε|ριττώ-
ματα ἐπιπωροῦται, ἐν τῷ καιρῷ τῆς κρίσεως τέμνεταί τε καὶ

---

1. Ce passage semble marqué par l'enseignement de PLATON sur la
katharsis ; la purification purement morale serait obtenue grâce à la pratique de la vertu. Mais il faut aussi tenir compte des effets de l'œuvre
salvifique du Christ.

2. GRÉGOIRE ne pense pas à un purgatoire entre la mort et le jugement
dernier, mais à une purification qui intervient après le jugement dernier.
Pour lui, le jugement est moins destiné à la punition des pécheurs qu'à leur
purification : voir *De inf. praem.*, GNO III, 2, p. 73 ; *In Cant. hom. 7*, GNO
VI, p. 206 ; *In Eccl. hom. 7*, 4, SC 416, p. 394. Le feu détruit ce qui est
mauvais et le traitement par le feu qui ne s'effectue pas sans douleurs est
modulé en fonction de la gravité des fautes. Ainsi GRÉGOIRE peut-il faire dire
à Macrine : « Par conséquent, dis-je, le jugement divin, à ce qu'il semble,
n'entraîne pas en premier lieu à punir les pécheurs, mais il opère, comme

débarrassée par quelque traitement des souillures contractées par elle à la suite de ses fautes, le remède de la vertu [1] lui
a été accordé dans la vie présente en vue de soigner les plaies
de ce genre. Mais si la guérison n'intervient pas, le traitement
est réservé pour la vie dans l'au-delà [2]. Cependant, tout
comme il existe des différences pour les maladies qui affectent le corps, dont les unes sont plus faciles, les autres plus
difficiles à traiter et pour lesquelles on recourt aux incisions,
aux cautérisations, aux potions amères en vue de faire disparaître les *pathè* qui ont frappé le corps, de même des traitements analogues nous sont annoncés pour le jugement à
venir en vue d'opérer la guérison des infirmités de l'âme :
c'est là, au gré des hommes frivoles, une menace et une
méthode de correction sévères, afin que la crainte d'une
expiation douloureuse nous fasse devenir sages et nous
amène à fuir le mal ; mais les esprits plus avisés croient que
c'est là un moyen de guérison et un traitement mis en œuvre
par Dieu pour ramener la créature modelée par lui à la grâce
première. En effet ceux qui enlèvent, par incision ou par
cautérisation, les excroissances et les verrues [3] qui se sont
formées sur le corps contre nature, ne procurent pas une
guérison sans douleurs au bénéficiaire du traitement ; mais
du moins ils ne pratiquent pas l'incision pour causer un
dommage à celui qui s'y soumet ; de même toutes les excroissances matérielles qui se sont formées sur nos âmes devenues
charnelles sous l'effet de leur participation aux dispositions
mauvaises du corps, sont, au moment du jugement, excisées
et retranchées par l'ineffable sagesse et la puissance de celui

notre exposé l'a montré, en provoquant la séparation entre le bien et le mal
et en suscitant l'attirance à la participation à la béatitude ; mais la rupture de
l'adhésion au mal devient source de douleur pour celui qui en ressent
l'attirance » (*De an. et res.*, *PG* 46, tr. Terrieux, p. 100).

3. La comparaison tirée du traitement des « verrues » sert à illustrer la
purification nécessairement douloureuse et en même temps bénéfique : dans
le *De an. et resur.* on trouve d'autres comparaisons, celles des corps écrasés
retirés des décombres, du feu du fondeur, de la corde enduite d'argile qui
demande à être raclée (*De an. et res.*, *PG* 46,97-100, tr. Terrieux, p. 146-148).

ἀποξύεται τῇ ἀρρήτῳ ἐκείνῃ σοφίᾳ καὶ δυνάμει τοῦ — καθὼς
100 λέγει τὸ εὐαγγέλιον — τοὺς κακοὺς ἰατρεύοντος · *Οὐ χρείαν*
γὰρ ἔχουσι, φησίν, οἱ ὑγιαίνοντες ἰατροῦ, ἀλλ' οἱ κακῶς
ἔχοντες [d]. Διὰ δὲ τὸ πολλὴν γεγενῆσθαι τῇ ψυχῇ πρὸς τὸ
κακὸν συμφυΐαν ὥσπερ ἡ τῆς μυρμηκίας τομὴ δριμύσσει τὴν
ἐπιφάνειαν — τὸ γὰρ παρὰ φύσιν ἐμφυὲν τῇ φύσει διά τινος
105 συμπαθείας τῷ ὑποκειμένῳ προσίσχεται καί τις γίνεται τοῦ
ἀλλοτρίου πρὸς τὸ ἡμέτερον παράλογος συνανάκρασις, ὡς
λυπεῖσθαι καὶ δάκνεσθαι τοῦ παρὰ φύσιν χωριζομένην τὴν
αἴσθησιν — οὕτω καὶ τῆς ψυχῆς ἀπολεπτυνομένης τε καὶ
ἐκτηκομένης ἐν τοῖς ὑπὲρ τῆς ἁμαρτίας ἐλεγμοῖς [e], καθὼς
110 φησί που ἡ προφητεία, διὰ τὴν ἐν βάθει γενομένην πρὸς τὸ
κακὸν οἰκειότητα κατ' ἀνάγκην ἐπακολουθοῦσιν ἄρρητοί τινες
καὶ ἀνέκφραστοι ἀλγηδόνες, ὧν ἡ διήγησις ἐκ τοῦ ἴσου τὸ
M 34 ἄφραστον ἔχει τῇ τῶν ἐλπιζομένων ἀγαθῶν φύσει [f] | οὔτε
γὰρ ταῦτα, οὔτε ἐκεῖνα τῇ δυνάμει τῶν λόγων ἢ τῷ στοχασμῷ
115 τῆς διανοίας ὑπάγεται.

Οὐκοῦν πρὸς τὸ πέρας τις ἀποσκοπῶν τῆς σοφίας τοῦ τὸ
πᾶν οἰκονομοῦντος οὐκέτ' ἂν εὐλόγως κακῶν αἴτιον τὸν τῶν
ἀνθρώπων δημιουργὸν ὑπὸ μικροψυχίας κατονομάζοι ἢ ἀγνο-
εῖν αὐτὸν τὸ ἐσόμενον λέγων ἢ εἰδότα καὶ πεποιηκότα μὴ ἔξω
120 τῆς πρὸς τὸ πονηρὸν ὁρμῆς εἶναι. Καὶ γὰρ ᾔδει τὸ ἐσόμενον καὶ
τὴν πρὸς τὸ γινόμενον ὁρμὴν οὐκ ἐκώλυσεν · ὅτι γὰρ ἐκτρα-
πήσεται τοῦ ἀγαθοῦ τὸ ἀνθρώπινον, οὐκ ἠγνόησεν ὁ πάντα
ἐμπερικρατῶν τῇ γνωστικῇ δυνάμει καὶ τὸ ἐφεξῆς τῷ παρῳ-
χηκότι κατὰ τὸ ἴσον βλέπων. Ἀλλ' ὥσπερ τὴν παρατροπὴν

---

d. Lc 5, 31 et parall.   e. Cf. Ps 39, 12   f. Cf. 1 Co 2, 9

1. Il s'agit d'une paraphrase de Ps 38, 12 (*LXX*).
2. Le passage *hoti gar......chôran ouk échei* figure, avec quelques modifi-
cations, dans Euthymius, *Pan. dogm.* 1, 6.

qui, comme le dit l'Évangile, est le médecin des pécheurs :
«Ce ne sont pas, dit-il, les bien-portants, mais ceux qui se
portent mal qui ont besoin du médecin[d]». Parce qu'une
grande affinité s'est établie entre l'âme et le mal, il se passe la
chose suivante : tout comme l'ablation par incision de la
verrue provoque une vive douleur à la surface du corps — car
ce qui s'est implanté dans la nature contre la nature elle-
même tient à son support par une sorte de sympathie et il se
produit un mélange imprévu entre ce qui est nôtre et ce qui
est étranger, si bien qu'à l'occasion de l'ablation de ce qui
n'appartient pas à notre nature, on éprouve une sensation de
douleur mordante — de même aussi lorsque, comme le dit
quelque part le prophète[1], l'âme s'exténue et se consume
dans les reproches au sujet de sa faute[e], nécessairement, en
raison de son union profonde avec le mal, il s'ensuit qu'elle
est en proie à des douleurs indicibles et inexprimables, dont
la description dépasse les possibilités du langage autant que
celle des biens que nous espérons[f]. Ni les uns ni les autres ne
se laissent exprimer grâce aux ressources du langage ni grâce
aux conjectures de la pensée.

d. *Dieu n'est pas responsable du mal : il a en vue le rétablis-sement de l'homme dans la grâce originelle*

Si donc l'on porte ses regards plus loin, en envisageant la
fin que se propose dans sa sagesse Celui qui gouverne l'univers, on ne saurait plus, en bonne logique, désigner dans un
mouvement de mesquinerie le créateur de l'humanité
comme responsable des maux de celle-ci, sous prétexte qu'il
ignorait l'avenir, ou bien qu'ayant créé l'homme tout en
connaissant l'avenir, il n'est pas étranger à la tendance au
mal. En réalité, Dieu savait ce qui allait arriver et il n'a pas
enrayé le mouvement vers ce qui s'est produit. Que[2] le genre
humain se détournerait du bien, c'est ce que n'ignorait pas
Celui qui domine tout par sa faculté de connaître et dont le
regard embrasse à la fois ce qui va arriver et ce qui s'est passé.

125 ἐθεάσατο, οὕτω καὶ τὴν ἀνάκλησιν αὐτοῦ πάλιν τὴν πρὸς τὸ
ἀγαθὸν κατενόησε. Τί οὖν ἄμεινον ἦν ; καθ' ὅλου μὴ ἀγαγεῖν
τὴν φύσιν ἡμῶν εἰς γένεσιν, ἐπειδὴ τοῦ καλοῦ διαμαρτήσεσθαι
προεώρα τὸν γενησόμενον, ἢ ἀγαγόντα καὶ <τὸν> νενοσηκότα
πάλιν πρὸς τὴν ἐξ ἀρχῆς χάριν διὰ μετανοίας ἀνακαλέσασθαι ;
130 Τὸ δὲ διὰ τὰς σωματικὰς ἀλγηδόνας, αἳ τῷ ῥευστῷ τῆς φύσεως κατ' ἀνάγκην ἐπισυμβαίνουσι κακῶν ποιητὴν τὸν Θεὸν
ὀνομάζειν ἢ μηδὲ ὅλως ἀνθρώπου κτίστην αὐτὸν οἴεσθαι, ὡς
ἂν μὴ καὶ τῶν ἀλγυνόντων ἡμᾶς αἴτιος ὑπονοοῖτο, τοῦτο τῆς
ἐσχάτης μικροψυχίας ἐστὶ τῶν τῇ αἰσθήσει τὸ καλὸν καὶ τὸ
135 κακὸν διακρινόντων, οἳ οὐκ ἴσασιν ὅτι ἐκεῖνο τῇ φύσει μόνον
ἐστὶν ἀγαθόν οὗ ἡ αἴσθησις οὐκ ἐφάπτεται, καὶ μόνον ἐκεῖνο
κακὸν ἡ τοῦ ἀληθινοῦ ἀγαθοῦ ἀλλοτρίωσις. Πόνοις δὲ καὶ
M 35 ἡδοναῖς τὸ καλὸν καὶ τὸ μὴ καλὸν κρίνειν τῆς | ἀλόγου φύσεως
ἴδιόν ἐστιν, ἐφ' ὧν τοῦ ἀληθῶς καλοῦ ἡ κατανόησις διὰ τὸ μὴ
140 μετέχειν αὐτὰ νοῦ καὶ διανοίας χώραν οὐκ ἔχει. 'Αλλ' ὅτι μὲν
Θεοῦ ἔργον ὁ ἄνθρωπος καλόν τε καὶ ἐπὶ καλλίστοις γενόμενον, οὐ μόνον ἐκ τῶν εἰρημένων δῆλόν ἐστιν, ἀλλὰ καὶ ἐκ
μυρίων ἑτέρων, ὧν τὸ πλῆθος διὰ τὴν ἀμετρίαν παραδρα-
PG 40 μούμεθα. Θεὸν δὲ | ἀνθρώπου ποιητὴν ὀνομάσαντες οὐκ
145 ἐπιλελήσμεθα τῶν ἐν τῷ προοιμίῳ πρὸς τοὺς Ἕλληνας ἡμῖν
διευκρινηθέντων, ἐν οἷς ἀπεδείκνυτο ὁ τοῦ Θεοῦ Λόγος οὐσιώ-
δης [τις] καὶ ἐνυπόστατος ὢν αὐτὸς εἶναι καὶ Θεὸς καὶ Λόγος,
πᾶσαν δύναμιν ποιητικὴν ἐμπεριειληφώς, μᾶλλον δὲ αὐτο-
δύναμις ὢν καὶ πρὸς πᾶν ἀγαθὸν τὴν ὁρμὴν ἔχων καὶ πᾶν
150 ὅτιπερ ἂν θελήσῃ κατεργαζόμενος τῷ σύνδρομον ἔχειν τῇ
βουλήσει τὴν δύναμιν, οὗ καὶ θέλημα καὶ ἔργον ἐστὶν ἡ τῶν
ὄντων ζωή, παρ' οὗ καὶ ὁ ἄνθρωπος εἰς τὸ ζῆν παρήχθη πᾶσι
τοῖς καλλίστοις θεοειδῶς κεκοσμημένος.

Mais de même qu'il a vu d'avance l'égarement du genre humain, de même il a prévu de le rappeler au bien. Mais qu'est-ce qui valait mieux : ne pas faire accéder du tout notre nature à l'existence, du fait qu'il prévoyait que celui qui allait naître s'écarterait du bien, ou bien, après l'avoir fait naître, le rappeler, une fois qu'il serait malade, à la grâce originelle par la voie du repentir ? Prendre prétexte des souffrances corporelles, qui affectent nécessairement la partie inconstante de notre nature, pour nommer Dieu l'auteur des maux ou refuser absolument de le considérer comme créateur de l'homme, afin de ne pas faire retomber sur lui la responsabilité de ce qui nous fait souffrir, c'est l'expression de la dernière mesquinerie d'esprit chez ceux qui distinguent le bien et le mal d'après les impressions sensibles et qui ne savent pas que seul est naturellement bon ce qui n'a pas de contact avec la sensation et que seul est mauvais le fait de s'éloigner du véritable bien. Juger ce qui est bien et ce qui ne l'est pas d'après le critère de la peine et du plaisir est le propre de la nature dépourvue de raison, de ces êtres en qui ne saurait trouver place la conception de ce qui est vraiment bien, du fait qu'ils n'ont pas part au *noûs* ni à la réflexion. Mais que l'homme soit l'œuvre de Dieu, qu'il ait été créé bon et destiné aux plus grands biens, c'est ce que montrent clairement non seulement ce qui vient d'être dit, mais aussi beaucoup d'autres raisons que nous passerons sous silence, à cause de leur grand nombre, pour éviter des excès. Or, lorsque nous nommons Dieu créateur de l'homme, nous n'avons pas oublié ce que nous avons soigneusement établi dans le préambule à l'adresse des grecs, où il est montré que le Logos de Dieu, étant substantiel et doué de subsistence, est lui-même à la fois Dieu et Logos, qu'il embrasse toute puissance créatrice, bien mieux, qu'il est la puissance en elle-même, qu'il est porté vers tout ce qui est bien, qu'il accomplit tout ce qu'il a décidé, du fait que sa volonté reçoit le concours de son pouvoir, que la vie de ce qui existe est sa volonté et son œuvre, que c'est par lui que l'homme a été amené à la vie et

Ἐπειδὴ δὲ μόνον ἀναλλοίωτόν ἐστι κατὰ τὴν φύσιν τὸ μὴ
155 διὰ κτίσεως ἔχον τὴν γένεσιν, τὰ δ' ὅσα παρὰ τῆς ἀκτίστου
φύσεως ἐκ τοῦ μὴ ὄντος ὑπέστη, εὐθὺς ἀπὸ τροπῆς τοῦ εἶναι
ἀρξάμενα πάντοτε δι' ἀλλοιώσεως πρόεισιν, εἰ μὲν κατὰ φύσιν
πράττοι πρὸς τὸ κρεῖττον αὐτοῖς τῆς ἀλλοιώσεως εἰς ἀεὶ
γιγνομένης, εἰ δὲ παρατραπείη τῆς εὐθείας, τῆς πρὸς τὸ
160 ἐναντίον αὐτὰ διαδεχομένης κινήσεως. Ἐπεὶ οὖν ἐν τούτοις
καὶ ὁ ἄνθρωπος ἦν, ᾧ τὸ τρεπτὸν τῆς φύσεως πρὸς τὸ ἐναντίον
παρώλισθεν, ἅπαξ δὲ τῆς τῶν ἀγαθῶν ἀναχωρήσεως δι' ἀκο-
M 36 λούθου πᾶσαν ἰδέαν κακῶν ἀντεισαγούσης, ὡς τῇ | μὲν
ἀποστροφῇ τῆς ζωῆς ἀντεισαχθῆναι τὸν θάνατον, τῇ δὲ στε-
165 ρήσει τοῦ φωτὸς ἐπιγενέσθαι τὸ σκότος, τῇ δὲ τῆς ἀρετῆς
ἀπουσίᾳ τὴν κακίαν ἀντεισαχθῆναι καὶ πάσῃ τῇ τῶν ἀγαθῶν
ἰδέᾳ τὸν τῶν ἐναντίων ἀνταριθμηθῆναι κατάλογον · τὸν ἐν
τούτοις καὶ τοῖς τοιούτοις ἐξ ἀβουλίας ἐμπεπτωκότα — οὐδὲ
γὰρ ἦν δυνατὸν ἐν φρονήσει εἶναι τὸν ἀπεστραμμένον τὴν
170 φρόνησιν καὶ σοφόν τι βουλεύσασθαι τὸν τῆς σοφίας
ἀναχωρήσαντα — διὰ τίνος ἔδει πάλιν πρὸς τὴν ἐξ ἀρχῆς
χάριν ἀνακληθῆναι ;
Τίνι διέφερεν ἡ τοῦ πεπτωκότος ἀνόρθωσις, ἡ τοῦ ἀπολω-
λότος ἀνάκλησις, ἡ τοῦ πεπλανημένου χειραγωγία ; Τίνι ἄλλῳ
175 ἢ τῷ κυρίῳ πάντως τῆς φύσεως ; Τῷ γὰρ ἐξ ἀρχῆς τὴν ζωὴν
δεδωκότι μόνῳ δυνατὸν ἦν καὶ πρέπον ἅμα καὶ ἀπολομένην
ἀνακαλέσασθαι, ὃ παρὰ τοῦ μυστηρίου τῆς ἀληθείας ἀκούο-

---

1. Le passage *dia tinos.....diakrinetai* (ch. XVI) a été repris par EUTHY-
MIUS, *Pan. dogm.* 1, 7.

doté, à la ressemblance de Dieu, de tous les plus beaux privilèges.

Conséquences du péché

Or cela seul, par nature, n'est pas soumis au changement qui ne tient pas son origine d'une création, alors que tout ce que la nature incréée a amené à l'existence à partir du non-être, une fois que le début dans l'existence est posé à partir de cette transformation même, ne cesse de poursuivre sa vie dans un changement continuel ; si la créature agit selon sa nature, ce changement se produit toujours dans le sens du mieux, et si, par contre, elle se détourne du droit chemin, alors se produit un mouvement qui l'entraîne incessamment dans le sens contraire. Comme l'homme appartient aussi à cette catégorie d'êtres, lui que le caractère changeant de sa nature avait fait tomber dans l'état opposé, une fois qu'il se fut détourné du bien, toutes les formes du mal s'introduisirent, par voie de conséquence, à la place du bien : ainsi le fait de s'éloigner de la vie entraîna en contrepartie la mort ; le fait de se priver de la lumière eut comme conséquence l'obscurité ; le défaut de vertu amena en échange le mal et toutes les formes du bien se virent progressivement remplacées par la série des maux qui s'y opposent. Celui qui était tombé dans ces maux et dans d'autres du même genre, sous l'effet de son irréflexion — car il n'était pas possible à celui qui s'était détourné de la raison de rester dans la raison et à celui qui s'était éloigné de la sagesse de prendre une décision sage — celui-là [1], par qui devait-il être rappelé à la grâce originelle ?

De qui dépend le relèvement de la nature déchue ?

A qui convenait-il de relever celui qui était tombé, de rappeler celui qui s'était perdu, de guider celui qui s'était égaré ? A qui d'autre si ce n'est précisément au maître de la nature ? A celui-là seul qui avait donné la vie à l'origine il était possible et convenable de ranimer la vie, même déjà éteinte.

μεν, Θεὸν πεποιηκέναι κατ᾽ ἀρχὰς τὸν ἄνθρωπον καὶ σεσω-
κέναι διαπεπτωκότα μανθάνοντες.

Θ΄. Ἀλλὰ μέχρι μὲν τούτων συνθήσεται τυχὸν τῷ λόγῳ ὁ
πρὸς τὸ ἀκόλουθον βλέπων διὰ τὸ μὴ δοκεῖν ἔξω τι τῆς
θεοπρεποῦς ἐννοίας τῶν εἰρημένων εἶναι, πρὸς δὲ τὰ ἐφεξῆς
οὐχ ὁμοίως ἕξει, δι᾽ ὧν μάλιστα τὸ μυστήριον τῆς ἀληθείας
5 κρατύνεται · γένεσις [a] ἀνθρωπίνη καὶ ἡ ἐκ νηπίου πρὸς
M 37	τελείωσιν αὔξησις [b], βρῶσίς [c] τε καὶ πόσις, καὶ κόπος [d],| καὶ
ὕπνος [e], καὶ λύπη [f], καὶ δάκρυον [g], συκοφαντία [h] τε καὶ
δικαστήριον [i], καὶ σταυρός [j], καὶ θάνατος [k], καὶ ἡ ἐν μνη-
μείῳ [l] θέσις · ταῦτα γὰρ συμπαραλαμβανόμενα τῷ μυστηρίῳ
10 ἀμβλύνει πως τῶν μικροψυχοτέρων τὴν πίστιν, ὡς μηδὲ τὸ
ἐφεξῆς τῶν λεγομένων διὰ τὰ προειρημένα συμπαραδέχεσθαι.
Τὸ γὰρ θεοπρεπὲς τῆς ἐκ νεκρῶν ἀναστάσεως διὰ τὸ περὶ τὸν
θάνατον ἀπρεπὲς οὐ προσίενται.

---

a. Lc. 2, 6	b. Lc 2, 40 et 52	c. Mc 2, 16 (Lc 24, 43)	d. Jn 4, 6
e. Mt 8, 24 et Lc 8, 23	f. Mt 26, 38	g. Jn 11, 35	h. Mt 26, 59	i. Mt
27, 27	j. Mt 27, 38 et parall.	k. Mt 27, 50 et parall.	l. Mt 27, 57-60

C'est ce que nous apprenons du mystère de la vérité, qui nous enseigne que Dieu a créé l'homme à l'origine et l'a sauvé, après qu'il eut connu la chute.

B. INCARNATION ET ŒUVRE DE SALUT.

1. L'Incarnation

a. *Une difficulté : La condition humaine du Christ.*

IX. Jusqu'ici, celui qui considère l'enchaînement logique des idées donnera peut-être son assentiment à ce que j'expose, parce que rien de ce qui a été dit ne lui semblera incompatible avec une conception digne de Dieu. Mais, pour la suite, son attitude ne sera plus la même devant les faits sur lesquels se fonde principalement le mystère de la vérité : la naissance humaine [a] (du Christ), sa croissance depuis la petite enfance jusqu'à la maturité [b], le fait de manger et de boire [c], la fatigue [d], le sommeil [e], la douleur [f] et les larmes [g], la fausse accusation [h] et le tribunal [j], la croix [k], la mort et la mise au tombeau [l] ; ces faits, qui sont une partie intégrante du mystère de la foi, émoussent en quelque sorte la foi des esprits mesquins, si bien que ce qui a été exposé précédemment leur fait refuser ce qui y fait suite. En effet, ils récusent ce qu'il y a de vraiment digne de Dieu dans la résurrection d'entre les morts, en prétextant le caractère indigne de Dieu que revêt la mort.

Ἐγὼ δὲ πρότερον οἶμαι δεῖν μικρὸν τῆς σαρκικῆς παχύ-
PG 41 15 τητος | τὸν λογισμὸν ἀποστήσαντας αὐτὸ τὸ καλὸν ἐφ᾽ ἑαυτοῦ
καὶ τὸ μὴ τοιοῦτον κατανοῆσαι, ποίοις γνωρίσμασιν ἑκάτερον
τούτων καταλαμβάνεται. Οὐδένα γὰρ ἀντερεῖν οἶμαι τῶν λε-
λογισμένων, ὅτι ἓν κατὰ φύσιν μόνον τῶν πάντων ἐστὶν αἰσχρὸν τὸ κατὰ κακίαν πάθος · τὸ δὲ κακίας ἐκτὸς παντὸς
20 αἴσχους ἐστὶν ἀλλότριον · ᾧ δὲ μηδὲν αἰσχρὸν καταμέμικται,
τοῦτο πάντως ἐν τῇ τοῦ καλοῦ μοίρᾳ καταλαμβάνεται · τὸ δὲ
ἀληθῶς καλὸν ἀμιγές ἐστι τοῦ ἐναντίου · πρέπει δὲ Θεῷ πᾶν
ὅτιπερ ἂν ἐν τῇ τοῦ καλοῦ θεωρῆται χώρᾳ. Ἢ τοίνυν δειξά-
τωσαν κακίαν εἶναι τὴν γέννησιν, τὴν ἀνατροφήν, τὴν αὔξησιν,
25 τὴν πρὸς τὸ τέλειον τῆς φύσεως πρόοδον, τὴν τοῦ θανάτου
πεῖραν, τὴν ἐκ τοῦ θανάτου ἐπάνοδον, ἤ, εἰ ἔξω κακίας εἶναι τὰ
εἰρημένα συντίθενται, οὐδὲν αἰσχρὸν εἶναι τὸ κακίας ἀλλότριον
M 38 ἐξ ἀνάγκης ὁμολογήσουσι. Καλοῦ δὲ πάντως ἀναδεικνυμένου
τοῦ πάσης αἰσχρότητος καὶ κακίας ἀπηλλαγμένου, πῶς οὐκ
30 ἐλεεινοὶ τῆς ἀλογίας οἱ τὸ καλὸν μὴ πρέπειν ἐπὶ Θεοῦ δογμα-
τίζοντες ;

Γʹ. Ἀλλὰ μικρόν, φησί, καὶ εὐπερίγραπτον ἡ ἀνθρωπίνη
φύσις, ἄπειρον δὲ ἡ θεότης, καὶ πῶς ἂν περιελήφθη τῷ ἀτόμῳ
τὸ ἄπειρον ; Καὶ τίς τοῦτό φησιν ὅτι τῇ περιγραφῇ τῆς σαρκὸς

---

1. Pour *moira*, cf. PLATON, *Philèbe* 54 c : le mot peut être synonyme de
chôra.
2. Ce chapitre se trouve reproduit dans le *Contra Nestorium et Euthy-
chèn* de LÉONCE DE BYZANCE.
3. Les manuscrits portent souvent *perigrapton*, ici *euperigrapton*, au
sens de « facile à circonscrire ». Cf ATHANASE : « Quand l'âme est venue dans
le corps et lui a été enchaînée, elle n'est pas resserrée et mesurée par la
petitesse du corps, mais bien souvent, alors que celui-ci est couché dans son
lit, immobile, et comme endormi dans la mort, l'âme selon sa propre vertu,
est éveillée et s'élève au-dessus de la nature du corps ; comme si elle s'en
allait loin de lui, bien que restant dans le corps, elle se représente et
contemple des êtres supra-terrestres » (*Contra gentes* 33, SC 18 bis, p. 161),
et GRÉGOIRE DE NAZIANZE : « Commence par bien comprendre... quel est le

b. *Une précision : qu'est-ce qui est vraiment indigne de Dieu ?*

Pour mon compte, j'estime qu'il faut d'abord dégager un peu sa raison de la grossièreté charnelle, se faire une conception du bien en lui-même ainsi que de ce qui en diffère en cherchant à savoir quels caractères distinctifs l'intelligence reconnaît à l'un et à l'autre. Aucun homme ayant mûrement réfléchi ne contestera, à mon avis, qu'entre toutes les choses une seule est honteuse par nature, à savoir le *pathos* s'attachant au mal, alors que ce qui est étranger au mal est exempt de toute honte ; ce à quoi ne se mêle rien de honteux est considéré comme faisant sans aucun doute partie[1] du bien ; et ce qui est vraiment bon est pur de tout mélange avec ce qui s'y oppose. Or, tout ce qui est perçu comme faisant partie du domaine du bien est digne de Dieu. Que l'on montre donc que la naissance, l'éducation, la croissance, la progression vers la maturité naturelle, l'épreuve de la mort et le retour à la vie relèvent du mal ! Ou bien, si l'on concède que les états susdits se situent en dehors du mal, on sera forcé de reconnaître que ce qui est étranger au mal n'a rien de honteux. Mais si la démonstration a été faite que ce qui est exempt de toute honte et de tout mal est pleinement bon, comment ne pas plaindre de leur déraison ceux qui soutiennent une doctrine selon laquelle le bien ne convient pas à Dieu ?

c. *Union des deux natures : l'Infini peut-il être contenu dans les limites du fini ?*

X. Mais[2], dira-t-on, la nature humaine est quelque chose d'exigu et est facile à circonscrire[3], alors que la divinité est infinie ; comment l'infini peut-il être contenu dans l'atome ?

---

mystère de ta nature ; comment tu es mesuré par un lieu et comment ton esprit n'est pas enfermé dans les limites, mais comment, restant au même endroit, il parcourt toutes choses » (*Orat.* 32, 27, *SC* 318, p. 143).

καθάπερ ἀγγείῳ τινὶ ἡ ἀπειρία τῆς θεότητος περιελήφθη ;
5 Οὐδὲ γὰρ ἐπὶ τῆς ἡμετέρας ζωῆς ἐντὸς κατακλείεται τῶν τῆς
σαρκὸς ὅρων ἡ νοερὰ φύσις, ἀλλ᾽ ὁ μὲν ὄγκος τοῦ σώματος τοῖς
οἰκείοις μέρεσι περιγράφεται, ἡ δὲ ψυχὴ τοῖς τῆς διανοίας
κινήμασι πάσῃ κατ᾽ ἐξουσίαν ἐφαπλοῦται τῇ κτίσει, καὶ μέ-
χρις οὐρανῶν ἀνιοῦσα, καὶ τῶν ἀβύσσων ἐπιβατεύουσα, καὶ τῷ
10 πλάτει τῆς οἰκουμένης ἐπερχομένη, καὶ πρὸς τὰ καταχθόνια
διὰ τῆς πολυπραγμοσύνης εἰσδύνουσα, πολλάκις δὲ καὶ τῶν
ὑπερουρανίων θαυμάτων ἐν περινοίᾳ γίνεται, οὐδὲν βαρυνο-
μένη τῷ ἐφολκίῳ τοῦ σώματος. Εἰ δὲ ἀνθρώπου ψυχὴ κατὰ
τὴν τῆς φύσεως ἀνάγκην συγκεκραμένη τῷ σώματι πανταχοῦ
15 κατ᾽ ἐξουσίαν γίνεται, τίς ἀνάγκη τῇ φύσει τῆς σαρκὸς τὴν
θεότητα λέγειν ἐμπεριείργεσθαι καὶ μὴ διὰ τῶν χωρητῶν ἡμῖν
ὑποδειγμάτων στοχασμόν τινα πρέποντα περὶ τῆς θείας
οἰκονομίας λαβεῖν ; Ὡς γὰρ τὸ πῦρ ἐπὶ τῆς λαμπάδος ὁρᾶται
τῆς ὑποκειμένης περιδεδραγμένον ὕλης καὶ λόγος μὲν δια-
20 κρίνει τό τε ἐπὶ τῆς ὕλης πῦρ καὶ τὴν τὸ πῦρ ἐξάπτουσαν ὕλην,
ἔργῳ δὲ οὐκ ἔστιν ἀπ᾽ ἀλλήλων ταῦτα διατεμόντας, ἐφ᾽ ἑαυτῆς
M 39 δεῖξαι τὴν φλόγα διεζευγμένην | τῆς ὕλης, ἀλλ᾽ ἓν τὰ συναμ-
φότερα γίνεται — καί μοι μηδεὶς τὸ φθαρτικὸν τοῦ πυρὸς
συμπαραλαμβανέτω τῷ ὑποδείγματι, ἀλλ᾽ ὅσον εὐπρεπές ἐστι
25 μόνον ἐν τῇ εἰκόνι δεξάμενος τὸ ἀπεμφαῖνον ἀποποιείσθω —
τὸν αὐτὸν οὖν τρόπον, ὡς ὁρῶμεν καὶ ἐξημμένην τοῦ ὑποκειμένου τὴν φλόγα καὶ οὐκ ἐναποκλειομένην τῇ ὕλῃ, τί κωλύει
θείας φύσεως ἕνωσίν τινα καὶ προσεγγισμὸν κατανοήσαντας
πρὸς τὸ ἀνθρώπινον τὴν θεοπρεπῆ διάνοιαν καὶ ἐν τῷ προσ-

---

1. Le passage qui va de *Tis touto* jusqu'à la fin du chapitre figure dans
THÉODORET, *Dialogue* II, *Éranistès ou Polymorphos*, *PG* 80, 194. L'auteur
cite Grégoire pour prouver la réalité des deux natures dans le Christ, niée par
Eutychès. Grégoire vise en réalité à corriger une conception erronée de
l'union des deux natures.

2. La comparaison avec la flamme et la mèche a été critiquée comme une
touche inconsciente d'eutychianisme. Mais Grégoire veut faire comprendre,
à travers une image, que la nature divine est inséparablement liée à la nature
humaine, sans être enfermée par celle-ci. La comparaison n'est pas pleine-

Mais qui [1] prétend que l'infini de la divinité a été enfermé dans les limites de la chair comme dans un récipient ? Car même dans notre propre vie, la nature pensante n'est pas confinée dans les limites de la chair. Certes le volume du corps est délimité par ses propres parties, mais l'âme, grâce aux mouvements de la pensée, s'étend à son gré à toute la création, elle qui s'élève jusqu'aux cieux, s'avance sur les abîmes, parcourt la terre dans toute son étendue, pénètre, dans son ardeur de la recherche, jusque dans les régions souterraines ; souvent même elle parvient à l'intelligence des merveilles des cieux, sans être alourdie par le poids du corps qu'elle traîne après elle. Mais si l'âme humaine, tout en étant mêlée au corps en vertu d'une nécessité de nature, peut être partout à son gré, quelle obligation y a-t-il à dire que la divinité est enfermée de toutes parts à l'intérieur de la nature charnelle, au lieu de nous faire de l'économie divine une représentation digne de Dieu, en nous servant d'exemples compréhensibles ? Ainsi, dans le cas du flambeau, on voit la flamme s'attaquer tout à l'entour à la matière qui lui sert de support : la raison distingue la flamme entourant la matière et la matière qui nourrit la flamme ; en fait, il n'est pas possible de les séparer l'une de l'autre, pour montrer la flamme en soi dissociée de la matière ; l'une et l'autre se fondent en un tout [2] : il en est de même pour le sujet qui est le nôtre. Et que personne n'ajoute à notre exemple des considérations sur le caractère périssable du feu, mais qu'on retienne seulement ce que cette comparaison offre d'éclairant, et qu'on rejette ce qu'elle a d'inadéquat ! De la même manière donc, lorsque nous voyons la flamme adhérer étroitement à ce qui la nourrit sans pourtant être enfermée par la matière, qu'est-ce qui nous empêche, quand nous concevons une union et un rapprochement entre une nature qui est divine et l'humanité, de sauvegarder une idée digne de Dieu même dans ce rapprochement, en étant

ment satisfaisante et Grégoire lui-même met en garde contre une exploitation injustifiée de cette comparaison.

PG 44 30 ἐγγισμῷ διασώσασθαι | πάσης περιγραφῆς ἐκτὸς εἶναι τὸ
θεῖον πιστεύοντας, κἂν ἐν ἀνθρώπῳ ᾖ ;

IΑ΄. Εἰ δὲ ζητεῖς πῶς κατακιρνᾶται θεότης πρὸς τὸ ἀνθρώπινον, ὥρα σοι πρὸ τούτου ζητεῖν τίς πρὸς τὴν σάρκα τῆς
ψυχῆς ἡ συμφυΐα. Εἰ δὲ τῆς σῆς ἀγνοεῖται ψυχῆς ὁ τρόπος,
καθ᾽ ὃν ἑνοῦται τῷ σώματι, μηδὲ ἐκεῖνο πάντως οἴου δεῖν ἐντὸς
5 γενέσθαι τῆς σῆς καταλήψεως. Ἀλλ᾽ ὥσπερ ἐνταῦθα καὶ
ἕτερον εἶναί τι παρὰ τὸ σῶμα τὴν ψυχὴν πεπιστεύκαμεν, ἐκ
τοῦ μονωθεῖσαν τῆς ψυχῆς τὴν σάρκα νεκράν τε καὶ ἀνενέργητον γίνεσθαι, καὶ τὸν τῆς ἑνώσεως οὐκ ἐπιγινώσκομεν τρόπον, οὕτω κἀκεῖ διαφέρειν μὲν ἐπὶ τὸ μεγαλοπρεπέστερον τὴν
10 θείαν φύσιν πρὸς τὴν θνητὴν καὶ ἐπίκηρον ὁμολογοῦμεν, τὸν δὲ
τῆς ἀνακράσεως τρόπον τοῦ θείου πρὸς τὸν ἄνθρωπον συνιδεῖν
οὐ χωροῦμεν, ἀλλὰ τὸ μὲν γεγενῆσθαι Θεὸν ἐν ἀνθρώπου φύσει
διὰ τῶν ἱστορουμένων θαυμάτων οὐκ ἀμφιβάλλομεν, τὸ δ᾽
ὅπως, ὡς μεῖζον ἢ κατὰ λογισμῶν ἔφοδον, διερευνᾶν παραι-
M 40 15 τούμεθα. Οὐδὲ | γὰρ πᾶσαν τὴν σωματικήν τε καὶ νοητὴν
κτίσιν παρὰ τῆς ἀσωμάτου τε καὶ ἀκτίστου φύσεως ὑποστῆναι
πιστεύοντες, τὸ πόθεν ἢ τὸ πῶς τῇ περὶ τούτων πίστει συνεξ-
ετάζομεν, ἀλλὰ τὸ γεγενῆσθαι παραδεχόμενοι, ἀπολυπραγ-
μόνητον τὸν τρόπον τῆς τοῦ παντὸς συστάσεως καταλείπομεν
20 ὡς ἄρρητον παντάπασιν ὄντα καὶ ἀνερμήνευτον.

1. Une distinction est établie entre le mode d'union, qui en définitive
échappe à la raison humaine, et le fait de l'Incarnation, que l'on peut prouver
grâce aux miracles.
2. Pour la notion de « mélange » voir l'Introduction, p. 58 s.
3. Plus encore que le mode d'union entre l'âme et le corps, le mode
d'union entre la divinité et l'humanité du Christ échappe à notre capacité de
compréhension. A signaler que c'est l'époque où commencent les grands
débats christologiques relatifs à l'union des natures en Jésus-Christ. Déjà se
sont répandus les écrits d'Apollinaire ; un peu plus tard, Nestorius, puis
Eutychès proposeront leurs théories, condamnées respectivement au concile
d'Éphèse (431) et au concile de Chalcédoine (451). Cf. A. GRILLMEIER,
Jésus-Christ dans la tradition chrétienne, p. 257-273, 425-475, 521-567.

persuadés que la divinité ne peut être enfermée dans des
limites, même si elle est dans l'homme?

d. *L'Incarnation : mystère insondable du mode d'union entre la divinité et l'humanité*[1]

XI. Si tu cherches à savoir comment la divinité se
mélange[2] à l'humanité, il est opportun de te demander
d'abord ce qu'est l'union intime de l'âme et de la chair. Et si
déjà l'on ignore la manière dont l'âme s'unit au corps, ne
pense, en aucune façon, que l'autre question doive être du
ressort de ton intelligence. Mais tout comme, dans le premier
cas, nous avons acquis la conviction que l'âme est quelque
chose de différent du corps, du fait que, une fois isolée de
l'âme, la chair est morte et inerte, sans que nous connaissions
le mode de cette union, de même, dans le second cas, nous
accordons que la nature divine diffère de la nature mortelle et
périssable, en ce sens qu'elle est d'une majesté plus haute,
sans que nous soyons capables de saisir le mode de mélange
du divin avec l'humain. Cependant, en raison des miracles
rapportés, nous n'éprouvons aucun doute à propos du fait
que Dieu a pris naissance dans la nature humaine; mais la
recherche sur le comment[3], nous y renonçons, vu que c'est
un questionnement qui dépasse les capacités du raisonnement. Et alors que nous croyons que toute la création corporelle et intelligible tient son existence de la nature incorporelle et incréée, sur ce point non plus nous ne lions notre foi
à la recherche sur le d'où et le comment. Mais tout en
admettant qu'il y a eu création, nous renonçons à toute
curiosité indiscrète au sujet de la manière dont a été organisé
l'univers, considérant que c'est quelque chose de tout à fait
mystérieux et de tout à fait inexplicable.

ΙΒ΄. Τοῦ δὲ Θεὸν ἐν σαρκὶ πεφανερῶσθαι [a] ἡμῖν ὁ τὰς
ἀποδείξεις ἐπιζητῶν πρὸς τὰς ἐνεργείας βλεπέτω · καὶ γὰρ
τοῦ ὅλως εἶναι Θεὸν οὐκ ἄν τις ἑτέραν ἀπόδειξιν ἔχοι πλὴν τῆς
δι᾽ αὐτῶν τῶν ἐνεργειῶν μαρτυρίας. Ὥσπερ τοίνυν εἰς τὸ πᾶν
5 ἀφορῶντες καὶ τὰς κατὰ τὸν κόσμον οἰκονομίας ἐπισκο-
ποῦντες καὶ τὰς εὐεργεσίας τὰς θεόθεν κατὰ τὴν ζωὴν ἡμῶν
ἐνεργουμένας ὑπερκεῖσθαί τινα δύναμιν ποιητικὴν τῶν γινομένων καὶ συντηρητικὴν τῶν ὄντων καταλαμβάνομεν, οὕτω
καὶ ἐπὶ τοῦ διὰ σαρκὸς ἡμῖν φανερωθέντος Θεοῦ ἱκανὴν
10 ἀπόδειξιν τῆς ἐπιφανείας τῆς θεότητος τὰ κατὰ τὰς ἐνεργείας
θαύματα πεποιήμεθα, πάντα τοῖς ἱστορηθεῖσιν ἔργοις, δι᾽ ὧν ἡ
θεία χαρακτηρίζεται φύσις, κατανοήσαντες · θεοῦ τὸ ζωο-
ποιεῖν τοὺς ἀνθρώπους, Θεοῦ τὸ συντηρεῖν διὰ προνοίας τὰ
ὄντα, Θεοῦ τὸ βρῶσιν καὶ πόσιν τοῖς διὰ σαρκὸς τὴν ζωὴν
15 εἰληχόσι χαρίζεσθαι, Θεοῦ τὸ εὐεργετεῖν τὸν δεόμενον, Θεοῦ
τὸ παρατραπεῖσαν ἐξ ἀσθενείας τὴν φύσιν πάλιν δι᾽ ὑγείας
M 41   πρὸς ἑαυτὴν ἐπανάγειν, Θεοῦ τὸ πάσης ἐπιστατεῖν ὁμοιοτρόπως τῆς κτίσεως, γῆς, θαλάσσης, ἀέρος, καὶ τῶν ὑπὲρ τὸν
ἀέρα τόπων, Θεοῦ τὸ πρὸς πάντα διαρκῆ τὴν δύναμιν ἔχειν καὶ
20 πρό γε πάντων τὸ θανάτου καὶ φθορᾶς εἶναι κρείττονα. Εἰ μὲν
οὖν τινος τούτων καὶ τῶν τοιούτων ἐλλιπὴς ἦν ἡ περὶ αὐτὸν

a. Cf. 1 Tm 3, 16

1. Autre manière de formuler le principe de la connaissance par voie
d'analogie. Cf. Prologue.

2. Au cours des débats christologiques, les miracles sont utilisés comme
arguments pour prouver la divinité du Christ. Ils sont donc considérés, non
pas simplement comme des prodiges, mais comme des « signes » qui amè-
nent à voir agissante dans le Christ la puissance divine. Cf. ATHANASE : « De
même, devenu homme et soustrait aux regards dans un corps, on saurait par
ses œuvres que ce n'était pas un homme, mais la Puissance et le Verbe de
Dieu qui les accomplissait.....Or, à le voir guérir les maladies auxquelles est
sujet le genre humain, comment le tenir encore pour un homme et non pour
Dieu ? » (De Inc., SC 199, p. 331).

e. *Preuves de l'Incarnation : les miracles*

XII. Que celui qui cherche des preuves que Dieu s'est
manifesté à nous dans la chair[a] en considère ses activités !
Car on ne saurait avoir de l'existence de Dieu, prise globalement, d'autre preuve que le témoignage de ses œuvres[1].
Ainsi, en contemplant l'univers et en examinant les dispositions relatives au monde ainsi que les bienfaits d'origine
divine dont nous bénéficions dans notre vie, nous compre-
nons qu'il existe une puissance supérieure au monde qui crée
ce qui naît et protège ce qui existe ; de la même façon, pour ce
qui est du Dieu qui s'est manifesté à nous dans la chair, nous
tenons aussi pour preuve suffisante de la manifestation de la
divinité les effets merveilleux de son activité[2], en observant
dans les actions relatées tout ce qui caractérise la nature
divine. Il appartient à Dieu[3] de donner la vie aux hommes ; à
Dieu de conserver par sa providence ce qui existe ; à Dieu
d'accorder libéralement nourriture et boisson aux êtres qui
ont reçu en partage la vie charnelle ; à Dieu d'être bienfaisant
à l'égard de celui qui est dans le besoin ; à Dieu de rétablir
dans son état premier, en lui rendant la santé, la nature que la
maladie avait altérée ; à Dieu de régner de façon égale sur
toute la création, sur la terre, sur la mer, sur l'air et sur les
régions plus élevées que l'air ; à Dieu d'avoir une puissance
qui suffise à tout et, avant tout, d'être supérieur à la mort et à
la corruption. Si donc le récit qui le concerne passait sous
silence l'une quelconque de ces prérogatives et d'autres du

3. Passage marqué par la recherche d'effets de style : anaphore, qui, en
mettant en évidence le mot Dieu, souligne que le Logos incarné, auteur de
miracles, porte en lui la puissance divine ; énumération destinée à souligner
l'activité créatrice ou re-créatrice de Celui qui veut assurer le salut de
l'homme ; période avec des effets d'amplification oratoire progressive ; procédé de l'inclusion grâce au thème de Dieu qui est maître de la vie : Dieu
donne la vie, Dieu redonne la vie. De cette manière, Grégoire fait comprendre que la puissance vivifiante est une prérogative exclusivement divine, et
que le Logos incarné qui met en œuvre cette puissance, est vraiment Dieu.

ἱστορία, εἰκότως τὸ μυστήριον ἡμῶν οἱ ἔξω τῆς πίστεως παρε-
γράφοντο · εἰ δὲ δι' ὧν νοεῖται Θεός, πάντα ἐν| τοῖς περὶ αὐτοῦ
διηγήμασι καθορᾶται, τί τὸ ἐμποδίζον τῇ πίστει ;

ΙΓ΄. Ἀλλά, φησί, γέννησίς τε καὶ θάνατος ἴδιον τῆς σαρκικῆς ἐστι φύσεως. Φημὶ κἀγώ. Ἀλλὰ τὸ πρὸ τῆς γεννήσεως
καὶ τὸ μετὰ τὸν θάνατον τὴν τῆς φύσεως ἡμῶν ἐκφεύγει
κοινότητα. Εἰς γὰρ ἑκάτερα τῆς ἀνθρωπίνης ζωῆς τὰ πέρατα
5 βλέποντες, ἴσμεν καὶ ὅθεν ἀρχόμεθα καὶ εἰς τί καταλήγομεν ·
ἐκ πάθους γὰρ ἀρξάμενος τοῦ εἶναι ὁ ἄνθρωπος πάθει συν-
απαρτίζεται. Ἐκεῖ δὲ οὔτε ἡ γέννησις ἀπὸ πάθους ἤρξατο
οὔτε ὁ θάνατος εἰς πάθος κατέληξεν · οὔτε γὰρ τῆς γεννήσεως
ἡδονὴ καθηγήσατο οὔτε τὸν θάνατον φθορὰ [a] διεδέξατο.
10 Ἀπιστεῖς τῷ θαύματι ; Χαίρω σου τῇ ἀπιστίᾳ · ὁμολογεῖς
γὰρ πάντως δι' ὧν ὑπὲρ πίστιν ἡγῇ τὸ λεγόμενον ὑπὲρ τὴν
φύσιν εἶναι τὰ θαύματα. Αὐτὸ οὖν τοῦτο τῆς θεότητος ἔστω
σοι τοῦ φανέντος ἀπόδειξις τὸ μὴ διὰ τῶν κατὰ φύσιν προϊέναι
τὸ κήρυγμα · εἰ γὰρ ἐντὸς ἦν τῶν τῆς φύσεως ὅρων τὰ περὶ τοῦ
15 Χριστοῦ διηγήματα, ποῦ τὸ θεῖον ; Εἰ δὲ ὑπερβαίνει τὴν φύσιν
ὁ λόγος, ἐν| οἷς ἀπιστεῖς, ἐν τούτοις ἐστὶν ἡ ἀπόδειξις τοῦ θεὸν
εἶναι τὸν κηρυσσόμενον. Ἄνθρωπος μὲν γὰρ ἐκ συνδυασμοῦ
τίκτεται καὶ μετὰ θάνατον ἐν διαφθορᾷ γίνεται · εἰ ταῦτα
περιεῖχε τὸ κήρυγμα, οὐκ ἂν θεὸν εἶναι πάντως ᾠήθης τὸν ἐν

a. Cf. Ac 2, 31 (Ps 16, 10)

1. Dans ce chapitre figurent les substantifs *génésis* et *gennèsis* et les
formes verbales *gégénèsthai* et *gégénnèsthai*, qui sont pratiquement inter-
changeables au point de vue du sens, malgré une origine étymologique
différente. On sait qu'Arius ne faisait pas non plus de différence entre
génètos et *gennètos*.
2. Dans cette phrase, le terme *pathos* est employé deux fois, mais n'a pas
le même sens : pour la naissance, le *pathos* est celui des parents qui
éprouvent l'*hèdonè* des relations charnelles ; pour la mort, le *pathos* est
l'état d'affaiblissement de l'organisme qui entraîne le décès et la dissolution.

même ordre, ceux qui sont étrangers à notre foi pourraient, à juste titre, récuser le mystère de notre foi ; si, par contre, dans les récits qui parlent de lui, on peut relever tout ce qui permet de concevoir Dieu, qu'est-ce qui fait obstacle à notre foi ?

Caractères spécifiques de la naissance et de la mort du Christ

XIII. Mais dit-on, la naissance [1] et la mort sont le propre de la nature charnelle. Je le dis aussi ; mais ce qui précède la naissance (du Christ) et ce qui suit sa mort n'a rien de commun avec notre nature. En effet, quand nous portons notre attention sur les deux extrémités de la vie humaine, nous savons et par où nous avons commencé et à quoi nous aboutissons. C'est sous l'effet d'un *pathos* que l'homme commence à exister, c'est également dans un état de *pathos* [2] qu'il achève sa vie. Dans le cas du Christ, par contre, la naissance n'a pas dû son origine à un *pathos* et la mort n'a pas abouti à un état de *pathos*. En effet, la volupté n'a pas provoqué sa naissance et la corruption n'a pas succédé à sa mort [a]. Tu n'ajoutes pas foi à ce miracle ? Je me réjouis de ton incrédulité ; car, en tout cas, tu reconnais que ces miracles dépassent la nature justement pour les raisons qui te font estimer que ce qui a été dit dépasse la croyance. Certes le message que nous proclamons comporte des faits qui ne se déroulent pas suivant l'ordre naturel : que pour toi ce soit justement la preuve de la divinité de celui qui s'est manifesté. En effet, si ce qui est raconté au sujet du Christ s'était déroulé dans les limites de la nature, où serait le divin ? Mais si le récit dépasse la nature, ce sont les faits mêmes qui suscitent ton incrédulité qui fournissent la preuve que celui que nous annonçons est Dieu [3]. L'homme est engendré à la suite de

3. La souplesse dialectique s'allie à l'habileté rhétorique.

20 τοῖς ἰδιώμασι τῆς φύσεως ἡμῶν μαρτυρούμενον. Ἐπεὶ δὲ
γεγενῆσθαι μὲν αὐτὸν ἀκούεις, ἐκβεβηκέναι δὲ τῆς φύσεως
ἡμῶν τὴν κοινότητα τῷ τε τῆς γενέσεως τρόπῳ καὶ τῷ ἀνεπι-
δέκτῳ τῆς εἰς φθορὰν ἀλλοιώσεως, καλῶς ἂν ἔχοι κατὰ τὸ
ἀκόλουθον ἐπὶ τὸ ἕτερον τῇ ἀπιστίᾳ χρήσασθαι εἰς τὸ μὴ
25 ἄνθρωπον αὐτὸν ἕνα τῶν ἐν τῇ φύσει δεικνυμένων οἴεσθαι ·
ἀνάγκη γὰρ πᾶσα τὸν μὴ πιστεύοντα τὸν τοιοῦτον ἄνθρωπον
εἶναι εἰς τὴν περὶ τοῦ θεὸν αὐτὸν εἶναι πίστιν ἐναχθῆναι · ὁ γὰρ
γεγεννῆσθαι αὐτὸν ἱστορήσας καὶ τὸ οὕτως γεγεννῆσθαι συν-
διηγήσατο [b]. Εἰ οὖν πιστόν ἐστι διὰ τῶν εἰρημένων τὸ γεγε-
30 νῆσθαι αὐτόν, διὰ τῶν αὐτῶν τούτων πάντως οὐδὲ τὸ οὕτως
αὐτὸν γεγεννῆσθαι ἀπίθανον · ὁ γὰρ τὴν γέννησιν εἰπὼν καὶ τὸ
ἐκ παρθενίας προσέθηκε, καὶ ὁ τοῦ θανάτου μνησθεὶς καὶ τὴν
ἀνάστασιν τῷ θανάτῳ προσεμαρτύρησεν [c]. Εἰ οὖν ἀφ’ ὧν
ἀκούεις καὶ τεθνάναι καὶ γεγεννῆσθαι δίδως, ἐκ τῶν αὐτῶν
35 δώσεις πάντως καὶ τὸ ἔξω πάθους εἶναι καὶ τὴν γέννησιν αὐτοῦ
M 43 καὶ τὸν θάνατον · ἀλλὰ μὴν ταῦτα μείζω τῆς| φύσεως · οὐκοῦν
οὐδὲ ἐκεῖνος πάντως ἐντὸς τῆς φύσεως ὁ ἐν τοῖς ὑπὲρ τὴν φύσιν
γεγενῆσθαι ἀποδεικνύμενος.

ΙΔ´. Τίς οὖν αἰτία, φησί, τοῦ πρὸς τὴν ταπεινότητα ταύτην
καταβῆναι τὸ θεῖον, ὡς ἀμφίβολον εἶναι τὴν πίστιν, εἰ θεός, τὸ

---

b. Cf. Mt 1, 18-25   c. Cf. Mt 28, 1-7

1. Pour le thème de la naissance virginale, Grégoire se situe dans le
prolongement d'une tradition théologique qui s'origine dans le *N.T.* et qui
est attestée dans les écrits des Pères depuis le début du IIᵉ siècle : cf. par ex.
Ignace d'Antioche : « Le prince de ce monde a ignoré la virginité de Marie »
(*Lettre aux Éphésiens* 19, *SC* 10, p. 75) : cf. aussi *Lettre aux Smyrniotes* 1,
SC 10, p. 133). Irénée, de son côté, atteste que la naissance virginale est déjà
un élément constitutif des « règles de foi » du IIᵉ siècle (*AH* I, 10, 1, *SC* 264,
p. 155-157). Grégoire accorde une relative importance au thème de la
naissance virginale. Il est aussi un témoin important pour le titre de « *Théo-
tokos* » : « Un de nous a-t-il osé appeler 'mère d'un homme' la sainte Vierge
'mère de Dieu' ? » (*Lettre 3, SC* 363, p. 143). Athanase aussi voit dans la
naissance virginale une preuve de la divinité du Christ : « A voir ce corps issu

l'union entre deux partenaires et après la mort il connaît la dissolution. Si ces données faisaient partie de notre message, tu tu ne tiendrais aucunement pour Dieu celui dont nous attestons qu'il est soumis aux conditions de notre nature. Or, tu entends dire au contraire que s'il est né, il a échappé à la loi commune à notre nature et par son mode de naissance et par le non-assujettissement au changement qui tend vers la corruption ; il conviendrait donc en bonne logique d'orienter ton incrédulité dans le sens opposé, en refusant de penser qu'il n'a été qu'un homme ordinaire parmi ceux que la nature nous présente normalement. Car si l'on ne croit pas qu'il (le Christ) a été un homme de ce genre, de toute nécessité on en arrive à croire qu'il est Dieu. En effet, celui qui relate qu'il est né relate aussi qu'il est né d'une vierge [b][1]. Si donc, sur la foi de ce récit, nous croyons à sa naissance, pour la même raison il est tout à fait légitime de croire qu'il est né dans les conditions décrites. Celui qui parle de sa naissance ajoute qu'il est né d'une vierge. Et celui qui fait mention de la mort atteste la résurrection en plus de la mort. Si donc, en raison de ce que tu entends, tu accordes qu'il est mort et qu'il est né, en vertu des mêmes raisons, tu accorderas nécessairement que sa naissance et sa mort sont exemptes de toute forme de *pathos* — et assurément elles dépassent la nature. Donc, il n'est pas confiné non plus dans l'ordre de la nature celui dont il est démontré qu'il est né dans des conditions qui dépassent la nature.

2. Quel est le motif de l'Incarnation ?

XIV. Quelle est donc la raison, dit-on, pour laquelle la divinité s'est abaissée jusqu'à cette condition si basse au

---

d'une vierge seule, sans le concours d'un homme, qui n'en conclut pas que celui qui paraît dans ce corps est aussi l'auteur et le seigneur des autres corps ? » (*De Inc.*, *SC* 199, p. 333 ; *ibid.*, p. 397).

ἀχώρητον καὶ ἀκατανόητον καὶ ἀνεκλάλητον πρᾶγμα, τὸ ὑπὲρ
πᾶσαν δόξαν καὶ πᾶσαν μεγαλειότητα, τῷ λύθρῳ τῆς ἀνθρω-
PG 48 5 πίνης φύσεως καταμίγνυται, ὡς καὶ τὰς ὑψηλὰς ἐνερ|γείας
αὐτοῦ τῇ πρὸς τὸ ταπεινὸν ἐπιμιξίᾳ συνευτελίζεσθαι.

IE΄. Οὐκ ἀποροῦμεν καὶ πρὸς τοῦτο θεοπρεποῦς ἀποκρίσεως. Ζητεῖς τὴν αἰτίαν τοῦ γενέσθαι θεὸν ἐν ἀνθρώποις ; Ἐὰν
ἀφέλῃς τοῦ βίου τὰς θεόθεν γινομένας εὐεργεσίας, ἐκ ποίων
ἐπιγνώσῃ τὸ θεῖον οὐκ ἂν εἰπεῖν ἔχοις. Ἀφ᾽ ὧν γὰρ εὖ
5 πάσχομεν, ἀπὸ τούτων τὸν εὐεργέτην ἐπιγινώσκομεν · πρὸς
γὰρ τὰ γινόμενα βλέποντες, διὰ τούτων τὴν τοῦ ἐνεργοῦντος
ἀναλογιζόμεθα φύσιν. Εἰ οὖν ἴδιον γνώρισμα τῆς θείας φύσεως
ἡ φιλανθρωπία, ἔχεις ὃν ἐπεζήτησας λόγον, ἔχεις τὴν αἰτίαν
τῆς ἐν ἀνθρώποις τοῦ θεοῦ παρουσίας. Ἐδεῖτο γὰρ τοῦ ἰα-
10 τρεύοντος ἡ φύσις ἡμῶν ἀσθενήσασα, ἐδεῖτο τοῦ ἀνορθοῦντος
ὁ ἐν τῷ πτώματι ἄνθρωπος, ἐδεῖτο τοῦ ζωοποιοῦντος ὁ ἀφα-
μαρτὼν τῆς ζωῆς, ἐδεῖτο τοῦ πρὸς τὸ ἀγαθὸν ἐπανάγοντος ὁ
ἀπορρυεὶς τῆς τοῦ ἀγαθοῦ μετουσίας, ἔχρῃζε τῆς τοῦ φωτὸς
παρουσίας ὁ καθειργμένος τῷ σκότῳ, ἐπεζήτει τὸν λυτρωτὴν
15 ὁ αἰχμάλωτος, τὸν συναγωνιστὴν ὁ δεσμώτης, τὸν ἐλευθε-
M 44 ρωτὴν ὁ τῷ ζυγῷ τῆς δουλείας ἐγκατεχόμενος ·| ἆρα μικρὰ
ταῦτα καὶ ἀνάξια τοῦ θεὸν δυσωπῆσαι πρὸς ἐπίσκεψιν τῆς

---

1. Le terme *luthron*, au sens de souillure, désigne une bourbe faite de
poussière et de sang. L'opposition entre la sublimité de Dieu et le caractère
répugnant de cette fange confère à l'antithèse une force indéniable.

2. La raison ultime de l'Incarnation est la « philanthropie », à comprendre
au sens premier d'« amour de Dieu pour l'homme ». Ailleurs, GRÉGOIRE parle
de « surabondance de l'amour » et il emploie le terme biblique d'« *agapè* »
(*Disc. cat.* V).

3. Autre période caractérisée par la recherche d'effets stylistiques : anaphore pour *édeito* avec quatre membres de phrases (*kôla*) construits selon le
même schéma, remplacement de *édeito* par *échrèzé*, suivi d'un membre de
même construction que les *kôla* précédents, s'étalant avec plus d'ampleur et
marquant le sommet de la période, puis emploi de *épézètei* permettant de
changer de rythme pour la retombée. Cette période, loin de sonner creux au

point que la foi hésite sur le fait de savoir si Dieu, l'être infini, incompréhensible, ineffable, qui surpasse toute représentation et toute grandeur, se mêle à la souillure [1] de la nature humaine, si bien que ses activités sublimes sont dépréciées par ce mélange avec la bassesse ?

a. *Réponse : La philanthropie de Dieu*

XV. Nous ne sommes pas non plus dans l'embarras pour apporter à cette question une réponse digne de Dieu. Tu cherches la raison pour laquelle Dieu a pris naissance parmi les hommes ? Si tu retranches de la vie les bienfaits qui viennent de Dieu, tu ne saurais plus dire à quels signes distinctifs tu reconnais la divinité. Car c'est à partir de ce dont nous bénéficions que nous connaissons le bienfaiteur ; en effet, c'est en prenant en compte ce qui arrive que nous conjecturons par analogie la nature du bienfaiteur. Si donc il est vrai que la philanthropie [2] est une propriété caractéristique de la nature divine, tu tiens la raison que tu cherchais, tu tiens la cause de la présence de Dieu parmi les hommes. En effet, notre nature minée [3] par la maladie avait besoin du médecin ; l'homme tombé avait besoin de celui qui le relève ; celui qui avait perdu la vie avait besoin de celui qui donne la vie ; celui qui était déchu de la participation au bien avait besoin de celui qui le ramène au bien ; l'homme enfermé dans les ténèbres désirait la présence de la lumière ; le captif cherchait le rédempteur ; le prisonnier, le défenseur ; celui qui portait le joug de la servitude, le libérateur. Est-ce que tout cela était tellement insignifiant et tellement indigne

point de vue du sens, est d'une rare densité théologique. Elle résume en formules bien frappées les principaux aspects de l'œuvre salvifique. Une fois de plus, on a un fragment d'allure hymnique, avec une sorte de patine liturgique. Pour les procédés stylistiques, cf. L. Méridier, *L'influence de la seconde sophistique*, E. Norden, *Die antike Kunstprosa*, Darmstadt 1958 et H. Lausberg, *Handbuch der literarischen Rhetorik*, München 1972.

ἀνθρωπίνης φύσεως καταβῆναι, οὕτως ἐλεεινῶς καὶ ἀθλίως
τῆς ἀνθρωπότητος διακειμένης ;
20   Ἀλλ' ἐξῆν, φησί, καὶ εὐεργετηθῆναι τὸν ἄνθρωπον καὶ ἐν
ἀπαθείᾳ τὸν θεὸν διαμεῖναι. Ὁ γὰρ τῷ βουλήματι τὸ πᾶν συ-
στησάμενος καὶ τὸ μὴ ὂν ὑποστήσας ἐν μόνῃ τῇ ὁρμῇ τοῦ
θελήματος, τί οὐχὶ καὶ τὸν ἄνθρωπον δι' αὐθεντικῆς τινὸς καὶ
25 θεϊκῆς ἐξουσίας τῆς ἐναντίας δυνάμεως ἀποσπάσας πρὸς τὴν
ἐξ ἀρχῆς ἄγει κατάστασιν, εἰ τοῦτο φίλον αὐτῷ, ἀλλὰ μακρὰς
περιέρχεται περιόδους, σώματος ὑπερχόμενος φύσιν, καὶ διὰ
γεννήσεως παριὼν εἰς τὸν βίον, καὶ πᾶσαν ἀκολούθως ἡλικίαν
διεξιών, εἶτα θανάτου γευόμενος ᵃ, καὶ οὕτω διὰ τῆς τοῦ ἰδίου
30 σώματος ἀναστάσεως τὸν σκόπον ἀνύων ὡς οὐκ ἐξὸν αὐτῷ
μένοντι ἐπὶ τοῦ ὕψους τῆς θεϊκῆς δόξης διὰ προστάγματος
σῶσαι τὸν ἄνθρωπον, τὰς δὲ τοιαύτας περιόδους χαίρειν ἐᾶ-
σαι ; Οὐκοῦν ἀνάγκη καὶ ταῖς τοιαύταις τῶν ἀντιθέσεων
ἀντικαταστῆναι παρ' ἡμῶν τὴν ἀλήθειαν, ὡς ἂν διὰ μηδενὸς ἡ
35 πίστις κωλύοιτο τῶν ἐξεταστικῶς ζητούντων τοῦ μυστηρίου
τὸν λόγον. Πρῶτον μὲν οὖν ὅπερ καὶ ἐν τοῖς φθάσασιν ἤδη
μετρίως ἐξήτασται, τί τῇ ἀρετῇ κατὰ τὸ ἐναντίον ἀντι-
καθέστηκεν, ἐπισκεψώμεθα. Ὡς φωτὶ σκότος καὶ θάνατος τῇ
ζωῇ, οὕτω τῇ ἀρετῇ ἡ κακία δηλονότι καὶ οὐδὲν παρὰ ταύτην
40 ἕτερον. Καθάπερ γὰρ πολλῶν ὄντων τῶν ἐν τῇ κτίσει θεωρουμένων οὐδὲν ἄλλο πρὸς τὸ φῶς ἢ τὴν ζωὴν τὴν ἀντιδιαίρεσιν
M 45 ἔχει, οὐ λίθος, οὐ ξύλον,| οὐχ ὕδωρ, οὐκ ἄνθρωπος, οὐκ ἄλλο τι
τῶν ὄντων οὐδέν, πλὴν ἰδίως τὰ κατὰ τὸ ἐναντίον νοούμενα

---

a. Cf. He 2, 9

1. *Périodos* a des acceptions diverses : ici le terme entre en composition
avec *périerchétai* sous forme d'accusatif d'objet interne et voit son sens
précisé par là. Voir aussi *Disc. cat.* XVII ; XXVI ; XXXV.

qu'il eût dû déplaire à Dieu de descendre vers la nature
humaine pour la visiter, alors que l'humanité se trouvait dans
une situation si pitoyable et si malheureuse ?

b. *Pourquoi les longs détours et non pas un décret de la
volonté divine ?*

Mais, objecte-t-on, Dieu pouvait faire du bien à l'homme,
tout en restant dans *l'apatheia*. En effet, celui qui a organisé
l'univers par sa volonté et qui a fait passer du non-être à l'être
par la seule impulsion de sa volonté, pourquoi n'a-t-il pas
aussi arraché l'homme à la puissance ennemie, en ayant
recours à son pouvoir absolu et divin, et pourquoi ne l'a-t-il
pas ramené à sa condition originelle, si vraiment tel était son
bon plaisir ? Pourquoi effectuer de longs détours [1], qui
consistent à revêtir la nature corporelle, à entrer dans la vie
par la voie de la naissance, à parcourir successivement tous
les âges de la vie, à goûter la mort [a], pour atteindre ainsi le but
fixé, moyennant la résurrection de son propre corps, comme
s'il ne lui était pas possible, en demeurant dans les hauteurs
de la gloire divine, de sauver l'homme par un décret de sa
volonté et de renoncer à ces longs détours ? Il nous faut donc
aussi établir la vérité en face d'objections de ce genre, afin
que rien n'entrave la foi de ceux qui recherchent, au prix d'un
examen attentif, à rendre compte de ce mystère. Examinons
donc, en premier lieu, ce qui est exactement le contraire de la
vertu, question qui a déjà été abordée dans une certaine
mesure précédemment. Tout comme l'obscurité s'oppose à
la lumière et la mort à la vie, de même le vice s'oppose
manifestement à la vertu, et rien d'autre que le vice. De
même, en effet, que parmi les nombreuses choses que nous
observons dans la création, aucune n'entretient vraiment un
rapport d'opposition avec la lumière et la vie — ni pierre, ni
bois, ni eau, ni homme, ni rien d'autre de ce qui existe — à
l'exception de ce qui est perçu comme proprement contraire,
à savoir l'obscurité et la mort, de même personne ne saurait

οἷον σκότος καὶ θάνατος, οὕτω καὶ ἐπὶ τῆς ἀρετῆς οὐκ ἄν τις
45 κτίσιν τινὰ κατὰ τὸ ἐναντίον αὐτῇ νοεῖσθαι λέγοι πλὴν τὸ κατὰ
κακίαν νόημα.

Οὐκοῦν εἰ μὲν ἐν κακίᾳ γεγενῆσθαι τὸ θεῖον ὁ ἡμέτερος
ἐπρέσβευε λόγος, καιρὸν εἶχεν ὁ ἀντιλέγων κατατρέχειν ἡμῶν
PG 49   τῆς πίστεως ὡς ἀνάρμοστά τε καὶ ἀπεμφαίνοντα | περὶ τῆς
50 θείας φύσεως δοξαζόντων. Οὐ γὰρ δὴ θεμιτὸν ἦν αὐτοσοφίαν,
καὶ ἀγαθότητα, καὶ ἀφθαρσίαν, καὶ εἴ τι ὑψηλόν ἐστι νόημά τε
καὶ ὄνομα, πρὸς τὸ ἐναντίον μεταπεπτωκέναι λέγειν. Εἰ οὖν
Θεὸς μὲν ἡ ἀληθὴς ἀρετή, φύσις δέ τις οὐκ ἀντιδιαιρεῖται τῇ
ἀρετῇ, ἀλλὰ κακία, Θεὸς δὲ οὐκ ἐν κακίᾳ, ἀλλ᾿ ἐν ἀνθρώπου
55 γίνεται φύσει, μόνον δὲ ἀπρεπὲς καὶ αἰσχρὸν τὸ κατὰ κακίαν
πάθος ἐν ᾧ οὔτε γέγονεν ὁ Θεὸς οὔτε γενέσθαι φύσιν ἔχει, τί
ἐπαισχύνονται τῇ ὁμολογίᾳ τοῦ θεὸν ἀνθρωπίνης ἅψασθαι
φύσεως, οὐδεμιᾶς ἐναντιότητος ὡς πρὸς τὸν τῆς ἀρετῆς λόγον
ἐν τῇ κατασκευῇ τοῦ ἀνθρώπου θεωρουμένης ; Οὔτε γὰρ τὸ
60 λογικόν, οὔτε τὸ διανοητικόν, οὔτε τὸ ἐπιστήμης δεκτικόν,
οὔτε ἄλλο τι τοιοῦτον, ὃ τῆς ἀνθρωπίνης ἴδιον οὐσίας ἐστί, τῷ
λόγῳ τῆς ἀρετῆς ἠναντίωται.

Ι϶΄. Ἀλλ᾿ αὐτή, φησίν, ἡ τροπὴ τοῦ ἡμετέρου σώματος
πάθος ἐστίν · ὁ δὲ ἐν τούτῳ γεγονὼς ἐν πάθει γίνεται · ἀπαθὲς
δὲ τὸ θεῖον · οὐκοῦν ἀλλοτρία περὶ Θεοῦ ἡ ὑπόληψις, εἴπερ

---

1. Grégoire prend ses distances par rapport aux théories néo-platoniciennes et manichéennes, en affirmant que la nature créée n'est pas
mauvaise en elle-même ; rien en elle n'est inconvenant ou honteux au point
que Dieu ne puisse l'assumer lors de l'Incarnation.

2. Le mot *tropè* sert à désigner un changement physique, mais aussi un
changement moral. Ceux qui formulent l'objection semblent privilégier ce
sens.

affirmer, à propos de la vertu, qu'aucune chose créée ne peut être conçue comme étant le contraire de celle-ci, si ce n'est la notion de vice.

c. *Par l'Incarnation la nature divine n'a pas été abaissée*

Si notre enseignement prétendait que la divinité s'est engagée dans le vice, notre adversaire aurait l'occasion d'attaquer notre foi, en faisant valoir que nous soutenons une doctrine incohérente et invraisemblable sur la nature divine ; car il serait sacrilège de dire que la sagesse en soi, la bonté, l'incorruptibilité et toutes les autres notions et appellations sublimes ont connu l'abaissement au point d'être changées en leurs contraires. Donc si Dieu est la véritable vertu, si rien ne s'oppose par nature à la vertu, en dehors du vice, si par ailleurs Dieu assume non pas le vice, mais la nature humaine, et si seul est indigne de Dieu et avilissant le *pathos* lié au mal, état dans lequel Dieu n'est pas né ni ne pouvait naître en vertu de sa nature, pourquoi alors avoir honte de reconnaître que Dieu est entré en relation étroite avec la nature humaine [1], puisque l'on n'observe dans la condition de l'homme rien qui s'oppose à la notion de vertu ? En effet, ni la faculté de raisonner, ni celle de comprendre, ni celle de connaître, ni aucune autre du même genre, constitutives de la nature humaine ne s'opposent à la notion de vertu.

d. *La naissance et la mort du Christ ne sont pas affectées par un* pathos

Une objection : on ne saurait admettre que Dieu prenne naissance dans un corps affecté par le pathos *du changement.*

XVI. Mais, dit-on, le changement [2] même qui affecte notre corps est une forme de *pathos*. Celui qui a pris naissance dans ce corps se trouve affecté par ce *pathos* ; or la divinité est exempte de *pathos*. On a donc de Dieu une conception inadéquate, si l'on soutient que celui qui est naturellement

M 46	| τὸν ἀπαθῆ κατὰ τὴν φύσιν πρὸς κοινωνίαν πάθους ἐλθεῖν
5	διορίζονται.

'Αλλὰ καὶ πρὸς ταῦτα πάλιν τῷ αὐτῷ λόγῳ χρησόμεθα ὅτι
τὸ πάθος τὸ μὲν κυρίως, τὸ δὲ ἐκ καταχρήσεως λέγεται. Τὸ
μὲν οὖν προαιρέσεως ἁπτόμενον καὶ πρὸς κακίαν ἀπὸ τῆς
ἀρετῆς μεταστρέφον ἀληθῶς πάθος ἐστί · τὸ δ' ὅσον ἐν τῇ
10	φύσει κατὰ τὸν ἴδιον εἱρμὸν πορευομένη διεξοδικῶς θεωρεῖται,
τοῦτο κυριώτερον ἔργον ἂν μᾶλλον ἢ πάθος προσαγορεύοιτο
οἷον ἡ γέννησις, ἡ αὔξησις, ἡ διὰ τοῦ ἐπιρρύτου τε καὶ ἀπορ-
ρύτου τῆς τροφῆς τοῦ ὑποκειμένου διαμονή, ἡ τῶν στοιχείων
περὶ τὸ σῶμα συνδρομή, ἡ τοῦ συντεθέντος πάλιν διάλυσίς τε
15	καὶ πρὸς τὰ συγγενῆ μεταχώρησις.

Τίνος οὖν λέγει τὸ μυστήριον ἡμῶν ἧφθαι τὸ θεῖον ; Τοῦ
κυρίως λεγομένου πάθους, ὅπερ κακία ἐστίν, ἢ τοῦ κατὰ τὴν
φύσιν κινήματος ; Εἰ μὲν γὰρ ἐν τοῖς ἀπηγορευμένοις γεγενῆσθαι τὸ θεῖον ὁ λόγος διισχυρίζετο, φεύγειν ἔδει τὴν ἀτοπίαν
20	τοῦ δόγματος ὡς οὐδὲν ὑγιὲς περὶ τῆς θείας φύσεως διεξι-
όντος · εἰ δὲ τῆς φύσεως ἡμῶν αὐτὸν ἐφῆφθαι λέγει, ἧς καὶ ἡ
πρώτη γένεσίς τε καὶ ὑπόστασις παρ' αὐτοῦ τὴν ἀρχὴν ἔσχε,
ποῦ τῆς Θεῷ πρεπούσης ἐννοίας διαμαρτάνει τὸ κήρυγμα,
μηδεμιᾶς παθητικῆς διαθέσεως ἐν ταῖς περὶ Θεοῦ ὑπολήψεσι

1. L'ambivalence de *pathos*, déjà mise en lumière par Aristote (*Métaph.*
4, 21), amène Grégoire à faire une distinction. Au sens propre, explique-t-il,
pathos désigne le mal moral, le fait de se tourner vers le mal en toute liberté.
Entendu de cette façon, le *pathos* est absent de l'Incarnation, puisque le
Christ est exempt de tout péché et qu'il est né, non dans le péché, mais dans
la nature humaine. Au sens impropre, *pathos* désigne, entre autres, ce qui
affecte l'être humain sous forme de changement, de faiblesse, de maladie.
Compris de cette manière, le terme peut s'appliquer au Christ dans la
mesure où son corps a été affecté par le changement, la souffrance, étant
entendu que ces formes de *pathos* n'ont en elles-mêmes rien de moralement
répréhensible. En raison de la virginité de Marie, la naissance du Christ a été
libre des éléments du *pathos* de l'*hèdonè* qui affecte normalement toute
naissance humaine. De même, la vie du Christ a été exempte des élans du
vice, tels qu'on les trouve chez les hommes.
2. En opposant *ergon* à *pathos*, Grégoire veut faire comprendre qu'il
convient de distinguer le sens actif du processus de la vie organique et le
sens passif du *pathos* que l'on subit. La même distinction figure dans *CE*
III, *GNO* II, p. 144.

exempt de *pathos* est entré en communion avec cette forme
de *pathos*.

Précision sur le sens propre de pathos

Mais pour répondre à ces objections, nous avancerons
encore une fois le même argument, à savoir que le mot *pathos*
est employé tantôt au sens propre, tantôt en un sens abusif [1].
Ainsi ce qui est en rapport avec la volonté et fait passer de la
vertu au vice, est vraiment un *pathos*; par contre, tout ce
qu'on voit, dans la nature, se dérouler progressivement, selon
un enchaînement qui lui est propre, devrait être appelé plus
justement mode d'agir [2] que mode de pâtir : ainsi la naissance, la croissance, la conservation du sujet à travers le
processus d'ingestion et d'évacuation de la nourriture, l'agré-
gation des éléments pour former le corps, et, à l'inverse, la
dissolution du composé et le retour des éléments au milieu
apparenté [3].

Application au cas de la naissance et de la mort du Christ

Avec quoi donc la divinité est-elle entrée en contact
d'après les enseignements du mystère de notre foi? Est-ce
avec le *pathos* entendu au sens propre, c'est-à-dire avec le
vice, ou bien est-ce avec le mode de changement conforme à
notre nature? Si en effet notre enseignement soutenait que la
divinité s'est engagée dans ce qui est défendu, il faudrait fuir
l'absurdité d'une telle doctrine, vu qu'elle n'offre aucune
idée saine sur la nature divine; si, par contre, elle soutient
que Dieu est entré en contact avec notre nature, qui avait
trouvé en lui le principe de son origine et de sa subsistence,
en quoi le message que nous proclamons s'écarte-t-il d'une
conception digne de Dieu, puisque, dans nos idées sur Dieu,

---

3. Pour la dissolution du corps et le retour des éléments au milieu
apparenté, cf. ch. VIII et XXXVII. A comparer avec *De hom. opif.* 27, *SC* 6,
p. 210-211, et avec *De an. et res.*, tr. Terrieux, p. 97.

25 τῇ πίστει συνεισιούσης ; Οὐδὲ γὰρ τὸν ἰατρὸν ἐν πάθει γίνε-
M 47 σθαι λέγομεν,| ὅταν θεραπεύῃ τὸν ἐν πάθει γενόμενον · ἀλλὰ
κἂν προσάψηται τοῦ ἀρρωστήματος, ἔξω πάθους ὁ θεραπευτὴς διαμένει. Εἰ ἡ γένεσις αὐτὴ καθ᾽ ἑαυτὴν πάθος οὐκ
ἔστιν, οὐδ᾽ ἂν τὴν ζωήν τις πάθος προσαγορεύσειεν · ἀλλὰ τὸ
30 καθ᾽ ἡδονὴν πάθος τῆς ἀνθρωπίνης καθηγεῖται γενέσεως, καὶ
ἡ πρὸς κακίαν τῶν ζώντων ὁρμή — τοῦτο τῆς φύσεως ἡμῶν
ἐστιν ἀρρώστημα — ἀλλὰ μὴν ἀμφοτέρων αὐτὸν καθαρεύειν
φησὶ τὸ μυστήριον. Εἰ οὖν ἡδονῆς μὲν ἡ γένεσις ἠλλοτρίωται,
κακίας δὲ ἡ ζωή, ποῖον ὑπολέλειπται πάθος, οὗ τὸν Θεὸν
PG 52 35 κεκοινωνηκέναι φησὶ τὸ τῆς εὐσεβείας μυστήριον [a] ;| Εἰ δέ τις
τὴν τοῦ σώματος καὶ τῆς ψυχῆς διάζευξιν πάθος προσαγο-
ρεύοι, πολὺ πρότερον δικαῖος ἂν εἴη τὴν συνδρομὴν ἀμφοτέρων
οὕτω κατονομάσαι. Εἰ γὰρ ὁ χωρισμὸς τῶν συνημμένων
πάθος ἐστί, καὶ ἡ συνάφεια τῶν διεστώτων πάθος ἂν εἴη ·
40 κίνησις γάρ τίς ἐστιν ἔν τε τῇ συγκράσει τῶν διεστώτων καὶ ἐν
τῇ διακρίσει τῶν [συμπεπλεγμένων ἢ] ἡνωμένων · ὅπερ τοίνυν
ἡ τελευταία κίνησις ὀνομάζεται, τοῦτο προσήκει καλεῖσθαι
καὶ τὴν προάγουσαν. Εἰ δὲ ἡ πρώτη κίνησις ἣν γένεσιν ὀνο-
μάζομεν πάθος οὐκ ἔστιν, οὐδ᾽ ἂν ἡ δευτέρα κίνησις ἣν θάνα-
M 48 45 τον ὀνομάζομεν πάθος [ἂν] κατὰ τὸ ἀκόλουθον λέγοιτο,| καθ᾽
ἣν ἡ συνδρομὴ τοῦ σώματος καὶ τῆς ψυχῆς διακρίνεται. Τὸν δὲ
Θεόν φαμεν ἐν ἑκατέρᾳ γεγενῆσθαι τῇ τῆς φύσεως ἡμῶν
κινήσει δι᾽ ἧς ἥ τε ψυχὴ πρὸς τὸ σῶμα συντρέχει τό τε σῶμα
τῆς ψυχῆς διακρίνεται, καταμιχθέντα δὲ πρὸς ἑκάτερον τού-
50 των — πρός τε τὸ αἰσθητόν φημι καὶ τὸ νοερὸν τοῦ
ἀνθρωπίνου συγκρίματος — διὰ τῆς ἀρρήτου ἐκείνης καὶ

a. Cf. 1 Tm 3, 16

1. Comparaison qui n'est pas construite selon le schème des deux termes reliés par « de même que... de même » ; ici elle est censée fournir directement la preuve pour ce qui vient d'être affirmé à propos de Dieu. Le thème du médecin qui ne contracte pas la maladie du patient qu'il soigne figure dans *CE* III, *GNO* II, p. 146.

aucune forme de *pathos* ne se rencontre dans les représentations de notre foi ? Car nous ne disons pas non plus que le
médecin connaît un état de *pathos*, quand il soigne
quelqu'un qui est dans un tel état[1] ; mais même s'il entre en
contact avec la maladie, il reste exempt de cette forme de
pathos. Si déjà la naissance en elle-même n'est pas de l'ordre
du *pathos*, personne ne saurait non plus nommer la vie un
pathos ; par contre, le *pathos* attaché à la volonté qui est à
l'origine de la naissance de l'homme et le penchant au mal
des êtres vivants est une maladie de notre nature. Or, ainsi
que le dit le mystère de notre foi, Dieu est exempt de l'un et
de l'autre. Si donc la naissance du Christ a été étrangère à la
volupté et sa vie étrangère au vice, que reste-t-il comme
forme de *pathos* à avoir été partagée par Dieu suivant l'enseignement du mystère de la piété[a] ? Si quelqu'un appelle
pathos la séparation de l'âme et du corps, il serait bien plus
juste de donner ce nom à la réunion des deux. Car si la
séparation de ces deux éléments unis entre eux est de l'ordre
du *pathos*, l'union entre ces deux éléments d'abord séparés
est également un *pathos* ; en effet, il y a en quelque sorte
changement aussi bien dans l'union par mélange de ce qui
était séparé que dans la dissociation des éléments qui étaient
liés ensemble ou plutôt qui formaient une unité entre eux.
C'est pourquoi la dénomination qui sert à désigner le changement final est celle qu'il convient d'utiliser aussi pour
désigner le changement initial. Mais si le premier changement que nous appelons naissance n'est pas de l'ordre du
pathos, le deuxième changement, que nous nommons mort
et sous l'effet duquel se défait l'union de l'âme et du corps, ne
saurait non plus, en bonne logique, être qualifié de *pathos*.
Pour ce qui est de Dieu, nous affirmons qu'il a passé par les
deux formes de changement de notre nature, dont l'une fait
que l'âme s'unit au corps, et l'autre, que le corps soit séparé
de l'âme ; nous affirmons aussi qu'il s'est mêlé à chacun des
deux éléments, c'est-à-dire à la partie sensible et à la partie
intelligible du composé humain, et que, moyennant ce

ἀνεκφράστου συνανακράσεως τοῦτο οἰκονομήσασθαι τὸ τῶν
ἅπαξ ἑνωθέντων — ψυχῆς λέγω καὶ σώματος — καὶ εἰς ἀεὶ
διαμεῖναι τὴν ἕνωσιν.

55   Τῆς γὰρ φύσεως ἡμῶν διὰ τῆς ἰδίας ἀκολουθίας καὶ ἐν
ἐκείνῳ πρὸς διάκρισιν τοῦ σώματος καὶ τῆς ψυχῆς κινηθείσης,
πάλιν συνῆψε τὰ διακριθέντα καθάπερ τινὶ κόλλῃ — τῇ θείᾳ
λέγω δυνάμει — πρὸς τὴν ἄρρηκτον ἕνωσιν τὸ διασχισθὲν
συναρμόσας. Καὶ τοῦτό ἐστιν ἡ ἀνάστασις, ἡ τῶν συνεζευγ-
60   μένων μετὰ τὴν διάλυσιν ἐπάνοδος εἰς ἀδιάλυτον ἕνωσιν
ἀλλήλοις συμφυομένων, ὡς ἂν ἡ πρώτη περὶ τὸ ἀνθρώπινον
χάρις ἀνακληθείη καὶ πάλιν ἐπὶ τὴν ἀΐδιον ἐπανέλθοιμεν ζωήν,
τῆς ἐμμιχθείσης τῇ φύσει κακίας διὰ τῆς διαλύσεως ἡμῶν
ἐκρυείσης, οἷον ἐπὶ τοῦ ὑγροῦ συμβαίνει, περιτρυφθέντος αὐ-
65   τῷ τοῦ ἀγγείου, σκεδαννυμένου τε καὶ ἀφανιζομένου, μηδενὸς
ὄντος τοῦ περιστέγοντος.

Καθάπερ δὲ ἡ ἀρχὴ τοῦ θανάτου ἐν ἑνὶ γενομένη πάσῃ
συνδιεξῆλθε τῇ ἀνθρωπίνῃ φύσει, κατὰ τὸν αὐτὸν τρόπον καὶ ἡ
ἀρχὴ τῆς ἀναστάσεως δι’ ἑνὸς ἐπὶ πᾶσαν διατείνει τὴν
70   ἀνθρωπότητα [b]. Ὁ γὰρ τὴν ἀναληφθεῖσαν παρ’ ἑαυτοῦ ψυχὴν

---

b. Cf. Rm 5, 17 ; 1 Co 15, 20-22

1. Pour le thème de la mort conçue comme séparation de l'âme et du
corps voir Introduction, p. 73 s.
2. Dans *l'Antirrh.*, GRÉGOIRE a recours à l'image du roseau fendu dont les
segments se rapprochent de nouveau sous l'effet de la puissance divine : « Si
un roseau est fendu en deux et si on réunit à nouveau, à l'un des bouts, les
extrémités des deux segments, l'un des segments s'ajustera nécessairement
à l'autre sur toute la longueur, étant donné que le rapprochement et l'ajustement des extrémités à l'un des bouts entraîne l'ajustement à l'autre bout :
de la même façon, l'union de l'âme avec le corps réalisée dans le Christ par la
résurrection conduit, par l'espérance de la résurrection, à l'union étroite de
la nature humaine tout entière que la mort avait séparée en deux, à savoir le

mélange ineffable et inexprimable, il a réalisé le plan, selon
lequel l'union, une fois effectuée, entre les deux éléments,
c'est-à-dire son âme et son corps, est destinée à durer pour
toujours.

Que représente la résurrection ?

En effet, comme notre nature avait été entraînée, en vertu
de la constitution qui lui est propre, même dans le cas du
Christ, vers la séparation de l'âme et du corps[1], Dieu a de
nouveau réuni ce qui était séparé comme avec une colle[2], je
veux dire avec la puissance divine, en réajustant pour les
joindre dans une union indestructible les parties qui avaient
été séparées. Et c'est cela la résurrection, le retour, après la
séparation, des éléments qui avaient été étroitement liés, à
une union indissoluble, les deux formant un tout étroitement
uni, pour que la grâce première du genre humain fût restau-
rée et que nous pussions revenir à la vie éternelle, une fois
que se serait écoulé, grâce à la dissolution, le mal uni à notre
nature, comme cela se passe pour un liquide qui se répand et
disparaît, quand on a brisé le vase qui le renfermait et que
rien n'est plus là pour le contenir.

La résurrection du Christ, principe de résurrection pour les hommes

Or, de même que la mort prit son départ dans un seul
homme et s'est transmise en même temps à toute la nature
humaine, de la même manière la résurrection, trouvant son
origine en un seul, s'étend, grâce à un seul, à toute l'humanité[b]. Celui qui a de nouveau uni à son propre corps l'âme

---

corps et l'âme... En effet, d'après l'exemple du roseau, à partir de cette
extrémité qui tire son origine d'Adam, notre nature fut fendue en deux par
le péché, l'âme étant séparée du corps par la mort ; mais par l'extrémité qui
concerne le Christ, la nature humaine retrouve son état premier, par le fait
que dans la résurrection de l'homme selon le Christ les parties séparées se
rejoignent de nouveau parfaitement » (*Antirrh.*, *GNO* III,1, p. 226). Cf. R.
WINLING, « La résurrection du Christ dans l'*Antirrheticus* », *REAug* 35,
1989, p. 31-32.

πάλιν ἑνώσας τῷ οἰκείῳ σώματι διὰ τῆς δυνάμεως ἑαυτοῦ τῆς
M 49   ἑκατέρῳ τού|των παρὰ τὴν πρώτην σύστασιν ἐμμιχθείσης
οὕτω γενικωτέρῳ τινὶ λόγῳ τὴν νοερὰν οὐσίαν τῇ αἰσθητῇ
συγκατέμιξε, τῆς ἀρχῆς κατὰ τὸ ἀκόλουθον ἐπὶ τὸ πέρας
75   εὐοδουμένης. Ἐν γὰρ τῷ ἀναληφθέντι παρ᾽ αὐτοῦ ἀνθρώπῳ
πάλιν μετὰ τὴν διάλυσιν πρὸς τὸ σῶμα τῆς ψυχῆς ἐπανελ-
θούσης, οἷον ἀπό τινος ἀρχῆς εἰς πᾶσαν τὴν ἀνθρωπίνην
φύσιν τῇ δυνάμει κατὰ τὸ ἴσον ἡ τοῦ διακριθέντος ἕνωσις
διαβαίνει. Καὶ τοῦτό ἐστι τὸ μυστήριον τῆς τοῦ Θεοῦ περὶ τὸν
80   θάνατον οἰκονομίας καὶ τῆς ἐκ νεκρῶν ἀναστάσεως, τὸ δια-
λυθῆναι μὲν τῷ θανάτῳ τοῦ σώματος τὴν ψυχὴν κατὰ τὴν
ἀναγκαίαν τῆς φύσεως ἀκολουθίαν μὴ κωλῦσαι, εἰς ἄλληλα δὲ
πάλιν ἐπαναγαγεῖν διὰ τῆς ἀναστάσεως, ὡς ἂν αὐτὸς γένοιτο
μεθόριον ἀμφοτέρων, θανάτου τε καὶ ζωῆς, ἐν ἑαυτῷ μὲν
85   στήσας διαιρουμένην τῷ θανάτῳ τὴν φύσιν, αὐτὸς δὲ γενόμενος ἀρχὴ τῆς τῶν διῃρημένων ἑνώσεως.

PG 53   ΙΖ΄. Ἀλλ᾽ οὔπω φήσει τις λελύσθαι τὴν ὑπενεχθεῖσαν ἡμῖν
ἀντίθεσιν, ἰσχυροποιεῖσθαι δὲ μᾶλλον ἐκ τῶν εἰρημένων τὸ
παρὰ τῶν ἀπίστων ἡμῖν προφερόμενον · εἰ γὰρ τοσαύτη δύναμίς ἐστιν ἐν αὐτῷ ὅσην ὁ λόγος ἐπέδειξεν, ὡς θανάτου τε
5   καθαίρεσιν καὶ ζωῆς εἴσοδον ἐπ᾽ αὐτῷ εἶναι, τί οὐχὶ θελήματι
μόνῳ τὸ κατὰ γνώμην ποιεῖ, ἀλλ᾽ ἐκ περιόδου τὴν σωτηρίαν
ἡμῶν κατεργάζεται, τικτόμενός τε καὶ τρεφόμενος, καὶ τῇ τοῦ
θανάτου πείρᾳ σῴζων τὸν ἄνθρωπον, ἐξὸν μήτε ἐν τούτοις
M 50   γενέσθαι καὶ ἡμᾶς περισώσα|σθαι ; Πρὸς δὲ τὸν τοιοῦτον

---

1. Selon certains commentateurs, Grégoire exprimerait dans ce passage
l'idée que le Logos est indissociablement uni à l'âme et au corps, même au
moment où la mort provoque la séparation entre les deux. Il s'est exprimé de
façon plus claire dans l'*Antirrh*.

2. Le passage *kai touto.....dia tès anastaséôs* a été repris par Théodoret,
Dial. III.

3 *Méthorion* a ici le sens de frontière entre deux domaines, limite qu'on ne
franchit pas. Cf. J. Daniélou, « Frontière », dans *L'être et le temps*, p. 116-
132. Cf. Introduction, 'Portée salvifique de la résurrection du Christ',
p. 102 s.

qu'il avait assumée, en ayant recours à sa puissance mêlée à l'un et à l'autre dès l'union initiale [1], a mêlé de façon plus générale la substance intelligible avec la substance sensible, si bien que le principe posé au début opère, selon une progression ordonnée, jusqu'à la fin. En effet, comme dans l'homme qu'il a réassumé, l'âme est de nouveau retournée au corps après la séparation de l'âme d'avec le corps, c'est en quelque sorte à partir de ce point de départ que l'union de ce qui avait été séparé s'étend, en puissance, à toute la nature humaine également. Et tel [2] est le mystère de l'économie de Dieu à propos de la mort et de la résurrection d'entre les morts : Dieu n'a pas empêché que la mort sépare l'âme du corps selon l'ordre inéluctable de la nature, mais, par la résurrection, il a de nouveau rétabli l'union entre les deux, de façon à ce qu'il soit lui-même la ligne de partage [3] entre deux domaines, celui de la mort et celui de la vie, en provoquant en lui-même l'arrêt de la dissolution de la nature par la mort et en devenant lui-même le point de départ du retour à l'union des deux après leur séparation.

f. *Retour à l'objection : Caractère voilé de la conduite de Dieu*

XVII. Mais on prétendra que l'objection qui nous a été faite n'est pas encore réfutée et que l'argumentation que les incrédules nous opposent se trouve plutôt renforcée par ce qui vient d'être dit. En effet, si Dieu possède en lui une puissance aussi grande que notre discours l'a montrée, au point qu'il est en son pouvoir de détruire la mort et de procurer l'accès à la vie, pourquoi n'exécute-t-il pas par sa seule volonté le projet conçu, au lieu de réaliser notre salut par des chemins détournés, en naissant, en grandissant, en passant par l'épreuve de la mort pour sauver l'homme, alors qu'il pouvait assurer notre salut sans pour autant passer par ces étapes ? En guise de réponse à des propos de ce genre, il

10 λόγον ἱκανὸν μὲν ἦν πρὸς τοὺς εὐγνώμονας τοσοῦτον εἰπεῖν,
ὅτι καὶ τοῖς ἰατροῖς οὐ νομοθετοῦσι τὸν τρόπον τῆς ἐπιμελείας
οἱ κάμνοντες, οὐδὲ περὶ τοῦ τῆς θεραπείας εἴδους πρὸς τοὺς
εὐεργέτας ἀμφισβητοῦσι, διὰ τί προσήψατο τοῦ πονοῦντος
μέρους ὁ θεραπεύων καὶ τόδε τι πρὸς τὴν τοῦ κακοῦ λύσιν
15 ἐπενόησεν, ἕτερον δέον, ἀλλὰ πρὸς τὸ πέρας ὁρῶντες τῆς
εὐεργεσίας ἐν εὐχαριστίᾳ τὴν εὐποιΐαν ἐδέξαντο. Ἀλλ᾽ ἐπειδή,
καθὼς φησιν ἡ προφητεία, Τὸ πλῆθος τῆς χρηστότητος τοῦ
Θεοῦ κεκρυμμένην ἔχει τὴν ὠφέλειαν ᵃ καὶ οὔπω διὰ τοῦ
παρόντος βίου τηλαυγῶς καθορᾶται — ἢ γὰρ ἂν περιήρητο
20 πᾶσα τῶν ἀπίστων ἀντίρρησις, εἰ τὸ προσδοκώμενον ἐν
ὀφθαλμοῖς ἦν · νυνὶ δὲ ἀναμένει τοὺς ἐπερχομένους αἰῶνας,
ὥστε ἐν αὐτοῖς ἀποκαλυφθῆναι τὰ νῦν διὰ τῆς πίστεως μόνης
ὁρώμενα — ἀναγκαῖον ἂν εἴη λογισμοῖς τισι κατὰ τὸ
ἐγχωροῦν καὶ τῶν ἐπιζητουμένων ἐξευρεῖν τὴν λύσιν τοῖς
25 προλαβοῦσι συμβαίνουσαν.

ΙΗ΄. Καίτοι περιττὸν ἴσως ἐστὶ Θεὸν ἐπιδεδημηκέναι τῷ
βίῳ πιστεύσαντας διαβάλλειν τὴν παρουσίαν ὡς οὐκ ἐν σοφίᾳ
τινὶ καὶ λόγῳ γενομένην τῷ κρείττονι · τοῖς γὰρ μὴ λίαν
ἀντιμαχομένοις πρὸς τὴν ἀλήθειαν οὐ μικρὰ τῆς θείας ἐπι-
5 δημίας ἀπόδειξις ἡ καὶ πρὸ τῆς μελλούσης ζωῆς ἐν τῷ παρόντι
βίῳ φανερωθεῖσα, ἡ διὰ τῶν πραγμάτων αὐτῶν, φημί, μαρτυρία.

Τίς γὰρ οὐκ οἶδεν ὅπως πεπλήρωτο κατὰ πᾶν μέρος τῆς
οἰκουμένης ἡ τῶν δαιμόνων ἀπάτη, διὰ τῆς εἰδωλομανίας τῆς

---

a. Ps 31, 20

1. Le mot *chrèstotès*, qui provient des *LXX*, Ps 30 (31), est utilisé comme
synonyme de *agapè*, de *philanthropia*, de *agathotès*.
2. Pour désigner le séjour du Logos incarné sur terre, GRÉGOIRE a recours
à un registre assez varié : ainsi *parousia* (ch. XVIII), *épidèmia* (ch. XVIII),
théophaneia (ch. XVIII), *sunkatabasis* (ch. XXIV), *épiskepsis* (ch. XV).

suffirait de faire remarquer aux esprits avisés que les malades
ne prescrivent pas non plus aux médecins la forme du traitement : ils ne discutent pas avec leurs bienfaiteurs sur la
nature des soins, en demandant pourquoi celui qui les soigne
touche la partie malade et imagine tel remède pour les déli-
vrer du mal, alors qu'il en faudrait tel autre ; mais considérant le résultat recherché, ils accueillent avec reconnaissance
le service rendu. Mais puisque, comme le dit la prophétie,
l'abondance de la bonté [1] de Dieu nous procure des bienfaits
qui nous échappent [a] et ne se perçoit pas clairement dans la
vie présente — car toutes les contestations de la part des
incrédules s'évanouiraient si ce que nous espérons était perceptible par le regard — il convient, dans les conditions
présentes, d'attendre les siècles à venir, pour que se dévoile ce
que la foi seule nous fait voir aujourd'hui ; il faudrait donc
recourir autant que possible au raisonnement en vue de
trouver, pour les questions soulevées, une solution qui soit en
accord avec ce qui précède.

3. Faits qui prouvent que le Dieu qui s'est incarné est mystérieusement à l'œuvre

XVIII. A la vérité si l'on croit que Dieu est venu pour
partager notre mode de vie, il est peut-être inutile de discré-
diter sa présence sur terre [2], sous prétexte qu'elle ne s'est pas
effectuée selon une certaine sagesse et selon une raison supérieure. Pour ceux qui ne se dressent pas trop farouchement
contre la vérité, il existe une preuve non négligeable de cet
avènement divin, celle qui s'est manifestée, même avant la vie
future, dans la vie présente, je veux dire le témoignage fourni
par les faits eux-mêmes.

a. *Disparition de l'idolâtrie*

Qui ne sait en effet comment la tromperie des démons avait
atteint son comble dans toutes les parties de la terre et s'était

M 51 10 ζωῆς | τῶν ἀνθρώπων κατακρατήσασα ; ὅπως τοῦτο νόμιμον
πᾶσι τοῖς κατὰ τὸν κόσμον ἔθνεσιν ἦν τὸ θεραπεύειν διὰ τῶν
εἰδώλων τοὺς δαίμονας ἐν ταῖς ζωοθυσίαις καὶ τοῖς ἐπιβωμίοις
μιάσμασιν ; Ἀφ' οὗ δέ, καθώς φησιν ὁ ἀπόστολος, Ἐπεφάνη
ἡ χάρις τοῦ Θεοῦ ἡ σωτήριος πᾶσιν ἀνθρώποις ᵃ, διὰ τῆς
15 ἀνθρωπίνης ἐπιδημήσασα φύσεως, πάντα καπνοῦ δίκην εἰς τὸ
μὴ ὂν μετεχώρησεν, ὥστε παύσασθαι μὲν τὰς τῶν χρηστηρίων
τε καὶ μαντειῶν μανίας, ἀναιρεθῆναι δὲ τὰς ἐτησίους πομπὰς
καὶ τὰ δι' αἱμάτων ἐν ταῖς ἑκατόμβαις μολύσματα, ἐν δὲ τοῖς
πολλοῖς τῶν ἐθνῶν ἀφανισθῆναι καθ' ὅλου βωμοὺς καὶ προπύ-
20 λαια καὶ τεμένη καὶ ἀφιδρύματα καὶ ὅσα ἄλλα τοῖς θερα-
πευταῖς τῶν δαιμόνων ἐπὶ ἀπάτῃ σφῶν αὐτῶν καὶ τῶν ἐντυγ-
χανόντων ἐπετηδεύετο, ὡς ἐν πολλοῖς τῶν τόπων μηδὲ εἰ
PG 56 γέγονε ταῦτά ποτε, μνημονεύεσθαι,| ἀντεγερθῆναι δὲ κατὰ
πᾶσαν τὴν οἰκουμένην ἐπὶ τῷ τοῦ Χριστοῦ ὀνόματι ναοὺς καὶ
25 θυσιαστήρια, καὶ τὴν σεμνήν τε καὶ ἀναίμακτον ἱερωσύνην καὶ
τὴν ὑψηλὴν φιλοσοφίαν, ἔργῳ μᾶλλον ἢ λόγῳ κατορθουμένην,
καὶ τῆς σωματικῆς ζωῆς τὴν ὑπεροψίαν καὶ τοῦ θανάτου τὴν
καταφρόνησιν, ἣν οἱ μεταστῆναι τῆς πίστεως παρὰ τῶν
τυράννων ἀναγκαζόμενοι φανερῶς ἐπεδείξαντο, ἀντ' οὐδενὸς
30 δεξάμενοι τὰς τοῦ σώματος αἰκίας, καὶ τὴν ἐπὶ θανάτῳ ψῆφον,

a. Tt 2, 11

1. L'influence des démons et le culte des idoles sont des lieux communs
de l'apologétique chrétienne dans les controverses avec les païens : voir
« Démon », *DTC* 4, col. 322-409, notamment « Démon d'après les Pères »,
col. 339-384 ; art. « Dämonen », *TRE* 8, p. 270-300, avec d'utiles indications
bibliographiques. Parmi les auteurs chronologiquement plus proches de
Grégoire voir notamment ATHANASE, *Contra gentes*, *SC* 18, p. 177-178 ;
199-204 ; *De Inc.* 13, *SC* 199, p. 311 s.
2. ATHANASE avance le même argument, mais en le développant : « Quand
les hommes ont-ils commencé de délaisser le culte des idoles, sinon depuis
que le Verbe véritable de Dieu est venu parmi les hommes ? Quand la

rendue maîtresse de la vie humaine par l'insanité du culte des idoles[1], et qui ne sait comment, chez tous les peuples de l'univers, c'était une règle d'honorer les démons, sous la forme d'idoles, par des sacrifices d'animaux et les abominations perpétrées sur les autels ? Mais depuis que « se fut manifestée, selon la parole de l'apôtre, la grâce de Dieu, source de salut pour tous les hommes[a] », qui est venue nous visiter en revêtant la nature humaine, tout cela s'est évanoui à la manière d'une fumée, si bien que les folies des oracles et de la divination[2] cessèrent, que les processions solennelles et les souillures sanglantes des hécatombes furent supprimées, et que chez la plupart des peuples disparurent entièrement les autels, propylées, enceintes sacrées, statues consacrées et tout ce qu'entretenaient les ministres des démons pour se tromper eux-mêmes et pour tromper ceux avec lesquels ils étaient en relation, de sorte que, en beaucoup d'endroits, on ne se rappelle même pas si jamais ces choses ont existé, et qu'à leur place on vit apparaître, sur toute la surface de la terre, au nom du Christ, des temples et des lieux d'offrande, le sacerdoce auguste et pur de sang et la sagesse sublime[3] qu'on cultive de manière juste plutôt par les actes que par les paroles, le mépris de la vie corporelle et le dédain de la mort, qu'ont manifestés clairement ceux que les tyrans voulaient obliger à changer de foi ; car ils acceptèrent avec indifférence les mauvais traitements infligés à leur corps et leur condam-

divination a-t-elle cessé et s'est-elle trouvée vide de sens, sinon quand le Sauveur s'est révélé jusque sur cette terre ? » (*De Inc.*, *SC* 199, p. 435-437).
    3. L'expression « philosophie sublime » est employée par les Pères pour désigner la religion chrétienne avec sa doctrine, sa morale, son idéal ascétique et mystique. Grégoire se rattache à une longue tradition et souligne la supériorité de la « philosophie chrétienne » sur la philosophie païenne, en raison de la connaissance des choses divines qu'elle procure et de la motivation qu'elle apporte à traduire sa foi en actes.

οὐκ ἂν ὑποστάντες δηλαδὴ ταῦτα μὴ σαφῆ τε καὶ ἀναμφίβολον
M 52   τῆς θείας | ἐπιδημίας ἔχοντες τὴν ἀπόδειξιν.

Τὸ δὲ αὐτὸ τοῦτο καὶ πρὸς τοὺς ἰουδαίους ἱκανόν ἐστι
σημεῖον εἰπεῖν τοῦ παρεῖναι τὸν παρ' αὐτῶν ἀπιστούμενον.
35   Μέχρι μὲν γὰρ τῆς τοῦ Χριστοῦ θεοφανείας λαμπρὰ παρ'
αὐτοῖς ἦν τὰ ἐν Ἱεροσολύμοις βασίλεια, ὁ διώνυμος ἐκεῖνος
ναός, αἱ νενομισμέναι δι' ἔτους θυσίαι · πάντα ὅσα παρὰ τοῦ
νόμου δι' αἰνιγμάτων τοῖς μυστικῶς ἐπαΐειν ἐπισταμένοις
διῄρηται, μέχρι τότε κατὰ τὴν ἐξ ἀρχῆς νομισθεῖσαν αὐτοῖς
40   τῆς εὐσεβείας θρησκείαν ἀκώλυτα ἦν. Ἐπεὶ δὲ εἶδον τὸν
προσδοκώμενον, ὃν διὰ τῶν προφητῶν τε καὶ τοῦ νόμου
προεδιδάχθησαν, καὶ προτιμοτέραν ἐποιήσαντο τῆς εἰς τὸν
φανέντα πίστεως τὴν λοιπὸν ἐσφαλμένην ἐκείνην δεισιδαι-
μονίαν, ἣν κακῶς ἐκλαβόντες τὰ τοῦ νόμου ῥήματα διεφύ-
45   λασσον, συνηθείᾳ μᾶλλον ἢ διανοίᾳ δουλεύοντες, οὔτε τὴν
ἐπιφανεῖσαν ἐδέξαντο χάριν καὶ τὰ σεμνὰ τῆς παρ' αὐτοῖς
θρησκείας ἐν διηγήμασι ψιλοῖς ὑπολείπεται, τοῦ ναοῦ μὲν οὐδὲ
ἐξ ἰχνῶν ἔτι γινωσκομένου, τῆς δὲ λαμπρᾶς ἐκείνης πόλεως ἐν
ἐρειπίοις ὑπολειφθείσης, <ὡς> μεῖναι [δὲ] τοῖς ἰουδαίοις τῶν
50   κατὰ τὸ ἀρχαῖον νενομισμένων μηδέν, ἀλλὰ καὶ αὐτὸν τὸν
σεβάσμιον αὐτοῖς ἐν Ἱεροσολύμοις τόπον ἄβατον προστάγματι
τῶν δυναστευόντων γενέσθαι.

---

1. ATHANASE parle en termes enflammés du courage des chrétiens qui
meurent pour le Christ. Il y voit un effet de la foi en la résurrection : « Depuis
que le Sauveur a ressuscité son corps, la mort n'est plus effrayante. » (De Inc.
27, SC 199, p. 363 s. ; voir aussi Ibid. 29 et 48). Grégoire parle de l'attitude
des martyrs pour illustrer le thème de la transformation opérée par le
christianisme.

nation à mort, ce qu'ils n'auraient manifestement pas
enduré, s'ils n'avaient pas eu la preuve sûre et indubitable du
séjour de Dieu sur terre [1].

b. *Destruction du Temple de Jérusalem*

Le fait suivant lui-même peut être opposé aux juifs comme
preuve suffisante de la présence sur terre de celui auquel ils
refusent de croire. En effet, jusqu'à la manifestation divine
du Christ, ils avaient à Jérusalem leurs brillants palais, le
Temple renommé au loin, les sacrifices célébrés d'année en
année conformément aux prescriptions légales ; tout ce qui
avait été déterminé par la Loi, en langage voilé, pour les
esprits sachant comprendre le sens mystique, se pratiquait
jusque là sans empêchement, suivant les rites de leur religion
qui avaient été prescrits dès l'origine. Mais après qu'ils
eurent vu celui qui était attendu, celui à propos duquel ils
avaient reçu auparavant l'enseignement des prophètes et de
la Loi et que finalement ils eurent préféré à la foi en celui qui
s'était montré ce qui désormais était une superstition mal
comprise, entachée d'erreurs, qu'ils interprétaient mal, au
point qu'ils conservaient la lettre de la Loi, en restant servi-
lement attachés à la coutume plutôt qu'à l'esprit, alors ils
n'accueillirent pas la grâce qui s'était manifestée ; et le caractère auguste des cérémonies religieuses ne subsiste plus que
dans de simples récits ; le Temple n'est même plus connu
d'après ses traces ; de cette ville brillante il ne reste que des
ruines et les juifs n'ont rien gardé des antiques prescriptions
de la Loi ; l'accès au lieu saint à Jérusalem même leur est
interdit par décret des souverains [2].

---

2. ATHANASE aborde aussi cette question dans le *De Inc.* Partant du fait
que les juifs attendent toujours la venue du Messie, il déclare : « Une fois que
le Saint des saints est là, la vision et la prophétie ont été scellées à juste titre,
et le royaume de Jérusalem a cessé... La ville et le Temple sont détruits... »
(*De Inc.* 40, *SC* 199, p. 407-409).

ΙΘ΄. Ἀλλ᾽ ὅμως, ἐπειδὴ μήτε τοῖς ἑλληνίζουσι μήτε τοῖς
τῶν ἰουδαϊκῶν προεστῶσι δογμάτων δοκεῖ ταῦτα θείας
M 53   παρ|ουσίας ποιεῖσθαι τεκμήρια, καλῶς ἂν ἔχοι περὶ τῶν
ἀνθυπενεχθέντων ἡμῖν ἰδίᾳ τὸν λόγον διαλαβεῖν, ὅτου χάριν ἡ
5   θεία φύσις πρὸς τὴν ἡμετέραν συμπλέκεται, δι᾽ ἑαυτῆς σώ-
ζουσα τὸ ἀνθρώπινον, οὐ διὰ προστάγματος κατεργαζομένη
τὸ κατὰ πρόθεσιν. Τίς οὖν ἂν γένοιτο ἡμῖν ἀρχὴ πρὸς τὸν
προκείμενον σκοπὸν ἀκολούθως χειραγωγοῦσα τὸν λόγον ;
Τίς ἄλλη ἢ τὸ τὰς εὐσεβεῖς περὶ τοῦ Θεοῦ ὑπολήψεις ἐπὶ
10   κεφαλαίων διεξελθεῖν ;

Κ΄. Οὐκοῦν ὁμολογεῖται παρὰ πᾶσι μὴ μόνον δυνατὸν εἶναι
δεῖν πιστεύειν τὸ θεῖον, ἀλλὰ καὶ δίκαιον, καὶ ἀγαθὸν, καὶ
σοφὸν, καὶ πᾶν ὅ τι πρὸς τὸ κρεῖττον τὴν διάνοιαν φέρει.
Ἀκόλουθον τοίνυν ἐπὶ τῆς παρούσης οἰκονομίας μὴ τὸ μέν τι
5   βούλεσθαι τῶν τῷ Θεῷ πρεπόντων ἐπιφαίνεσθαι τοῖς γεγενημένοις, τὸ δὲ μὴ παρεῖναι. Καθ᾽ ὅλου γὰρ οὐδὲν ἐφ᾽ ἑαυτοῦ
τῶν ὑψηλῶν τούτων ὀνομάτων διεζευγμένον τῶν ἄλλων ἀρετὴ
κατὰ μόνας ἐστίν · οὔτε τὸ ἀγαθὸν ἀληθῶς ἐστιν ἀγαθόν, μὴ
μετὰ τοῦ δικαίου τε καὶ σοφοῦ καὶ τοῦ δυνατοῦ τεταγμένον —
PG 57 10   τὸ γὰρ ἄδικον, ἢ ἄσοφον, ἢ | ἀδύνατον ἀγαθὸν οὐκ ἔστιν —

1. Après l'envolée oratoire qui précède, Grégoire se montre plus réaliste :
il y a encore des grecs et des juifs restés fidèles à leurs croyances. Il s'agit
donc de trouver d'autres arguments pour répondre à l'objection relative aux
longs détours. Grégoire va s'attacher à montrer, à partir de l'Écriture et des
données de la foi, comment Dieu a voulu sauver l'homme, non par voie de
décret, mais par une intervention qui s'inscrit dans l'histoire.
2. A plusieurs titres, la section qui va du ch. XIX au ch. XXVI, a une
coloration particulière. Elle se caractérise par un souci constamment affirmé
de rigueur logique. De plus, elle a une allure plus juridique que d'autres
passages ; elle représente en quelque sorte une plaidoirie destinée à justifier
Dieu dans le procès qui lui est intenté.
3. Dans ces quelques chapitres, l'adjectif substantivé est employé avec
une fréquence significative à la place du substantif abstrait qui lui correspond : ainsi to agathon pour agathotès ; to sophon pour sophia ; to dikaion
pour dikaiosunè ; to dunaton pour dunamis. On pourrait y ajouter l'emploi
fréquent de l'infinitif substantivé et de la proposition infinitive introduite

4. Pourquoi Dieu est-il intervenu lui-même pour sauver l'homme, sans se contenter d'agir par décrets de sa volonté ?

XIX. Cependant, puisque ni les grecs ni les responsables des doctrines juives ne jugent bon de considérer ces faits comme des preuves de la présence divine sur terre[1], il serait bon que notre exposé examinât en détail, à propos des objections qui nous ont été faites, pour quelle raison la nature divine s'est unie à la nôtre, pour sauver par elle-même le genre humain, au lieu de réaliser son plan par décret. Quel pourrait donc être le point de départ qui nous permettra de conduire notre raisonnement, selon un ordre logique, au but que nous nous proposons ? En existe-t-il un autre que de présenter brièvement les idées que la piété se fait sur Dieu[2] ?

Les attributs de Dieu et le rachat de l'humanité

a. *Tenir compte de l'interaction des attributs*

XX. Tout le monde convient qu'il faut croire que la divinité est non seulement puissante, mais aussi juste, bonne, sage et tout ce qui porte la pensée vers ce qui est supérieur. Par conséquent, pour l'économie du salut dont nous parlons, ce n'est pas tel attribut convenant à Dieu, à l'exclusion de tel autre, qui tend à se manifester dans les événements qui se sont produits. En effet, de manière générale, aucun de ces noms sublimes ne correspond en lui-même et à lui seul, indépendamment des autres, à la perfection : la bonté[3] n'est pas vraiment bonne si elle ne va pas de pair avec la justice, la sagesse et la puissance ; en effet, le manque de justice, de sagesse et de puissance n'est pas de l'ordre du bien, et la

---

par l'article *to*. L. Méridier y voit des preuves de l'influence de la seconde sophistique. Cf. *L'influence de la seconde sophistique*, p. 80.

οὔτε ἡ δύναμις τοῦ δικαίου τε καὶ σοφοῦ κεχωρισμένη ἐν ἀρετῇ
θεωρεῖται — θηριῶδες γάρ ἐστι τὸ τοιοῦτον καὶ τυραννικὸν
τῆς δυνάμεως εἶδος. Ὡσαύτως δὲ καὶ τὰ λοιπά, εἰ ἔξω τοῦ
δικαίου τὸ σοφὸν φέροιτο, ἢ τὸ δίκαιον εἰ μὴ μετὰ τοῦ δυνατοῦ
15 τε καὶ τοῦ ἀγαθοῦ θεωροῖτο, κακίαν ἄν τις μᾶλλον κυρίως τὰ
τοιαῦτα κατονομάσειε · τὸ γὰρ ἐλλιπὲς τοῦ κρείττονος πῶς ἄν
τις ἐν ἀγαθοῖς ἀριθμήσειεν ;

Εἰ δὲ πάντα προσήκει συνδραμεῖν ἐν ταῖς περὶ Θεοῦ δόξαις,
M 54 σκοπήσω|μεν εἴ τινος ἡ κατὰ ἄνθρωπον οἰκονομία λείπεται
20 τῶν θεοπρεπῶν ὑπολήψεων. Ζητοῦμεν πάντως ἐπὶ τοῦ Θεοῦ
τῆς ἀγαθότητος τὰ σημεῖα. Καὶ τίς ἂν γένοιτο φανερωτέρα
τοῦ ἀγαθοῦ μαρτυρία ἢ τὸ μεταποιηθῆναι αὐτὸν τοῦ πρὸς τὸ
ἐναντίον αὐτομολήσαντος μηδὲ συνδιατεθῆναι τῷ εὐμετα-
βλήτῳ τῆς ἀνθρωπίνης προαιρέσεως τὴν παγίαν ἐν τῷ ἀγαθῷ
25 καὶ ἀμετάβλητον φύσιν ; Οὐ γὰρ ἂν ἦλθεν εἰς τὸ σῶσαι ἡμᾶς,
καθώς φησιν ὁ Δαβίδ, μὴ ἀγαθότητος τὴν τοιαύτην πρόθεσιν
ἐμποιούσης [a]. Ἀλλ' οὐδὲν ἂν ὤνησε τὸ ἀγαθὸν τῆς προθέ-
σεως, μὴ σοφίας ἐνεργὸν τὴν φιλανθρωπίαν ποιούσης. Καὶ γὰρ
ἐπὶ τῶν ἀρρώστως διακειμένων πολλοὶ μὲν ἴσως οἱ βουλόμενοι
30 μὴ ἐν κακοῖς εἶναι τὸν κείμενον, μόνοι δὲ τὴν ἀγαθὴν ὑπὲρ τῶν
καμνόντων προαίρεσιν εἰς πέρας ἄγουσιν, οἷς τεχνική τις
δύναμις ἐνεργεῖ πρὸς τὴν τοῦ κάμνοντος ἴασιν. Οὐκοῦν τὴν
σοφίαν δεῖ συνεζεῦχθαι πάντως τῇ ἀγαθότητι. Πῶς τοίνυν ἐν

---

a. Cf. Ps 106 (?) et Ps 119, 11

---

1. Grégoire énonce un principe herméneutique : quand on raisonne à
propos des attributs divins, on peut faire des distinctions de raison ; mais il
faut toujours voir ces attributs dans leur indissociable interaction. C'est
seulement lorsqu'on les prend ensemble en considération que l'on rend
compte de la perfection de Dieu. On pourrait parler, d'une certaine manière,
de « périchorèse » des attributs. Grégoire applique le principe énoncé à

puissance séparée de la justice et de la sagesse n'est pas
considérée comme étant de l'ordre de la perfection, car la
puissance, sous cette forme, est brutale et tyrannique. Il en
est de même pour les autres attributs : si la sagesse n'était pas
associée à la justice, ou bien si la justice n'était pas conçue
comme accompagnant la puissance et la bonté, il serait plus
approprié de les appeler vice. Car comment pourrait-on
compter au nombre des biens ce à quoi fait défaut l'élément
du mieux [1] ?

b. *Est-ce que les événements de l'économie du salut manifestent ces attributs ?*

Si déjà il convient de ne pas dissocier, dans nos représentations de Dieu, l'ensemble de ces attributs, examinons donc
si dans l'économie de l'Incarnation il manque l'une des
notions qui conviennent à Dieu. Nous cherchons indubitablement, à propos de Dieu, les différents signes de sa bonté.
Quel témoignage de bonté pourrait être plus éclatant que le
fait de réclamer à titre de propriété personnelle celui qui était
passé de lui-même à l'ennemi, sans que la nature, ferme dans
le bien et immuable, fût affectée par la versatilité de la nature
humaine ? Car il ne serait pas venu pour nous sauver, comme
le dit David, si la bonté n'avait fait naître un tel dessein [a].
Mais la bonté de ce dessein n'aurait servi de rien, si la sagesse
n'avait poussé l'amour de l'humanité à agir. C'est ainsi que
dans le cas des malades, nombreux sont peut-être ceux qui
voudraient voir la personne alitée délivrée de ses maux, mais
seuls peuvent faire aboutir à cet heureux résultat leur bonne
volonté à l'égard des malades ceux que la compétence dans

l'œuvre salvifique. Il cherche à montrer que les différentes modalités de
celle-ci manifestent que la bonté, la justice, la puissance, la sagesse divines
sont à l'œuvre en même temps.

τοῖς γεγενημένοις τὸ σοφὸν τῷ ἀγαθῷ συνθεωρεῖται ; Ὅτι οὐ
35 γυμνὸν τὸ κατὰ πρόθεσιν ἀγαθόν ἐστιν ἰδεῖν. Πῶς γὰρ ἂν
φανείη ἡ πρόθεσις, μὴ διὰ τῶν γιγνομένων φανερουμένη ; Τὰ
δὲ πεπραγμένα εἰρμῷ τινι καὶ τάξει δι' ἀκολούθου προϊόντα τὸ
σοφόν τε καὶ τεχνικὸν τῆς οἰκονομίας τοῦ Θεοῦ διαδείκνυσιν.
Ἐπεὶ δέ, καθὼς ἐν τοῖς φθάσασιν εἴρηται, πάντως τῷ δικαίῳ
40 τὸ σοφὸν συνεζευγμένον ἀρετὴ γίγνεται, εἰ δὲ χωρισθείη, μὴ
M 55 ἂν ἐφ' ἑαυτοῦ κατὰ μόνας ἀγαθὸν εἶναι,| καλῶς ἂν ἔχοι καὶ ἐπὶ
τοῦ λόγου τῆς κατὰ ἄνθρωπον οἰκονομίας τὰ δύο μετ' ἀλλήλων
κατανοῆσαι, τὸ σοφόν φημι καὶ τὸ δίκαιον.

ΚΑ΄. Τίς οὖν ἡ δικαιοσύνη ; Μεμνήμεθα πάντως τῶν κατὰ
τὸ ἀκόλουθον ἐν τοῖς πρώτοις τοῦ λόγου διῃρημένων ὅτι μίμημα τῆς θείας φύσεως κατεσκευάσθη ὁ ἄνθρωπος, τοῖς τε
λοιποῖς τῶν ἀγαθῶν καὶ τῷ αὐτεξουσίῳ τῆς προαιρέσεως τὴν
5 πρὸς τὸ θεῖον διασῴζων ὁμοίωσιν, τρεπτῆς δὲ φύσεως ὢν κατ'
ἀνάγκην · οὐ γὰρ ἐνεδέχετο τὸν ἐξ ἀλλοιώσεως τὴν ἀρχὴν τοῦ
εἶναι σχόντα μὴ τρεπτὸν εἶναι πάντως · ἡ γὰρ ἐκ τοῦ μὴ ὄντος
εἰς τὸ εἶναι πάροδος ἀλλοίωσίς τίς ἐστι, τῆς ἀνυπαρξίας κατὰ
θείαν δύναμιν εἰς οὐσίαν μεθισταμένης, καὶ ἄλλως δὲ τῆς
10 τροπῆς ἀναγκαίως ἐν τῷ ἀνθρώπῳ θεωρουμένης, ἐπειδὴ μίμημα τῆς θείας φύσεως ὁ ἄνθρωπος ἦν, τὸ δὲ μιμούμενον, εἰ
μὴ ἐν ἑτερότητι τύχοι τινί, ταὐτὸν ἂν εἴη πάντως ἐκείνῳ ᾧ

a. Cf. Gn 1, 27

---

1. Par rapport au ch. VI, le présent passage apporte un complément
intéressant. D'une part, selon Grégoire, l'homme conserve la ressemblance
après la chute ; l'image n'est pas perdue, même si elle est estompée ; d'autre
part, être à l'image ne signifie pas identité totale, mais implique une
différence ontologique entre Dieu et l'homme.

l'art de la médecine rend capables d'opérer la guérison du patient. Il faut donc que la sagesse soit unie de la façon la plus étroite à la bonté Mais comment percevoir, dans les faits examinés, que la sagesse est unie à la bonté ? Il n'est pas possible de percevoir dans sa réalité toute nue la bonté du dessein. Comment donc le dessein se manifesterait-il, s'il n'était pas révélé par les faits ? Mais justement les faits qui se sont produits selon un certain enchaînement et un ordre régulier manifestent la sagesse et l'habile agencement de l'économie divine. Puisque la sagesse, comme on l'a dit plus haut, est une perfection à condition qu'elle soit associée à la justice, et que, si elle en était séparée, elle ne serait plus, prise isolément, un bien en elle-même, il serait avantageux d'unir en pensée, pour la doctrine du plan de Dieu relatif à l'homme, ces deux attributs, je veux dire la sagesse et la justice.

c. *La justice de Dieu et la question de la rançon*

XXI. Qu'est-ce donc que la justice ? Nous nous souvenons en tout cas de ce qui, au début de notre exposé, a été établi d'après l'enchaînement normal des idées, à savoir que l'homme a été créé à l'image de la nature divine ; qu'il conserve la ressemblance avec la divinité par les avantages qui lui restent et par sa volonté libre, mais qu'il a nécessairement une nature changeante. En effet, il était impossible que celui qui tenait d'un changement le principe de son existence ne fût aucunement enclin au changement. Car le passage du non-être à l'existence est une forme de changement, en ce sens que du non-être on passe à l'être en vertu de la puissance divine : et par ailleurs le changement s'observe nécessairement chez l'homme, vu que l'homme était une copie de la nature divine et qu'une imitation, pour laquelle on ne trouverait aucune différence, serait en tout point identique au modèle qu'elle reproduit[1].

ἀφωμοίωται. Ἐν τούτῳ τοίνυν τῆς ἑτερότητος τοῦ | κατ᾿
εἰκόνα γενομένου [a] πρὸς τὸ ἀρχέτυπον οὔσης, ἐν τῷ τὸ μὲν
15 ἄτρεπτον εἶναι τῇ φύσει, τὸ δὲ μὴ οὕτως ἔχειν, ἀλλὰ δι᾿
ἀλλοιώσεως μὲν ὑποστῆναι κατὰ τὸν ἀποδοθέντα λόγον,
ἀλλοιούμενον δὲ μὴ πάντως ἐν τῷ εἶναι μένειν — ἡ δὲ
ἀλλοίωσις κίνησίς τίς ἐστιν εἰς ἕτερον ἀπὸ τοῦ ἐν ᾧ ἐστιν εἰς
ἀεὶ προϊοῦσα · δύο δὲ τῆς τοιαύτης εἴδη κινήσεως · τὸ μὲν πρὸς
20 τὸ ἀγαθὸν ἀεὶ γινόμενον ἐν ᾧ ἡ πρόοδος στάσιν οὐκ ἔχει, διότι
M 56 πέρας | οὐδὲν τοῦ διεξοδευομένου καταλαμβάνεται, τὸ δὲ πρὸς
τὸ ἐναντίον οὗ ἡ ὑπόστασις ἐν τῷ μὴ ὑφεστάναι ἐστίν · ἡ γὰρ
τοῦ ἀγαθοῦ ἐναντίωσις, καθὼς ἐν τοῖς ἔμπροσθεν εἴρηται,
τοιοῦτόν τινα νοῦν κατὰ τὴν ἀντιδιαστολὴν ἔχει, καθάπερ
25 φαμὲν τῷ μὴ ὄντι τὸ ὂν ἀντιδιαιρεῖσθαι καὶ τῇ ἀνυπαρξίᾳ τὴν
ὕπαρξιν — · ἐπειδὴ τοίνυν κατὰ τὴν τρεπτήν τε καὶ ἀλ-
λοιώτην ὁρμήν τε καὶ κίνησιν οὐκ ἐνδέχεται τὴν φύσιν ἐφ᾿
ἑαυτῆς μένειν ἀκίνητον, ἀλλ᾿ ἐπί τι πάντως ἡ προαίρεσις ἵεται,
τῆς πρὸς τὸ καλὸν ἐπιθυμίας αὐτὴν φυσικῶς ἐφελκομένης εἰς
30 κίνησιν — καλὸν δὲ τὸ μέν τι ἀληθῶς κατὰ τὴν φύσιν ἐστί, τὸ
δὲ οὐ τοιοῦτον, ἀλλ᾿ ἐπηνθισμένον τινὶ καλοῦ φαντασίᾳ ·
κριτήριον δὲ τούτων ἐστὶν ὁ νοῦς ἔνδοθεν ἡμῖν ἐνιδρυμένος, ἐν

---

a. Cf. Gn 1, 27

---

1. La longue période qui va de *én toutôi toinun* jusqu'à *sèmasias estin*
(l. 48) est construite de façon asymétrique et progresse selon un rythme
cahoteux en raison de parenthèses explicatives. Si la première partie de la
période comporte trois mouvements, la deuxième partie n'occupe que quelques lignes. Au fond l'évocation de la situation de détresse de l'humanité
débouche sur la question : « Comment Dieu agit-il en faisant intervenir
ensemble les différents attributs ? »
2. D'après ce texte, la différence entre l'archétype et l'image réside dans
le fait que Dieu est immuable et que l'homme est soumis au changement.
Selon le *De hom. opif.* la différence vient de ce que la divinité est incréée,
alors que l'homme est créé (*De hom opif.* 16, *SC* 6, p. 157). Malgré une
apparente différence, les deux conceptions se rejoignent : car toute créature
est soumise au changement, puisque la création signifie participation aux
perfections divines, et non pas possession pleine et entière comme c'est le cas
pour Dieu. Cf. le début de ce ch. et le ch. VI.
3. Cf Introduction : 'changement-mouvement', p. 37 s.

Or [1], la différence entre l'archétype et celui qui a été créé à l'image [a] consiste dans le fait que l'un est immuable par nature, alors que l'autre ne l'est pas, vu qu'il tient son existence d'un changement, comme nous l'avons expliqué plus haut ; or, soumis au changement, il ne peut pas du tout demeurer immuablement dans l'être [2]. Le changement est un mouvement qui consiste à passer sans cesse de l'état présent à un état différent ; il existe deux formes d'un mouvement de ce genre : l'une qui tend continuellement vers le bien et dans ce cas la progression ne connaît pas d'arrêt [3], puisqu'on ne peut concevoir de limite pour le domaine dans lequel on s'avance ; l'autre tend vers l'état opposé dont le caractère constitutif est la non-existence ; en effet, la distinction entre le bien et son contraire, comme nous l'avons vu plus haut, est établie à peu près dans le sens de la distinction selon laquelle nous disons que ce qui est s'oppose à ce qui n'est pas, et que l'existence s'oppose à la non-existence. Or, en raison de la variabilité et de la mutabilité des tendances et des mouvements, la nature ne peut pas rester immuable en elle-même, mais notre volonté ne cesse de tendre tout entière vers un but, car le désir du bien la pousse tout naturellement à se mettre en mouvement. Cependant, pour ce qui est du bien, telle chose est réellement bonne selon sa nature, telle autre ne l'est pas au même titre, n'étant parée que d'une apparence de bien [4] ; l'instance qui décide entre les deux, c'est l'intelligence [5] qui a établi demeure en nous. Avec elle, ou bien nous pouvons avoir la chance d'atteindre le véritable bien ou bien

4. D'après ce passage, le péché apparaît comme résultant d'une illusion : l'accent est mis sur les apparences trompeuses. Le même thème est exploité dans le *De hom. opif.* : « En tout cas, à nous le mal se présente toujours sous forme de mélange : dans ses profondeurs, il tient la mort comme un piège caché ; mais par une apparence trompeuse il fait paraître une image du bien » (*De hom. opif.* 20, *SC* 6, p. 176). Cf. aussi la *Vie de Moïse*, *SC* 1 bis, p. 126).

5. Il revient au *noûs* de soumettre les illusions et les biens imaginaires à un examen critique : c'est par ce biais que Grégoire peut introduire la notion de responsabilité de l'homme.

ᾧ κινδυνεύεται ἢ τὸ ἐπιτυχεῖν τοῦ ὄντως καλοῦ ἢ τὸ παρα-
τραπέντας αὐτοῦ διά τινος τῆς κατὰ τὸ φαινόμενον ἀπάτης ἐπὶ
35 τὸ ἐναντίον ἡμᾶς ἀπορρυῆναι, οἷόν τι παθεῖν ὁ ἔξωθεν μῦθός
φησιν ἀπιδοῦσαν ἐν τῷ ὕδατι τὴν κύνα πρὸς τὴν σκιὰν οὗ διὰ
στόματος ἔφερε μεθεῖναι μὲν τὴν ἀληθῆ τροφήν, περιχανοῦσαν
δὲ τὸ τῆς τροφῆς εἴδωλον ἐν λιμῷ γενέσθαι — · ἐπεὶ οὖν τῆς
πρὸς τὸ ὄντως ἀγαθὸν ἐπιθυμίας διαψευσθεὶς ὁ νοῦς πρὸς τὸ
40 μὴ ὂν παρηνέχθη δι᾽ ἀπάτης τοῦ τῆς κακίας συμβούλου τε καὶ
εὑρετοῦ καλὸν ἀναπεισθεὶς εἶναι τὸ τῷ καλῷ ἐναντίον — οὐ
γὰρ ἂν ἐνήργησεν ἡ ἀπάτη, μὴ δελέατος δίκην τῷ τῆς κακίας
M 57 ἀγκίστρῳ τῆς τοῦ καλοῦ φαντασίας περιπλασθείσης — · ἐν
ταύτῃ τοίνυν γεγονότος ἑκουσίως τῇ συμφορᾷ τοῦ ἀνθρώπου
45 τοῦ ἑαυτὸν δι᾽ ἡδονῆς τῷ ἐχθρῷ τῆς ζωῆς ὑποζεύξαντος,
πάντα μοι κατὰ ταὐτὸν ἀναζήτει τὰ ταῖς θείαις ὑπολήψεσι
πρέποντα, τὸ ἀγαθόν, τὸ σοφόν, τὸ δίκαιον, τὸ δυνατόν, τὸ
ἄφθαρτον καὶ εἴ τι τῆς τοῦ κρείττονος σημασίας ἐστίν. Οὐκοῦν
ὡς ἀγαθὸς οἶκτον λαμβάνει τοῦ διαπεπτωκότος, ὡς σοφὸς οὐκ
50 ἀγνοεῖ τὸν τρόπον τῆς ἀνακλήσεως. Σοφίας δ᾽ ἂν εἴη καὶ ἡ τοῦ
δικαίου κρίσις · οὐ γὰρ ἄν τις ἀφροσύνῃ τὴν ἀληθῆ δικαιο-
σύνην προσάψειεν.

ΚΒ΄. Τί οὖν ἐν τούτοις τὸ δίκαιον ; Τὸ μὴ τυραννικῇ τινι
χρήσασθαι κατὰ τοῦ κατέχοντος ἡμᾶς αὐθεντίᾳ μηδὲ τῷ πε-
ριόντι τῆς δυνάμεως ἀποσπάσαντα τοῦ κρατοῦντος καταλιπεῖν τινα δικαιολογίας ἀφορμὴν τῷ δι᾽ ἡδονῆς καταδουλω-
5 σαμένῳ τὸν ἄνθρωπον. Καθάπερ γὰρ οἱ χρημάτων τὴν ἑαυτῶν

---

1. Il s'agit de la fable d'Ésope : « Le chien et sa pitance », reprise par La
Fontaine dans « Le chien qui lâche sa proie pour l'ombre ».
2. Grégoire insiste sur la responsabilité de l'homme et plus loin il note
que l'homme a aliéné sa liberté de son plein gré.
3. Les ch. XIX-XXVI attestent un effort conséquent de composition
nettement structurée : ainsi le présent chapitre commence par un rappel de

nous risquons d'être détournés du bien par quelque apparence trompeuse et de nous laisser entraîner vers l'état
contraire, genre de malheur qui arriva, d'après la fable grecque [1] à la chienne qui, ayant vu dans l'eau le reflet de ce
qu'elle portait dans sa gueule, lâcha la véritable pitance et
qui, ayant ouvert la gueule pour avaler l'image de son repas,
se retrouva en proie à la faim. Lorsque donc l'intelligence,
trompée dans son désir du véritable bien, se fut portée vers ce
qui n'est pas, elle se laissa persuader, à la suite de la ruse du
conseiller et de l'inventeur du vice, que le contraire du bien
est le véritable bien — car la tromperie n'aurait pas produit
ses effets, si l'apparence du bien n'avait pas enrobé, à la
manière d'un appât, l'hameçon du vice — et l'homme tomba
volontairement [2] dans ce malheur, quand le plaisir l'eut
amené à se courber sous le joug de l'ennemi de la vie.
Cherchez dès lors avec moi tous les attributs qui ensemble
correspondent aux idées que l'on se fait de Dieu, la bonté, la
justice, la puissance, l'incorruptibilité et tout ce qui sert à
désigner ce qui est parfait. Étant bon, Dieu prend en pitié
l'homme tombé ; étant sage, il n'ignore pas la façon de le
relever ; le discernement de ce qui est juste fait aussi partie de
la sagesse [3], car on ne saurait allier la véritable justice à la
déraison.

*Le principe de la rançon est en conformité avec la justice de
Dieu*

XXII. Dans ces conditions, en quoi consiste la justice ?
Dans le fait que contre celui qui nous détenait, il n'a pas eu
recours à un pouvoir absolu et tyrannique et que, tout en
nous arrachant à ce maître par la supériorité de sa puissance,
il n'a fourni aucun prétexte de contestation juridique à celui
qui avait asservi l'homme par le moyen du plaisir. Prenons

developpements antérieurs et se termine par une conclusion partielle qui
annonce l'examen du thème suivant. On retrouve les mêmes procédés dans
les autres chapitres de cette section.

ἐλευθερίαν ἀποδόμενοι δοῦλοι τῶν ὠνησαμένων εἰσίν, αὐτοὶ
πρατῆρες ἑαυτῶν καταστάντες, καὶ οὔτε αὐτοῖς οὔτε ἄλλῳ τινὶ
ὑπὲρ ἐκείνων ἔξεστι τὴν ἐλευθερίαν ἐπιβοήσασθαι, κἂν εὐπα-
τρίδαι τινὲς ὦσιν οἱ πρὸς τὴν συμφορὰν ταύτην αὐτομο-
PG 61 10 λήσαντες · εἰ δέ τις κηδόμενος τοῦ ἀπεμπολη‖θέντος βίᾳ κατὰ
τοῦ ὠνησαμένου χρῷτο, ἄδικος εἶναι δόξει τὸν νόμῳ κτηθέντα
τυραννικῶς ἐξαιρούμενος, ἐξωνεῖσθαι δὲ πάλιν εἰ βούλοιτο τὸν
τοιοῦτον, οὐδεὶς ὁ κωλύων νόμος ἐστί · κατὰ τὸν αὐτὸν τρόπον, ἑκουσίως ἡμῶν ἑαυτοὺς ἀπεμπολησάντων, ἔδει παρὰ τοῦ
M 58 15 δι' ἀγαθότητα πάλιν ἡμᾶς εἰς ἐλευθερίαν ἐξαιρουμένου μὴ τὸν
τυραννικόν, ἀλλὰ τὸν δίκαιον τρόπον ἐπινοηθῆναι τῆς ἀνακλήσεως. Οὗτος δέ ἐστί τις τὸ ἐπὶ τῷ κρατοῦντι ποιήσασθαι πᾶν
ὅπερ ἂν ἐθέλοι λύτρον ἀντὶ τοῦ κατεχομένου λαβεῖν.

ΚΓ΄. Τί τοίνυν εἰκὸς ἦν μᾶλλον τὸν κρατοῦντα λαβεῖν
ἑλέσθαι ; Δυνατόν ἐστι δι' ἀκολούθου στοχασμόν τινα τῆς
ἐπιθυμίας αὐτοῦ λαβεῖν, εἰ τὰ πρόδηλα γένοιτο ἡμῖν τῶν
ζητουμένων τεκμήρια. Ὁ τοίνυν κατὰ τὸν ἐν ἀρχῇ τοῦ συγ-
5 γράμματος προαποδοθέντα λόγον τῷ πρὸς τὸν εὐημεροῦντα
φθόνῳ πρὸς μὲν τὸ ἀγαθὸν ἐπιμύσας, τὸν δὲ τῆς κακίας ζόφον
ἐν ἑαυτῷ γεννήσας, ἀρχὴν δὲ τῆς πρὸς τὰ χείρω ῥοπῆς καὶ
ὑπόθεσιν καὶ οἱονεὶ μητέρα τῆς λοιπῆς κακίας τὴν φιλαρχίαν
νοσήσας, τίνος ἂν ἀντηλλάξατο τὸν κατεχόμενον, εἰ μὴ δη-
10 λαδὴ τοῦ ὑψηλοτέρου καὶ μείζονος ἀνταλλάγματος, ὡς ἂν

1. A propos de rachat et de justice de Dieu, cf Introduction, 'droits du
démon et théorie de la rançon', p. 82. Constatons que la notion de rachat est
parlante à l'époque où vit Grégoire, en raison du contexte social qui admet
l'esclavage, tout comme la notion d'honneur l'est dans la société à laquelle
appartient Anselme de Cantorbéry. Ces formes de langage ne sont plus
transparentes dans d'autres types de société.

l'exemple de ceux qui ont vendu leur liberté pour de l'argent et qui sont les esclaves de leurs acquéreurs, du fait qu'ils se sont constitués vendeurs d'eux-mêmes ; il n'est permis ni à eux, ni à personne d'autre, intervenant en leur faveur, de réclamer à grands cris leur liberté, même si ceux qui se sont engagés d'eux-mêmes dans une situation si malheureuse sont de naissance noble. Si, par sollicitude pour la personne vendue, on usait de violence contre l'acheteur, on passerait pour injuste, en arrachant par un procédé tyrannique celui qui a été acquis en conformité avec la loi ; par contre, si on voulait racheter [1] quelqu'un qui est dans cette situation, aucune loi n'y ferait obstacle. De même, comme nous nous étions vendus volontairement, il fallait que celui qui par bonté voulait nous ramener à la liberté, conçût un mode d'action, non pas tyrannique, mais conforme à la justice pour réaliser ce rachat. Un procédé de ce genre consiste à accorder au possesseur ce qu'il réclame comme rançon pour le rachat de celui qu'il détient.

Quelle est la rançon à payer ?
Le droit du possesseur à fixer la rançon

XXIII. Quelle est la rançon que, selon toute vraisemblance, le possesseur a dû préférer recevoir ? Il est possible, en menant un raisonnement logique, de conjecturer son désir, si vraiment les faits établis comme évidents peuvent servir d'indices pour la présente recherche. Celui qui, d'après la doctrine présentée au début de notre exposé, avait fermé les yeux au bien par envie de l'homme vivant dans le bonheur, qui avait fait naître en lui les ténèbres du vice, qui était tombé malade par amour du pouvoir, principe et fondement de l'inclination au mal et en quelque sorte mère des autres vices, contre quel prix eût-il échangé celui qu'il détenait, si ce n'est manifestement contre un objet d'échange qui dépassait celui-là en élévation et en grandeur, afin de fournir des satisfactions encore plus grandes à son *pathos* follement

248 GRÉGOIRE DE NYSSE

μᾶλλον ἑαυτοῦ τὸ κατὰ τὸν τῦφον θρέψειε πάθος, τὰ μείζω τῶν
ἐλαττόνων διαμειβόμενος ;

Ἀλλὰ μὴν ἐν τοῖς ἀπ᾽ αἰῶνος ἱστορουμένοις, ἐν οὐδενὶ
συνεγνώκει τοιοῦτον οὐδέν, οἷα καθεώρα περὶ τὸν τότε φαινό-
15 μενον, κυοφορίαν ἀσυνδύαστον, καὶ γέννησιν ἄφθορον [a], καὶ
θήλην [b] ἐκ παρθενίας, καὶ ἄνωθεν ἐπιμαρτυρούσας τῷ ὑπερ-
φυεῖ τῆς ἀξίας ἐκ τῶν ἀοράτων φωνάς [c], καὶ τῶν τῆς φύσεως
ἀρρωστημάτων διόρθωσιν ἀπραγμάτευτόν τινα καὶ ψιλήν, ἐν
M 59 ῥήματι μόνῳ [d] | καὶ ὁρμῇ τοῦ θελήματος παρ᾽ αὐτοῦ γινο-
20 μένην, τήν τε τῶν τεθνηκότων ἐπὶ τὸν βίον ἀνάλυσιν [e], καὶ τὸν
[κατὰ] τῶν δαιμόνων φόβον [f], καὶ τῶν κατὰ τὸν ἀέρα παθῶν
τὴν ἐξουσίαν [g], καὶ τὴν διὰ θαλάσσης πορείαν [h], οὐ διαχω-
ροῦντος ἐφ᾽ ἑκάτερα τοῦ πελάγους καὶ τὸν πυθμένα γυμνοῦν-
τος τοῖς παροδεύουσι κατὰ τὴν ἐπὶ Μωϋσέως θαυματουρ-
25 γίαν [i], ἀλλ᾽ ἄνω τῆς ἐπιφανείας τοῦ ὕδατος ὑποχερσουμένης

a. Cf. Mt 1, 18 et 25   b. Cf. Lc 11, 27   c. Cf. Lc 2, 14 ; 3, 22 parall.
d. Mt 9, 1-8 parall. et 8, 5-13   e. Cf. Mt 9, 18 s. et parall. ; Lc 7, 11-17 ; Jn
11, 11-44   f. Cf. Mt 8, 29 et parall.   g. Cf. Mt 8, 23-27 et parall.
h. Cf. Mt 14, 22-33 parall.   i. Cf. Ex 14, 19-29

1. D'après le contexte, si le prince de la mort constate des événements et
des faits qui sortent de l'ordinaire, il n'en saisit pas la cause réelle. Le thème
de l'ignorance de certains mystères par le démon est déjà exploité par IGNACE
D'ANTIOCHE qui dit : « Le prince de ce monde a ignoré la virginité de Marie,
et son enfantement, de même que la mort du Seigneur, trois mystères
retentissants qui furent accomplis dans le silence de Dieu » (Lettre aux
Éphésiens 19, SC 10, p. 75). Pour d'autres attestations du thème, voir J.
RIVIÈRE, Le dogme de l'économie rédemptrice d'après saint Ignace d'Antioche, dans RevSR 2, 1922, p. 13-25 ; Le dogme de la Rédemption, p. 61-73.
2. Le syntagme « une naissance exempte de corruption » atteste que
Grégoire compte parmi les Pères pour lesquels Marie demeure vierge « in
partu ». Dans son De Incarnatione XIV, 6, PETAVIUS cite, parmi les auteurs
qui professent cette doctrine, Grégoire de Nysse, Cyrille d'Alexandrie, Jean
Damascène, pour les Grecs, et Ambroise, Jérôme, Augustin, Léon le Grand,
pour les Latins. GRÉGOIRE a exposé ses idées en la matière dans différentes
œuvres. C'est ainsi que, dans le De vita Moysis, il voit la virginité de Marie
préfigurée : 1. par le buisson ardent : « Le feu de la divinité qui, en naissant,
a illuminé le monde, a laissé intact le buisson dont il émanait et l'enfante-

orgueilleux grâce à cet échange qui lui permettrait de donner moins et de recevoir plus ?

Les raisons du choix fait par le possesseur

Or, chez aucun de ceux dont parle l'histoire depuis les origines, il n'a jamais constaté rien de semblable à ce qu'il voyait chez celui qui se manifestait alors [1] : une conception sans union sexuelle, une naissance exempte de corruption [a2], un allaitement de la part d'une vierge [b], des voix provenant du monde invisible attestant d'en haut le caractère merveilleux de sa dignité [c], la guérison sans efforts et sans remèdes des infirmités naturelles, opérée par lui par sa seule parole [d] et par un mouvement de sa volonté, la libération des morts en vue de leur retour à la vie [e3], la peur inspirée aux démons [f], le pouvoir de commander aux phénomènes de l'air [g], la marche sur la mer [h] ; mais la mer ne se fendit pas en deux pour dégager le fond en faveur de ceux qui passaient, comme lors du miracle de Moïse [i] ; la surface de l'eau devenait

ment n'a pas flétri la fleur de la virginité de Marie » (*De vit. Moys.*, *SC* 1 bis, p. 37) ; 2. par la manne : « C'est le mystère de la nativité virginale qui nous est enseigné à l'avance par ce miracle » (*ibid.*, p. 72-73) ; 3. par les tables de la Loi écrites par le doigt de Dieu : « Le vrai législateur, dont Moïse est le type, se tailla à nouveau les tables de notre nature en en prenant la matière à notre terre : sa chair divine, en effet, n'a pas été produite par mariage, mais lui-même est ouvrier de sa propre chair, gravée par le Doigt de Dieu : c'est l'Esprit Saint qui vint sur la Vierge... » (*ibid.*, p. 101-102). Voir aussi *De trid. spat.*, *GNO* X, 2, p. 275. Dans le *Sermon sur la Nativité*, il s'exprime de façon encore plus claire : « Chose étonnante ! La vierge devient mère et reste vierge... La même est à la fois mère et vierge. La virginité n'a pas empêché l'enfantement et l'enfantement n'a pas fait perdre la virginité » (*In diem nat.*, *GNO* X, 2, p. 246). Dans la *Refutat. c. Eunom.* figure l'affirmation : « L'enfant est né et il n'a pas détruit l'intégrité [virginale] de la mère » (*GNO* II, p. 335). Cf. aussi *CE* II, *GNO* I, p. 60 ; cf. l'importante note de J. BARBEL, dans son Commentaire, p. 135-137.

3. Certains manuscrits portent, après *analusin*, le complément *kai tèn tôn katadikôn anarrhusin*. Srawley, qui a retenu cette leçon, reconnaît que le sens est difficile à établir et signale trois possibilités d'interprétation : 1. rémission des péchés ; 2. délivrance de ceux qui sont atteints de maladies mortelles ; 3. délivrance des possédés.

τῇ βάσει καὶ διά τινος ἀσφαλοῦς ἀντιτυπίας ὑπερειδούσης τὸ
ἴχνος, τήν τε τῆς τροφῆς ὑπεροψίαν ^j ἐφ' ὅσον βούλοιτο καὶ τὰς
ἐν ἐρημίᾳ δαψιλεῖς ἑστιάσεις ^k τῶν ἐν πολλαῖς χιλιάσιν
εὐωχουμένων, οἷς οὔτε οὐρανὸς ἐπέρρει τὸ μάννα ^l, οὔτε ἡ γῆ

30 κατὰ τὴν ἰδίαν αὐτῆς φύσιν σιτοποιοῦσα τὴν χρείαν ἐπλήρου,
ἀλλ' ἐκ τῶν ἀρρήτων ταμείων τῆς θείας δυνάμεως ἡ φιλοτιμία
προήει, ἕτοιμος ἄρτος ταῖς χερσὶ τῶν διακονούντων ἐγγεωρ-
γούμενος καὶ διὰ τοῦ κόρου τῶν ἐσθιόντων πλείων γιγνόμενος,
ἥ τε διὰ τῶν ἰχθύων ὀψοφαγία ^m, οὐ θαλάσσης αὐτοῖς πρὸς τὴν

35 χρείαν συνεισφερούσης, ἀλλὰ τοῦ καὶ τῇ θαλάσσῃ τὸ γένος τῶν
ἰχθύων ἐγκατασπείραντος · καὶ πῶς ἄν τις τὸ καθ' ἕκαστον

M 60 τῶν | εὐαγγελικῶν διεξίοι θαυμάτων ; Ταύτην τοίνυν τὴν
δύναμιν καθορῶν ὁ ἐχθρὸς ἐν ἐκείνῳ πλεῖον τοῦ κατεχομένου
τὸ προκείμενον εἶδεν ἐν τῷ συναλλάγματι. Τούτου χάριν αὐτὸν

40 αἱρεῖται λύτρον τῶν ἐν τῇ τοῦ θανάτου φρουρᾷ καθειργμένων
γενέσθαι.

Ἀλλὰ μὴν ἀμήχανον ἦν αὐτὸν γυμνῇ προσβλέψαι τῇ τοῦ
PG 64 Θεοῦ φαντασίᾳ, μὴ σαρκός τινα μοῖραν ἐν αὐτῷ| θεωρήσαντα,
ἣν ἤδη διὰ τῆς ἁμαρτίας κεχείρωτο. Διὰ τοῦτο περικαλύπ-

45 τεται τῇ σαρκὶ ἡ θεότης, ὡς ἂν πρὸς τὸ σύντροφόν τε καὶ

j. Cf. Mt 4, 2-4 parall.   k. Cf. Mt 14, 15-21 parall. et 15, 32-39 parall.
l. Cf. Ex 16, 13 s. et Nb 11, 4-9   m. Cf. Jn 6, 1-13

1. Grégoire se contente de brèves indications, laissant les utilisateurs
libres de développer ces données à leur gré. Ce qui est original dans la
présentation, c'est que le prince de la mort, l'adversaire de Dieu, est présenté
comme témoin de ces faits extraordinaires.
2. « Banquet avec poissons » : symbole du festin plantureux. Voir
« Poisson-ichtys » dans F.J. DÖLGER, Ichtys, 2 et 5, Münster 1943. Voici un
passage éclairant de PLUTARQUE cité par J. BARBEL : « Comme parmi tous les
poètes il y en a un seul que nous nommons le poète à cause de son excellence,

ferme sous les pieds, et, comme douée de résistance, permet-
tait de prendre appui sur elle pour la marche [1]. C'était aussi le
fait qu'il pouvait se passer de nourriture[j] aussi longtemps
qu'il le voulait, c'étaient les festins copieux dans le désert[k]
dont se rassasièrent plusieurs milliers de convives, sur lesquels le ciel ne répandait pas la manne[l] et auxquels la terre ne
fournissait pas, pour apaiser leur faim, les fruits qu'elle
produit naturellement, mais pour lesquels les dons de la
puissance divine se répandirent généreusement à partir de
ses mystérieuses salles de trésor, à savoir du pain tout prêt,
produit dans les mains de ceux qui le distribuaient et se
multipliant selon les besoins des convives, le mets délicat des
poissons[m2], provenant pour leurs besoins non pas de la mer,
mais de celui qui avait aussi répandu dans la mer l'espèce des
poissons. Et comment passer en revue, un à un, les miracles
des évangiles ? En tout cas, à la vue de cette puissance,
l'ennemi comprit que, dans cet échange, ce qui lui était proposé dans le Christ avait une valeur plus grande que ce qu'il
détenait. Pour cette raison, il choisit le Christ comme rançon
de ceux qui étaient enfermés dans les prisons de la mort.

La divinité du Christ reste voilée

Mais, en fait, il lui était impossible de supporter en face la
manifestation directe de Dieu se présentant sans voile, s'il ne
voyait en lui une part de la chair dont il s'était déjà rendu
maître par le péché. C'est pourquoi la divinité s'est cachée en
revêtant une enveloppe charnelle[3], de façon à ce que

---

de même le poisson, parmi les autres mets variés, a reçu le nom de *opson* à
titre particulier, vu qu'il dépasse tous les autres en excellence. Car nous
nommons *opsophagos* ou *philopsos* non pas ceux qui aiment la viande de
bœuf comme Héraclès ou un amateur de figues comme Platon ou un
amateur de raisins comme Arcésilas, mais ceux qui hantent toujours le
marché et attendent avec impatience le premier son de la cloche » (*Quaest.
conv.* 4, 4, 2).

3. Cf. plus haut, p. 82, n. 1.

συγγενὲς αὐτῷ βλέπων μὴ πτοηθείη τὸν προσεγγισμὸν τῆς
ὑπερεχούσης δυνάμεως καὶ τὴν ἠρέμα διὰ τῶν θαυμάτων ἐπὶ
τὸ μεῖζον διαλάμπουσαν δύναμιν κατανοήσας ἐπιθυμητὸν
μᾶλλον ἢ φοβερὸν τὸ φανὲν εἶναι νομίσῃ. Ὁρᾷς ὅπως τὸ ἀγαθὸν
50 τῷ δικαίῳ συνέζευκται καὶ τὸ σοφὸν τούτων οὐκ ἀποκέκριται.
Τὸ γὰρ διὰ τῆς τοῦ σώματος περιβολῆς χωρητὴν τὴν θείαν
δύναμιν ἐπινοῆσαι γενέσθαι, ὡς ἂν ἡ ὑπὲρ ἡμῶν οἰκονομία μὴ
παραποδισθείη τῷ φόβῳ τῆς θεϊκῆς ἐπιφανείας, πάντων κατὰ
ταὐτὸν τὴν ἀπόδειξιν ἔχει, τοῦ ἀγαθοῦ, τοῦ σοφοῦ, τοῦ δι-
55 καίου. Τὸ μὲν γὰρ ἑλέσθαι σῶσαι τῆς ἀγαθότητός ἐστι
μαρτυρία, τὸ δὲ συναλλαγματικὴν ποιήσασθαι τὴν τοῦ
κρατουμένου λύτρωσιν τὸ δίκαιον δείκνυσι, τὸ δὲ χωρητὸν δι᾽
ἐπινοίας ποιῆσαι τῷ ἐχθρῷ τὸ ἀχώρητον τῆς ἀνωτάτω σοφίας
τὴν ἀπόδειξιν ἔχει.

ΚΔ΄. Ἀλλ᾽ ἐπιζητεῖν εἰκὸς τὸν τῇ ἀκολουθίᾳ τῶν εἰρημένων προσέχοντα, ποῦ τὸ δυνατὸν τῆς θεότητος, ποῦ ἡ
M 61 ἀφθαρσία τῆς θείας δυνάμεως ἐν τοῖς εἰρημένοις ὁρᾶται. Ἵνα
τοίνυν καὶ ταῦτα γένηται καταφανῆ, τὰ ἐφεξῆς τοῦ μυστηρίου
5 διασκοπήσωμεν, ἐν οἷς μάλιστα δείκνυται συγκεκραμένη τῇ
φιλανθρωπίᾳ ἡ δύναμις. Πρῶτον μὲν οὖν τὸ τὴν παντοδύναμον
φύσιν καὶ πρὸς τὸ ταπεινὸν τῆς ἀνθρωπότητος καταβῆναι
ἰσχῦσαι πλείονα τῆς δυνάμεως τὴν ἀπόδειξιν ἔχει ἢ τὰ μεγάλά
τε καὶ ὑπερφυῆ τῶν θαυμάτων. Τὸ μὲν γὰρ μέγα τι καὶ ὑψηλὸν
10 ἐξεργασθῆναι παρὰ τῆς θείας δυνάμεως κατὰ φύσιν πώς ἐστι
καὶ ἀκόλουθον, καὶ οὐκ ἄν τινα ξενισμὸν ἐπάγοι τῇ ἀκοῇ τὸ
λέγειν πᾶσαν τὴν ἐν τῷ κόσμῳ κτίσιν καὶ πᾶν ὅτιπερ ἔξω τῶν

l'ennemi, à la vue de ce qui lui était habituel et familier, ne fût pas saisi d'effroi en voyant s'approcher la puissance supérieure et que, remarquant cette puissance qui brillait d'un éclat toujours plus grand à travers les miracles, il estimât ce qui se manifestait plus digne d'être un objet de désir que de crainte. Vous voyez comment la bonté a été unie étroitement à la justice et comment la sagesse n'a pas été séparée de celles-ci. Le fait que la puissance divine ait imaginé de devenir accessible en s'enveloppant d'un corps, de façon à ce que l'économie de notre salut ne fût pas entravée par la peur devant la manifestation divine, fournit la preuve éclatante que la bonté, la sagesse, la justice se trouvaient réunies toutes ensemble. Le dessein de nous sauver atteste la bonté ; le mode d'échange adopté pour le rachat de l'homme asservi montre sa justice ; le fait qu'il ait intentionnellement rendu accessible à l'ennemi ce qui est inaccessible est une preuve de sa sagesse suprême.

d. *Puissance manifestée par l'Incarnation*

XXIV. Mais il est naturel que celui qui se montre attentif à l'enchaînement logique de ce qui a été dit cherche à savoir où, dans les faits rapportés, se fait voir la puissance de la divinité, où se manifeste l'incorruptibilité de la puissance divine. Pour que ces aspects aussi se présentent en pleine clarté, examinons avec soin les événements du mystère qui suivent et dans lesquels se révèle le mieux la puissance mêlée à l'amour de l'humanité. Tout d'abord le fait que la nature toute puissante ait été capable de s'abaisser jusqu'à l'humilité de la condition humaine constitue une preuve plus grande de sa puissance que l'importance et le caractère surnaturel des miracles. En effet, que la puissance divine accomplisse quelque action d'une grandeur sublime, c'est, en quelque sorte, conforme et approprié à la nature divine. Et on ne proclamerait rien d'extraordinaire en disant que toute créature dans l'univers visible et tout ce que l'esprit saisit en

φαινομένων καταλαμβάνεται, ἐν τῇ δυνάμει τοῦ Θεοῦ συστῆναι, αὐτοῦ τοῦ θελήματος πρὸς τὸ δοκοῦν οὐσιωθέντος · ἡ
15 δὲ πρὸς τὸ ταπεινὸν κάθοδος περιουσία τίς ἐστι τῆς δυνάμεως
οὐδὲν ἐν τοῖς παρὰ φύσιν κωλυομένης. Ὡς γὰρ ἴδιόν ἐστι τῆς
τοῦ πυρὸς οὐσίας ἡ ἐπὶ τὸ ἄνω φορὰ καὶ οὐκ ἄν τις θαύματος
ἄξιον ἐπὶ τῆς φλογὸς ἡγήσαιτο τὸ φυσικῶς ἐνεργούμενον, εἰ δὲ
ῥέουσαν ἐπὶ τὸ κάτω καθ' ὁμοιότητα τῶν ἐμβριθῶν σωμάτων
20 ἴδοι τὴν φλόγα, τὸ τοιοῦτον ἐν θαύματι ποιεῖται, πῶς τὸ πῦρ
καὶ διαμένει πῦρ ὂν καὶ ἐν τῷ τρόπῳ τῆς κινήσεως ἐκβαίνει τὴν
φύσιν ἐπὶ τὸ κάτω φερόμενον · οὕτω καὶ τὴν θείαν τε καὶ
ὑπερέχουσαν δύναμιν οὐκ οὐρανῶν μεγέθη καὶ φωστήρων
αὐγαὶ καὶ ἡ τοῦ παντὸς διακόσμησις καὶ ἡ διηνεκὴς τῶν ὄντων
25 οἰκονομία τοσοῦτον ὅσον ἡ ἐπὶ τὸ ἀσθενὲς τῆς φύσεως ἡμῶν
συγκατάβασις δείκνυσι, πῶς τὸ ὑψηλὸν ἐν τῷ ταπεινῷ
M 62   γενόμενον καὶ ἐν τῷ ταπεινῷ καθορᾶται καὶ οὐ καταβαίνει τοῦ
ὕψους, πῶς θεότης ἀνθρωπίνῃ συμπλακεῖσα φύσει καὶ τοῦτο
γίνεται καὶ ἐκεῖνό ἐστιν. Ἐπειδὴ γάρ, καθὼς ἐν τοῖς
30 ἔμπροσθεν εἴρηται, φύσιν οὐκ εἶχεν ἡ ἐναντία δύναμις ἀκράτῳ
προσμῖξαι τῇ τοῦ Θεοῦ παρουσίᾳ καὶ γυμνὴν ὑποστῆναι αὐτοῦ
τὴν ἐμφάνειαν, ὡς ἂν εὔληπτον γένοιτο τῷ ἐπιζητοῦντι ὑπὲρ
PG 65   ἡμῶν τὸ ἀντάλλαγμα, τῷ προκαλύμματι τῆς φύσεως ἡμῶν
ἐνεκρύφθη τὸ θεῖον, ἵνα κατὰ τοὺς λίχνους τῶν ἰχθύων τῷ
35 δελέατι τῆς σαρκὸς συγκατασπασθῇ τὸ ἄγκιστρον τῆς θεότητος, καὶ οὕτω τῆς ζωῆς τῷ θανάτῳ εἰσοικισθείσης καὶ τῷ
σκότῳ τοῦ φωτὸς ἐπιφανέντος ἐξαφανισθῇ τὸ τῷ φωτὶ καὶ τῇ

---

1. Ce raisonnement est présenté sous forme de paradoxe ; l'argument de
Grégoire a des racines bibliques : cf. 1 Co 1, 18-25 ; 2 Co 12, 9 ; 13, 4.

2. La formulation sonne bien, d'autant plus que la phrase se termine par
un « isokôlon » ; mais, du point de vue théologique, il est aventureux de dire
que la Divinité « devient ceci », à savoir la nature humaine.

3. Le même thème se trouve chez ORIGÈNE, *In Matth.* 16, 8 ; *In Exod.* 6,
9 ; GRÉGOIRE DE NAZIANZE, *Orat.* 39, SC 358 ; GRÉGOIRE LE GRAND, *Moralia*
33, 7 ; J. DAMASCÈNE, *De fide orthod.* 3, 27. Cf. J. RIVIÈRE, *Le dogme de la
rédemption. Essai d'étude historique*, p. 415-445.

dehors du monde visible, tire sa constitution de la puissance
de Dieu, la volonté de Dieu donnant l'existence à son gré. Par
contre, que Dieu soit descendu jusqu'à notre bassesse est, en
quelque sorte, l'expression de la surabondance d'une puissance qui n'est entravée en rien par ce qui est à l'opposé de sa
nature [1]. Car tout comme il est propre à la nature du feu de
tendre vers le haut et que personne ne saurait estimer extraordinaire ce qui se produit conformément à la nature pour la
flamme, tout comme par contre, en voyant la flamme tendre
vers le bas à la façon des corps pesants, on trouverait un tel
phénomène surprenant et on se demanderait comment le
feu, tout en restant feu, déroge à sa nature par le mode de ce
mouvement qui le fait tendre vers le bas, de la même manière
ni l'étendue des cieux, ni l'éclat des astres, ni l'ordonnance de
l'univers, ni l'économie continue des choses créées ne révèlent la puissance divine suréminente autant que le fait sa
condescendance qui l'amène à s'abaisser jusqu'à la faiblesse
de notre nature ; ainsi nous voyons comment ce qui est élevé,
se trouvant au niveau de la bassesse, se laisse aussi percevoir
dans la bassesse, sans déchoir de son élévation, comment la
divinité, s'étant étroitement unie à la nature humaine,
devient ceci tout en restant cela [2]. Or, comme on l'a dit plus
haut, la puissance adverse n'était pas, par nature, en mesure
d'entrer en contact avec Dieu, si celui-ci se présentait dans
une pureté sans mélange, ni de supporter son apparition, si
elle s'effectuait sans voile ; c'est pourquoi, la divinité, afin
d'offrir une prise facile à celui qui cherchait son avantage
dans la rançon qu'il réclamait en échange de nous, se cacha
sous l'enveloppe de notre nature, de façon que, comme cela
se produit pour les poissons gourmands, l'hameçon de la
divinité fût englouti ensemble avec la chair servant d'appât [3],
et que de cette manière la vie étant allée s'établir dans la mort
et la lumière étant venue briller dans les ténèbres, ce qui est
conçu comme opposé à la lumière et à la vie disparaisse. Car,
selon leur nature, ni les ténèbres ne peuvent subsister en

256 GRÉGOIRE DE NYSSE

ζωῇ κατὰ τὸ ἐναντίον νοούμενον · οὐ γὰρ ἔχει φύσιν οὔτε
σκότος διαμένειν ἐν φωτὸς παρουσίᾳ οὔτε θάνατον εἶναι ζωῆς
40 ἐνεργούσης. Οὐκοῦν ἐπὶ κεφαλαίων τοῦ μυστηρίου τὴν ἀκολουθίαν ἀναλαβόντες ἐντελῆ ποιησόμεθα τὴν ἀπολογίαν πρὸς
τοὺς κατηγοροῦντας τῆς θείας οἰκονομίας, ὅτου χάριν δι᾿
ἑαυτῆς ἡ θεότης τὴν ἀνθρωπίνην κατεργάζεται σωτηρίαν. Δεῖ
γὰρ διὰ πάντων τὸ θεῖον ἐν ταῖς πρεπούσαις ὑπολήψεσιν εἶναι
45 καὶ μὴ τὸ μὲν ὑψηλῶς ἐπ᾿ αὐτοῦ νοεῖσθαι, τὸ δὲ τῆς θεοπρεποῦς ἀξίας ἐκβάλλεσθαι · ἀλλὰ πᾶν ὑψηλόν τε καὶ εὐσεβὲς
νόημα δεῖ πάντως ἐπὶ Θεοῦ πιστεύεσθαι καὶ συνηρτῆσθαι δι᾿
ἀκολουθίας τῷ ἑτέρῳ τὸ ἕτερον. Δέδεικται τοίνυν τὸ ἀγαθόν,
τὸ σοφόν, τὸ δίκαιον, τὸ δυνατόν, τὸ φθορᾶς ἀνεπίδεκτον,
M 63 50 πάντα τῷ λόγῳ τῆς καθ᾿ ἡμᾶς οἰκονομίας ἐπιδεικνύμενα · ἡ
ἀγαθότης ἐν τῷ προελέσθαι σῶσαι τὸν ἀπολωλότα καταλαμβάνεται [a], ἡ σοφία καὶ ἡ δικαιοσύνη ἐν τῷ τρόπῳ τῆς
σωτηρίας ἡμῶν διεδείχθη, ἡ δύναμις ἐν τῷ γενέσθαι μὲν αὐτὸν
ἐν ὁμοιώματι ἀνθρώπου καὶ σχήματι κατὰ τὸ ταπεινὸν τῆς
55 φύσεως ἡμῶν [b] καὶ ἐλπισθῆναι δύνασθαι αὐτὸν καθ᾿ ὁμοιότητα τῶν ἀνθρώπων τῷ θανάτῳ ἐγκρατηθῆναι, γενόμενον δὲ
τὸ οἰκεῖον ἑαυτῷ καὶ κατὰ φύσιν ἐργάσασθαι · οἰκεῖον δὲ φωτὶ
μὲν ὁ ἀφανισμὸς τοῦ σκότους, ζωῇ δὲ ἡ τοῦ θανάτου
καθαίρεσις. Ἐπεὶ οὖν τῆς εὐθείας ὁδοῦ παρενεχθέντες τὸ κατ᾿
60 ἀρχὰς τῆς ζωῆς ἐξετράπημεν καὶ τῷ θανάτῳ ἐγκατηνέ-
χθημεν, τί τοῦ εἰκότος ἔξω παρὰ τοῦ μυστηρίου μανθάνομεν,
εἰ ἡ καθαρότης τῶν ἐξ ἁμαρτίας μολυνθέντων ἐφάπτεται, καὶ
ἡ ζωὴ τῶν τεθνηκότων, καὶ ἡ ὁδηγία τῶν πεπλανημένων, ὡς
ἂν ὅ τε μολυσμὸς [c] καθαρθείη, καὶ ἡ πλάνη θεραπευθείη, καὶ
65 εἰς τὴν ζωὴν τὸ τεθνηκὸς ἐπανέλθοι ;

a. Cf. Lc 19, 10   b. Cf. Ph 2, 7-8   c. Cf. 2 Co 7, 1

présence de la lumière, ni la mort exister, quand la vie est en
activité. En reprenant l'examen des points essentiels du mystère dans leur suite logique, essayons de parfaire la justification de l'économie divine en répondant aux adversaires qui
critiquent l'économie divine, parce que c'est la divinité qui a
réalisé par elle-même le salut de l'humanité ; car la divinité
doit être conçue sous tous les rapports avec les attributs qui
lui conviennent : il ne faut pas avoir sur elle des pensées
élevées sur tel point, alors que, sur tel autre point, on refuse
de reconnaître ce qui convient à la dignité de Dieu. Toute
conception élevée et conforme à la piété au sujet de Dieu doit
être admise sans exception par la foi et ces conceptions
doivent s'enchaîner entre elles avec cohérence. Or on a montré que la bonté, la sagesse, la justice, la puissance, l'incorruptibilité, se manifestent dans la doctrine concernant l'économie en notre faveur. La bonté se reconnaît dans la volonté
de sauver celui qui était perdu[a], la sagesse et la justice se sont
manifestées dans la manière de nous sauver ; la puissance se
révèle dans le fait qu'il (le Christ) est devenu semblable à
l'homme et a pris la forme qui correspond à l'humilité de la
nature humaine[b], en faisant espérer qu'il pourrait, à la
manière des hommes, tomber au pouvoir de la mort, mais en
faisant, une fois qu'il était devenu homme, ce qui lui est
propre et ce qui est conforme à sa nature. Or, le propre de la
lumière, c'est de faire disparaître les ténèbres et le propre de
la vie, c'est de détruire la mort. Puisque, pour nous être
laissés entraîner hors du droit chemin, nous avons été, à
l'origine, détournés de la vie et précipités dans la mort, qu'y
a-t-il d'invraisemblable dans le mystère (de notre foi)
lorsqu'il nous enseigne que la pureté s'attache à ceux qui
étaient souillés par le péché, la vie à ceux qui étaient morts,
que les égarés trouvent un guide, afin que la souillure disparaisse, que l'égarement soit guéri et que ce qui était mort
revienne à la vie ?

ΚΕ΄. Τὸ δὲ ἐν τῇ φύσει γενέσθαι ἡμῶν τὴν θεότητα τοῖς μὴ λίαν μικροψύχως κατανοοῦσι τὰ ὄντα οὐδένα ἂν ἐκ τοῦ εὐλόγου ξενισμὸν ἐπαγάγοι. Τίς γὰρ οὕτω νήπιος τὴν ψυχὴν ὡς εἰς τὸ πᾶν βλέπων μὴ ἐν παντὶ πιστεύειν εἶναι τὸ θεῖον, καὶ

5 ἐνδυόμενον, καὶ ἐμπεριέχον, καὶ ἐγκαθήμενον ; Τοῦ γὰρ ὄντος ἐξῆπται τὰ ὄντα καὶ οὐκ ἔνεστιν εἶναί τι μὴ ἐν τῷ ὄντι τὸ εἶναι

M 64 ἔχον. Εἰ οὖν ἐν αὐτῷ τὰ πάντα καὶ ἐν | πᾶσιν ἐκεῖνο, τί ἐπαισχύνονται τῇ οἰκονομίᾳ τοῦ μυστηρίου τοῦ Θεὸν ἐν ἀνθρώπῳ γεγενῆσθαι διδάσκοντος τὸν οὐδὲ νῦν ἔξω τοῦ ἀν-

10 θρώπου εἶναι πεπιστευμένον ; Εἰ γὰρ καὶ ὁ τρόπος τῆς ἐν ἡμῖν τοῦ Θεοῦ παρουσίας οὐχ ὁ αὐτὸς οὗτος ἐκείνῳ, ἀλλ᾽ οὖν τὸ ἐν ἡμῖν εἶναι καὶ νῦν καὶ τότε κατὰ τὸ ἴσον διωμολόγηται · νῦν μὲν οὖν ἐγκέκραται ἡμῖν ὡς συνέχων ἐν τῷ εἶναι τὴν φύσιν, τότε δὲ κατεμίχθη πρὸς τὸ ἡμέτερον, ἵνα τὸ ἡμέτερον τῇ πρὸς

15 τὸ θεῖον ἐπιμιξίᾳ γένηται θεῖον, ἐξαιρεθὲν τοῦ θανάτου καὶ τῆς

PG 68 τοῦ ἀντικειμένου τυραννίδος ἔξω | γενόμενον · ἡ γὰρ ἐκείνου ἀπὸ τοῦ θανάτου ἐπάνοδος ἀρχὴ τῷ θνητῷ γένει τῆς εἰς τὴν ἀθάνατον ζωὴν ἐπανόδου γίνεται.

ΚϚ΄. Ἀλλ᾽ ἴσως τις ἐν τῇ τῆς δικαιοσύνης τε καὶ σοφίας ἐξετάσει τῆς κατὰ τὴν οἰκονομίαν ταύτην θεωρουμένης ἐνάγεται πρὸς τὸ νομίσαι ἀπάτην τινὰ τὴν τοιαύτην μέθοδον ἐπινενοῆσθαι ὑπὲρ ἡμῶν τῷ Θεῷ. Τὸ γὰρ μὴ γυμνῇ τῇ

5 θεότητι, ἀλλ᾽ ὑπὸ τῆς ἀνθρωπίνης φύσεως κεκαλυμμένῃ ἀγνοηθέντα παρὰ τοῦ ἐχθροῦ τὸν Θεὸν ἐντὸς τοῦ κρατοῦντος

---

1. ATHANASE utilise le même raisonnement dans le *De Inc.* : « Les philosophes grecs disent que le monde est un grand corps, et ils sont dans le vrai en parlant ainsi... Si donc le Verbe de Dieu est dans le monde qui est un corps, et s'il est venu en toutes et en chacune de ses parties, qu'y a-t-il d'étonnant et d'insensé si nous disons qu'il est aussi venu dans un homme ? » (*De Inc.* 41, *SC* 199, p. 413-415).

Deux formes de présence de Dieu

XXV. Que la divinité soit née en revêtant notre nature ne saurait représenter rien d'étrange, au regard de la raison, pour ceux qui considèrent les choses sans trop de mesquinerie. Qui en effet est assez pusillanime pour ne pas croire, à la vue de l'univers, que la divinité est en tout, qu'elle se revêt de l'univers, qu'elle l'embrasse, qu'elle y réside [1] ? Car ce qui existe dépend de celui qui est, et rien ne peut exister qui n'existe en Celui qui est. Si donc tout est en lui et s'il est en tout, pourquoi avoir honte de l'économie du mystère, qui nous enseigne que Dieu a pris naissance dans l'homme, lui dont nous croyons que même aujourd'hui il n'est pas extérieur à l'homme ? Même si, en effet, la forme de la présence actuelle de Dieu en nous n'est pas la même que celle de jadis, on ne s'accorde pas moins à reconnaître que maintenant comme jadis il est également en nous. Maintenant il est mêlé à nous en tant qu'il maintient la nature dans l'existence ; jadis il s'est mélangé à notre être pour que notre être fût divinisé par ce mélange avec le divin, après avoir été arraché à la mort et délivré de la tyrannie de l'ennemi ; car son retour de la mort à la vie devient pour la race mortelle le principe du retour à la vie immortelle [2].

Le trompeur trompé et la justice de Dieu

Concession : il s'agit réellement d'une tromperie

XXVI. Mais peut-être, dans cet examen de la justice et de la sagesse qui s'observent dans l'économie du salut, est-on amené à considérer comme une sorte de tromperie une telle manière de procéder conçue par Dieu en notre faveur : effectivement, le fait que Dieu, sans dévoiler pleinement sa divinité, mais en la cachant sous l'enveloppe de la nature humaine à l'insu de l'ennemi, se soit livré à celui qui est

2. Si la présence dans le cosmos assure le maintien dans l'existence, la présence liée à l'Incarnation vise le retour de l'homme « à la vie immortelle » grâce à la résurrection du Christ.

γενέσθαι ἀπάτη τίς ἐστι τρόπον τινὰ καὶ παραλογισμός,
ἐπείπερ ἴδιον τῶν ἀπατώντων ἐστὶ τὸ πρὸς ἕτερον τὰς τῶν
ἐπιβουλευομένων ἐλπίδας τρέπειν καὶ ἄλλο παρὰ τὸ ἐλπισθὲν
10 κατεργάζεσθαι.

Ἀλλ᾽ ὁ πρὸς τὴν ἀλήθειαν βλέπων πάντων μάλιστα καὶ
τοῦτο τῆς δικαιοσύνης τε καὶ τῆς σοφίας εἶναι συνθήσεται.
Δικαίου μὲν γάρ ἐστι τὸ κατ᾽ ἀξίαν ἑκάστῳ νέμειν, σοφοῦ δὲ τὸ
μήτε παρατρέπειν τὸ δίκαιον μήτε τὸν ἀγαθὸν τῆς φιλαν-
M 65 15 θρωπίας σκοπὸν | ἀποχωρίζειν τῆς κατὰ τὸ δίκαιον κρίσεως,
ἀλλὰ συνάπτειν ἀλλήλοις εὐμηχάνως ἀμφότερα, τῇ μὲν δι-
καιοσύνῃ τὸ κατ᾽ ἀξίαν ἀντιδιδόντα, τῇ δὲ ἀγαθότητι τοῦ σκο-
ποῦ τῆς φιλανθρωπίας οὐκ ἐξιστάμενον. Σκοπήσωμεν τοίνυν
εἰ μὴ τὰ δύο ταῦτα τοῖς γεγονόσιν ἐνθεωρεῖται. Ἡ μὲν γὰρ τοῦ
20 κατ᾽ ἀξίαν ἀντίδοσις δι᾽ ἧς ὁ ἀπατεὼν ἀνταπατᾶται τὸ δίκαιον
δείκνυσιν, ὁ δὲ σκοπὸς τοῦ γινομένου μαρτυρία τῆς τοῦ ἐνεργοῦντος ἀγαθότητος γίνεται. Ἴδιον μὲν γὰρ τῆς δικαιοσύνης τὸ
ἐκεῖνα νέμειν ἑκάστῳ ὧν τις τὰς ἀρχὰς καὶ τὰς αἰτίας προ-
κατεβάλετο, ὥσπερ ἡ γῆ κατὰ τὰ γένη τῶν καταβληθέντων
25 σπερμάτων καὶ τοὺς καρποὺς ἀντιδίδωσι, σοφίας δὲ τὸ ἐν τῷ
τρόπῳ τῆς τῶν ὁμοίων ἀντιδόσεως μὴ ἐκπεσεῖν τοῦ βελτίονος.
Ὥσπερ γὰρ τῷ ἐδέσματι ὁμοίως παραμίγνυσι τὸ φάρμακον καὶ
ὁ ἐπιβουλεύων καὶ ὁ τὸν ἐπιβουλευθέντα ἰώμενος — ἀλλ᾽ ὁ μὲν
τὸ δηλητήριον, ὁ δὲ τοῦ δηλητηρίου ἀλεξητήριον — καὶ οὐδὲν
30 ὁ τρόπος τῆς θεραπείας τὸν σκοπὸν τῆς εὐεργεσίας διελυ-
μήνατο — εἰ γὰρ καὶ παρ᾽ ἀμφοτέρων φαρμάκου μίξις ἐν
τροφῇ γίνεται, ἀλλὰ πρὸς τὸν σκοπὸν ἀποβλέψαντες τὸν μὲν
ἐπαινοῦμεν, τῷ δὲ χαλεπαίνομεν — οὕτω καὶ ἐνταῦθα τῷ μὲν
κατὰ τὸ δίκαιον λόγῳ ἐκεῖνα ὁ ἀπατεὼν ἀντιλαμβάνει ὧν τὰ

---

1. Le procédé décrit dans le ch. XXV est réellement une tromperie.
N'est-il pas indigne de Dieu ? Grégoire s'efforce de montrer qu'il se justifie
par les résultats, en partie inattendus, qui en découlent.
2. Grégoire pense-t-il au principe de la justice immanente en donnant un
exemple qui concerne un phénomène naturel ? La comparaison pourrait
s'expliquer à partir de textes bibliques comme Ga 6, 7 : « Ce que l'homme
sème, il le récoltera. »

maître de l'homme, est, d'une certaine façon, une tromperie [1] et une duperie, du moment que c'est le propre des trompeurs de faire porter sur un autre objet l'espoir de ceux contre lesquels ils ourdissent leur projet et de réaliser autre chose que ce qui était attendu.

Mais cette tromperie relève de la justice et de la bonté de Dieu

Mais celui qui prend en considération la vérité reconnaîtra que cela aussi relève au plus haut point de la justice et de la sagesse. Il appartient, en effet, à celui qui est juste de donner à chacun sa part selon son mérite ; il appartient à celui qui est sage de ne pas faire dévier la justice et de ne pas dissocier le dessein bienveillant, que lui inspire l'amour de l'humanité, des décisions de la justice, mais de les concilier habilement entre eux, en rétribuant, au nom de la justice, en fonction du mérite et en restant attaché, au titre de la bonté, au dessein formé par amour de l'humanité. Examinons donc si ces deux aspects ne s'observent pas dans les événements qui se sont produits. La rétribution selon les mérites, en fonction de laquelle le trompeur est trompé à son tour manifeste la justice, et l'objectif visé à travers ce qui s'est passé atteste la bonté de celui qui est à l'œuvre. Le propre de la justice est, en effet, d'attribuer à chacun ce qui est la conséquence des principes et des fondements posés, tout comme la terre produit des fruits qui correspondent aux semences qui y ont été répandues [2] ; d'autre part, le propre de la sagesse est de ne pas perdre de vue, dans la manière de rendre la pareille, le bien qu'on poursuit. C'est ainsi que celui qui forme un projet d'empoisonnement et celui qui soigne la victime de l'empoisonnement mélangent, les deux, une drogue à la nourriture, l'un un poison funeste, l'autre un contrepoison ; et le mode de traitement n'altère en rien la qualité de l'intention de rendre service ; même si les deux mêlent une drogue à de la nourriture, nous louons cependant l'un et nous blâmons l'autre, en prenant en considération leur dessein. Il en est de

35 σπέρματα διὰ τῆς ἰδίας προαιρέσεως κατεβάλετο — ἀπατᾶται
γὰρ καὶ αὐτὸς τῷ τοῦ ἀνθρώπου προβλήματι ὁ προαπατήσας
τὸν ἄνθρωπον τῷ τῆς ἡδονῆς[a] δελεάσματι — ὁ δὲ σκοπὸς τῶν
M 66 γινομένων ἐπὶ | τὸ κρεῖττον τὴν παραλλαγὴν ἔχει.

Ὁ μὲν γὰρ ἐπὶ διαφθορᾷ τῆς φύσεως τὴν ἀπάτην ἐνήργησεν,
40 ὁ δὲ δίκαιος ἅμα καὶ ἀγαθὸς καὶ σοφὸς ἐπὶ σωτηρίᾳ τοῦ
καταφθαρέντος τῇ ἐπινοίᾳ τῆς ἀπάτης ἐχρήσατο, οὐ μόνον τὸν
ἀπολωλότα διὰ τούτων εὐεργετῶν, ἀλλὰ καὶ αὐτὸν τὸν τὴν
ἀπώλειαν καθ᾽ ἡμῶν ἐνεργήσαντα. Ἐκ γὰρ τοῦ προσεγγίσαι
τῇ ζωῇ μὲν τὸν θάνατον, τῷ φωτὶ δὲ τὸ σκότος, τῇ ἀφθαρσίᾳ
45 δὲ τὴν φθοράν, ἀφανισμὸς μὲν τοῦ χείρονος γίνεται καὶ εἰς τὸ
μὴ ὂν μεταχώρησις, ὠφέλεια δὲ τοῦ ἀπὸ τούτων καθαιρο-
PG 69 μένου. Κα|θάπερ γάρ, ἀτιμοτέρας ὕλης τῷ χρυσῷ κατα-
μιχθείσης, τῇ διὰ τοῦ πυρὸς δαπάνῃ τὸ ἀλλότριόν τε καὶ
ἀπόβλητον οἱ θεραπευταὶ τοῦ χρυσοῦ καταναλώσαντες πάλιν
50 ἐπανάγουσι πρὸς τὴν κατὰ φύσιν λαμπηδόνα τὴν προτιμοτέραν ὕλην — οὐκ ἄπονος μέντοι γίνεται ἡ διάκρισις, χρόνῳ
τοῦ πυρὸς τῇ ἀναλωτικῇ δυνάμει τὸ νόθον ἐξαφανίζοντος,

a. Cf. Gn 3, 6

1. L'axiome « La fin justifie les moyens » demande à être manié avec une
plus grande circonspection. En fait, on pourrait distinguer la fin qui vise le
moyen terme et celle qui vise le terme final.
2. Tout le passage qui suit concerne le salut de celui qui avait causé notre
perte. Il ne s'agit pas d'une allusion furtive à ce thème, mais d'un essai
d'explication sur les modalités de l'opération. ORIGÈNE passe pour être le
père de cette théorie. Se fondant sur quelques passages de l'Écriture comme
Ac 3, 19-21 ; 1 Co 15, 24-28, il affirme : « Il faut comprendre cette destruction
du dernier ennemi non en ce sens que sa substance faite par Dieu périra,
mais en celui que son propos et sa volonté d'inimitié, qui proviennent non de
Dieu, mais de lui-même, disparaîtront » (De Princ. III, 6, SC 268, p. 245 et
SC 269, p. 138). Dans l'importante note, H. CROUZEL et M. SIMONETTI
recommandent la prudence et invitent à voir dans la conversion du diable
une hypothèse plus qu'une croyance ferme d'ORIGÈNE. Quant à Grégoire, il
enseigne le salut définitif de tous les êtres, y compris celui du démon. Le
Disc. cat. ne laisse aucun doute sur ce point ; les mêmes idées sont exprimées

même ici : le trompeur se voit rendre, d'après la règle de la justice, ce dont il a jeté les semences selon sa volonté propre ; car lui qui, auparavant, avait trompé l'homme par l'appât du plaisir [b], est, à son tour, trompé par l'enveloppe humaine de celui qui se présente à lui. Mais l'intention qui dicte le procédé fait que l'opération tourne au bien [1].

e. Dieu veut même le bien de celui qui avait causé notre perte

En effet, l'un avait mis en œuvre sa tromperie en vue de la corruption de la nature, l'autre, à la fois juste, bon et sage, eut recours à la tromperie en vue du salut de celui qui avait été corrompu et l'utilisa pour le bien non seulement de celui qui s'était perdu, mais aussi de celui qui avait causé notre perte [2]. Car lorsque la vie se trouve rapprochée de la mort, la lumière des ténèbres [3], l'incorruptibilité de la corruption, alors disparaît et va au non-être ce qui est mauvais, pour le bien de celui qui est purifié de ces maux. Ainsi, lorsqu'une matière moins précieuse s'est mêlée à l'or, les ouvriers fondeurs, utilisant le feu [4], éliminent de l'objet en or l'élément étranger et sans valeur et redonnent par ce procédé à la matière précieuse son éclat naturel ; toutefois cette séparation ne s'effectue pas sans peine, car le feu, avec sa puissance destructrice, ne fait disparaître l'élément impur que peu à peu,

dans d'autres œuvres : *De an. et res.*, *PG* 46, 104 C, tr. Terrieux, p. 121 ; *Quando sibi subj. GNO* III, 2, p. 15 ; 1316 C. Voir le commentaire de R. Hübner, *Die Einheit des Leibes Christi*, p. 58-66.

3. Le thème de la force rayonnante de la lumière se rattache à celui de la puissance conquérante de la vie : ils renvoient au Christ, vraie Vie et vraie Lumière : c'est lui qui mettra fin à la situation suscitée par l'auteur du mal.

4. L'image du feu qui purifie et celle de la cautérisation évoquent les peines endurées par ceux qui ont besoin d'être purifiés ; mais ces peines ont un caractère moins pénal que médicinal et elles ne sont pas éternelles. Pour le thème de la cautérisation, voir Origène, *C. Cels.* 6, 56.

πλὴν ἀλλὰ θεραπεία τίς ἐστι τοῦ χρυσίου τὸ ἐκτακῆναι αὐτῷ
τὸ ἐπὶ λύμῃ τοῦ κάλλους ἐγκείμενον — κατὰ τὸν αὐτὸν
55 τρόπον, θανάτου, καὶ φθορᾶς, καὶ σκότους, καὶ εἴ τι κακίας
ἔκγονον τῷ εὑρετῇ τοῦ κακοῦ περιφυέντων, ὁ προσεγγισμὸς
τῆς θείας δυνάμεως πυρὸς δίκην ἀφανισμὸν τοῦ παρὰ φύσιν
κατεργασάμενος εὐεργετεῖ τῇ καθάρσει τὴν φύσιν, κἂν
ἐπίπονος ἡ διάκρισις ᾖ — οὐκοῦν οὐδ' ἂν παρ' αὐτοῦ τοῦ
M 67 60 ἀντικειμένου μὴ εἶναι δίκαιόν τε | καὶ σωτήριον τὸ γεγονὸς
ἀμφιβάλοιτο, εἴπερ εἰς αἴσθησιν τῆς εὐεργεσίας ἔλθοι νῦν.
Καθάπερ γὰρ οἱ ἐπὶ θεραπείᾳ τεμνόμενοί τε καὶ καιόμενοι
χαλεπαίνουσι τοῖς θεραπεύουσι τῇ ὀδύνῃ τῆς τομῆς δριμυσ-
σόμενοι, εἰ δὲ τὸ ὑγιαίνειν διὰ τούτων προσγένοιτο καὶ ἡ τῆς
65 καύσεως ἀλγηδὼν παρέλθοι, χάριν εἴσονται τοῖς τὴν
θεραπείαν ἐπ' αὐτῶν ἐνεργήσασι · κατὰ τὸν αὐτὸν τρόπον ταῖς
μακραῖς περιόδοις ἐξαιρεθέντος τοῦ κακοῦ τῆς φύσεως, τοῦ
νῦν αὐτῇ καταμιχθέντος καὶ συμφυέντος, ἐπειδὰν ἡ εἰς τὸ
ἀρχαῖον ἀποκατάστασις τῶν νῦν ἐν κακίᾳ κειμένων γένηται,
70 ὁμόφωνος ἡ εὐχαριστία παρὰ πάσης ἔσται τῆς κτίσεως, καὶ
τῶν ἐν τῇ καθάρσει κεκολασμένων καὶ τῶν μηδὲ τὴν ἀρχὴν
ἐπιδεηθέντων καθάρσεως. Ταῦτα καὶ τὰ τοιαῦτα παραδίδωσι
τὸ μέγα μυστήριον τῆς θείας ἐνανθρωπήσεως. Δι' ὧν γὰρ
κατεμίχθη τῇ ἀνθρωπότητι — διὰ πάντων τῶν τῆς φύσεως
75 ἰδιωμάτων γενόμενος, γενέσεώς τε καὶ ἀνατροφῆς, καὶ αὐξή-
σεως, καὶ μέχρι τῆς τοῦ θανάτου πείρας διεξελθών — τὰ
προειρημένα πάντα κατείργασται, τόν τε ἄνθρωπον τῆς
κακίας ἐλευθερῶν καὶ αὐτὸν τὸν τῆς κακίας εὑρετὴν ἰώμενος.
Ἴασις γάρ ἐστιν ἀρρωστίας ἡ τοῦ νοσήματος κάθαρσις, κἂν
80 ἐπίπονος ᾖ.|

---

1. «Apocatastase», terme technique de l'astronomie, désigne le retour à
la position initiale d'un astre ou d'une planète ou bien le retour de la lumière
après une éclipse. Pour les chrétiens, le terme a le sens de restauration
universelle de l'état originel. Cf. J. DANIÉLOU, « Apocatastase », dans *L'être et
le temps*, p. 205-225.
2. Concert de louange : cf Introduction : 'thème de la conspiration',
p. 39 s.

l'objet en or étant soumis à une sorte de traitement, du fait que l'on fait fondre l'élément qui y est contenu et qui altère sa beauté. De la même manière, étant donné que la mort, la corruption, les ténèbres et tout ce qui est engendré par le mal prolifèrent autour de l'auteur du mal, l'approche de la puissance divine provoque, à la façon du feu, la destruction de l'élément contraire à la nature et, grâce à cette purification, se montre salutaire pour la nature, si pénible que soit la séparation. Ainsi donc, même l'adversaire ne serait plus en droit de mettre en doute le caractère juste et salutaire du procédé, si toutefois il arrivait à en comprendre le bienfait. En effet, il en est comme de ceux qui, subissant un traitement par voie de coupures et de cautérisations, se plaignent des médecins sous le coup de la douleur provoquée par la coupure, mais qui, une fois qu'ils auront recouvré la santé grâce à ces soins et que la souffrance résultant de la brûlure aura disparu, sauront gré à ceux qui leur ont appliqué le traitement ; de la même manière, une fois que, au prix de longs détours, la nature aura été débarrassée du mal qui maintenant y est mêlé et attaché et que seront rétablis dans leur condition originelle [1] ceux qui maintenant sont plongés dans le mal, alors, à l'unisson, s'élèvera de toute la création l'action de grâces [2], de la bouche de ceux qui auront été châtiés au cours de cette purification et de la bouche de ceux qui n'auront pas du tout eu besoin de purification. Ces enseignements et d'autres du même genre nous sont livrés par le grand mystère de l'Incarnation divine. En se mêlant à l'humanité et en assumant tous les caractères propres à notre nature, la naissance, l'éducation, la croissance, et en parcourant toutes les étapes de la vie jusqu'à l'épreuve de la mort, Dieu a accompli tout ce dont nous avons parlé plus haut : il a délivré l'homme du mal et il a guéri l'auteur même du mal. En effet, guérir une infirmité, c'est faire disparaître la maladie, fût-ce au prix de la souffrance.

ΚΖ΄. Ἀκόλουθον δὲ πάντως τὸν πρὸς τὴν φύσιν ἡμῶν
ἀνακιρνάμενον διὰ πάντων δέξασθαι τῶν ἰδιωμάτων αὐτῆς
τὴν πρὸς ἡμᾶς συνανάκρασιν. Καθάπερ γὰρ οἱ τὸν ῥύπον τῶν
ἱματίων ἐκπλύνοντες οὐ τὰ μὲν ἐῶσι τῶν μολυσμάτων, τὰ δὲ
5 ἀπορρύπτουσιν, ἀλλ᾽ ἀπ᾽ ἀρχῆς ἄχρι τέλους ἐκκαθαίρουσι τῶν
κηλίδων ἅπαν τὸ ὕφασμα, ὡς ἂν ὁμότιμον ἑαυτῷ δι᾽ ὅλου τὸ
ἱμάτιον γένοιτο κατὰ τὸ ἴσον λαμπρυνθὲν ἐκ τῆς πλύσεως,
οὕτως, μολυνθείσης τῇ ἁμαρτίᾳ τῆς ἀνθρωπίνης ζωῆς ἐν ἀρχῇ
τε καὶ τελευτῇ, καὶ τοῖς διὰ μέσου πᾶσιν, ἔδει διὰ πάντων
10 γενέσθαι τὴν ἐκπλύνουσαν δύναμιν, καὶ μὴ τὸ μέν τι θερα-
πεῦσαι τῷ καθαρσίῳ, τὸ δὲ περιϊδεῖν ἀθεράπευτον. Τούτου
χάριν, τῆς ζωῆς ἡμῶν δύο πέρασιν ἑκατέρωθεν διειλημμένης
— τὸ κατὰ τὴν ἀρχήν φημι καὶ τὸ τέλος — καθ᾽ ἑκάτερον
εὑρίσκεται πέρας ἡ διορθωτικὴ τῆς φύσεως δύναμις, καὶ τῆς
15 ἀρχῆς ἁψαμένη καὶ μέχρι τοῦ τέλους ἑαυτὴν ἐπεκτείνασα καὶ
τὰ διὰ μέσου τούτων πάντα διαλαβοῦσα.

Μιᾶς δὲ πᾶσιν ἀνθρώποις τῆς εἰς τὴν ζωὴν | οὔσης παρόδου,
πόθεν ἔδει τὸν εἰσιόντα πρὸς ἡμᾶς εἰσοικισθῆναι τῷ βίῳ ; Ἐξ
οὐρανοῦ, φησὶ τυχὸν ὁ διαπτύων ὡς αἰσχρόν τε καὶ ἄδοξον τὸ
20 εἶδος τῆς ἀνθρωπίνης γενέσεως. Ἀλλ᾽ οὐκ ἦν ἐν οὐρανῷ τὸ
ἀνθρώπινον, οὐδέ τις ἐν τῇ ὑπερκοσμίῳ ζωῇ κακίας νόσος

---

1. Grégoire formule à sa façon le principe : « *Quod non assumptum, non
est sanatum* ». Mais alors que d'autres Pères entendent par là l'homme dans
sa constitution entière, Grégoire pense en plus à toutes les étapes de la vie
humaine. Irénée va dans le même sens : « Il a sanctifié tous les âges par la
ressemblance que nous avons avec lui. C'est, en effet, tous les hommes qu'il
est venu sauver par lui-même, tous les hommes, dis-je, qui par lui renaissent
en Dieu : nouveau-nés, enfants, adolescents, jeunes hommes, hommes d'âge.
C'est pourquoi il est passé par tous les âges de la vie » (*AH* II, 22, 2, *SC* 294,
p. 221).

2. Le passage qui va de *mias dé pasin* à la fin du ch. XXVIII a été repris
par Euthymius, *Pan. dogm.* I, 7.

3. Grégoire revient à la question de la naissance du Christ par un autre
biais. Il se demande si le salut aurait pu être assuré selon une autre modalité
que celle du Logos qui s'est fait homme.

4. Il n'existe pas d'humanité ailleurs (contre les gnostiques), au ciel par
exemple. Si vraiment un être céleste s'était présenté, il n'aurait pas pu
assurer le salut de l'homme, vu qu'il n'aurait eu rien de commun avec
l'homme. Faut-il voir dans ce passage sur un « homme venu d'ailleurs » une

5. Nécessité de l'Incarnation pour assurer le salut de l'homme

Nécessaire purification de toute la vie humaine

XXVII. Il était tout à fait logique que celui qui se mêlait à notre nature acceptât d'en assumer toutes les propriétés en s'unissant à nous. C'est comme pour ceux qui lavent des vêtements sales pour les nettoyer : ils ne laissent pas subsister une partie des souillures en enlevant le reste des taches, mais ils purifient de ses salissures tout le tissu d'un bout à l'autre, de façon que le vêtement tout entier ait la même propreté et brille du même éclat à la suite du lavage ; de la même manière, comme la vie humaine avait été souillée par le péché dans son commencement et dans sa fin et dans tout l'intervalle entre les deux, la puissance purificatrice devait opérer partout pour éviter de purifier l'une des parties[1] et de négliger la purification de l'autre. C'est pourquoi, comme notre vie se situe entre deux limites, je veux dire entre le commencement et la fin, on trouve à chacune de ces deux extrémités la puissance qui redresse notre nature et qui a été en contact avec le commencement, s'est étendue de là jusqu'à la fin et a embrassé tout ce qui se situe dans l'intervalle.

N'importe qui ne peut pas réaliser cette purification

Or[2], comme il n'y a pour tout homme qu'une seule façon d'entrer dans l'existence, d'où devait donc arriver celui qui venait vers nous pour prendre demeure dans notre vie[3] ? Du ciel, dit peut-être celui qui rejette comme honteuse et vile la forme de la naissance humaine. Mais l'humanité n'était pas au ciel[4] et dans la vie supraterrestre ne régnait aucune des

allusion à Apollinaire à qui on prête des développements sur « l'homme céleste » ? Effectivement Grégoire s'attache à réfuter cette théorie dans son *Antirrh.* Mais des recherches récentes conduisent à attribuer l'emploi de l'expression non pas à Apollinaire, mais à ses disciples. Cf. H. de Riedmatten, *La christologie d'Apollinaire de Laodicée, TU* 64, Berlin 1957 ; H.J. Schoeps, *Vom himmlischen Fleisch Christi,* Tübingen 1951.

ἐπεχωρίαζεν. Ὁ δὲ τῷ ἀνθρώπῳ καταμιγνύμενος τῷ σκοπῷ
M 69   τῆς ὠφελείας ἐποιεῖτο τὴν συνανάκρασιν. Ἔνθα τοίνυν τὸ
κακὸν οὐκ ἦν, οὐδὲ ὁ ἀνθρώπινος ἐπολιτεύετο βίος, πῶς ἐπι-
25   ζητεῖ τις ἐκεῖθεν τῷ θεῷ περιπλακῆναι τὸν ἄνθρωπον, μᾶλλον
δὲ οὐχὶ ἄνθρωπον, ἀλλὰ ἀνθρώπου τι εἴδωλον καὶ ὁμοίωμα ;
Τίς δ᾽ ἂν ἐγένετο τῆς φύσεως ἡμῶν ἡ διόρθωσις, εἰ τοῦ ἐπι-
γείου ζῴου νενοσηκότος ἕτερόν τι τῶν οὐρανίων τὴν θείαν
ἐπιμιξίαν ἐδέξατο ; Οὐκ ἔστι γὰρ θεραπευθῆναι τὸν κάμνοντα,
30   μὴ τοῦ πονοῦντος μέρους ἰδιαζόντως δεξαμένου τὴν ἴασιν. Εἰ
οὖν τὸ μὲν κάμνον ἐπὶ γῆς ἦν, ἡ δὲ θεία δύναμις τοῦ κάμνοντος
μὴ ἐφήψατο πρὸς τὸ ἑαυτῆς βλέπουσα πρέπον, ἄχρηστος ἦν
τῷ ἀνθρώπῳ ἡ περὶ τὰ μηδὲν ἡμῖν ἐπικοινωνοῦντα τῆς θείας
δυνάμεως ἀσχολία. Τὸ μὲν γὰρ ἀπρεπὲς ἐπὶ τῆς θεότητος ἴσον
35   — εἴπερ ὅλως θεμιτόν ἐστιν ἄλλο τι παρὰ τὴν κακίαν ἀπρεπὲς
ἐννοεῖν — πλὴν τῷ μικροψύχως ἐν τούτῳ κρίνοντι τὴν θείαν
μεγαλειότητα, ἐν τῷ μὴ δέξασθαι τῶν τῆς φύσεως ἡμῶν ἰδιωμάτων τὴν κοινωνίαν, οὐδὲν μᾶλλον παραμυθεῖται τὸ ἄδοξον
οὐρανίῳ σώματι ἢ ἐπιγείῳ συσχηματισθῆναι τὸ θεῖον · τοῦ
40   γὰρ ὑψίστου καὶ ἀπροσίτου κατὰ τὸ ὕψος τῆς φύσεως ἡ κτίσις
πᾶσα κατὰ τὸ ἴσον ἐπὶ τὸ κάτω ἀφέστηκε καὶ ὁμοτίμως αὐτῷ
τὸ πᾶν ὑποβέβηκε · τὸ γὰρ καθ᾽ ὅλου ἀπρόσιτον οὔ τινι μέν
ἐστι προσιτόν, τῷ δὲ ἀπροσπέλαστον, ἀλλ᾽ ἐπ᾽ ἴσης πάντων
τῶν ὄντων ὑπερανέστηκεν · οὔτε οὖν ἡ γῆ πορρωτέρω τῆς
45   ἀξίας ἐστίν, οὔτε ὁ οὐρανὸς πλησιαίτερος, οὔτε τὰ ἐν ἑκατέρῳ
M 70   τῶν στοιχείων ἐνδιαιτώμενα διαφέρει| τι ἀλλήλων ἐν τῷ μέρει
τούτῳ, ὡς τὰ μὲν ἐφάπτεσθαι τῆς ἀπροσίτου φύσεως, τὰ δὲ
ἀποκρίνεσθαι, ἢ οὕτω γ᾽ ἂν μὴ διὰ πάντων ἐπ᾽ ἴσης διήκειν τὴν
τὸ πᾶν ἐπικρατοῦσαν δύναμιν ὑπονοήσαιμεν, ἀλλ᾽ ἔν τισι
50   πλεονάζουσαν, ἐν ἑτέροις ἐνδεεστέραν εἶναι, καὶ τῇ πρὸς τὸ

1. Les êtres supraterrestres (anges) ne sont pas plus dignes que l'homme
d'entrer dans une étroite union avec Dieu, du genre de celle de l'Incarnation.
Le clivage se situe non entre l'homme et les anges, mais entre l'incréé et le
créé (cf. Introduction : 'créé-incréé', p. 35).

formes de maladie du mal. Or, celui qui se mêlait à l'homme contracta cette union étroite avec l'intention de procurer des bienfaits. Là où le mal ne régnait pas et où on ne menait pas une vie humaine, comment peut-on y chercher l'homme qui en serait descendu pour entrer en union étroite avec Dieu, ou plutôt non pas un homme, mais une image de l'homme, un simulacre d'homme ? Quel redressement de notre nature serait intervenu, si, à la place de la créature terrestre malade, un être appartenant au monde céleste avait contracté l'union avec Dieu ? Car il n'est pas possible que le malade soit guéri, si précisément la partie souffrante ne bénéficie pas de la guérison. Si donc ce qui était malade avait été sur terre et si la puissance divine, en considération de sa propre dignité, ne s'était pas attachée à cette partie malade, la sollicitude de la divine puissance à l'égard d'êtres n'ayant rien de commun avec nous n'eût procuré aucun avantage à l'homme. Car l'indignité eût été la même pour la divinité, si toutefois il est permis d'estimer qu'absolument rien d'autre que le mal n'est indigne d'elle. Cependant, pour un esprit mesquin qui estime que la majesté divine ne saurait admettre d'avoir en commun avec nous les propriétés de notre nature, le déshonneur n'est nullement atténué, que la divinité ait revêtu la forme d'un corps céleste ou celle d'un corps terrestre [1]. En effet, toute la création est dans une égale situation d'infériorité par rapport au Très-Haut, lui qui est inaccessible en raison de l'élévation de sa nature, et tout l'univers se situe au même rang en dessous de lui. Car ce qui est absolument inaccessible n'est pas accessible à l'un et inabordable à l'autre, mais transcende au même titre tout ce qui existe. Par conséquent, la terre n'est pas plus éloignée de la majesté divine et le ciel n'en est pas plus rapproché et les êtres qui habitent chacun de ces deux mondes planétaires ne diffèrent en rien les uns des autres sous ce rapport, au point que les uns seraient en contact avec la nature inaccessible, alors que les autres en seraient séparés ; sinon nous serions amenés à supposer que la puissance qui commande l'univers ne

ἔλαττόν τε καὶ πλέον καὶ μᾶλλον καὶ ἧττον διαφορᾷ σύνθετον
ἐκ τοῦ ἀκολούθου τὸ θεῖον ἀναφανήσεται, αὐτὸ πρὸς ἑαυτὸ μὴ
συμβαῖνον, εἴπερ ἡμῶν μὲν πόρρωθεν ὑπονοοῖτο εἶναι τῷ λόγῳ
τῆς φύσεως, ἑτέρῳ δέ τινι γειτνιῴη καὶ εὔληπτον ἐκ τοῦ
55 σύνεγγυς γίνοιτο. Ἀλλ' ὁ ἀληθὴς λόγος ἐπὶ τῆς ὑψηλῆς ἀξίας
οὔτε κάτω βλέπει διὰ συγκρίσεως οὔτε ἄνω · πάντα γὰρ κατὰ
τὸ ἴσον τὴν τοῦ παντὸς ἐπιστατοῦσαν δύναμιν ὑποβέβηκεν,
ὥστε, εἰ τὴν ἐπίγειον φύσιν ἀναξίαν τῆς πρὸς τὸ θεῖον οἰή-
σονται συμπλοκῆς, οὐδ' ἂν ἄλλη τις εὑρεθείη τὸ ἄξιον ἔχουσα.
60 Εἰ δὲ ἐπ' ἴσης πάντα τῆς ἀξίας ἀπολιμπάνεται, ἐν πρέπον ἐστὶ
τῷ Θεῷ τὸ εὐεργετεῖν τὸν δεόμενον. Ὅπου τοίνυν ἦν ἡ νόσος,
ἐκεῖ φοιτῆσαι τὴν ἰωμένην δύναμιν ὁμολογοῦντες, τί ἔξω τῆς
θεοπρεποῦς ὑπολήψεως πεπιστεύκαμεν ;

ΚΗʹ. Ἀλλὰ κωμῳδοῦσι τὴν φύσιν ἡμῶν, καὶ τὸν τῆς γεννήσεως τρόπον διαθρυλοῦσι καὶ οἴονται διὰ τούτων ἐπιγέ-
λαστον ποιεῖν τὸ μυστήριον, ὡς ἀπρεπὲς ὂν Θεῷ διὰ τοιαύτης
εἰσόδου τῆς τοῦ ἀνθρωπίνου βίου κοινωνίας ἐφάψασθαι.
5 Ἀλλ' ἤδη περὶ τούτου καὶ ἐν τοῖς ἔμπροσθεν εἴρηται λόγοις ὅτι
μόνον αἰσχρὸν τῇ ἑαυτοῦ φύσει τὸ κακόν ἐστι καὶ εἴ τι πρὸς τὴν
κακίαν οἰκείως ἔχει, ἡ δὲ τῆς φύσεως ἀκολουθία θείῳ
βουλήματι καὶ νόμῳ διαταχθεῖσα πόρρω τῆς κατὰ κακίαν ἐστὶ
διαβολῆς — ἢ οὕτω γ' ἂν ἐπὶ τὸν δημιουργὸν ἡ κατηγορία τῆς
10 φύσεως ἐπανίοι, εἴ τι τῶν περὶ αὐτὴν ὡς αἰσχρόν τε καὶ
ἀπρεπὲς διαβάλλοιτο. Εἰ οὖν μόνης κακίας τὸ θεῖον κεχώρισται, φύσις δὲ κακία οὐκ ἔστι, τὸ δὲ μυστήριον ἐν ἀνθρώπῳ
γενέσθαι τὸν Θεόν, οὐκ ἐν κακίᾳ λέγει, ἡ δὲ τοῦ ἀνθρώπου ἐπὶ
τὸν βίον εἴσοδος μία ἐστὶ δι' ἧς παράγεται ἐπὶ τὴν ζωὴν τὸ
15 γεννώμενον, τίνα νομοθετοῦσιν ἕτερον τρόπον τῷ Θεῷ τῆς εἰς
τὸν βίον παρόδου οἱ ἐπισκεφθῆναι μὲν παρὰ τῆς θείας δυνά-

---

1. Si déjà on veut raisonner en termes de dignité et d'indignité, il
convient d'introduire un critère moral et de se demander s'il est digne ou
indigne de Dieu de secourir la créature qui est dans le besoin.
2. Grégoire examine une autre objection relative à la naissance du Christ :
elle concerne la prétendue indignité des organes de la génération.

s'étend pas de façon égale à toutes choses, mais qu'elle est surabondante ici et insuffisante ailleurs ; dans ce cas, en raison de la différence entre ce qui est plus ou moins abondant et plus ou moins grand, la divinité apparaîtrait, en bonne logique, comme composée, ne s'accordant pas avec elle-même, si justement on pouvait la supposer éloignée de nous par la loi de sa nature, mais plus proche de quelque autre créature, devenant ainsi facile à saisir par suite de cette proximité. Mais quand il s'agit de la majesté suprême, la véritable doctrine ne considère pas le haut et le bas pour les comparer ; en effet, toutes choses se situent à égale distance au-dessous de la puissance qui dirige l'univers, de sorte que si la créature terrestre, par sa nature, est censée être indigne de l'union étroite avec la divinité, on ne saurait pas non plus en trouver une autre qui en fût digne. Si tout est également éloigné de cette dignité, il existe une seule chose qui convienne à Dieu : c'est d'accorder ses bienfaits à celui qui en a besoin [1]. En reconnaissant que la puissance qui guérit s'est rendue là où régnait la maladie, en quoi notre croyance ne correspond-elle pas à la juste conception que l'on doit avoir de Dieu ?

6. COMMENT DIEU PEUT-IL ACCEPTER DE SE SOUMETTRE À UNE NAISSANCE HUMAINE ?

XXVIII. Mais on tourne en dérision notre nature et on ne cesse de s'en prendre au mode de naissance ; on pense ridiculiser par là le mystère de notre foi, comme s'il était indigne de Dieu de partager la vie humaine en empruntant une telle voie [2]. Mais sur ce point il a déjà été dit plus haut que seul est avilissant de par sa nature le mal et tout ce qui est apparenté au mal. L'ordre de la nature, établi par la volonté et la loi divines, échappe à l'accusation d'être mauvais ; sans quoi l'accusation portée contre la nature retomberait sur le créateur, si vraiment l'une quelconque des choses qui en relèvent

μεως ἀσθενήσασαν ἐν κακίᾳ τὴν φύσιν εὔλογον κρίνοντες,
πρὸς δὲ τὸν τῆς ἐπισκέψεως τρόπον δυσαρεστούμενοι, οὐκ
εἰδότες ὅτι πᾶσα πρὸς ἑαυτὴν ἡ κατασκευὴ τοῦ σώματος
20 ὁμοτίμως ἔχει καὶ οὐδὲν ἐν ταύτῃ τῶν πρὸς τὴν σύστασιν τῆς
ζωῆς συντελούντων ὡς ἄτιμόν τι ἢ πονηρὸν διαβάλλεται ;
Πρὸς ἕνα γὰρ σκοπὸν ἡ τῶν ὀργανικῶν μελῶν διασκευὴ
πᾶσα συντέτακται · ὁ δὲ σκοπός ἐστι τὸ διαμένειν ἐν τῇ ζωῇ τὸ
ἀνθρώπινον. Τὰ μὲν οὖν λοιπὰ τῶν ὀργάνων τὴν παροῦσαν
25 συνέχει τῶν ἀνθρώπων ζωήν, ἄλλα πρὸς ἄλλην ἐνέργειαν
μεμερισμένα δι' ὧν ἡ αἰσθητική τε καὶ ἡ ἐνεργητικὴ δύναμις
M 72 οἰκονομεῖται, τὰ δὲ γεννητικὰ | τοῦ μέλλοντος ἔχει τὴν πρό-
νοιαν δι' ἑαυτῶν τῇ φύσει τὴν διαδοχὴν ἀντεισάγοντα. Εἰ οὖν
πρὸς τὸ χρειῶδες βλέποις, τίνος ἂν εἴη τῶν τιμίων εἶναι
30 νομιζομένων ἐκεῖνα δεύτερα ; Τίνος δὲ οὐκ ἂν προτιμότερα
κατὰ τὸ εὔλογον κρίνοιτο ; Οὐ γὰρ ὀφθαλμῷ, καὶ ἀκοῇ, καὶ
γλώσσῃ, ἢ ἄλλῳ τινὶ τῶν αἰσθητηρίων πρὸς τὸ διηνεκὲς τὸ
γένος ἡμῶν διεξάγεται · ταῦτα γάρ, καθὼς εἴρηται, τῆς
παρούσης ἐστὶν ἀπολαύσεως, ἀλλ' ἐν ἐκείνοις ἡ ἀθανασία
35 συντηρεῖται τῇ ἀνθρωπότητι, ὡς ἀεὶ καθ' ἡμῶν ἐνεργοῦντα

pouvait se voir reprocher d'être avilissante et indigne. Si donc la divinité est uniquement étrangère au mal et si notre nature n'est pas mauvaise, si d'autre part le mystère de notre foi nous dit que Dieu a pris naissance dans l'homme et non dans le mal, si, par ailleurs, il n'existe pour l'homme qu'une seule façon d'accéder à la vie, celle par laquelle les êtres sont introduits dans l'existence par voie d'engendrement, quelle autre manière d'entrer dans la vie décrètent-ils pour Dieu, ceux qui jugent raisonnable que la nature affaiblie par le mal ait été visitée par la puissance divine, mais qui trouvent déplaisante la forme de cette visite? Ils ignorent que toutes les parties de la structure du corps ont en elles-mêmes la même valeur, et que rien de ce qui contribue à l'organisation de la vie n'encourt le reproche d'être vil ou mauvais.

Même les organes de la procréation ont leur dignité liée à leur fonction

La structure du corps avec ses différents organes est tout entière établie en vue d'un unique but, et ce but est de maintenir en vie l'être humain. Alors que les autres organes contribuent au maintien de la vie présente des hommes, en se partageant entre eux les différentes activités par lesquelles sont assurés la faculté de percevoir et le pouvoir d'agir, les organes de la génération, pour leur part, ont à veiller à l'avenir, eux par l'intermédiaire desquels la relève par succession des générations est assurée à la nature. Si l'on adopte le point de vue de l'utilité, quel est, parmi les organes jugés importants, celui par rapport auquel les organes de la génération devraient se contenter de la deuxième place? Quel est celui par rapport auquel on ne jugerait pas ces organes à bon droit supérieurs en valeur? En effet, ni l'œil ni l'oreille ni la langue ni aucun autre organe des sens n'assurent la continuité ininterrompue de notre espèce, car, comme nous l'avons dit, ils regardent l'utilité actuelle. Par contre, c'est grâce à ces autres organes que l'immortalité (survie) est conservée pour l'humanité, si bien que la mort qui agit sans cesse contre

τὸν θάνατον ἄπρακτον εἶναι τρόπον τινὰ καὶ ἀνήνυτον, πάντοτε πρὸς τὸ λεῖπον διὰ τῶν ἐπιγινομένων ἑαυτὴν ἀντεισα-
γούσης τῆς φύσεως. Τί οὖν ἀπρεπὲς περιέχει ἡμῶν τὸ
μυστήριον, εἰ διὰ τούτων κατεμίχθη ὁ Θεὸς τῷ ἀνθρωπίνῳ
40 βίῳ, δι' ὧν ἡ φύσις πρὸς τὸν θάνατον μάχεται ;

ΚΘ΄. Ἀλλὰ μεταβάντες ἀπὸ τούτου δι' ἑτέρων πάλιν κακί-
ζειν ἐπιχειροῦσι τὸν λόγον καί φασιν · εἰ καλὸν καὶ πρέπον τῷ
Θεῷ τὸ γενόμενον, τί ἀνεβάλετο τὴν εὐεργεσίαν ; Τί δὲ οὐκ ἐν
ἀρχαῖς οὔσης τῆς κακίας τὴν ἐπὶ τὸ πλέον αὐτῆς πρόοδον
5 ὑπετέμετο ; Πρὸς δὲ τοῦτο σύντομος ὁ παρ' ἡμῶν ἐστι λόγος
PG 76 ὅτι σοφίᾳ | γέγονε καὶ τοῦ λυσιτελοῦντος τῇ φύσει προμηθείᾳ
ἡ πρὸς τὴν εὐεργεσίαν ἡμῶν ἀναβολή. Καὶ γὰρ ἐπὶ τῶν σω-
M 73 ματικῶν νοσημάτων ὅταν τις διεφθορὼς χυμὸς | ὑφέρπῃ τοὺς
πόρους, πρὶν ἅπαν ἐπὶ τὴν ἐπιφάνειαν ἐκκαλυφθῆναι τὸ παρὰ
10 φύσιν ἐγκείμενον, οὐ καταφαρμακεύεται τοῖς πυκνοῦσι τὸ
σῶμα παρὰ τῶν τεχνικῶς μεθοδευόντων τὰ πάθη, ἀλλ' ἀνα-
μένουσι τὸ ἐνδομυχοῦν ἅπαν ἔξω γενέσθαι, καὶ οὕτω γυμνῷ
τῷ πάθει τὴν ἰατρείαν προσάγουσιν. Ἐπειδὴ τοίνυν ἅπαξ
ἐνέσκηψε τῇ φύσει τῆς ἀνθρωπότητος ἡ τῆς κακίας νόσος,

---

1. Dans le De hom. op. GRÉGOIRE explique que si les hommes n'avaient
pas connu le péché, ils se seraient multipliés selon le mode des anges en
dehors des rapports sexuels. Mais Dieu, prévoyant la chute, a doté l'homme
de tuniques de peau et d'organes de procréation (De hom. op. 17, SC 6,
p. 162-166). Quant au jugement de valeur porté sur ces organes le De virg. est
moins positif que le Disc. cat. Ainsi l'auteur est-il amené à dire : « Le mariage
fournit à la mort sa matière et lui prépare des gens destinés à mourir, tels des
condamnés » (De virg. 14, SC 119, p. 437-439). Le Disc.cat. introduit une
correction significative à propos de la relève des générations.

2. Le passage qui va de ti dé ouk én archais à diochlousan ton bion
(ch. XXX) est cité par EUTHYMIUS, Pan. dogm. I, VII.

3. L'objection figure déjà dans les écrits du IIᵉ siècle. IRÉNÉE estime que
tout s'est accompli au moment opportun voulu par Dieu (AH III, 16, 7, SC
211, p. 315) ; ailleurs, IRÉNÉE parle d'une sage pédagogie mise en œuvre par
Dieu : « C'est pourquoi notre Seigneur, dans les derniers temps,... vint à
nous, non tel qu'il le pouvait, mais tel que nous étions capables de le voir... Le
Père décide et commande, le Fils exécute et modèle, l'Esprit nourrit et
accroît et l'homme progresse peu à peu et s'élève vers la perfection, c'est-à-
dire s'approche de l'Incréé » (AH IV, 38, 2-3, SC 100, p. 955-957). A propos

nous est d'une certaine manière impuissante et inefficace, puisque la nature comble chaque fois les vides par l'arrivée de ceux qui naissent au fur et à mesure [1]. Que contient donc le mystère de notre foi qui soit indigne, si Dieu s'est mélangé à la vie humaine en empruntant les mêmes voies que celles utilisées par la nature pour lutter contre la mort ?

7. Pourquoi le Sauveur n'a-il pas mis fin plus tôt aux ravages du mal ?

XXIX. Mais, tout en laissant cette question de côté, les adversaires tentent de déprécier notre doctrine encore par d'autres reproches. Si vraiment, disent-ils, ce qui s'est produit est bon et digne de Dieu, pourquoi a-t-il différé son action bienfaisante en notre faveur ? Pourquoi donc [2], lorsque le mal en était encore à ses débuts, Dieu n'a-t-il pas radicalement mis fin à sa prolifération ultérieure [3] ? A cette objection nous répondrons brièvement que c'est par sagesse et par prévoyance de ce qui est avantageux pour notre nature que le bienfait a été différé. En effet, dans le cas des maladies physiques, quand une humeur corrompue s'insinue sous les pores de la peau, ceux qui soignent les maladies selon les règles de leur art ne traitent pas le corps avec des astringents, tant que l'élément contraire à la nature qui agit à l'intérieur ne s'est pas manifesté entièrement à la surface du corps ; ils attendent que ce qui est caché à l'intérieur se manifeste au dehors, et alors, quand le mal est à découvert, ils appliquent le traitement [4]. Ainsi donc, une fois que la nature humaine fut en proie à l'infection du mal, le médecin de l'univers

---

d'une objection relative au retard de l'Incarnation, Origène fait remarquer que Dieu s'est toujours occupé de l'homme et qu'il a suscité des justes remplis de l'Esprit dans l'*A.T.* (*C. Cels.* 4, 7, *SC* 136).

4. Origène fait appel au même exemple et présente Dieu comme un médecin avisé : *De Princ.* III, 1, 13, *SC* 268, p. 77-79.

15 ἀνέμεινεν ὁ τοῦ παντὸς θεραπευτὴς μηδὲν ὑπολειφθῆναι τῆς
πονηρίας εἶδος ἐγκεκρυμμένον τῇ φύσει. Διὰ τοῦτο οὐκ εὐθὺς
μετὰ τὸν φθόνον καὶ τὴν ἀδελφοκτονίαν τοῦ Κάϊν ᵃ προσάγει
τῷ ἀνθρώπῳ τὴν θεραπείαν · οὔπω γὰρ τῶν ἐπὶ Νῶε κατα-
φθαρέντων ἡ κακία ἐξέλαμψεν ᵇ, οὐδὲ τῆς σοδομιτικῆς παρα-
20 νομίας ᶜ ἡ χαλεπὴ νόσος ἀπεκαλύφθη, οὐδὲ ἡ τῶν Αἰγυπτίων
θεομαχία ᵈ, οὐδὲ ἡ τῶν Ἀσσυρίων ὑπερηφανία ᵉ, οὐδὲ ἡ τῶν
Ἰουδαίων κατὰ τῶν ἁγίων τοῦ Θεοῦ μιαιφονία ᶠ, οὐδὲ ἡ τοῦ
Ἡρώδου παράνομος παιδοφονία ᵍ, οὐδὲ τὰ ἄλλα πάντα ὅσα τε
μνημονεύεται καὶ ὅσα ἔξω τῆς ἱστορίας ἐν ταῖς καθεξῆς
25 γενεαῖς κατεπράχθη, πολυτρόπως τῆς τοῦ κακοῦ ῥίζης ἐν ταῖς
τῶν ἀνθρώπων προαιρέσεσι βλαστανούσης. Ἐπεὶ οὖν πρὸς τὸ
M 74 ἀκρότατον ἔφθασε μέτρον ἡ κακία, καὶ | οὐδὲν ἔτι πονηρίας
εἶδος ἐν τοῖς ἀνθρώποις ἀτόλμητον ἦν, ὡς ἂν διὰ πάσης τῆς
ἀρρωστίας προχωρήσειεν ἡ θεραπεία, τούτου χάριν οὐκ
30 ἀρχομένην, ἀλλὰ τελειωθεῖσαν θεραπεύει τὴν νόσον.

Λ΄. Εἰ δέ τις ἐλέγχειν οἴεται τὸν ἡμέτερον λόγον, ὅτι καὶ
μετὰ τὸ προσαχθῆναι τὴν θεραπείαν ἔτι πλημμελεῖται διὰ τῶν

---

a. Cf. Gn 3, 1-6 et 4, 1-8   b. Cf. Gn 6, 5 s.   c. Cf. Gn 19, 1-29   d. Cf.
Ex 5 — 11   e. Cf. Dn 4, 19 (*LXX*) ou Is 37, 23 s.   f. Cf. Mt 23, 29-39
g. Cf. Mt 2, 16-18

1. Une rapide comparaison avec d'autres œuvres de Grégoire permet de
préciser encore mieux le sens de l'expression « comble du mal » dans le *Disc.
cat.* Dans le *De tridui spatio*, est évoquée l'accumulation des péchés de
chaque génération qui finit par écraser l'humanité sous son poids (*De trid.
spat.*, *GNO* IX, p. 284). Dans le *Disc. cat.* l'accent est mis sur la manifestation des différentes formes du mal (ch. 29). Dans le *Sermon sur Noël*, c'est le
symbolisme du solstice qui semble suggérer l'idée d'une limite que le mal ne
saurait franchir et de l'inversion du mouvement qui désormais contribue à
assurer le triomphe du bien (*In Diem nat.*, *GNO* X, 2, p. 239). Parmi les

attendit que ne restât cachée dans notre nature aucune forme de méchanceté. C'est pourquoi, ce n'est pas aussitôt après la jalousie de Caïn[a] et son acte fratricide qu'il applique son traitement à l'homme. En effet, la perversité de ceux qui périrent du temps de Noé[b] ne s'était pas encore manifestée au grand jour, la funeste maladie des péchés de Sodome[c] ne s'était pas encore dévoilée, ni la lutte des Égyptiens contre Dieu[d], ni l'orgueil des Assyriens[e], ni le crime sanglant commis par les juifs contre les saints de Dieu[f], ni la mise à mort criminelle des enfants sur l'ordre d'Hérode[g], ni non plus les autres méfaits dont on garde la mémoire ni tous ceux qui furent perpétrés dans les générations successives sans que l'histoire en garde le souvenir, une fois que la racine du mal eut produit des rejetons très variés en fonction des diverses inclinations de la volonté humaine. Lorsque le mal fut arrivé à son comble[1] et qu'il n'y eut plus aucune forme de perversité qui n'eût été osée par les hommes, alors Dieu se mit à soigner la maladie, non pas à ses débuts, mais dans son plein épanouissement, afin que le traitement s'étende à toute l'infirmité[2].

Persistance du péché

XXX. Si quelqu'un pense réfuter notre doctrine en avançant le fait que, même après l'application du traitement, la vie humaine continue à être marquée par la faute, qu'il se

---

sources possibles, J. Daniélou cite l'*Épître à Diognète* : « Lorsque notre injustice fut parvenue à son comble (*péplèrôtai*)... alors arriva le temps que Dieu avait marqué pour manifester désormais sa bonté et sa puissance » (*Ép. à Diog.*, IX, 2, *SC* 33 bis). Ajoutons les ch. 8-11 du *Contra gentes* (*SC* 18 bis, p. 71-87) et le ch 4-5 du *De Inc.* (*SC* 199, p. 277-283) d'Athanase.

2. La vision est assez unilatéralement pessimiste. Justin se montrait plus optimiste en parlant des préparations évangéliques et des hommes qui ont vécu selon le Logos avant la venue du Christ et qui, à ce titre, méritent le nom de chrétiens (*I Apol.* 46). Grégoire, il est vrai, se montre plus généreux, lorsqu'il parle de l'apocatastase.

ἁμαρτημάτων ὁ ἀνθρώπινος βίος, ὑποδείγματί τινι τῶν γνω-
ρίμων ὁδηγηθήτω πρὸς τὴν ἀλήθειαν. Ὥσπερ γὰρ ἐπὶ τοῦ
5 ὄφεως εἰ κατὰ κεφαλῆς τὴν καιρίαν λάβοι, οὐκ εὐθὺς συν-
νεκροῦται τῇ κεφαλῇ καὶ ὁ κατόπιν ὁλκός, ἀλλ' ἡ μὲν τέθνηκε,
τὸ δὲ οὐραῖον ἔτι ἐψύχωται τῷ ἰδίῳ θυμῷ καὶ τῆς ζωτικῆς
κινήσεως οὐκ ἐστέρηται, οὕτως ἔστι καὶ τὴν κακίαν ἰδεῖν τῷ
μὲν καιρίῳ πληγεῖσαν, ἐν δὲ τοῖς λειψάνοις ἑαυτῆς ἔτι διο-
10 χλοῦσαν τὸν βίον [a].

Ἀλλ' ἀφέντες καὶ τὸ περὶ τούτων τὸν λόγον τοῦ μυστηρίου
μέμφεσθαι, τὸ μὴ διὰ πάντων διήκειν τῶν ἀνθρώπων τὴν πίστιν ἐν αἰτίᾳ ποιοῦνται. Καὶ τί δήποτε, φασίν, οὐκ ἐπὶ πάντας
ἦλθεν ἡ χάρις, ἀλλά τινων προσθεμένων τῷ λόγῳ οὐ μικρόν
15 ἐστι τὸ ὑπολειπόμενον μέρος, ἢ μὴ βουληθέντος τοῦ Θεοῦ
πᾶσιν ἀφθόνως τὴν εὐεργεσίαν νεῖμαι ἢ μὴ δυνηθέντος
πάντως ; Ὧν οὐθέτερον καθαρεύει τῆς μέμψεως · οὔτε γὰρ
ἀβούλητον εἶναι τὸ ἀγαθὸν προσήκει τῷ Θεῷ οὔτε ἀδύνατον.
Εἰ οὖν ἀγαθόν τι ἡ πίστις, διὰ τί, φασίν, οὐκ ἐπὶ πάντας ἡ
M 75 20 | χάρις ; Εἰ μὲν οὖν ταῦτα καὶ παρ' ἡμῶν ἐν τῷ λόγῳ κατε-
σκευάζετο, τὸ παρὰ τοῦ θείου βουλήματος ἀποκληροῦσθαι τοῖς
ἀνθρώποις τὴν πίστιν, τῶν μὲν καλουμένων, τῶν δὲ λοιπῶν
ἀμοιρούντων τῆς κλήσεως, καιρὸν εἶχε τὸ τοιοῦτον ἔγκλημα
κατὰ τοῦ μυστηρίου προφέρεσθαι · εἰ δὲ ὁμότιμος ἐπὶ πάντας
PG 77 25 ἡ κλῆσις, οὔτε ἀξίας, οὔτε ἡλικίας, οὔτε τὰς κατὰ | τὰ ἔθνη
διαφορὰς διακρίνουσα — διὰ τοῦτο γὰρ παρὰ τὴν πρώτην
ἀρχὴν τοῦ κηρύγματος ὁμόγλωσσοι πᾶσι τοῖς ἔθνεσιν οἱ
διακονοῦντες τὸν λόγον ἐκ θείας ἐπιπνοίας ἀθρόως ἐγένοντο,

---

a. Gn 3, 15

1. Nouvel exemple d'une comparaison à valeur directement argumenta-
tive.

laisse montrer le chemin vers la vérité grâce à un exemple connu. Prenons le cas du serpent[1] : s'il a reçu sur la tête le coup mortel, les replis qui viennent à sa suite ne sont pas tout de suite frappés de mort en même temps que la tête ; mais celle-ci est déjà morte, alors que la queue reste animée de son propre principe vital et n'est pas privée du mouvement de la vie : il en est de même pour le mal ; on peut le voir frappé du coup mortel, mais continuant à troubler de ses résidus la vie humaine[a].

8. Pourquoi la foi ne s'étend pas à tous les hommes ?

Mais s'ils renoncent aussi à critiquer sur ce point l'enseignement du mystère de notre foi, les adversaires avancent comme autre grief le fait que la foi ne s'étend pas à tous les hommes. Pourquoi à la vérité, disent-ils, la grâce ne s'est-elle pas répandue sur tous les hommes ? Pourquoi, alors que quelques-uns ont adhéré à la doctrine, n'est-ce pas le cas pour la partie restante de l'humanité qui est assez considérable ? Est-ce parce que Dieu n'a pas voulu distribuer avec une égale générosité ses bienfaits à tous ou bien parce qu'il n'en a absolument pas le pouvoir ? Ni l'une ni l'autre de ces raisons n'échappe au reproche. Car il ne convient pas à Dieu de ne pas vouloir le bien ni d'être incapable de le faire. Si donc la foi est un bien, pourquoi, disent-ils, la grâce ne s'est-elle pas répandue sur tous ? Si nous aussi, nous prétendions dans notre exposé que la volonté divine assigne, par la voie du sort, la foi aux hommes, si bien que les uns se trouveraient appelés et les autres exclus de cet appel, il y aurait lieu de porter pareille accusation contre le mystère de notre foi. Mais si l'appel s'adresse également à tous, sans distinction de rang, d'âge ou de race — car, dès le tout début de la prédication, les ministres de la Parole purent, sous l'effet d'une inspiration divine, parler tous ensemble la langue de tous les peuples, pour que personne ne fût exclu de la participation aux bien-

ὡς ἂν μηδεὶς τῆς διδαχῆς τῶν ἀγαθῶν ἀμοιρήσειε [b] · πῶς ἂν
30 οὖν τις ἔτι κατὰ τὸ εὔλογον τὸν Θεὸν αἰτιῷτο τοῦ μὴ πάντων
ἐπικρατῆσαι τὸν λόγον ; Ὁ γὰρ τοῦ παντὸς τὴν ἐξουσίαν ἔχων
δι' ὑπερβολὴν τῆς εἰς τὸν ἄνθρωπον τιμῆς ἀφῆκέ τι καὶ ὑπὸ τὴν
ἡμετέραν ἐξουσίαν εἶναι, οὗ μόνος ἕκαστός ἐστι κύριος · τοῦτο
δέ ἐστιν ἡ προαίρεσις, ἀδούλωτόν τι χρῆμα καὶ αὐτεξούσιον,
35 ἐν τῇ ἐλευθερίᾳ τῆς διανοίας κείμενον. Οὐκοῦν ἐπὶ τοὺς μὴ
προσαχθέντας τῇ πίστει δικαιότερον ἂν τὸ τοιοῦτον ἔγκλημα
μετατεθείη, οὐκ ἐπὶ τὸν κεκληκότα πρὸς συγκατάθεσιν. Οὐδὲ
γὰρ ἐπὶ τοῦ Πέτρου κατ' ἀρχὰς τὸν λόγον ἐν πολυανθρώπῳ
τῶν ἰουδαίων ἐκκλησίᾳ κηρύξαντος, τρισχιλίων κατὰ ταὐτὸν
M 76 40 παραδεξαμένων τὴν πίστιν [c], πλείους ὄντες τῶν πεπιστευκότων οἱ ἀπειθήσαντες ἐμέμψαντο τὸν ἀπόστολον ἐφ' οἷς οὐκ
ἐπείσθησαν. Οὐδὲ γὰρ ἦν εἰκός, ἐν κοινῷ προτεθείσης τῆς
χάριτος, τὸν ἑκουσίως ἀποφοιτήσαντα μὴ ἑαυτόν, ἀλλ' ἕτερον
τῆς δυσκληρίας ἐπαιτιᾶσθαι.

ΛΑ΄. Ἀλλ' οὐκ ἀποροῦσιν οὐδὲ πρὸς τὰ τοιαῦτα τῆς ἐρισ-
τικῆς ἀντιλογίας. Λέγουσι γὰρ δύνασθαι τὸν θεόν, εἴπερ ἐβού-
λετο, καὶ τοὺς ἀντιτύπως ἔχοντας ἀναγκαστικῶς ἐφελκύ-
σασθαι πρὸς τὴν παραδοχὴν τοῦ κηρύγματος.
5 Ποῦ τοίνυν ἐν τούτοις τὸ αὐτεξούσιον ; Ποῦ δὲ ἡ ἀρετή ;
Ποῦ δὲ τῶν κατορθούντων ὁ ἔπαινος ; Μόνων γὰρ τῶν ἀψύχων

---

b. Cf. Ac 2, 5-11   c. Cf. Ac 2, 41 et 2, 13

1. Il a été question de la liberté dont est doté l'homme créé à l'image dans
les notes des ch. V-VI ; XXI ; cf. Introduction. Voir aussi G. GAITH, *La
conception de la liberté chez Grégoire de Nysse*.
2. *Éristikos* signifie normalement « qui aime la discussion ou la controverse » : ici, l'adjectif a une connotation péjorative. Srawley renvoie au
Sophiste de PLATON, où figure un essai de définition de l'*éristikon* et de
l'*antilogikon* (*Le sophiste* 225 b-c, *CUF*, p. 316 s.).

faits de cet enseignement [b] — comment donc pourrait-on encore raisonnablement reprocher à Dieu que sa Parole ne se soit pas imposée à tout le monde ? En effet, celui qui exerce sa libre domination sur toutes choses a permis, en raison du prix extrême qu'il attache à l'homme, que nous disposions aussi d'un domaine, dont chacun serait le seul maître. Il s'agit de la volonté libre, faculté exempte de servitude et douée d'autonomie [1], trouvant son fondement dans l'indépendance de la raison. Il serait donc plus juste de faire retomber une telle accusation sur ceux qui ne se sont pas laissés amener à la foi, et non pas sur celui qui a appelé les hommes à y adhérer. Même quand au début Pierre proclama la Parole devant une assemblée considérable de juifs et que trois mille d'entre eux reçurent la foi en même temps [c], les incrédules, tout en étant plus nombreux que ceux qui s'étaient mis à croire, ne reprochèrent pas à Pierre de ne pas les avoir convaincus. Si déjà la grâce était proposée à tous, il n'était pas convenable que celui qui s'en était détourné volontairement, accusât de son infortune un autre que lui-même.

9. Dieu ne pouvait-il pas forcer les récalcitrants ?

Objection

XXXI. Mais même devant de tels arguments les adversaires ne manquent pas de répliquer par des objections captieuses [2]. Ainsi, disent-ils, Dieu pouvait, si vraiment il le voulait, amener de force les récalcitrants eux-mêmes à accepter le message proclamé.

Réponse : où seraient la liberté et la vertu ?

Mais, dans ce cas, où serait la libre volonté ? Où serait la vertu ? Où serait la gloire de ceux qui mènent une vie droite ?

ἢ τῶν ἀλόγων ἐστὶ τῷ ἀλλοτρίῳ βουλήματι πρὸς τὸ δοκοῦν
περιάγεσθαι, ἡ δὲ λογική τε καὶ νοερὰ φύσις, ἐὰν τὸ κατ᾽
ἐξουσίαν ἀπόθηται, καὶ τὴν χάριν τοῦ νοεροῦ συναπώλεσεν.

10 Εἰς τί γὰρ χρήσεται τῇ διανοίᾳ, τῆς τοῦ προαιρεῖσθαί τι τῶν
κατὰ γνώμην ἐξουσίας ἐφ᾽ ἑτέρῳ κειμένης ; Εἰ δὲ ἄπρακτος ἡ
προαίρεσις μείνειεν, ἠφάνισται κατ᾽ ἀνάγκην ἡ ἀρετή, τῇ
ἀκινησίᾳ τῆς προαιρέσεως ἐμπεδηθεῖσα · ἀρετῆς δὲ μὴ οὔσης,
ὁ βίος ἠτίμωται, ἀφῄρηται τῶν κατορθούντων ὁ ἔπαινος, ἀκίν-
15 δυνος ἡ ἁμαρτία, ἄκριτος ἡ κατὰ τὸν βίον διαφορά.

Τίς γὰρ ἂν ἔτι κατὰ τὸ εὔλογον ἢ διαβάλλοι τὸν ἀκόλαστον
M 77 ἢ ἐπαινοίη τὸν σώφρονα ; Ταύτης | κατὰ τὸ πρόχειρον οὔσης
ἑκάστῳ τῆς ἀποκρίσεως, τὸ μηδὲν ἐφ᾽ ἡμῖν τῶν κατὰ γνώμην
εἶναι, δυναστείᾳ δὲ κρείττονι τὰς ἀνθρωπίνας προαιρέσεις
20 πρὸς τὸ τῷ κρατοῦντι δοκοῦν περιάγεσθαι. Οὐκοῦν οὐ τῆς
ἀγαθότητος τοῦ θεοῦ τὸ ἔγκλημα, τὸ μὴ πᾶσιν ἐγγενέσθαι τὴν
πίστιν, ἀλλὰ τῆς διαθέσεως τῶν δεχομένων τὸ κήρυγμα.

ΛΒ΄. Τί πρὸς τούτοις ἔτι παρὰ τῶν ἀντιλεγόντων προφέ-
ρεται ; Τὸ μάλιστα μὲν μηδὲ ὅλως δεῖν εἰς θανάτου πεῖραν
ἐλθεῖν τὴν ὑπερέχουσαν φύσιν, ἀλλὰ καὶ δίχα τούτου τῇ περιουσίᾳ τῆς δυνάμεως δύνασθαι ἂν μετὰ ῥαστώνης τὸ δοκοῦν
PG 80 5 κατεργάσασθαι · εἰ δὲ καὶ πάν|τως ἔδει τοῦτο γενέσθαι κατά
τινα λόγον ἀπόρρητον, ἀλλ᾽ οὖν τὸ μὴ τῷ ἀτίμῳ τρόπῳ τοῦ

1. A plusieurs reprises, Grégoire aborde le thème de la liberté. Il s'agit
notamment de réagir contre les croyances relatives à l'influence des astres ou
au déterminisme.
2. La notion de rétribution n'aurait plus beaucoup de sens.

C'est le propre des seuls êtres inanimés ou privés de raison de se laisser mener d'après le bon plaisir d'une volonté étrangère. La nature raisonnable et pensante, par contre, si elle renonce à l'exercice de la liberté, perd du même coup l'avantage attaché à la pensée. En effet, pourquoi aura-t-elle recours à la raison, si la faculté de choisir à son gré dépend d'un autre [1] ? Or, si la volonté libre reste inactive, la vertu disparaît nécessairement, vu qu'elle est empêchée de s'exercer à cause de l'inertie de la volonté, et en l'absence de vertu, la vie est dépréciée, l'éloge de ceux qui mènent une vie droite se trouve supprimé, le péché n'entraîne pas de danger, la différence entre les manières de vivre ne peut plus être établie.

Où serait la responsabilité ?

En effet, qui pourrait encore raisonnablement accuser l'homme intempérant ou louer l'homme tempérant ? Chacun aurait cette réponse toute prête : il ne dépend aucunement de nous d'agir selon notre raison ; c'est une puissance supérieure qui conduit les volontés humaines à agir au gré du maître [2]. Si donc la foi n'a pas pris racine dans le cœur de tous les hommes, ce n'est pas la bonté divine qu'il faut en accuser, mais il faut s'en prendre aux dispositions de ceux qui ont entendu le message (de salut).

10. Le cas de la mort du Christ

Objection

XXXII. Quelles sont les autres objections mises en avant par les adversaires ? Avant tout, le fait que la nature suréminente ne devait absolument pas endurer l'épreuve de la mort, mais qu'elle aurait pu, sans passer par là, réaliser facilement son dessein grâce à la surabondance de son pouvoir. Même dans le cas où, pour une raison mystérieuse, cette mort devait nécessairement se produire, Dieu devait du moins éviter de s'exposer aux outrages à cause du caractère ignominieux de

θανάτου καθυβρισθῆναι. Τίς γὰρ ἂν γένοιτο, φησί, τοῦ διὰ
σταυροῦ θάνατος ἀτιμότερος ;

　　Τί οὖν καὶ πρὸς ταῦτά φαμεν ; Ὅτι τὸν θάνατον μὲν
10 ἀναγκαῖον ἡ γένεσις ἀπεργάζεται. Τὸν γὰρ ἅπαξ μετασχεῖν
ἐγνωκότα τῆς ἀνθρωπότητος διὰ πάντων ἔδει γενέσθαι τῶν
ἰδιωμάτων τῆς φύσεως · εἰ τοίνυν δύο πέρασι τῆς ἀνθρωπίνης
ζωῆς διειλημμένης ἐν τῷ ἑνὶ γενόμενος τοῦ ἐφεξῆς μὴ προσήψατο, ἡμιτελὴς ἂν ἡ πρόθεσις ἔμεινε, τοῦ ἑτέρου τῶν τῆς
15 φύσεως ἡμῶν ἰδιωμάτων οὐχ ἁψαμένου. Τάχα δ' ἄν τις δι'
ἀκριβείας καταμαθὼν τὸ μυστήριον εὐλογώτερον εἴποι μὴ διὰ
τὴν γένεσιν συμβεβηκέναι τὸν θάνατον, ἀλλὰ τὸ ἔμπαλιν τοῦ
M 78 θανάτου χάριν παραληφθῆναι τὴν γένεσιν · οὐ| γὰρ τοῦ ζῆσαι
δεόμενος ὁ ἀεὶ ὢν τὴν σωματικὴν ὑποδύεται γένεσιν, ἀλλ'
20 ἡμᾶς ἐπὶ τὴν ζωὴν ἐκ τοῦ θανάτου ἀνακαλούμενος. Ἐπεὶ οὖν
ὅλης ἔδει γενέσθαι τῆς φύσεως ἡμῶν τὴν ἐκ τοῦ θανάτου πάλιν
ἐπάνοδον, οἱονεὶ χεῖρα τῷ κειμένῳ ὀρέγων διὰ τοῦτο πρὸς τὸ
ἡμέτερον ἐπικύψας πτῶμα, τοσοῦτον τῷ θανάτῳ προσήγγισεν
ὅσον τῆς νεκρότητος ἅψασθαι καὶ ἀρχὴν δοῦναι τῇ φύσει τῆς
25 ἀναστάσεως τῷ ἰδίῳ σώματι, ὅλον τῇ δυνάμει συναναστήσας

---

1. Naissance et mort sont indissociablement liées, selon GRÉGOIRE. Il
pratique deux approches pour le prouver : d'un côté, il invoque la loi
naturelle en vertu de laquelle « la naissance rend la mort inévitable » ; d'un
autre côté, il part des données de l'Écriture et avance l'argument que la mort
était nécessaire vu que Dieu voulait ramener l'homme de la mort à la vie à
travers la mort et la résurrection du Christ : dans cette hypothèse, c'est la
mort qui a rendu la naissance nécessaire. ATHANASE, pour sa part, déclare :
« Il devait de toute façon mourir ; comme je l'ai dit, c'était la raison princi-
pale de sa venue » (De Inc., SC 199, p. 337) ; mais il ajoute que le Christ a
accepté de « subir » la mort sur la croix, car celle-ci se passe devant témoins ;
de cette manière, l'annonce de la résurrection devient plus crédible (Ibid.,
p. 341 s.).

2. A remarquer que la mort n'est pas l'objectif ultime : elle-même est
tendue vers la résurrection. ATHANASE manie le même argument en le
formulant autrement : « Le Seigneur songeait surtout à la résurrection du
corps qu'il devait réaliser. Car c'était un trophée contre la mort, que de
manifester cette résurrection aux yeux de tous » (De Inc., SC 199, p. 347).

la mort subie. Car quelle mort, disent-ils, pourrait être plus infamante que celle de la croix ?

a. *Réponse : Loi de la nature et exigence du plan de salut*

Que répondre à ces objections ? Que la naissance rend la mort inévitable [1]. En effet, une fois qu'il eut décidé de partager la condition humaine, il devait assumer tout ce qui est propre à notre nature. Or, comme la vie humaine s'inscrit entre deux limites, si, après avoir franchi l'une, il n'avait pas atteint l'autre, son dessein n'aurait été réalisé qu'à moitié, puisqu'il n'aurait pas expérimenté l'un des deux états propres à notre nature. Quelqu'un qui a examiné avec exactitude le mystère de notre foi dirait peut-être avec plus de pertinence que la mort n'est pas intervenue à cause de la naissance, mais qu'au contraire la naissance a été assumée par Dieu à cause de la mort ; en effet, ce n'est pas parce qu'il aurait eu besoin d'entrer dans la vie que celui qui est éternel accepte de naître dans un corps, mais c'est pour nous rappeler de la mort à la vie [2]. Comme il fallait ramener de la mort à la vie notre nature tout entière, Dieu, s'étant penché sur notre cadavre en tendant pour ainsi dire la main à l'être qui gisait, s'est approché de la mort au point de prendre contact avec l'état de cadavre et de fournir à la nature [3], au moyen de son propre corps, le principe de la résurrection, en ressuscitant avec lui en même temps l'homme tout entier par sa puissance. En effet [4], comme l'homme en qui Dieu s'était

3. Grégoire cherche à rendre compte de la portée universelle de l'œuvre salvifique du Christ. En Jésus-Christ, le processus est inauguré et, à partir de lui, il s'étend avec une force grandissante : à la longue, le mal lui-même ne saurait résister à la puissance rayonnante et transformante du bien.

4. Le passage *épeidè gar........ton keiménon* figure dans THÉODORET, *Dial.* 3.

τὸν ἄνθρωπον. Ἐπειδὴ γὰρ οὐκ ἄλλοθεν ἀλλ᾽ ἐκ τοῦ ἡμετέρου
φυράματος [a] ὁ θεοδόχος ἄνθρωπος ἦν, ὁ διὰ τῆς ἀναστάσεως
συνεπαρθεὶς τῇ θεότητι, ὥσπερ ἐπὶ τοῦ καθ᾽ ἡμᾶς σώματος ἡ
τοῦ ἑνὸς τῶν αἰσθητηρίων ἐνέργεια πρὸς πᾶσαν τὴν συναίσ-
30 θησιν ἄγει τὸ ἡνωμένον τῷ μέρει, οὕτω καθάπερ ἑνός τινος
ὄντος ζῴου πάσης τῆς φύσεως, ἡ τοῦ μέρους ἀνάστασις ἐπὶ τὸ
πᾶν διεξέρχεται, κατὰ τὸ συνεχές τε καὶ ἡνωμένον τῆς φύσεως
ἐκ τοῦ μέρους ἐπὶ τὸ ὅλον συνεκδιδομένη. Τί οὖν ἔξω τοῦ εἰκότος ἐν τῷ μυστηρίῳ μανθάνομεν, εἰ κύπτει πρὸς τὸν πεπτω-
35 κότα ὁ ἑστὼς ἐπὶ τὸ ἀνορθῶσαι τὸν κείμενον ;

M 79   Ὁ δὲ σταυρὸς εἰ μέν τινα καὶ | ἕτερον περιέχει λόγον βαθύ-
τερον, εἰδεῖεν ἂν οἱ τῶν κρυπτῶν ἐπιΐστορες · ὃ δ᾽ οὖν εἰς ἡμᾶς
ἐκ παραδόσεως ἥκει, τοιοῦτόν ἐστιν.

Ἐπειδὴ πάντα κατὰ τὸν ὑψηλότερόν τε καὶ θειότερον λόγον
40 ἐν τῷ εὐαγγελίῳ καὶ εἴρηται καὶ γεγένηται, καὶ οὐκ ἔστιν τι ὅ
τι μὴ τοιοῦτόν ἐστιν, ᾧ οὐχὶ πάντως μίξις τις ἐμφαίνεται τοῦ

---

a. Cf. Rm 11, 16 et Ga 5, 9

---

1. L'expression *ho théodochos anthrôpos* est équivoque : la traduction
littérale donne : « l'homme qui a accueilli Dieu (en lui) ». On pourrait en
donner une interprétation adoptianiste ou bien une interprétation proche
du nestorianisme. Le *Disc. cat.* offre heureusement toute une gamme
d'expressions qui lèvent l'équivoque.

2. Le participe passif *sunépartheis*, avec son double préfixe, représente
une heureuse formulation, lourde de sens théologique ; (cf. Introduction :
'l'Incarnation dans son déploiement', p. 62). Il convient de distinguer des
étapes dans le « mélange » entre la divinité et l'humanité du Christ. L'exaltation liée à la résurrection représente pour l'humanité du Christ une
participation plus plénière à la gloire du Christ. Certes, le « mélange » est
réalisé dès le début, mais il ne produit ses effets que progressivement.

3. *Phurama* avec le sens de masse délayée ou pétrie, notamment de motte
d'argile ou de pâte de farine pétries, est à mettre en relation avec Gn 2, 7, Rm
9, 21 (thème du potier qui pétrit un vase ou un homme), 1 Co 5, 7 (thème de
la pâte de farine), et aussi avec Rm 11, 16 (thème de la masse du peuple). Plus

incarné [1] et qui, par la résurrection, s'était élevé ensemble [2] avec la divinité, n'était pas venu d'ailleurs que de la pâte [3] qui est la nôtre [a], de même que pour notre corps l'activité d'un seul des organes des sens provoque une sensation commune à l'ensemble de l'organisme [4] qui est uni à cet organe, de même pour la nature tout entière qui forme en quelque sorte un seul être [5], la résurrection d'un seul membre s'étend à l'ensemble et de la partie se communique au tout, en raison de la cohésion et de l'unité de la nature. Qu'est-ce qui manque de vraisemblance dans le mystère de notre foi, quand nous apprenons que celui qui est debout se penche sur celui qui est tombé pour le relever de sa chute ?

b. *Le mystère de la croix*

D'autre part, la croix renferme-t-elle encore quelque enseignement plus profond ? C'est ce que pourraient savoir ceux qui sont experts dans le dévoilement du sens caché. Voici ce qui, à ce sujet, nous vient de la tradition [6].

Principe herméneutique

Puisque tout ce qui a été dit et tout ce qui s'est passé dans l'Évangile a un sens plus élevé et plus divin et qu'il ne s'y rencontre rien qui ne se révèle en définitive comme un

---

loin, Grégoire utilise le mot en liaison avec *Zumè* (levain) : thème du Christ ressuscité qui, comme le levain, transforme nos corps humains. L'auteur a souvent recours à cette thématique. Cf. Introduction : 'la dimension universelle de l'œuvre de salut', p. 102.

4. La comparaison des sens et de l'organisme sert à illustrer l'idée de la communication de certaines qualités de la partie au tout et celle de la force rayonnante de la résurrection du Christ.

5. Cf. Introduction : 'Conspiration', p. 39.

6. Grégoire se réfère à l'argument de tradition. De fait, il existe une tradition relative à l'interprétation de l'Écriture en général et une tradition concernant plus spécialement le symbolisme de la croix.

θείου πρὸς τὸ ἀνθρώπινον, τῆς μὲν φωνῆς ἢ τῆς πράξεως ἀν-
θρωπικῶς διεξαγομένης, τοῦ δὲ κατὰ τὸ κρυπτὸν νοουμένου τὸ
θεῖον ἐμφαίνοντος, ἀκόλουθον ἂν εἴη καὶ ἐν τῷ μέρει τούτῳ μὴ
45 τὸ μὲν βλέπειν, παρορᾶν δὲ τὸ ἕτερον, ἀλλ᾽ ἐν μὲν τῷ θανάτῳ
καθορᾶν τὸ ἀνθρώπινον, ἐν δὲ τῷ τρόπῳ πολυπραγμονεῖν τὸ
θειότερον.

   Ἐπειδὴ γὰρ ἴδιόν ἐστι τῆς θεότητος τὸ διὰ πάντων ἥκειν
καὶ τῇ φύσει τῶν ὄντων κατὰ πᾶν μέρος συμπαρεκτείνεσθαι
50 — οὐ γὰρ ἄν τι διαμένοι ἐν τῷ εἶναι, μὴ ἐν τῷ ὄντι μένον · τὸ
δὲ κυρίως καὶ πρώτως ὂν ἡ θεία φύσις ἐστίν, ἣν ἐξ ἀνάγκης
πιστεύειν ἐν πᾶσιν εἶναι τοῖς οὖσιν ἡ διαμονὴ τῶν ὄντων
καταναγκάζει — τοῦτο διὰ τοῦ σταυροῦ διδασκόμεθα, τετρα-
χῆ τοῦ κατ᾽ αὐτὸν σχήματος διῃρημένου, ὡς ἐκ τοῦ μέσου καθ᾽
55 ὃ πρὸς ἑαυτὸν συνάπτεται τέσσαρας ἀριθμεῖσθαι τὰς προβο-
λάς, ὅτι ὁ ἐπὶ τούτου ἐν τῷ καιρῷ τῆς κατὰ τὸν θάνατον

---

1. C'est dans l'introduction au *Commentaire du Cantique des Cantiques*
que GRÉGOIRE expose le plus clairement ses idées sur l'interprétation de
l'Écriture ; ici il exprime sa conviction que toutes les paroles et tous les
événements de l'Évangile recèlent un sens élevé et qu'ainsi il y a un mélange
entre l'humain et le divin : nous parlerions à l'heure actuelle du « caractère
sacramentel » de l'Écriture. Sur l'exégèse patristique en général, cf. H. DE
LUBAC, *Histoire et Esprit*, Paris 1950 ; ID., *Exégèse médiévale. Les quatre
sens de L'Écriture*, 4 vol, Paris 1959 — 1962 ; J. PÉPIN, *Mythe et allégorie*,
Paris 1958 ; sur l'exégèse pratiquée par Grégoire : M. CANÉVET, *Grégoire de
Nysse et l'herméneutique biblique*, Paris 1983 ; J. DANIÉLOU, Introduction,
Vie de Moïse, SC 1, p. 18-44 ; W. VÖLKER, *Gregor von Nyssa als Mystiker*.
   2. Cf. Introduction : 'la croix comme symbole de l'universalité du salut',
p. 107.
   3. Le thème de la présence est abordé à plusieurs reprises dans le *Disc.
cat.* : ch. X ; XXXII ; XXXVIII. Selon Grégoire, Dieu n'est pas dans un lieu
qui le limite : il est infini, donc omniprésent. L'omniprésence de Dieu
signifie mouvement dynamique, pénétration intime, qui assure à l'univers le
maintien dans l'être, la durée. Mais au-delà de la présence d'immensité de
Dieu, il y a la présence de grâce, qui se réalise selon différents degrés.

mélange du divin et de l'humain, si bien que la parole et les faits se produisent de façon humaine et que le sens caché livre une révélation de ce qui est divin [1], il conviendrait, en bonne logique, de ne pas prendre en considération, dans ce cas précis, un seul des deux éléments, en négligeant l'autre, mais de voir dans la mort le côté humain et de rechercher avec soin, dans la manière de mourir, l'élément divin.

Le symbolisme cosmique de la croix [2]

En effet, c'est le propre de la divinité de pénétrer toutes choses et de se répandre dans toutes les parties de la nature des êtres vivants ; car rien ne saurait subsister dans l'être, sans rester en celui qui est ; et la nature divine est ce qui est au sens propre et premier, elle que la permanence des êtres créés nous oblige à croire présente dans tous les êtres [3]. Par la croix, dont la forme en elle-même est quadripartite [4], si bien qu'à partir du centre où se trouve le point de convergence de l'ensemble, on peut compter quatre prolongements, nous apprenons que celui qui y fut étendu au moment où se réalisait l'économie selon la mort, est celui-là même qui relie

---

4. Pour le symbolisme de la forme de la croix, cf Intr., p. 107. De la tradition GRÉGOIRE retient ici le symbolisme cosmique de la croix et il se réfère à Ep 3, 18 et Ph 2, 10 ; cf. le *De trid. spat.* : « Car ce n'est pas en vain que le divin œil de l'apôtre a mentionné la forme de la croix... En effet, il sait que cette forme de la croix se divise à partir d'un point de jonction d'où naissent quatre branches et il montre par là la force et la prévoyance, qui pénètrent tout, de celui qui est apparu sur la croix ; c'est pourquoi il désigne les différents prolongements d'un nom particulier. Ainsi il nomme le prolongement du centre vers le bas profondeur, celui vers le haut hauteur, celui vers la droite et la gauche largeur et longueur... Par là il semble clairement dire qu'il n'y a aucune chose qui ne soit pénétrée et portée par la nature divine » (*De trid. spat.*, PG 46, 621-624). IRÉNÉE avait dit : « Il a été crucifié, lui, le Fils de Dieu, en ces quatre dimensions, lui dont l'univers portait déjà l'empreinte cruciforme » (*Dém.apost.* 34, SC 406, p. 87). Voir aussi *AH* V, 17, 4, SC 153, p. 235.

οἰκονομίας διαταθεὶς, ὁ τὸ πᾶν πρὸς ἑαυτὸν συνδέων τε καὶ
συναρμόζων ἐστί, τὰς | διαφό|ρους τῶν ὄντων φύσεις πρὸς
μίαν σύμπνοιάν τε καὶ ἁρμονίαν δι' ἑαυτοῦ συνάγων · ἐν γὰρ
τοῖς οὖσιν ἢ ἄνω τι νοεῖται, ἢ κάτω, ἢ πρὸς τὰ κατὰ τὸ πλάγιον
πέρατα διαβαίνει ἡ ἔννοια. Ἄν τοίνυν λογίσῃ τῶν ἐπουρανίων ἢ
τῶν ὑποχθονίων ἢ τῶν καθ' ἑκάτερον τοῦ παντὸς περάτων τὴν
σύστασιν, πανταχοῦ τῷ λογισμῷ σου προαπαντᾷ ἡ θεότης,
μόνη κατὰ πᾶν μέρος τοῖς οὖσιν ἐνθεωρουμένη καὶ ἐν τῷ εἶναι
τὰ πάντα συνέχουσα. Εἴτε δὲ θεότητα τὴν φύσιν ταύτην
ὀνομάζεσθαι χρή, εἴτε λόγον, εἴτε δύναμιν, εἴτε σοφίαν, εἴτε
ἄλλο τι τῶν ὑψηλῶν τε καὶ μᾶλλον ἐνδείξασθαι δυναμένων τὸ
ὑπερκείμενον, οὐδὲν ὁ λόγος ἡμῶν περὶ φωνῆς ἢ ὀνόματος ἢ
τύπου ῥημάτων διαφέρεται. Ἐπεὶ οὖν πᾶσα πρὸς αὐτὸν ἡ κτίσις βλέπει, καὶ περὶ αὐτόν ἐστι, καὶ δι' ἐκείνου πρὸς ἑαυτὴν
συμφυὴς γίνεται, τῶν ἄνω τοῖς κάτω καὶ τῶν πλαγίων πρὸς
ἄλληλα δι' ἐκείνου συμφυρομένων, ἔδει μὴ μόνον δι' ἀκοῆς ἡμᾶς
πρὸς τὴν τῆς θεότητος κατανόησιν χειραγωγεῖσθαι, ἀλλὰ καὶ
τὴν ὄψιν γενέσθαι τῶν ὑψηλοτέρων νοημάτων διδάσκαλον,
ὅθεν καὶ ὁ μέγας ὁρμηθεὶς Παῦλος μυσταγωγεῖ τὸν ἐν Ἐφέσῳ
λαόν, δύναμιν αὐτοῖς ἐντιθεὶς διὰ τῆς διδασκαλίας πρὸς τὸ
γνῶναι Τί ἐστι τὸ βάθος καὶ τὸ ὕψος, τό τε πλάτος καὶ τὸ
μῆκος [b] · ἑκάστην γὰρ τοῦ σταυροῦ προβολὴν ἰδίῳ ῥήματι
κατονομάζει, ὕψος μὲν τὸ ὑπερέχον, βάθος δὲ τὸ ὑποκείμενον,

---

b. Ep 3, 18

1. N'est-ce pas une manière de dire que le Christ règne du haut de la
croix ? ATHANASE propose une interprétation un peu différente :« Car c'est
seulement sur la croix que l'on meurt les mains étendues. Aussi convenait-il
que le Seigneur subît cette mort et étendît les mains : de l'une il attirerait
l'ancien peuple, de l'autre les Gentils et il réunirait les deux en lui. Et cela,
lui-même l'a dit en indiquant par quelle mort il rachèterait tous les hommes : 'Quand je serai élevé, je les attirerai tous à moi'» (De Inc., SC 199,
p. 357). ATHANASE indique encore un autre aspect du symbolisme de la
croix : après avoir expliqué que le diable, tombé du ciel, erre dans les régions

et ajuste à lui-même l'univers [1], en ramenant par lui-même à l'unité la diversité des natures du monde pour en faire un ensemble harmonieusement accordé. En effet, dans ce qui existe, notre pensée considère soit ce qui est en haut soit ce qui est en bas ou bien elle parcourt l'espace qui se situe, dans le sens de l'horizontale, entre les extrémités de part et d'autre. Chaque fois donc qu'elle envisage l'organisation des régions célestes et celle des enfers, ou bien aussi celle des régions qui, situées de part et d'autre, s'étendent jusqu'aux confins du monde, partout c'est d'abord la divinité qui se présente à la pensée, car elle seule s'observe en toutes les parties du monde et maintient tous les êtres dans l'existence. Cette nature doit-elle être appelée divinité ou raison, puissance, sagesse, ou bien faut-il lui donner quelque autre nom sublime, capable de désigner plus exactement l'être suréminent ? Notre discours ne consiste nullement dans une dispute sur un mot, un nom, une figure de style. Puisque toute la création est orientée vers cet être, tourne autour de lui et trouve en lui sa cohésion — vu que, grâce à lui, les choses d'en haut sont étroitement unies avec celles d'en bas et de même les côtés l'un avec l'autre — il nous fallait non seulement être amenés par l'ouïe à la connaissance de la divinité, mais encore être instruits des conceptions supérieures grâce à la vue. C'est en partant de là que le grand Paul initie le peuple d'Éphèse, en lui donnant par son enseignement, la possibilité de connaître ce que sont la profondeur, la hauteur, la largeur et la longueur [b]. Il désigne, en effet, par un mot spécial chaque prolongement de la croix ; il nomme hauteur la partie supérieure, profondeur la partie inférieure, largeur et longueur les bras qui s'étendent de chaque côté. Et il

inférieures de l'air et empêche de monter vers les régions célestes, il ajoute : « Le Seigneur est donc venu pour abattre le diable, purifier l'air et nous ouvrir le chemin qui fait monter au ciel... Ainsi, élevé de terre, il a purifié l'air... et recréé le chemin, qui monte vers les cieux » (*ibid.*, p. 359).

M 81 80 πλάτος | τε καὶ μῆκος τὰς πλαγίας ἐκτάσεις λέγων. Καὶ σα-
φέστερον ἑτέρωθι τὸ τοιοῦτον νόημα πρὸς Φιλιππησίους,
οἶμαι, ποιεῖ οἷς φησὶν ὅτι Ἐν τῷ ὀνόματι Ἰησοῦ Χριστοῦ πᾶν
γόνυ κάμψει ἐπουρανίων καὶ ἐπιγείων καὶ καταχθονίων ᶜ.
Ἐνταῦθα τὴν μέσην κεραίαν μιᾷ προσηγορίᾳ διαλαμβάνει,
85 πᾶν τὸ διὰ μέσου τῶν ἐπουρανίων καὶ ὑποχθονίων ὀνομάσας
ἐπίγειον. Τοῦτο μεμαθήκαμεν περὶ τοῦ σταυροῦ τὸ μυστήριον.

Τὰ δὲ ἀπὸ τούτου τοιαῦτα κατὰ τὸ ἀκόλουθον περιέχει ὁ
λόγος, ὡς ὁμολογεῖσθαι καὶ παρὰ τῶν ἀπίστων μηδὲν ἀλλότριον εἶναι τῆς θεοπρεποῦς ὑπολήψεως · τὸ γὰρ μὴ ἐμμεῖναι
90 τῷ θανάτῳ καὶ τὰς διὰ τοῦ σιδήρου κατὰ τοῦ σώματος
γενομένας πληγὰς ᵈ μηδὲν ἐμπόδιον πρὸς τὸ εἶναι ποιήσασθαι,
κατ᾽ ἐξουσίαν τε φαίνεσθαι μετὰ τὴν ἀνάστασιν τοῖς μαθη-
ταῖς ᵉ, ὅτε βούλοιτο, παρεῖναί τε αὐτοῖς μὴ ὁρώμενον ᶠ καὶ ἐν
μέσῳ γίνεσθαι, μηδὲ τῆς εἰσόδου τῆς διὰ τῶν θυρῶν
95 προσδεόμενον, ἐνισχύειν τε τοὺς μαθητὰς τῇ προσφυσήσει τοῦ
Πνεύματος ᵍ, ἐπαγγέλλεσθαί τε καὶ τὸ μετ᾽ αὐτῶν εἶναι, καὶ
μηδενὶ μέσῳ διατειχίζεσθαι ʰ, καὶ τῷ μὲν φαινομένῳ πρὸς τὸν
οὐρανὸν ἀνιέναι ⁱ, τῷ δὲ νοουμένῳ πανταχοῦ εἶναι, καὶ ὅσα
τοιαῦτα περιέχει ἡ ἱστορία, οὐδὲν τῆς ἐκ τῶν λογισμῶν
100 συμμαχίας προσδέεται πρὸς τὸ θεῖά τε εἶναι καὶ τῆς ὑψηλῆς
καὶ ὑπερεχούσης δυνάμεως. Περὶ ὧν οὐδὲν οἶμαι δεῖν καθ᾽

c. Ph 2, 10   d. Cf. Jn 19, 34   e. Cf. Lc 24, 36 (?)   f. Cf. Jn 20, 19 et
26   g. Cf. Jn 20, 22   h. Cf. Mt 28, 20   i. Cf. Ac 1, 9

1. Le terme *kéraia* qui provient du vocabulaire technique de la marine,
suggère une autre donnée symbolique : le mât avec la vergue qui lui est
perpendiculaire dessine aussi la forme de la croix. H. R. DROBNER esquisse
un rapprochement avec le *De trid. spat.*, *GNO* IX, p. 300 et signale que les
anciens y voyaient un heureux présage (*Die drei Tage zwischen Tod und
Auferstehung*, p. 157).

s'exprime de façon encore plus claire dans un autre passage quand il s'adresse, à ce qu'il me semble, aux Philippiens : « Au nom de Jésus-Christ tout genou fléchira dans les cieux, sur la terre et sous la terre [c]. » Dans ce passage il englobe en une seule appellation toute la partie transversale [1] en désignant par l'expression « sur la terre » tout l'intervalle qui sépare ceux qui sont dans les cieux et ceux qui sont sous la terre. Voilà ce que nous avons appris au sujet du mystère de la croix [2].

c. *Les événements intervenus après la mort sur la croix*

Quant aux événements qui, selon notre doctrine, se sont produits après la mort, ils sont tels dans leur enchaînement que même les incrédules accordent que rien n'y est étranger à une représentation digne de Dieu. En effet, le fait que le Christ n'est pas demeuré dans la mort, que les blessures causées au corps par le fer [d] ne l'ont pas empêché d'être vivant, qu'après la résurrection il s'est montré librement à ses disciples [e], que chaque fois qu'il le voulait, il était à leurs côtés, en restant invisible [f], et se tenait au milieu d'eux sans avoir besoin d'entrer par les portes, qu'il a fortifié ses disciples en leur insufflant l'Esprit [g], qu'il a annoncé qu'il serait avec eux et qu'aucun mur ne les séparerait de lui [h], que selon la perception sensible il s'est élevé au ciel [i], alors que selon la pensée il est partout présent, tous ces faits et d'autres qui nous sont rapportés par l'histoire n'ont besoin en rien de l'appel au raisonnement pour être reconnus comme divins et comme effets de la puissance sublime et suréminente. Point n'est besoin, me semble-t-il, de les passer en revue l'un après l'autre, car le récit, par lui-même, met en lumière leur carac-

---

2. Le symbolisme cosmique de la croix tel qu'il est présenté dans ce passage comporte des harmoniques qui rappellent les développements antérieurs.

ἕκαστον διεξιέναι, αὐτόθεν τοῦ λόγου τὸ ὑπὲρ τὴν φύσιν

M 82   ἐμφαίνοντος.| Ἀλλ᾽ ἐπειδὴ μέρος τι τῶν μυστικῶν διδαγμά-

PG 84 των καὶ ἡ κατὰ τὸ λουτρόν ἐστιν οἰκονομία, ὃ εἴτε βάπτισμα,

105   εἴτε φώτισμα, εἴτε παλιγγενεσίαν βούλοιτό τις ὀνομάζειν [j],
οὐδὲν πρὸς τὴν ὀνομασίαν διαφερόμεθα, καλῶς ἂν ἔχοι καὶ
περὶ τούτου βραχέα διεξελθεῖν.

ΛΓ΄. Ἐπειδὰν γὰρ παρ᾽ ἡμῶν τὸ τοιοῦτον ἀκούσωσιν ὅτι
τοῦ θνητοῦ πρὸς τὴν ζωὴν μεταβαίνοντος ἀκόλουθον ἦν τῆς
πρώτης γενέσεως ἐπὶ τὸν θνητὸν παραγούσης βίον ἑτέραν
γένεσιν ἐξευρεθῆναι, μήτε ἀπὸ φθορᾶς ἀρχομένην μήτε εἰς

5   φθορὰν καταλήγουσαν, ἀλλ᾽ εἰς ἀθάνατον ζωὴν τὸν γεγεννημένον παράγουσαν, ἵν᾽, ὥσπερ ἐκ θνητῆς γενέσεως θνητὸν ἐξ
ἀνάγκης τὸ γεγεννημένον ὑπέστη, οὕτως ἐκ τῆς μὴ παρα-
δεχομένης φθορὰν τὸ γεννώμενον κρεῖττον γένηται τῆς ἐκ τοῦ
θανάτου φθορᾶς · ἐπειδὰν οὖν τούτων καὶ τῶν τοιούτων ἀκού-

10   σωσι καὶ προδιδαχθῶσι τὸν τρόπον, ὅτι εὐχὴ πρὸς Θεὸν, καὶ
χάριτος οὐρανίας ἐπίκλησις, καὶ ὕδωρ, καὶ πίστις ἐστὶ δι᾽ ὧν

---

j. Cf. Tt 3, 5 et He 6, 4

---

1. Le passage, allant de *all'épeidè* ch. XXXII (fin) à *ouk amphiballontos* (ch. XXXIII) a été repris par EUTHYMIUS, *Pan. dogm.* 25.

2. GRÉGOIRE rappelle que la terminologie pour désigner le Baptême est variée : il indique les désignations *loutron, baptisma, phôtisma, palingéné-sia*. En fait, il privilégie le thème de la régénération comme le prouvent les ch. XXXIII-XXXVI où l'on trouve *anagennèsis* (régénération), *hétéra génésis* (deuxième naissance) opposée à la *prôtè génésis*, la « naissance exempte de corruption », la « forme spirituelle de la génération ». De plus, le thème de la nouvelle naissance est mis en relation avec le « *retour à la vie* » ou la « résurrection. » Tout cela révèle que le développement sur le Baptême est étroitement lié à ce qui concerne l'œuvre salvifique du Christ réalisée à travers sa mort et sa résurrection.

tère surnaturel. Mais [1], comme les dispositions au sujet de la purification par l'eau font partie, elles aussi, de l'enseignement mystique — qu'on nomme ce rite Baptême, illumination ou régénération [j2], nous ne discutons pas à propos de l'appellation — il serait bon de dire aussi quelques mots à ce sujet.

Troisième partie

APPROPRIATION DES BIENS DU SALUT GRÂCE AUX SACREMENTS

i. Le Baptême, sacrement de la régénération [3]

a. *La régénération, effet de la puissance divine*

XXXIII. En effet, les adversaires nous entendent déclarer que dans le cas du passage d'un être mortel à la vie il était logique, puisque la première naissance acheminait vers une vie mortelle, que fût trouvée une autre naissance, ne commençant pas par la corruption et n'aboutissant pas à la corruption, mais amenant celui qui est né à une existence immortelle, de façon à ce que, tout comme l'être qui est né à la suite d'une naissance mortelle se trouvait forcément mortel, de même l'être né à la suite d'une naissance n'entraînant pas la corruption puisse triompher de la corruption résultant de la mort : lorsque donc ils nous entendent faire ces déclarations et d'autres du même genre et qu'ils sont instruits en plus sur la forme du Baptême, à savoir que les prières adressées à Dieu, la supplication pour obtenir la grâce céleste,

---

3. Le sermon *In diem luminum* (*GNO* IX, p. 221-242) constitue un texte parallèle aux ch. XXXIII-XXXVI relatifs au Baptême et permet d'établir d'éclairantes comparaisons.

τὸ τῆς ἀναγεννήσεως πληροῦται μυστήριον, δυσπειθῶς ἔχουσι
πρὸς τὸ φαινόμενον βλέποντες, ὡς οὐ συμβαῖνον τῇ ἐπαγγελίᾳ
τὸ σωματικῶς ἐνεργούμενον. Πῶς γάρ, φασίν, εὐχὴ καὶ δυνά-
15 μεως θείας ἐπίκλησις ἐπὶ τοῦ ὕδατος γινομένη ζωῆς ἀρχηγὸς
τοῖς μυηθεῖσι γίνεται ; Πρὸς οὕς, εἴπερ μὴ λίαν ἔχοιεν
ἀντιτύπως, ἁπλοῦς ἐξαρκεῖ λόγος πρὸς τὴν τοῦ δόγματος
ἀγαγεῖν συγκατάθεσιν. Ἀντερωτήσωμεν γὰρ περὶ τοῦ τρόπου
M 83 τῆς κατὰ σάρκα γεν|νήσεως τοῦ πᾶσιν ὄντος προδήλου, πῶς
20 ἄνθρωπος ἐκεῖνο γίνεται τὸ εἰς ἀφορμὴν τῆς συστάσεως τοῦ
ζῴου καταβαλλόμενον. Ἀλλὰ μὴν οὐδεὶς ἐπ᾽ ἐκείνου λόγος
ἐστὶν ὁ λογισμῷ τινὶ τὸ πιθανὸν ἐφευρίσκων. Τί γὰρ κοινὸν
ἔχει ὅρος ἀνθρώπου πρὸς τὴν ἐν ἐκείνῳ θεωρουμένην ποιότητα
συγκρινόμενος ; Ἄνθρωπος λογικόν τι χρῆμα καὶ διανοητικόν
25 ἐστι, νοῦ καὶ ἐπιστήμης δεκτικόν, ἐκεῖνο δὲ ὑγρᾷ τινι ἐνθεωρεῖται ποιότητι καὶ πλέον οὐδὲν τοῦ κατ᾽ αἴσθησιν ὁρωμένου
καταλαμβάνει ἡ ἔννοια. Ἦν τοίνυν εἰκός ἐστιν ἀπόκρισιν ἡμῖν
γίνεσθαι παρὰ τῶν ἐρωτηθέντων ὅτι πῶς ἐστι πιστὸν ἐξ
ἐκείνου συστῆναι ἄνθρωπον, τοῦτο καὶ περὶ τῆς διὰ τοῦ ὕδατος
30 γινομένης ἀναγεννήσεως ἐρωτηθέντες ἀποκρινούμεθα. Ἐκεῖ
τε γὰρ πρόχειρόν ἐστιν ἑκάστῳ τῶν ἠρωτημένων εἰπεῖν ὅτι
θείᾳ δυνάμει ἐκεῖνο ἄνθρωπος γίνεται, ἧς μὴ παρούσης ἀκίνη-
τόν ἐστιν ἐκεῖνο καὶ ἀνενέργητον. Εἰ οὖν ἐκεῖ οὐ τὸ ὑποκείμενον ποιεῖ τὸν ἄνθρωπον, ἀλλ᾽ ἡ θεία δύναμις πρὸς ἀνθρώπου

---

1. Grégoire énumère comme « moyens », par lesquels s'accomplit la
régénération, la prière, l'invocation de la grâce céleste, l'eau, la foi dont il
précise la portée dans la suite. On pourrait ajouter le rite de la triple
immersion (ch. XXXVI). Dans le De tridui spatio, il évoque aussi le
contexte ecclésial : « Pour elle (la régénération), la nourrice, c'est l'Église ; le
sein qui allaite, c'est la doctrine ; la nourriture, c'est le pain du ciel ;
l'aboutissement, c'est non pas la mort, mais la vie éternelle dans la
béatitude » (De trid. spat., GNO IX, p. 278 ; avec commentaire dans
H.R.Drobner, Die drei Tage, p. 68-71. J. Barbel consacre aussi un important développement à l'étude de cet aspect : cf. son commentaire, p. 178-
184).

2. Grégoire s'attache à expliquer comment le Baptême peut produire cet
effet : la puissance divine qui est à l'œuvre pour la première naissance opère
aussi pour la nouvelle naissance et la rend effective. Voir ausssi le In diem

l'eau et la foi sont les moyens [1] par lesquels s'accomplit le mystère de la régénération, ils restent incrédules en s'en tenant uniquement aux apparences et en prétextant que ce qui s'opère sous une forme matérielle est d'un autre ordre que ce qui est promis. Comment, en effet, disent-ils, une prière, une invocation de la puissance divine faites sur l'eau deviennent-elles source de vie pour les initiés ? Il suffit de donner à ces adversaires une réponse simple pour les amener à accepter la doctrine, si toutefois ils ne se montrent pas obstinés dans leur résistance. Posons-leur en retour la question suivante : alors que le mode de la naissance charnelle est très clair pour tout le monde, comment la semence qui est à l'origine de la formation d'un être vivant devient-elle un homme [2] ? Assurément, il n'y a sur ce point aucune explication qui, par voie de raisonnement, propose une démonstration convaincante. Qu'ont de commun, en effet, si on les compare, la définition de l'homme et la qualité que l'on observe dans cette semence ? L'homme est un être doué de raison et d'intelligence, capable de penser et de connaître ; la semence, elle, est perçue comme ayant la qualité de l'humidité, et la réflexion n'y découvre rien de plus que ce qui est perçu par voie de sensation. Il est vraisemblable que la réponse, qui nous sera donnée par ceux à qui nous avons demandé comment il est croyable qu'un homme se soit formé à partir de cette semence, nous la donnions à notre tour si nous sommes interrogés au sujet de la régénération effectuée par l'eau. Dans le premier cas, chacune des personnes interrogées s'empresse de dire que c'est par un effet de la puissance divine que cette semence devient un homme et que, sans elle, cette semence reste inerte et inefficace. Or, si dans

---

luminum. Cf. Théophile d'Antioche : « Dieu t'a appelé du néant à l'existence... et il t'a formé à partir d'un peu de liquide, d'une toute petite goutte,... celui qui t'a donc amené dans cette vie, c'est Dieu » (*Ad Autolycum*, *SC* 20, p. 77).

35 φύσιν μεταποιεῖ τὸ φαινόμενον, τῆς ἐσχάτης ἂν εἴη ἀγνω-
μοσύνης ἐκεῖ τοσαύτην τῷ Θεῷ προσμαρτυροῦντας δύναμιν
ἀτονεῖν ἐν τῷ μέρει τούτῳ τὸ θεῖον οἴεσθαι πρὸς τὴν ἐκπλή-
ρωσιν τοῦ θελήματος. Τί κοινόν, φασίν, ὕδατι καὶ ζωῇ ; Τί δὲ
κοινόν, πρὸς αὐτοὺς ἐροῦμεν, ὑγρότητι καὶ εἰκόνι Θεοῦ ; Ἀλλ'
M 84 40 | οὐδὲν ἐκεῖ τὸ παράδοξον, εἰ Θεοῦ βουλομένου πρὸς τὸ τιμιώ-
τατον ζῷον τὸ ὑγρὸν μεταβαίνει. Τὸ ἴσον καὶ ἐπὶ τούτου φαμὲν
μηδὲν εἶναι θαυμαστόν, εἰ θείας δυνάμεως παρουσία πρὸς
ἀφθαρσίαν μετασκευάζει τὸ ἐν τῇ φθαρτῇ φύσει γενόμενον.

PG 85 ΛΔʹ. Ἀλλὰ ζητοῦσιν ἀπόδειξιν τοῦ παρεῖναι τὸ θεῖον ἐπὶ
ἁγιασμῷ τῶν γινομένων καλούμενον. Ὁ δὲ τοῦτο ζητῶν ἀνα-
γνώτω πάλιν τὰ κατόπιν ἐξητασμένα. Ἡ γὰρ κατασκευὴ τοῦ
τὴν διὰ σαρκὸς ἡμῖν ἐπιφανεῖσαν δύναμιν ἀληθῶς θείαν εἶναι
5 τοῦ παρόντος λόγου συνηγορία γίνεται · δειχθέντος γὰρ τοῦ
Θεὸν εἶναι τὸν ἐν σαρκὶ φανερωθέντα, τοῖς διὰ τῶν γινομένων
θαύμασι τὴν φύσιν ἑαυτοῦ δείξαντα, συναπεδείχθη τὸ παρεῖναι
τοῖς γινομένοις αὐτὸν κατὰ πάντα καιρὸν ἐπικλήσεως. Ὥσπερ
γὰρ ἑκάστου τῶν ὄντων ἔστι τις ἰδιότης ἡ τὴν φύσιν γνωρί-
10 ζουσα, οὕτως ἴδιον τῆς θείας φύσεώς ἐστιν ἡ ἀλήθεια. Ἀλλὰ
μὴν ἀεὶ παρέσεσθαι τοῖς ἐπικαλουμένοις ἐπήγγελται [a], καὶ ἐν
μέσῳ τῶν πιστευόντων εἶναι [b], καὶ ἐν πᾶσι μένειν, καὶ ἑκάστῳ

a. Cf. Mt 7, 7 ; Jn 15, 4-10   b. Cf. Mt 18, 20

1. *Hupokeimenon* sert ici à désigner la matière au sens aristotélicien du
terme, alors que dans le ch. V, le même participe substantivé sert à désigner
ce qu'Aristote entend par « sujet ».
2. De façon claire, Grégoire établit une relation entre le caractère « sacramentel » du mystère de l'Incarnation et le sacrement du Baptême et fait état
de la présence agissante de Celui qui a promis d'être toujours présent auprès
des siens.

ce cas, ce n'est pas le substrat matériel[1] qui produit l'homme, mais si c'est la puissance divine qui transforme en nature humaine ce qui tombe sous les sens, ce serait manquer de jugement au suprême degré que de reconnaître à Dieu une aussi grande puissance dans un cas, et de penser, dans le second cas, que la divinité est impuissante à réaliser son dessein. Qu'y a-t-il de commun, disent-ils, entre l'eau et la vie? Nous leur demandons à notre tour : Qu'y a-t-il de commun entre cet élément humide et l'image de Dieu? — Mais dans le premier cas il n'y a rien de surprenant que l'élément humide se transforme par la volonté de Dieu pour devenir l'être le plus élevé en dignité. — Nous disons de même, pour le cas présent, qu'il n'y a rien d'extraordinaire si la présence de la puissance divine fait passer à l'incorruptibilité l'être qui est né dans la nature corruptible.

b. *La régénération, liée à la présence divine*

XXXIV. Mais ils cherchent une preuve que la divinité est présente, quand elle est invoquée pour la sanctification de l'action qui s'accomplit. Que celui qui cherche une preuve relise ce qui a été examiné plus haut. En effet, l'argumentation, prouvant que la puissance qui s'est manifestée à nous dans la chair est vraiment divine, fournit aussi des arguments en faveur du présent raisonnement[2]. Car en démontrant qu'il est Dieu celui qui s'est manifesté dans la chair et qui a révélé sa nature par le caractère merveilleux de ce qui s'est passé durant sa vie, on a démontré en même temps qu'il est présent aux événements chaque fois qu'il est invoqué. Toute chose existante a un caractère propre qui fait connaître sa nature : le propre de la nature divine, c'est la vérité. Or le Christ a annoncé qu'il serait présent à ceux qui l'invoqueraient[a], qu'il serait présent au milieu des croyants[b] et qu'il demeurerait en tous et qu'il serait avec chacun. Nous

συνεῖναι · οὐκέτ᾽ ἂν ἑτέρας εἰς τὸ παρεῖναι τὸ θεῖον τοῖς γινομένοις ἀποδείξεως προσδεοίμεθα, τὸ μὲν Θεὸν εἶναι διὰ τῶν
15 θαυμάτων αὐτῶν πεπιστευκότες, ἴδιον δὲ τῆς θεότητος τὸ
M 85 | ἀμίκτως πρὸς τὸ ψεῦδος ἔχειν εἰδότες, ἐν δὲ τῷ ἀψευδεῖ τῆς
ὑποσχέσεως παρεῖναι τὸ ἐπηγγελμένον οὐκ ἀμφιβάλλοντες.
Τὸ δὲ προηγεῖσθαι τὴν διὰ τῆς εὐχῆς κλῆσιν τῆς θείας οἰκονομίας περιουσία τίς ἐστι τῆς ἀποδείξεως τοῦ κατὰ Θεὸν
20 ἐπιτελεῖσθαι τὸ ἐνεργούμενον · εἰ γὰρ ἐπὶ τοῦ ἑτέρου τῆς ἀν-
θρωποποιΐας εἴδους αἱ τῶν γεννώντων ὁρμαί, κἂν μὴ ἐπικληθῇ
παρ᾽ αὐτῶν δι᾽ εὐχῆς τὸ θεῖον, τῇ τοῦ Θεοῦ δυνάμει — καθὼς
ἐν τοῖς ἔμπροσθεν εἴρηται — διαπλάσσουσι τὸ γεννώμενον, ἧς
χωρισθείσης ἄπρακτός ἐστιν ἡ σπουδὴ καὶ ἀνόνητος, πόσῳ
25 μᾶλλον ἐν τῷ πνευματικῷ τῆς γεννήσεως τρόπῳ, καὶ Θεοῦ
παρέσεσθαι τοῖς γινομένοις ἐπηγγελμένου καὶ τὴν παρ᾽ ἑαυτοῦ
δύναμιν ἐντεθεικότος τῷ ἔργῳ, καθὰ πεπιστεύκαμεν, καὶ τῆς
ἡμετέρας προαιρέσεως πρὸς τὸ σπουδαζόμενον τὴν ὁρμὴν
ἐχούσης, εἰ συμπαραληφθείη καθηκόντως ἡ διὰ τῆς εὐχῆς
30 συμμαχία, μᾶλλον ἐπιτελὲς ἔσται τὸ σπουδαζόμενον; Καθάπερ γὰρ οἱ ἐπιφαῦσαι τὸν ἥλιον αὐτοῖς εὐχόμενοι τῷ Θεῷ
οὐδὲν ἀμβλύνουσι τὸ πάντως γινόμενον, οὐδὲ μὴν ἄχρηστον
εἶναί τις φήσει τὴν τῶν προσευχομένων σπουδήν, εἰ περὶ τοῦ
πάντως ἐσομένου τὸν Θεὸν ἱκετεύουσιν, οὕτως οἱ πεπεισμένοι
35 κατὰ τὴν ἀψευδῆ τοῦ ἐπαγγειλαμένου ὑπόσχεσιν πάντως
παρεῖναι τὴν χάριν τοῖς διὰ τῆς μυστικῆς ταύτης οἰκονομίας
M 86 ἀναγεννωμένοις ἢ προσθήκην τινὰ | ποιοῦνται τῆς χάριτος ἢ
τὴν οὖσαν οὐκ ἀποστρέφουσιν. Τὸ γὰρ πάντως εἶναι διὰ τὸ
Θεὸν εἶναι τὸν ἐπαγγειλάμενον πεπίστευται, ἡ δὲ τῆς θεό-

---

1. Grégoire cherche à prouver la réalité de cette présence à partir des
promesses contenues dans l'Écriture. Par sa présence, Dieu fait que l'acte
posé produise ses effets et procure la régénération avec tous les avantages qui
y sont attachés. Ce passage fait penser au texte théologiquement si dense de
Sacrosanctum Concilium 7, de Vatican II, relatif à la présence agissante du
Christ dans les sacrements.

n'aurions donc plus guère besoin d'une autre preuve établis-
sant que la divinité est présente aux événements qui se
produisent, du moment qu'en raison même des miracles
nous croyons qu'il est Dieu, et que nous savons que le propre
de la divinité est d'être exempte de tout mensonge et qu'en
vertu de la véracité de la promesse, nous ne mettons pas en
doute la présence[1] de ce qui a été promis. Mais le fait que
l'invocation adressée dans la prière précède la dispensation
de la grâce divine constitue une preuve surabondante que
l'action en voie d'exécution est menée par Dieu à son plein
achèvement. En effet, dans l'autre mode de la génération de
l'homme, l'impulsion des parents, même s'ils n'invoquent
pas la divinité dans leurs prières, aboutit, sous l'effet de la
puissance divine, comme on l'a dit plus haut, à la formation
de l'être engendré, alors que sans elle, leur effort est inefficace et sans résultat ; s'il en est ainsi, combien plus complet
sera, dans la forme spirituelle de la génération, l'effet recherché, du moment que Dieu a promis d'être présent à ce qui se
passe, qu'il a déposé dans cette action la puissance qui vient
de lui, ainsi que nous le croyons, et que notre volonté est
tendue vers l'objet recherché, combien plus complet, dis-je,
si le secours de la prière s'y ajoute de la façon qui convient ?
Ceux qui prient Dieu de faire lever sur eux le soleil n'affai-
blissent en rien un phénomène qui se produit de toute façon,
et à la vérité, on ne saurait même pas qualifier d'inutile leur
empressement à prier, quand ils demandent à Dieu ce qui se
produirait de toute façon. De même, ceux qui sont persuadés, selon la promesse véridique de celui qui l'a faite, que la
grâce sera présente dans ceux qui sont régénérés par cette
dispensation mystique, ou bien ajoutent à la grâce ou bien
n'évacuent pas celle qui existe. Qu'elle soit présente de toute
façon, nous le croyons, parce que Dieu l'a promis, et le
témoignage de la divinité réside dans les miracles. Par consé-

40 τητος μαρτυρία διὰ τῶν θαυμάτων ἐστίν · ὥστε διὰ πάντων τὸ
παρεῖναι τὸ θεῖον οὐδεμίαν ἀμφιβολίαν ἔχει.

ΛΕ΄. Ἡ δὲ εἰς τὸ ὕδωρ κάθοδος καὶ τὸ εἰς τρὶς ἐν αὐτῷ
γενέσθαι τὸν ἄνθρωπον ἕτερον ἐμπεριέχει μυστήριον. Ἐπειδὴ
γὰρ ὁ τῆς σωτηρίας ἡμῶν τρόπος οὐ τοσοῦτον ἐκ τῆς κατὰ τὴν
διδαχὴν ὑφηγήσεως ἐνεργὸς γέγονεν ὅσον δι' αὐτῶν ὧν ἐποίη-
5 σεν ὁ τὴν πρὸς τὸν ἄνθρωπον ὑποστὰς κοινωνίαν ἔργῳ τὴν
PG 88 ζωὴν ἐνερ|γήσας, ἵνα διὰ τῆς ἀναληφθείσης παρ' αὐτοῦ καὶ
συναποθεωθείσης σαρκὸς ἅπαν συνδιασωθῇ τὸ συγγενὲς αὐτῇ
καὶ ὁμόφυλον, ἀναγκαῖον ἦν ἐπινοηθῆναί τινα τρόπον, ἐν ᾧ τις
ἦν συγγένειά τε καὶ ὁμοιότης ἐν τοῖς γινομένοις παρὰ τοῦ
10 ἑπομένου πρὸς τὸν ἡγούμενον. Χρὴ τοίνυν ἰδεῖν ἐν τίσιν ὁ τῆς
ζωῆς ἡμῶν καθηγησάμενος ἐθεωρήθη, ἵνα — καθώς φησιν ὁ
ἀπόστολος — κατὰ τὸν ἀρχηγὸν τῆς σωτηρίας ἡμῶν [a] κατορ-
θωθῇ τοῖς ἑπομένοις ἡ μίμησις. Ὥσπερ γὰρ παρὰ τῶν
πεπαιδευμένων τὰ τακτικὰ πρὸς τὴν ὁπλιτικὴν ἐμπειρίαν
15 ἀνάγονται οἱ δι' ὧν βλέπουσι πρὸς τὴν εὔρυθμόν τε καὶ ἐνό-
πλιον κίνησιν παιδευόμενοι, ὁ δὲ μὴ πράττων τὸ προδεικνύ-

a. He 2, 10

1. Il convient de relever l'absence de mention de la formule baptismale
dans ce contexte, alors que dans le ch. XXXIX, qui traite de la foi, Grégoire
s'attache à montrer la portée de l'invocation des trois Personnes de la Trinité.
Cf. aussi le sermon In diem luminum, GNO IX, p. 229.

2. Grégoire accorde la priorité, non pas à la doctrine, mais aux actes
salvifiques. Le Disc. cat. dans son ensemble va dans le même sens. Nous
dirions actuellement que les événements ont en eux-mêmes une valeur de
révélation. Mais ils ont aussi et surtout une portée salvifique. Grégoire
s'attache à montrer comment ces événements peuvent devenir efficaces pour
nous, dans la mesure où nous « marchons à la suite » du Christ qui nous guide
vers le salut.

3. Le verbe composé avec deux préfixes sunapothéôtheisès exprime l'idée
que l'humanité du Christ est déifiée lors de la résurrection en vertu de son
étroite union avec le Logos et d'une participation plus plénière à ses privilèges.

quent, la présence de la divinité ne saurait absolument pas être mise en doute [1].

c. *Le symbolisme de la triple immersion baptismale*

XXXV. La descente de l'homme dans l'eau et la triple immersion dans l'eau renferment un autre mystère. Comme, en effet, le procédé destiné à assurer notre salut tire son efficacité non pas tellement des préceptes d'un enseignement que des actes mêmes [2] de celui qui a vécu en communion de vie avec l'homme, lui qui a fait, de façon effective, œuvre de vie, afin qu'au moyen de la chair assumée par lui et déifiée avec lui [3], fût sauvé en même temps tout ce qui est apparenté à la chair et est de même nature qu'elle, pour cette raison il était nécessaire de concevoir un procédé qui permette que les actes accomplis par celui qui suit eussent une certaine affinité et une certaine ressemblance avec les actes de celui qui est le guide. Il faut donc voir par quels actes s'est manifesté le guide de la vie, afin que, selon la parole de l'apôtre, l'imitation de ceux qui suivent se règle heureusement sur le chef qui devait les guider vers le salut [a]. En effet, de même que ceux qui sont versés dans l'art de la tactique entraînent les recrues au maniement des armes en les formant à travers ce qu'ils voient aux mouvements bien rythmés des soldats en armes, et que celui qui n'exécute pas ce qui lui est montré n'acquiert jamais ce savoir-faire [4], de la même manière tous ceux qui sont animés d'un égal zèle pour le bien doivent suivre, en l'imitant soigneusement, le guide qui nous conduit au salut

4. La comparaison tirée de l'entraînement militaire peut surprendre ; mais le *N.T.* comporte bien des passages qui parlent du combat de la foi ou de l'équipement du chrétien pour mener à bien ce combat : Ep 6, 10 et 13-17 ; 1 P 5, 8 ; 1 Th 5, 8 ; 1 Jn 2, 14.

M 87

20

25

30

35

M 88

40

μενον ἀμέτοχος τῆς τοιαύτης ἐμπειρίας μένει, κατὰ τὸν αὐτὸν
τρόπον τῷ πρὸς τὴν σωτηρίαν ἡμῶν ἐξηγουμένῳ πάν|τας οἷς
ἴση πρὸς τὸ ἀγαθόν ἐστιν ἡ σπουδή, ὁμοίως ἐπάναγκες διὰ
μιμήσεως ἕπεσθαι τὸ παρ' αὐτοῦ προδειχθὲν εἰς ἔργον ἄγον-
τας · οὐ γὰρ ἔστι πρὸς τὸ ἴσον καταντῆσαι πέρας μὴ διὰ τῶν
ὁμοίων ὁδεύσαντας. Καθάπερ γὰρ οἱ τὰς τῶν λαβυρίνθων
πλάνας διεξελθεῖν ἀμηχανοῦντες, εἴ τινος ἐμπείρως ἔχοντος
ἐπιτύχοιεν, κατόπιν ἑπόμενοι τὰς ποικίλας τε καὶ ἀπατηλὰς
τῶν οἴκων ἀναστροφὰς διεξέρχονται, οὐκ ἂν διεξελθόντες μὴ
κατ' ἴχνος ἑπόμενοι τῷ προάγοντι, οὕτω μοι νόησον καὶ τὸν
τοῦ βίου τούτου λαβύρινθον ἀδιεξίτητον εἶναι τῇ ἀνθρωπίνῃ
φύσει, εἰ μή τις τῆς αὐτῆς ὁδοῦ λάβοιτο δι' ἧς ὁ ἐν αὐτῷ γενόμενος ἔξω κατέστη τοῦ περιέχοντος. Λαβύρινθον δέ φημι τρο-
πικῶς τὴν ἀδιέξοδον τοῦ θανάτου φρουράν, ᾗ τὸ δείλαιον τοῦ
ἀνθρώπου γένος περιεσχέθη. Τί οὖν περὶ τὸν ἀρχηγὸν τῆς
σωτηρίας [b] ἡμῶν ἐθεασάμεθα ; Τριήμερον νέκρωσιν καὶ πάλιν
ζωήν [c]. Οὐκοῦν χρή τι τοιοῦτον καὶ ἐν ἡμῖν ἐπινοηθῆναι
ὁμοίωμα [d]. Τίς οὖν ἐστιν ἡ ἐπίνοια δι' ἧς καὶ ἐν ἡμῖν πληροῦται τοῦ παρ' ἐκείνου γεγονότος ἡ μίμησις ; Ἅπαν τὸ
νεκρωθὲν οἰκεῖόν τινα καὶ κατὰ φύσιν ἔχει χῶρον τὴν γῆν ἐν ᾗ
κλίνεταί τε καὶ κατακρύπτεται · πολλὴν δὲ πρὸς ἄλληλα τὴν
συγγένειαν ἔχει γῆ τε καὶ ὕδωρ, μόνα τῶν| στοιχείων βαρέα τε
ὄντα καὶ κατωφερῆ, καὶ ἐν ἀλλήλοις μένοντα καὶ δι' ἀλλήλων
κρατούμενα. Ἐπεὶ οὖν τοῦ καθηγουμένου τῆς ζωῆς ἡμῶν ὁ

---

b. He 2, 10   c. Cf. Mt 12, 40 ; 16, 21 ; 1 Co 15, 4   d. Cf. Rm 6, 5

1. Sur la portée des mots *phroura* et *labyrinthon*, cf. Introduction,
p. 83 s. : 'Grégoire de Nysse aborde-t-il le thème de la descente aux enfers ?'
2. Le Christ est « guide », parce qu'il indique le chemin à suivre pour
sortir du labyrinthe, qu'il est celui qui a brisé les portes de la prison et qu'il
conduit les siens hors de la prison.
3. A l'arrière-plan de ce développement se situent le texte de Rm 6, 4-11
et les textes parallèles. A travers des verbes composés comportant le préfixe
sun (*sunétaphèmén, sunéstaurôthè, suzèsomén*), PAUL insiste sur l'étroite

et traduire en actes l'exemple qu'il a donné. En effet, il est impossible d'atteindre un but semblable, si l'on ne suit pas un chemin semblable. Ceux qui, égarés dans l'enchevêtrement d'un labyrinthe, ne savent en trouver l'issue et qui rencontrent quelqu'un qui en a l'expérience, arrivent, en marchant à sa suite, à parcourir jusqu'à la sortie les méandres compliqués et trompeurs des bâtiments ; ils n'en seraient pas sortis, s'ils n'avaient suivi le guide pas à pas. Pense de même que le labyrinthe de cette vie serait inextricable pour la nature humaine, si l'on ne prenait la même route que celle par laquelle celui qui y était entré a réussi à franchir l'enceinte qui la clôture. Par labyrinthe j'entends désigner de façon métaphorique la prison sans issue [1] de la mort, où avait été enfermé l'infortuné genre humain. Qu'avons-nous donc vu arriver au chef qui doit nous guider vers notre salut [b2]? Durant trois jours, il est resté dans la mort, ensuite il est revenu à la vie [c]. Pour nous-mêmes, il faut imaginer quelque chose de semblable [d]. Quel est dès lors le moyen conçu pour nous permettre de reproduire pleinement ce qui s'est passé pour lui [3]? Tout être, une fois qu'il est mort, a un séjour approprié, conforme à sa nature, à savoir la terre dans laquelle il est déposé et enseveli. Or, l'eau entretient une étroite affinité avec la terre [4], car ce sont les deux seuls éléments qui sont pesants et qui tendent vers le bas, subsistant l'un dans l'autre et se maintenant l'un l'autre. Comme le guide de notre vie, en raison de sa mort, est descendu sous terre selon la loi de nature commune, l'imitation de sa mort

---

association du baptisé au mystère de la mort et de la résurrection du Christ. Grégoire a plutôt recours au vocabulaire de l'imitation et montre comment le Baptême en tant que rite est une sorte de reproduction de la mort et de la résurrection du Christ. Mais il accorde la même importance que Paul au retour à la vie, à la résurrection, et donc à l'efficacité du Baptême.

4. Dans le sermon *In diem luminum* GRÉGOIRE fait valoir la même idée au sujet de l'eau qui est l'élément le plus proche de celui de la terre (*GNO* IX, p. 228).

θάνατος ὑπόγειος κατὰ τὴν κοινὴν γέγονε φύσιν, ἡ τοῦ θανάτου μίμησις ἡ παρ' ἡμῶν γινομένη ἐν τῷ γείτονι διατυποῦται
στοιχείῳ · καὶ ὡς ἐκεῖνος ὁ ἄνωθεν ᵉ ἄνθρωπος ἀναλαβὼν τὴν
νεκρότητα μετὰ τὴν ὑπόγειον θέσιν τριταῖος ἐπὶ τὴν ζωὴν
45 πάλιν ἀνέδραμεν, οὕτω πᾶς ὁ συνημμένος κατὰ τὴν τοῦ
σώματος φύσιν ἐκείνῳ πρὸς τὸ αὐτὸ κατόρθωμα βλέπων — τὸ
κατὰ τὴν ζωὴν λέγω πέρας — ἀντὶ γῆς τὸ ὕδωρ ἐπιχεάμενος
καὶ ὑποδὺς τὸ στοιχεῖον ἐν τρισὶ περιόδοις τὴν τριήμερον τῆς
ἀναστάσεως χάριν ἀπεμιμήσατο. Εἴρηται δὲ τὸ τοιοῦτον καὶ
50 ἐν τοῖς φθάσασιν, ὅτι κατ' οἰκονομίαν ἐπῆκται τῇ ἀνθρωπίνῃ
φύσει παρὰ τῆς θείας προνοίας ὁ θάνατος, ὥστε τῆς κακίας ἐν
PG 89 τῇ διαλύσει | τοῦ σώματος καὶ τῆς ψυχῆς ἐκρυείσης πάλιν διὰ
τῆς ἀναστάσεως σῶον, καὶ ἀπαθῆ, καὶ ἀκέραιον, καὶ πάσης
τῆς κατὰ κακίαν ἐπιμιξίας ἀλλότριον ἀναστοιχειωθῆναι τὸν
55 ἄνθρωπον. Ἀλλ' ἐπὶ μὲν τοῦ καθηγουμένου τῆς σωτηρίας
ἡμῶν τὸ τέλειον ἡ κατὰ τὸν θάνατον ἔσχεν οἰκονομία, κατὰ τὸν
ἴδιον σκοπὸν ἐντελῶς πληρωθεῖσα — διεστάλη τε γὰρ διὰ τοῦ
θανάτου τὰ ἡνωμένα καὶ πάλιν συνήχθη τὰ διακεκριμένα, ὡς
ἂν καθαρθείσης τῆς φύσεως ἐν τῇ τῶν συμφυῶν διαλύσει,
60 ψυχῆς τε λέγω καὶ σώματος, πάλιν ἡ τῶν κεχωρισμένων
M 89 ἐπάνοδος | τῆς ἀλλοτρίας ἐπιμιξίας καθαρεύουσα γένοιτο —
ἐπὶ δὲ τῶν ἀκολουθούντων τῷ καθηγουμένῳ οὐ χωρεῖ τὴν
ἀκριβῆ μίμησιν δι' ὅλων ἡ φύσις, ἀλλ' ὅσον δυνατῶς ἔχει,
τοσοῦτον νῦν παραδεξαμένη τὸ λεῖπον τῷ μετὰ ταῦτα τα-
65 μιεύεται χρόνῳ. Τί οὖν ἔστιν ὃ μιμεῖται ; Τὸ τῆς ἐμμιχθείσης

e. Cf. Jn 3, 31

1. « L'homme venu d'en haut » est à comprendre à partir de Jn 3, 31 et de
1 Co 15, 47.
2. Grégoire évoque le symbolisme de la triple immersion dans le *In diem
luminum* (*GNO* IX, 1). Basile présente le sens de la triple immersion de la

de notre part s'effectue de façon symbolique dans l'élément qui s'apparente à la terre. Et de même que lui, l'Homme venu d'en haut[e1], après avoir assumé l'état de cadavre et avoir été déposé dans la terre, est revenu à la vie le troisième jour, de même quiconque est uni à lui selon la nature de son corps, s'il envisage le même résultat heureux, je veux dire s'il vise à obtenir la vie, reproduit la grâce de la résurrection intervenue le troisième jour, lorsqu'à la place de la terre on répand sur lui de l'eau et qu'à trois reprises il est immergé dans cet élément[2]. Il a été dit plus haut que la mort a été introduite dans la nature humaine par la providence divine selon son plan de salut, pour que le mal s'écoulât à l'occasion de la séparation de l'âme et du corps et que l'homme reconstitué, sous l'effet de la résurrection, se retrouvât sain et sauf, libre de toute forme de *pathos*, intact et exempt de tout mélange avec le mal[3]. En ce qui concerne l'auteur de notre salut, son plan de nous sauver par sa mort s'est pleinement réalisé, car il s'est accompli entièrement suivant le but qu'il s'était fixé. En effet, ce qui était uni a été séparé par la mort, puis ce qui avait été séparé a de nouveau été réuni, de façon que, la nature ayant été purifiée par la séparation de ce qui était étroitement uni, je veux dire l'âme et le corps, ceux-ci, lors du retour à l'union, fussent exempts de tout mélange avec ce qui leur est étranger. Quant à ceux qui suivent ce guide, la nature n'est pas capable d'une imitation rigoureusement exacte en tous points ; mais, dans le temps présent, elle pratique cette imitation à la mesure des forces qu'elle a reçues et elle réserve le reste pour le temps à venir. En quoi consiste donc cette imitation ? Dans le fait que par la reproduction symbolique

---

même manière dans son traité *Sur le Saint-Esprit*, *SC* 17 bis, p. 367. Cyrille de Jérusalem le dit à sa façon : « Chacun a prononcé la confession salutaire et s'est plongé trois fois dans l'eau et en a émergé et signifié par là l'ensevelissement du Christ qui a duré trois jours » (*Cat. myst.* 2, 4, 5, *SC* 126, p. 113-115).

3. Cf. ch. VIII.

308   GRÉGOIRE DE NYSSE

κακίας ἐν τῇ τῆς νεκρώσεως εἰκόνι τῇ γενομένῃ διὰ τοῦ ὕδατος
τὸν ἀφανισμὸν ἐμποιῆσαι, οὐ μὴν τελείως ἀφανισμόν, ἀλλά
τινα διακοπὴν τῆς τοῦ κακοῦ συνεχείας, συνδραμόντων δύο
πρὸς τὴν τῆς κακίας ἀναίρεσιν, τῆς τε τοῦ πλημμελήσαντος
70 μεταμελείας καὶ τῆς τοῦ θανάτου μιμήσεως, δι' ὧν ἐκλύεταί
πως ὁ ἄνθρωπος τῆς πρὸς τὸ κακὸν συμφυΐας, τῇ μεταμελείᾳ
μὲν εἰς μῖσός τε καὶ ἀλλοτρίωσιν τῆς κακίας χωρῶν, τῷ δὲ
θανάτῳ τοῦ κακοῦ τὸν ἀφανισμὸν ἐργαζόμενος. Ἀλλ' εἰ μὲν ἦν
δυνατὸν ἐν τελείῳ τῷ θανάτῳ γενέσθαι τὸν μιμούμενον, οὐδ'
75 ἂν μίμησις, ἀλλὰ ταὐτότης τὸ γινόμενον ἦν, καὶ εἰς τὸ παν-
τελὲς τὸ κακὸν ἐκ τῆς φύσεως ἡμῶν ἠφανίζετο, ὥστε, καθὼς
φησιν ὁ ἀπόστολος, Ἐφάπαξ ἀποθανεῖν τῇ ἁμαρτίᾳ f · ἐπεὶ
δέ, καθὼς εἴρηται, τοσοῦτον μιμούμεθα τὴν ὑπερεχοῦσαν δύναμιν ὅσον χωρεῖ ἡμῶν ἡ πτωχεία τῆς φύσεως, τὸ ὕδωρ τρὶς
80 ἐπιχεάμενοι καὶ πάλιν ἀναβάντες ἀπὸ τοῦ ὕδατος, τὴν σωτήριον ταφὴν g καὶ ἀνάστασιν τὴν ἐν τριημέρῳ γενομένην τῷ
M 90 χρόνῳ ὑποκρινόμεθα, τοῦτο λαβόντες κατὰ διάνοιαν ὅτι, ὡς
ἡμῖν ἐν ἐξουσίᾳ τὸ ὕδωρ ἐστί, καὶ ἐν αὐτῷ γενέσθαι, καὶ ἐξ
αὐτοῦ πάλιν ἀναδῦναι, κατὰ τὸν αὐτὸν τρόπον ἐπ' ἐξουσίας ἦν
85 ὁ τοῦ παντὸς ἔχων τὴν δεσποτείαν, ὡς ἡμεῖς ἐν τῷ ὕδατι,
οὕτως ἐκεῖνος ἐν τῷ θανάτῳ καταδυείς, πάλιν ἐπὶ τὴν ἰδίαν
ἀναλύειν μακαριότητα. Εἰ οὖν τις πρὸς τὸ εἰκὸς βλέποι καὶ
κατὰ τὴν ἐν ἑκατέρῳ δύναμιν τὰ γινόμενα κρίνοι, οὐδεμίαν ἐν
τοῖς γινομένοις εὑρήσει διαφοράν, ἑκατέρου κατὰ τὸ τῆς
90 φύσεως μέτρον ἐξεργαζομένου τὰ κατὰ δύναμιν. Ὡς γὰρ ἔστιν
ἀνθρώπῳ τὸ ὕδωρ πρὸς τὸ ἀκινδύνως ἐπιθιγγάνειν, εἰ βούλοιτο, ἀπειροπλασίως τῇ θείᾳ δυνάμει κατ' εὐκολίαν ὁ θάνατος

f. Rm 6, 10   g. Cf. Rm 6, 4

1. Le Baptême est un rite qui vise la purification : Grégoire précise
cependant que la purification n'est pas complète, car le Baptême n'est
qu'une « imitation ».

de l'ensevelissement effectuée dans l'eau, le mal mélangé à
notre nature disparaît ; à la vérité, ce n'est pas une disparition
complète, mais en quelque sorte une rupture dans la continuité du mal, deux causes concourant à la destruction du
mal : le repentir du pécheur et l'imitation de la mort ; par
elles l'homme est délivré d'une certaine façon de son union
étroite avec le mal, le repentir le poussant à haïr le mal et à
l'écarter, et la mort opérant la disparition du mal. S'il était
possible à celui qui imite de subir une mort complète et
effective, ce qui se passerait ne serait plus une imitation, mais
une identité réelle, et le mal serait éliminé complètement de
notre nature, de sorte que, comme le dit l'apôtre, « Nous
serions morts une fois pour toutes au péché [f1]. » Mais comme,
d'après ce qui a été dit, nous imitons la puissance suréminente dans la mesure où la pauvreté de notre nature nous en
rend capables, nous laissons couler sur nous l'eau à trois
reprises et nous nous élevons hors de l'eau, reproduisant de
cette façon l'ensevelissement salutaire [g] et la résurrection au
bout de trois jours ; et nous nous disons en nous-mêmes que
tout comme nous pouvons disposer de l'eau, nous y plonger
et en ressortir, de même le souverain de l'univers avait le
pouvoir, après s'être plongé dans la mort, comme nous dans
l'eau, de revenir à la félicité qui lui est propre. Si donc on
prend en considération la vraisemblance, si l'on juge les faits
en proportion du degré de puissance qui s'y manifeste, on ne
trouvera aucune différence dans ce qui se produit, puisque
chacun des deux exécute ce qui est en son pouvoir suivant la
mesure de sa nature. En effet, l'homme peut sans danger
entrer en contact avec l'eau, s'il le veut ; la puissance divine
peut, avec une facilité infiniment plus grande, entrer en
contact avec la mort, l'assumer et ne pas subir de changement

πρόκειται καὶ ἐν αὐτῷ γενέσθαι καὶ μὴ τραπῆναι πρὸς πάθος.
Διὰ τοῦτο τοίνυν ἀναγκαῖον ἡμῖν τὸ ἐν τῷ ὕδατι προμελετῆσαι
95   τὴν τῆς ἀναστάσεως χάριν, ὡς ἂν εἰδείημεν ὅτι τὸ ἴσον ἡμῖν εἰς
εὐκολίαν ἐστὶν ὕδατί τε βαπτισθῆναι καὶ ἐκ τοῦ θανάτου πάλιν
ἀναδῦναι. Ἀλλ᾽ ὥσπερ ἐν τοῖς κατὰ τὸν βίον γινομένοις τινά
τινῶν ἐστιν ἀρχικώτερα ὧν ἄνευ οὐκ ἂν τὸ γινόμενον κατορ-
PG 92   θωθείη, καίτοι εἰ πρὸς τὸ πέρας ἡ ἀρχὴ κρίνοιτο,| ἀντ᾽
100   οὐδενὸς εἶναι δόξει τοῦ πράγματος ἡ ἀρχὴ συγκρινομένη τῷ
τέλει — τί γὰρ ἴσον ἄνθρωπος καὶ τὸ πρὸς τὴν σύστασιν τοῦ
ζῴου καταβαλλόμενον ; Ἀλλ᾽ ὅμως, εἰ μὴ ἐκεῖνο εἴη, οὐδ᾽ ἂν
M 91   τοῦτο γένοιτο — οὕτω | καὶ τὸ κατὰ τὴν μεγάλην ἀνάστασιν,
μεῖζον ὂν τῇ φύσει, τὰς ἀρχὰς ἐντεῦθεν καὶ τὰς αἰτίας ἔχει · οὐ
105   γάρ ἐστι δυνατὸν ἐκεῖνο γενέσθαι, εἰ μὴ τοῦτο προκαθ-
ηγήσαιτο. Μὴ δύνασθαι δέ φημι δίχα τῆς κατὰ τὸ λουτρὸν
ἀναγεννήσεως ἐν ἀναστάσει γενέσθαι τὸν ἄνθρωπον, οὐ πρὸς
τὴν τοῦ συγκρίματος ἡμῶν ἀνάπλασίν τε καὶ ἀναστοιχείωσιν
βλέπων — πρὸς τοῦτο γὰρ δεῖ πάντως πορευθῆναι τὴν φύσιν
110   οἰκείαις ἀνάγκαις κατὰ τὴν τοῦ τάξαντος οἰκονομίαν
συνωθουμένην, κἂν προσλάβῃ τὴν ἐκ τοῦ λουτροῦ χάριν, κἂν
ἄμοιρος μείνῃ τῆς τοιαύτης μυήσεως — ἀλλὰ τὴν ἐπὶ τὸ
μακάριόν τε καὶ θεῖον καὶ πάσης κατηφείας κεχωρισμένον
ἀποκατάστασιν. Οὐ γὰρ ὅσα δι᾽ ἀναστάσεως τὴν ἐπὶ τὸ εἶναι

---

1. Dans ce contexte on pourrait s'attendre à une mention de l'Esprit.
GRÉGOIRE se montre plus explicite dans le *In diem luminum* : après avoir
donné la citation « Nul s'il ne renaît de l'eau et de l'Esprit... » (Jn 3,5),
l'auteur livre un commentaire : « Pourquoi les deux ? Pourquoi l'Esprit seul
n'est-il pas considéré comme suffisant pour la pleine efficacité du Baptême ?
L'homme est composé et non pas simple, comme nous le savons bien ; c'est
pourquoi, des remèdes en affinité et en parenté avec les deux composants
unis entre eux ont été prévus en vue du traitement : pour le corps qui est
visible, l'eau qui est perçue par les sens ; pour l'âme qui échappe à la vue,
l'Esprit qui n'est pas visible, qui est invoqué dans la foi, qui est présent d'une
manière indicible » (*In diem lum.*, *GNO* IX, p. 225). BASILE met l'accent sur
le rôle de l'Esprit : « Aussi bien, s'il y a dans l'eau une grâce, ne vient-elle pas
de la nature de l'eau, mais de la présence de l'Esprit... C'est par l'Esprit-
Saint que se fait le rétablissement dans le paradis, la montée dans le royaume
des cieux, le retour dans l'adoption filiale ; c'est de lui que vient l'assurance
de nommer Dieu : Notre Père ; c'est lui qui donne de participer à la grâce du

allant dans le sens d'un quelconque *pathos* [1]. C'est pourquoi nous devions préluder, à travers l'eau, à la grâce de la résurrection, en vue d'apprendre qu'il nous est tout aussi facile d'être immergé dans l'eau que de resurgir de la mort. Mais dans les événements de la vie, certaines choses sont déterminantes par rapport à d'autres et sans elles telle action ne connaîtrait pas d'issue heureuse ; cependant si l'on établit un rapport entre le commencement et la fin, le début comparé à l'état final semblera avoir peu d'importance. Quelle commune mesure, en effet, y a-t-il entre l'homme et la semence émise pour la formation de l'être vivant ? Et pourtant sans l'une, l'autre n'existerait même pas. De la même manière, le grand privilège de la résurrection, malgré sa supériorité de nature, trouve ici son origine et sa cause ; car il est impossible que ce résultat se produise, s'il n'a pas été préparé préalablement [2]. Il est impossible à l'homme, dis-je, de ressusciter sans la régénération du Baptême, et je n'envisage pas la recréation et la restauration du composé humain — car notre nature doit nécessairement s'acheminer vers cet état dans tous les cas, sous l'effet de ses propres lois conformément aux dispositions de celui qui l'a organisée, qu'elle reçoive la grâce liée au Baptême ou qu'elle demeure exclue de cette initiation — je parle de la restauration qui ramène à la vie bienheureuse, divine, exempte de toute affliction [3]. Tous ceux qui obtien-

Christ, de se nommer enfant de lumière, d'avoir part à la gloire éternelle, en un mot d'être comblé de toute bénédiction » (*De Spiritu Sancto, Sc* 17 bis, p. 371).

2. Le Baptême ne confère pas tout de suite la plénitude des biens eschatologiques. Il représente le début d'un processus qui s'étend à toute la vie et qui obéit à la loi du devenir.

3. Une distinction est établie entre la « résurrection à la vie bienheureuse », acquise grâce au Baptême dès cette vie sur terre et la résurrection à la fin des temps. La première dépend de la volonté des intéressés ; la deuxième se produit selon la loi de la nature valable pour tout le monde. Mais autre chose est le sort de ceux qui ne sont pas purifiés par le Baptême, autre chose le sort de ceux qui l'ont été.

312   GRÉGOIRE DE NYSSE

115 πάλιν ἐπάνοδον δέχεται πρὸς τὸν αὐτὸν ἐπάνεισι βίον, ἀλλὰ
πολὺ τὸ μέσον τῶν τε κεκαθαρμένων καὶ τῶν τοῦ καθαρσίου
προσδεομένων ἐστίν. Ἐφ' ὧν γὰρ κατὰ τὸν βίον τοῦτον ἡ διὰ
τοῦ λουτροῦ προκαθηγήσατο κάθαρσις, πρὸς τὸ συγγενὲς
τούτοις ἡ ἀναχώρησις ἔσται · τῷ δὲ καθαρῷ τὸ ἀπαθὲς
120 προσῳκείωται, ἐν δὲ τῇ ἀπαθείᾳ τὸ μακάριον εἶναι οὐκ
ἀμφιβάλλεται. Οἷς δὲ προσεπωρώθη τὰ πάθη καὶ οὐδὲν προσ-
ήχθη τῆς κηλῖδος καθάρσιον, οὐχ ὕδωρ μυστικόν, οὐκ
ἐπίκλησις θείας δυνάμεως, οὐχ ἡ ἐκ μεταμελείας διόρθωσις,
ἀνάγκη πᾶσα καὶ τούτους ἐν τῷ καταλλήλῳ γενέσθαι. Κατάλ-
M 92 125 ληλον δὲ τῷ κεκιβδηλευμένῳ | χρυσίῳ τὸ χωνευτήριον, ὡς τῆς
ἐμμιχθείσης αὐτοῖς κακίας ἀποτακείσης μακροῖς ὕστερον
αἰῶσι καθαρὰν ἀποσωθῆναι τῷ Θεῷ τὴν φύσιν. Ἐπεὶ οὖν ῥυπ-
τική τίς ἐστι δύναμις ἐν τῷ πυρὶ καὶ τῷ ὕδατι, οἱ διὰ τοῦ ὕδατος τοῦ μυστικοῦ τὸν τῆς κακίας ῥύπον ἀποκλυσάμενοι τοῦ
130 ἑτέρου τῶν καθαρσίων εἴδους οὐκ ἐπιδέονται, οἱ δὲ ταύτης
ἀμύητοι τῆς καθάρσεως ἀναγκαίως τῷ πυρὶ καθαρίζονται.

ΛϚ'. Μὴ γὰρ εἶναι δυνατὸν ὅ τε κοινὸς δείκνυσι λόγος καὶ ἡ
τῶν γραφῶν διδασκαλία ἐντὸς τοῦ θείου γενέσθαι χοροῦ τὸν
μὴ καθαρῶς πάντας τοὺς ἐκ κακίας σπίλους ἀπορρυψάμενον.
Τοῦτό ἐστιν ὃ μικρὸν ὂν καθ' ἑαυτὸ μεγάλων ἀγαθῶν ἀρχή τε
5 καὶ ὑπόθεσις γίνεται. Μικρὸν δέ φημι τῇ εὐκολίᾳ τοῦ κατορ-
θώματος. Τίς γὰρ πάρεστι πόνος τῷ πράγματι πιστεῦσαι
πανταχοῦ τὸν θεὸν εἶναι, ἐν πᾶσι δὲ ὄντα παρεῖναι καὶ τοῖς
ἐπικαλουμένοις τὴν ζωτικὴν αὐτοῦ δύναμιν, παρόντα δὲ τὸ
οἰκεῖον ποιεῖν ; Ἴδιον δὲ τῆς θείας ἐνεργείας ἡ τῶν δεομένων

1. Grégoire ne peut être présenté comme tenant de la doctrine du purgatoire selon le sens que l'on donne à ce mot actuellement. Comme on l'a vu
plus haut, il pense au feu purificateur après le jugement intervenant lors de
la résurrection générale à la fin des temps. Ce feu est de nature à purifier tous
les pécheurs et même le démon et à les ramener à Dieu ; c'est là la vraie
victoire de l'amour (cf. ch. XXVI).

nent la faveur de revenir à l'existence grâce à la résurrection
ne retournent pas à la même vie, mais il y a une grande
différence entre ceux qui sont purifiés et ceux qui ont besoin
d'être purifiés. Ceux chez lesquels la purification du Baptême
a déterminé le genre de vie sur terre s'achemineront vers ce
qui y est approprié ; l'*apatheia* est étroitement liée à la
pureté et, sans aucun doute, c'est dans l'*apatheia* que réside
la béatitude. Quant à ceux dont les *pathè* se sont endurcis et
qui n'ont utilisé aucun moyen pour se purifier de la souillure,
ni l'eau mystique, ni l'invocation de la puissance divine, ni
l'amendement résultant du repentir, ceux-là doivent aussi, de
toute nécessité, recevoir la place qui correspond à leur
conduite. L'endroit approprié pour l'or altéré est le creuset
du fondeur ; une fois que le mal qui s'était mélangé à ces
pécheurs sera fondu, leur nature, purifiée après de longs
siècles, sera rendue à Dieu saine et sauve. Puisque le feu et
l'eau possèdent la vertu de purification, ceux qui ont effacé
par ablution la souillure du mal dans l'eau du sacrement
n'ont pas besoin de l'autre forme de purification ; ceux, au
contraire, qui n'ont pas été initiés à cette purification doivent
nécessairement être purifiés par le feu [1].

La loi de la purification

XXXVI. Le sens commun et l'enseignement des Écritures
montrent en effet que l'on ne peut pas faire partie du chœur
divin, si l'on n'a pas été entièrement purifié des souillures
provenant du mal. Tout en étant bien petite en elle-même,
cette condition devient pourtant la source et le fondement de
grands biens. Je la nomme petite, en raison de la facilité avec
laquelle on peut obtenir l'heureux résultat. Quelle difficulté
y a-t-il en effet dans cette affaire à croire que Dieu est partout
présent, qu'étant en tout, il est présent aussi à ceux qui
invoquent sa puissance vivifiante et qu'étant présent, il fait ce
qui lui est propre ? Or, le propre de l'activité divine est de

10 ἐστὶ σωτηρία · αὕτη δὲ διὰ τῆς ἐν ὕδατι καθάρσεως ἐνεργὸς
γίνεται · ὁ δὲ καθαρθεὶς ἐν μετουσίᾳ τῆς καθαρότητος ἔσται,
τὸ δὲ ἀληθῶς καθαρὸν ἡ θεότης ἐστίν. Ὁρᾷς ὅπως μικρόν τι τὸ
κατὰ τὴν ἀρχήν ἐστι καὶ εὐκατόρθωτον, πίστις καὶ ὕδωρ, ἡ
μὲν ἐντὸς τῆς προαιρέσεως ἡμῶν ἀποκειμένη, τὸ δὲ σύντροφον
15 τῇ ἀνθρωπίνῃ ζωῇ. Ἀλλὰ τὸ ἐκ τούτων ἀναφυόμενον ἀγαθὸν
PG 93 ὅσον | καὶ οἷον, ὡς πρὸς αὐτὸ τὸ θεῖον ἔχειν τὴν οἰκειότητα. |

M 93 ΛΖ΄. Ἀλλ’ ἐπειδὴ διπλοῦν τὸ ἀνθρώπινον, ψυχῇ τε καὶ
σώματι συγκεκραμένον, δι’ ἀμφοτέρων ἀνάγκη τοῦ πρὸς τὴν
ζωὴν καθηγουμένου τοὺς σωζομένους ἐφάπτεσθαι. Οὐκοῦν ἡ
ψυχὴ μὲν διὰ πίστεως πρὸς αὐτὸν ἀνακραθεῖσα τὰς ἀφορμὰς
5 ἐντεῦθεν τῆς σωτηρίας ἔχει — ἡ γὰρ πρὸς τὴν ζωὴν ἕνωσις
τὴν τῆς ζωῆς κοινωνίαν ἔχει — τὸ δὲ σῶμα ἕτερον τρόπον ἐν
μετουσίᾳ τε καὶ ἀνακράσει τοῦ σῴζοντος γίνεται.

Ὥσπερ γὰρ οἱ δηλητήριον δι’ ἐπιβουλῆς λαβόντες ἄλλῳ
φαρμάκῳ τὴν φθοροποιὸν δύναμιν ἔσβεσαν — χρὴ δὲ καθ’
10 ὁμοιότητα τοῦ ὀλεθρίου καὶ τὸ ἀλεξητήριον ἐντὸς τῶν

1. Un rapide bilan établi pour la section sur le Baptême amène à retenir
les points suivants : 1. Grégoire a développé le thème de la présence de Dieu
au cours de l'acte baptismal, celui de la puissance agissante de Dieu qui
assure l'efficacité du rite, celui du symbolisme de la triple immersion, celui
du Christ-guide qui nous ouvre l'accès à la vie bienheureuse, celui de la
régénération, celui de la purification liée au Baptême. 2. Tous ces thèmes
entretiennent des liens logiques avec la thèse fondamentale selon laquelle
l'œuvre salvifique accompli par le Christ à travers sa mort et sa résurrection
est une œuvre de purification et de vivification. 3. L'option retenue
par Grégoire l'a conduit à ne pas aborder l'examen d'autres aspects
comme l'action de l'Esprit, l'illumination, l'adoption filiale ; c'est dans le
ch. XXXIX qu'il aborde ce dernier thème.

2. Autres textes dans lesquels GRÉGOIRE traite de l'Eucharistie : *In diem
lum.*, PG 46, 581 C ; *De trid. spat.*, PG 46, 612 (le pain eucharistique n'est
pas du pain ordinaire ; il a été sanctifié par intervention divine. D'autre part,
lors de la Cène, le corps du Christ était déjà à l'état de victime) ; *De vita
Moys.*, SC 1 bis, p. 73 (la manne symbolise le Logos qui se donne en
nourriture) ; *In Eccl.* 8, SC 415, p. 403.

3. Cf. ch. VI, VIII, XI, XVI.

procurer le salut à ceux qui en ont besoin. Ce salut devient efficace par la purification qui s'effectue dans l'eau. Celui qui a été purifié aura part à l'état de pureté, et la vraie pureté, c'est la divinité. Vous voyez combien c'est quelque chose de petit dans son principe et de facile à réaliser, à savoir la foi et l'eau, dont l'une est du ressort de notre volonté et dont l'autre est intimement liée à la vie humaine. Mais le bien qui en naît est si grand et si précieux qu'il est en affinité avec la divinité elle-même [1].

2. L'Eucharistie [2]

XXXVII. Mais puisque l'être humain est double, étant formé par le mélange d'une âme et d'un corps [3], il est néces-saire que ceux qui sont destinés à être sauvés soient en contact, par l'un et l'autre, avec le guide [4] qui les conduit à la vie. Ainsi l'âme, mêlée à lui par la foi, trouve dans cette union le principe de son salut ; en effet, le fait d'être uni avec la vie a comme conséquence la communion à la vie [5] ; mais c'est d'une autre manière que le corps entre en union avec le Sauveur et se mêle à lui.

a. *L'Eucharistie comme antidote*

En effet [6], il en est comme de ceux qui, ayant absorbé un poison par tromperie, en atténuent la puissance funeste par une autre drogue ; mais il faut que l'antidote pénètre, à la manière du poison, dans les organes vitaux de l'homme, de

---

4. Cette expression marque, à sa façon, le lien entre les chapitres sur le Baptême et ceux relatifs à l'Eucharistie.

5. A plusieurs reprises Grégoire insiste sur l'union étroite qui doit exister entre le croyant et le Christ ; cette union fait participer à la vie. D'après le contexte, l'âme est unie au Christ par la foi et le Baptême ; pour le corps, c'est l'Eucharistie qui fait participer à la vie.

6. Le passage qui va de *hôspér gar* jusqu'à *tèn phusin* (fin du ch.) a été repris par Euthymius, *Pan. dogm.* 25.

ἀνθρωπίνων γενέσθαι σπλάγχνων, ὡς ἂν δι' ἐκείνων ἐφ' ἅπαν
καταμερισθείη τὸ σῶμα ἡ τοῦ βοηθοῦντος δύναμις — οὕτω
τοῦ διαλύοντος τὴν φύσιν ἡμῶν ἀπογευσάμενοι πάλιν
ἀναγκαίως καὶ τοῦ συνάγοντος τὸ διαλελυμένον ἐπεδεήθημεν,
15   ὡς ἂν ἐν ἡμῖν γενόμενον τὸ τοιοῦτον ἀλεξητήριον τὴν προ-
εντεθεῖσαν τῷ σώματι τοῦ δηλητηρίου βλάβην διὰ τῆς οἰκείας
ἀντιπαθείας ἀπώσαιτο. Τί οὖν ἐστι τοῦτο ; Οὐδὲν ἕτερον ἢ
ἐκεῖνο τὸ σῶμα ὃ τοῦ τε θανάτου κρεῖττον ἐδείχθη καὶ τῆς
ζωῆς ἡμῖν κατήρξατο. Καθάπερ γὰρ Μικρὰ ζύμη, καθώς
20   φησιν ὁ ἀπόστολος, ὅλον τὸ φύραμα πρὸς ἑαυτὴν ἐξομοιοῖ [a],
οὕτω τὸ ἀθανατισθὲν ὑπὸ τοῦ Θεοῦ σῶμα ἐν τῷ ἡμετέρῳ
M 94   γενόμενον ὅλον πρὸς ἑαυτὸ | μεταποιεῖ καὶ μετατίθησιν. Ὡς
γὰρ τῷ φθοροποιῷ πρὸς τὸ ὑγιαῖνον ἀναμιχθέντι ἅπαν τὸ
ἀνακραθὲν συνηχρείωθη, οὕτω καὶ τὸ ἀθάνατον σῶμα ἐν τῷ
25   ἀναλαβόντι αὐτὸ γενόμενον πρὸς τὴν ἑαυτοῦ φύσιν καὶ τὸ πᾶν
μετεποίησεν. Ἀλλὰ μὴν οὐκ ἔστιν ἄλλως ἐντός τι γενέσθαι τοῦ
σώματος, μὴ διὰ βρώσεως ἢ πόσεως τοῖς σπλάγχνοις
καταμιγνύμενον. Οὐκοῦν ἐπάναγκες κατὰ τὸν δυνατὸν τῇ
φύσει τρόπον τὴν ζωοποιὸν δύναμιν τῷ σώματι δέξασθαι.
30   Μόνου δὲ τοῦ θεοδόχου σώματος ἐκείνου ταύτην δεξαμένου
τὴν χάριν, ἄλλως δὲ δειχθέντος μὴ εἶναι δυνατὸν ἐν ἀθανασίᾳ
γενέσθαι τὸ ἡμέτερον σῶμα, μὴ διὰ τῆς πρὸς τὸ ἀθάνατον
κοινωνίας ἐν μετουσίᾳ τῆς ἀφθαρσίας γινόμενον, σκοπῆσαι
προσήκει πῶς ἐγένετο δυνατὸν τὸ ἓν ἐκεῖνο σῶμα ταῖς τοσαύ-
35   ταις τῶν πιστῶν μυριάσι κατὰ πᾶσαν τὴν οἰκουμένην εἰς ἀεὶ

a. 1 Co 5, 6

1. Pour le thème du poison, cf. ch. XXVI.
2. Ignace d'Antioche : « [Vous vous réunissez]…, rompant un même pain
qui est remède d'immortalité, antidote pour ne pas mourir, mais pour vivre
en Jésus-Christ pour toujours. » (*Éph.* 20, 2, *SC* 10, p. 77). Irénée : « Nos
corps, qui reçoivent l'Eucharistie, ne sont plus corruptibles, puisqu'ils
possèdent l'espérance de la résurrection pour les siècles » (*AH* IV, *SC* 100,
p. 613).
3. Thème du « levain » associé à celui du « *phurama* » : langage imagé pour
parler de la puissance transformante de l'action du Christ : cf. Introduction,
'Portée universelle de l'action salvifique', p. 102.

façon que, en passant par eux, la vertu du remède se communique au corps tout entier ; de la même manière, après avoir goûté à ce qui dissout notre nature, nous avions nécessairement besoin de ce qui unit de nouveau l'âme et le corps séparés, afin que ce remède salutaire, agissant en nous, écartât, par ses effets opposés, les dommages subis résultant du poison introduit auparavant dans notre corps [1]. Quel est donc ce remède salutaire ? Ce n'est rien d'autre que ce corps qui s'est montré plus tard plus fort que la mort et qui est devenu pour nous source de la vie [2]. Tout comme « Un peu de levain, comme le dit l'apôtre, rend semblable à lui toute la pâte »[3], de même le corps rendu immortel par Dieu, une fois introduit dans le nôtre, change [4] et transforme celui-ci tout entier à sa ressemblance. De même, en effet, qu'une drogue funeste mêlée à ce qui est sain corrompt tout le mélange, de même aussi le corps immortel, une fois qu'il est présent dans celui qui le reçoit, transforme celui-ci tout entier pour le faire ressembler à sa propre nature. Mais rien ne peut s'introduire dans le corps autrement qu'en se mêlant aux organes intérieurs par la voie de la nourriture et de la boisson. Donc le corps doit nécessairement recevoir la puissance qui le vivifie, selon le procédé dont est capable la nature. Or, seul le corps en qui Dieu s'est incarné a reçu cette grâce ; comme ailleurs on a montré que notre corps n'est en état d'être admis à l'immortalité que si, par une union étroite avec celui qui est immortel, il participe à l'immortalité [5], il convient dès lors d'examiner comment ce seul corps, partagé sans cesse sur toute la surface de la terre entre tant de milliers de fidèles,

---

4. Le verbe *métapoiéô* est employé avec différentes acceptions dans le *Disc. cat.* : ch. XXXIII, la semence est transformée par la puissance divine en être humain ; ch. XXXVII, le corps du Christ transforme le corps du croyant en sa propre substance ; ch. XXXVII, au cours de la célébration eucharistique le pain et le vin sont transformés en corps et en sang du Christ ; ch. XL, le Baptême opère un changement moral. Chaque fois, il est fait mention de l'intervention de Dieu.

5. Pour la puissance transformante du corps du Christ, cf. ch. XXXIII, XXXVII, XL.

καταμεριζόμενον ὅλον ἑκάστῳ διὰ τοῦ μέρους γίνεσθαι καὶ
αὐτὸ μένειν ἐφ᾽ ἑαυτοῦ ὅλον.

Οὐκοῦν ὡς ἂν πρὸς τὸ ἀκόλουθον ἡμῖν ἡ πίστις βλέπουσα
μηδεμίαν ἀμφιβολίαν περὶ τοῦ προκειμένου νοήματος ἔχοι,
40 μικρόν τι προσήκει παρασχολῆσαι τὸν λόγον εἰς τὴν φυσιο-
λογίαν τοῦ σώματος. Τίς γὰρ οὐκ οἶδεν ὅτι ἡ τοῦ σώματος
ἡμῶν φύσις αὐτὴ καθ᾽ ἑαυτὴν ἐν ἰδίᾳ τινὶ ὑποστάσει ζωὴν οὐκ
ἔχει, ἀλλὰ διὰ τῆς ἐπιρρεούσης αὐτῇ δυνάμεως συνέχει τε
ἑαυτὴν καὶ ἐν τῷ εἶναι μένει, ἀπαύστῳ κινήσει τό τε λεῖπον
M 95 45 πρὸς ἑαυτὴν ἐφελκομένη καὶ τὸ περιττεῦον | ἀπωθουμένη ;
Καὶ ὥσπερ τις ἀσκὸς ὑγροῦ τινος πλήρης ὤν, εἰ κατὰ τὸν |
PG 96 πυθμένα τὸ ἐγκείμενον ὑπεξίοι, οὐκ ἂν φυλάσσοι τὸ περὶ τὸν
ὄγκον ἑαυτοῦ σχῆμα, μὴ ἀντεισιόντος ἄνωθεν ἑτέρου πρὸς τὸ
κενούμενον, ὥστε τὸν ὁρῶντα τὴν ὀγκώδη τοῦ ἀγγείου τούτου
50 περιοχὴν εἰδέναι μὴ ἰδίαν εἶναι τοῦ φαινομένου, ἀλλὰ τὸ εἰσ-
ρέον ἐν αὐτῷ γινόμενον σχηματίζειν τὸ περιέχον τὸν ὄγκον,
οὕτω καὶ ἡ τοῦ σώματος ἡμῶν κατασκευὴ ἴδιον μὲν πρὸς τὴν
ἑαυτῆς σύστασιν οὐδὲν ἡμῖν γνώριμον ἔχει, διὰ δὲ τῆς ἐπεισ-
αγομένης δυνάμεως ἐν τῷ εἶναι μένει · ἡ δὲ δύναμις αὕτη
55 τροφὴ καὶ ἔστι καὶ λέγεται. Ἔστι δὲ οὐχ ἡ αὐτὴ πᾶσι τοῖς
τρεφομένοις σώμασι, ἀλλά τις ἑκάστῳ κατάλληλος παρὰ τοῦ
τὴν φύσιν οἰκονομοῦντος ἀποκεκλήρωται. Τὰ μὲν γὰρ τῶν
ζῴων ῥιζωρυχοῦντα τρέφεται, ἑτέροις ἐστὶν ἡ πόα τρόφιμος,

---

1. Grégoire se demande comment le corps unique du Christ peut être
partagé entre de nombreux participants tout en restant indivis. Il ne recourt
pas encore à l'argument, élaboré plus tard, selon lequel le Christ total est
présent dans chaque parcelle par un effet de « multiprésence » sacramentelle.
Mais du moins il pose la question de façon pertinente.

2. Grégoire emploie le terme *phusiologian* pour introduire le développement sur l'assimilation de la nourriture. Srawley renvoie aux théories
d'ARISTOTE sur la nutrition : *De anima* 2, 4 ; *De generatione et corr.* 1, 5 ; *De
partibus animalium* 2,3. Mühlenberg cite Platon. On peut aussi penser à des
ouvrages de médecine de l'époque.

peut se donner tout entier à chacun dans la parcelle reçue et rester néanmoins lui-même tout entier [1].

b. *Les lois de l'assimilation et de la nourriture*

Pour que notre foi, considérant l'enchaînement rigoureux des vérités enseignées, n'éprouve aucun doute au sujet du problème qui se pose, il convient que notre raisonnement s'arrête un moment à la constitution de notre corps [2]. Qui ne sait, en effet, que la nature de notre corps n'a pas par elle-même la vie dans une subsistence propre, mais qu'elle se maintient et demeure dans l'être grâce à la force qui afflue en elle, attirant à elle par un mouvement incessant ce qui lui manque et rejetant ce qui est superflu [3]? Il en est comme d'une outre de peau, pleine d'un liquide : si son contenu s'écoulait par le fond, elle ne conserverait pas les courbures de sa forme, à moins qu'un autre liquide versé par le haut ne comble le vide créé, si bien que celui qui regarde les contours arrondis du récipient, comprend qu'ils n'appartiennent pas en propre à l'objet qu'on voit, mais que c'est le liquide déversé à l'intérieur du contenant qui donne sa forme à l'enveloppe qui entoure le liquide : de même, la structure de notre corps ne possède en elle-même, pour son maintien, rien qui nous soit connu comme lui étant propre ; il se maintient dans l'existence uniquement par la force qui y est introduite. Cette force est la nourriture et c'est le nom qu'elle porte. Elle n'est pas la même pour tous les corps qui se nourrissent, mais l'organisateur de la nature a assigné à chacun la nourriture appropriée. Parmi les êtres vivants, les uns se nourrissent de racines déterrées, d'autres vivent d'herbes, certains de chair ;

---

3. Cf. *De hom. opif.* : « Elle (notre nature) prend la nourriture au dehors pour entretenir la masse corporelle. C'est pourquoi elle satisfait à nos besoins par la nourriture et la boisson, mettant en nous le moyen d'attirer ce qui lui manque et de rejeter ce qui est de trop » (*De hom. opif.*, *SC* 6, p. 237).

τινῶν δὲ ἡ τροφὴ σάρκες εἰσίν, ἀνθρώπῳ δὲ κατὰ τὸ προη-
60 γούμενον ἄρτος, καὶ εἰς τὴν τοῦ ὑγροῦ διαμονὴν καὶ συν-
τήρησιν πότον γίνεται οὐκ αὐτὸ μόνον τὸ ὕδωρ, ἀλλ' οἴνῳ
πολλάκις ἐφηδυνόμενον, πρὸς τὴν τοῦ θερμοῦ τοῦ ἐν ἡμῖν
συμμαχίαν. Οὐκοῦν ὁ πρὸς ταῦτα βλέπων δυνάμει πρὸς τὸν
ὄγκον τοῦ ἡμετέρου σώματος βλέπει · ἐν ἐμοὶ γὰρ ἐκεῖνα γενό-
65 μενα αἷμα καὶ σῶμα γίνεται, καταλλήλως διὰ τῆς ἀλλοιωτικῆς
δυνάμεως πρὸς τὸ τοῦ σώματος εἶδος τῆς τροφῆς μεθισταμένης.

Τούτων ἡμῖν τοῦτον διευκρινηθέντων τὸν τρόπον ἐπανακ-
τέον πάλιν πρὸς τὰ προκείμενα τὴν διανοίαν. Ἐζητεῖτο γὰρ
M 96 70 πῶς τὸ ἓν ἐκεῖνο σῶμα τοῦ Χριστοῦ πᾶσαν ζωοποιεῖ | τὴν τῶν
ἀνθρώπων φύσιν ἐν ὅσοις ἡ πίστις ἐστίν, πρὸς πάντας μερι-
ζόμενον καὶ αὐτὸ οὐ μειούμενον. Τάχα τοίνυν ἐγγὺς τοῦ
εἰκότος λόγου γινόμεθα. Εἰ γὰρ παντὸς σώματος ἡ ὑπόστασις
ἐκ τῆς τροφῆς γίνεται, αὕτη δὲ βρῶσις καὶ πόσις ἐστίν — ἔστι
75 δὲ ἐν τῇ βρώσει ἄρτος, ἐν δὲ τῇ πόσει τὸ ὕδωρ ἐφηδυσμένον τῷ
οἴνῳ — ὁ δὲ τοῦ Θεοῦ Λόγος, καθὼς ἐν τοῖς πρώτοις διήρηται,
ὁ καὶ Θεὸς ὢν καὶ Λόγος, τῇ ἀνθρωπίνῃ συνανεκράθη φύσει
καὶ ἐν τῷ σώματι τῷ ἡμετέρῳ γενόμενος οὐκ ἄλλην τινὰ
παρεκαινοτόμησε τῇ φύσει τὴν σύστασιν, ἀλλὰ διὰ τῶν
80 συνήθων τε καὶ καταλλήλων ἔδωκε τῷ καθ' ἑαυτὸν σώματι
τὴν διαμονήν, βρώσει καὶ πόσει περικρατῶν τὴν ὑπόστασιν, ἡ
δὲ βρῶσις ἄρτος ἦν · ὥσπερ τοίνυν ἐφ' ἡμῶν, καθὼς ἤδη
πολλάκις εἴρηται, ὁ τὸν ἄρτον ἰδὼν τρόπον τινὰ τὸ σῶμα τὸ
ἀνθρώπινον βλέπει, ὅτι ἐν τούτῳ ἐκεῖνο γενόμενον τοῦτο γίνε-

---

1. Dans le *De hom. opif.*, GRÉGOIRE s'explique sur sa conception de
l'*eidos sômatos* : selon lui, la scène qui se déroule dans le royaume des morts
entre Lazare et le riche prouve qu'il y a, pour chaque homme, quelque chose
de stable et de permanent qui échappe au changement et représente un
caractère distinctif de l'individu, même dans l'au-delà : Notre corps devient
autre, quand il grandit et diminue, et il revêt, comme des vêtements, des âges
successifs. Mais à travers ce mouvement demeure inchangée la forme (*eidos*)
propre de notre être » (*De hom. opif.*, *SC* 6, p. 212).

2. Des précisions de ce genre prouvent que pour Grégoire l'Eucharistie
n'est pas un processus qui obéit aux seules lois naturelles.

l'homme, quant à lui, se nourrit principalement de pain. Et pour maintenir et conserver en nous l'élément liquide, nous prenons comme boisson non seulement de l'eau pure, mais souvent de l'eau agrémentée de vin, afin de contribuer au maintien de la chaleur interne. Celui qui considère ces éléments voit donc ce qui est, en puissance, le volume de notre corps ; en effet, une fois qu'ils sont en moi, ils deviennent sang et corps, du fait que, par la faculté d'assimilation, ce qui a été absorbé prend la forme du corps [1].

c. *Comment le corps du Christ se partage sans s'amoindrir*

Après avoir ainsi examiné en détail ces différents points, nous devons ramener notre pensée au problème qui se pose. Nous nous sommes en effet demandé comment l'unique corps du Christ peut vivifier la nature tout entière des hommes, pour autant du moins qu'ils ont la foi [2], en étant partagé entre tous sans être amoindri lui-même. Peut-être sommes-nous maintenant plus proches d'une explication vraisemblable. En effet, supposons acquises les données suivantes : la subsistence du corps tout entier dépend de la nourriture et cette nourriture consiste en aliments solides et en boissons, le pain servant d'aliment solide et l'eau agrémentée de vin servant de boisson ; par ailleurs le Logos de Dieu, étant à la fois Dieu et Logos, comme il a été dit plus haut, s'est mêlé à la nature humaine, et, une fois entré dans notre corps, n'a pas imaginé pour la nature une nouvelle forme d'existence, mais a fourni à ce corps la faculté de subsister en lui-même par les moyens habituels et appropriés, en le maintenant dans l'existence à l'aide de nourriture solide et de boisson, et cet aliment solide, c'était le pain. Cela étant, de même que pour nous, comme on l'a déjà dit bien souvent, celui qui voit le pain, voit en un certain sens le corps humain, puisque le pain absorbé par le corps devient le corps lui-même, de même dans ce cas-ci le corps qui a porté Dieu en lui, était en un certain sens identique au pain, du moment qu'il absorbait le

85 ται, οὕτω κἀκεῖ τὸ θεοδόχον σῶμα τὴν τροφὴν τοῦ ἄρτου πα-
ραδεξάμενον λόγῳ τινὶ ταὐτὸν ἦν ἐκείνῳ, τῆς τροφῆς, καθὼς
εἴρηται, πρὸς τὴν τοῦ σώματος φύσιν μεθισταμένης · τὸ γὰρ
πάντων ἴδιον καὶ ἐπ᾽ ἐκείνης τῆς σαρκὸς ὡμολογήθη ὅτι ἄρτῳ
κἀκεῖνο τὸ σῶμα διεκρατεῖτο, τὸ δὲ σῶμα τῇ ἐνοικήσει τοῦ
90 Θεοῦ Λόγου πρὸς τὴν θεϊκὴν ἀξίαν μετεποιήθη. Καλῶς οὖν
καὶ νῦν τὸν τῷ Λόγῳ τοῦ Θεοῦ ἁγιαζόμενον ἄρτον εἰς σῶμα
M 97 τοῦ Θεοῦ Λόγου μεταποιεῖσθαι πιστεύομεν · | καὶ γὰρ ἐκεῖνο
τὸ σῶμα ἄρτος τῇ δυνάμει ἦν, ἡγιάσθη δὲ τῇ ἐπισκηνώσει τοῦ
Λόγου τοῦ σκηνώσαντος ἐν τῇ σαρκί [a]. Οὐκοῦν ὅθεν ὁ ἐν
95 ἐκείνῳ τῷ σώματι μεταποιηθεὶς ἄρτος εἰς θείαν μετέστη δύνα-
PG 97 μιν, διὰ τοῦ αὐτοῦ καὶ| νῦν τὸ ἴσον γίνεται · ἐκεῖ τε γὰρ ἡ τοῦ
Λόγου χάρις ἅγιον ἐποίει τὸ σῶμα ᾧ ἐκ τοῦ ἄρτου ἡ σύστασις
ἦν καὶ τρόπον τινὰ καὶ αὐτὸ ἄρτος ἦν, ἐνταῦθά τε ὡσαύτως ὁ
ἄρτος, καθώς φησιν ὁ ἀπόστολος, Ἁγιάζεται διὰ Λόγου Θεοῦ
100 καὶ ἐντεύξεως [b], οὐ διὰ βρώσεως προϊὼν εἰς τὸ σῶμα γενέσθαι
τοῦ Λόγου, ἀλλ᾽ εὐθὺς πρὸς τὸ σῶμα διὰ τοῦ Λόγου μετα-
ποιούμενος, καθὼς εἴρηται ὑπὸ τοῦ Λόγου ὅτι Τοῦτό ἐστι τὸ
σῶμά μου [c]. Πάσης δὲ σαρκὸς καὶ διὰ τοῦ ὑγροῦ τρεφομένης
— οὐ γὰρ ἂν δίχα τῆς πρὸς τοῦτο συζυγίας τὸ ἐν ἡμῖν γεῶδες
105 ἐν τῷ ζῆν διαμένοι — ὥσπερ διὰ τῆς στερρᾶς τε καὶ ἀντιτύπου
τροφῆς τὸ στερρὸν τοῦ σώματος ὑποστηρίζομεν, τὸν αὐτὸν
τρόπον καὶ τῷ ὑγρῷ τὴν προσθήκην ἐκ τῆς ὁμογενοῦς ποιού-
μεθα φύσεως, ὅπερ ἐν ἡμῖν γενόμενον διὰ τῆς ἀλλοιωτικῆς
δυνάμεως ἐξαιματοῦται καὶ μάλιστά γε εἰ διὰ τοῦ οἴνου λάβοι
110 τὴν δύναμιν πρὸς τὴν εἰς τὸ θερμὸν μεταποίησιν. Ἐπεὶ οὖν καὶ
τοῦτο τὸ μέρος ἡ θεοδόχος ἐκείνη σὰρξ πρὸς τὴν σύστασιν

---

a. Cf. Jn 1, 14   b. 1 Tm 4, 5   c. Mt 26, 26 parall.

1. Grégoire souligne la différence avec le processus de l'alimentation : le
pain et le vin deviennent corps du Christ, non par assimilation, mais par la
parole de consécration. Il cherche donc à sauvegarder la dimension mystérique. Cependant il ne pense pas à ce que plus tard on nommera transsubs-

pain en nourriture et que, comme on l'a dit, la nourriture se transforme pour se fondre dans la nature du corps ; car la propriété commune à tous les hommes, on s'accorde à l'attribuer aussi à cette chair, en ce sens que ce corps lui aussi se maintenait grâce au pain ; mais ce corps, en raison de l'*inhabitation* du Logos de Dieu, a été transformé et élevé à la dignité divine. A juste titre nous croyons donc que maintenant aussi le pain sanctifié par le Logos de Dieu se transforme en corps du Logos de Dieu. Car ce corps-là était du pain en puissance et il a été sanctifié par l'habitation en lui du Logos de Dieu qui a dressé sa tente dans la chair [a]. Par conséquent, la voie par laquelle le pain transformé dans ce corps a été élevé à la puissance divine est aussi celle par laquelle s'obtient un résultat équivalent. Dans le premier cas, la grâce du Logos a sanctifié le corps qui tirait du pain sa consistance et qui, d'une certaine manière, était lui-même du pain ; de même dans le cas présent, le pain, selon la parole de l'apôtre, « est sanctifié par le Logos de Dieu et par la prière [b] », non qu'il arrive en tant que nourriture à être le corps du Logos, mais parce qu'il est transformé aussitôt par le Logos en son corps, selon qu'il a été dit par le Logos : « Ceci est mon corps [c][1]. » Mais toute chair puise aussi sa nourriture dans l'élément humide ; car, sans le mélange avec cet élément, ce qu'il y a en nous de terrestre ne pourrait rester en vie ; de même que nous maintenons la partie solide de notre corps par une nourriture solide et consistante, de même nous procurons à l'élément humide un complément provenant de ce qui a la même nature ; une fois en nous, il se change en sang sous l'action de notre faculté d'assimilation, surtout si, sous l'effet du mélange avec du vin, il acquiert le pouvoir de se transformer en chaleur. Comme cette chair en qui Dieu a habité a aussi absorbé cet élément en vue de sa subsistance et que le Dieu,

tantiation, c'est-à-dire à une transformation de la substance avec permanence des accidents. Grégoire ne pense pas selon les catégories aristotéliciennes ; il raisonne en partie en fonction de métaphores d'origine biblique.

ἑαυτῆς παρεδέξατο, ὁ δὲ φανερωθεὶς θεὸς διὰ τοῦτο κατέμιξεν
ἑαυτὸν τῇ ἐπικήρῳ φύσει, ἵνα τῇ τῆς θεότητος κοινωνίᾳ συνα-
M 98 ποθεωθῇ τὸ ἀν|θρώπινον, τούτου χάριν πᾶσι τοῖς πεπιστευ-
115 κόσι τῇ οἰκονομίᾳ τῆς χάριτος ἑαυτὸν ἐνσπείρει διὰ τῆς
σαρκός ἧς ἡ σύστασις ἐξ οἴνου τε καὶ ἄρτου ἐστίν, τοῖς σώμασι
τῶν πεπιστευκότων κατακιρνάμενος, ὡς ἂν τῇ πρὸς τὸ ἀθάνατον ἑνώσει καὶ ὁ ἄνθρωπος τῆς ἀφθαρσίας μέτοχος γένοιτο.
Ταῦτα δὲ δίδωσι τῇ τῆς εὐλογίας δυνάμει πρὸς ἐκεῖνο μετα-
120 στοιχειώσας τῶν φαινομένων τὴν φύσιν.

ΛΗ΄. Οὐδὲν οἶμαι τοῖς εἰρημένοις ἐνδεῖν τῶν περὶ τὸ
μυστήριον ζητουμένων πλὴν τοῦ κατὰ τὴν πίστιν λόγου, ὃν δι᾽
ὀλίγου μὲν καὶ ἐπὶ τῆς παρούσης ἐκθησόμεθα πραγματείας,
τοῖς δὲ τὸν τελεώτερον ἐπιζητοῦσι λόγον ἤδη προεξεθέμεθα ἐν
5 ἑτέροις πόνοις, διὰ τῆς δυνατῆς ἡμῖν σπουδῆς ἐν ἀκριβείᾳ τὸν
λόγον ἁπλώσαντες, ἐν οἷς πρός τε τοὺς ἐναντίους ἀγωνιστικῶς
συνεπλάκημεν καὶ καθ᾽ ἑαυτοὺς περὶ τῶν προσφερομένων ἡμῖν
ζητημάτων ἐπεσκεψάμεθα. Τῷ δὲ παρόντι λόγῳ τοσοῦτον
εἰπεῖν περὶ τῆς πίστεως καλῶς ἔχειν ᾠήθημεν ὅσον ἡ τοῦ
10 εὐαγγελίου περιέχει φωνή, τὸ τὸν γεννώμενον κατὰ τὴν πνευ-
ματικὴν ἀναγέννησιν εἰδέναι παρὰ τίνος γεννᾶται καὶ ποῖον
γίνεται ζῷον · μόνον γὰρ τοῦτο τὸ τῆς γεννήσεως εἶδος κατ᾽
ἐξουσίαν ἔχει ὅτιπερ ἂν ἕληται τοῦτο γενέσθαι.

1. L'Eucharistie est considérée comme située dans le prolongement du
processus de l'Incarnation, dont le but est la divinisation de l'homme. On
retrouve ici le thème du levain qui agit sur la masse de la pâte, mais le tout est
formulé en termes de semence d'immortalité : cf Introduction, 'Universalité
du salut', p. 102 s.

2. L'expression fait penser au ch. XXXIV dans lequel l'auteur cherche à
expliquer ce que représentent l'invocation de Dieu et les effets qui y sont
attachés. Elle prouve à sa manière que Grégoire ne parle pas d'un processus
purement « physique » pour rendre compte de l'œuvre de salut.

3. Passage-clé pour la question de la datation. Pour cette question, cf
Introduction, 'Datation du *Disc. cat.*', p. 125 s. Notons que la mention

qui s'est révélé, s'est mélangé à la nature périssable en vue de déifier ensemble avec lui l'humanité [1], en l'admettant à la communion avec la divinité, pour ces raisons, il s'implante lui-même comme une semence dans tous les croyants, suivant l'économie de la grâce, au moyen de cette chair, dont la consistance est assurée par le pain et le vin, et il se mêle au corps des croyants, afin que l'union avec ce qui est immortel permette à l'homme de participer à l'incorruptibilité. Mais ces dons, il nous les accorde, en transformant, par la puissance de sa bénédiction [2], la nature des apparences en son corps.

3. Foi et mystère de la Trinité

XXXVIII. J'estime que notre exposé n'a omis de traiter aucune question relative au mystère de notre religion, si ce n'est celle de la foi ; nous y consacrerons un bref développement dans le présent traité ; pour ceux qui cherchent un exposé plus détaillé, il existe d'autres ouvrages, dans lesquels nous avons naguère abordé cette question, en l'examinant à fond avec tout le soin dont nous sommes capable, et dans lesquels, tout en soutenant des controverses contre les adversaires, nous avons aussi étudié pour elles-mêmes les objections qui nous ont été opposées [3]. Dans le présent traité, nous avons jugé bon de dire au sujet de la foi tout juste ce que la parole de l'Évangile nous en dit, à savoir que celui qui est engendré selon la régénération spirituelle sait qui l'a engendré [4] et quel être (nouveau) il est ; car seule cette forme de génération rend capable de devenir ce qu'on a choisi d'être.

---

d'ouvrages est un peu surprenante, car pour d'autres séquences, Grégoire aurait aussi pu renvoyer à des ouvrages déjà rédigés.

4. Grégoire revient au Baptême et explique ce que signifie des formules comme « naître de Dieu » ou « être enfants de Dieu » : il semble utiliser le langage de Jean plutôt que celui de Paul qui parle de préférence de « filiation adoptive ».

ΛΘ΄. Τὰ μὲν γὰρ λοιπὰ τῶν τικτομένων τῇ ὁρμῇ τῶν ἀπο-
γεννώντων ὑφίσταται, ὁ δὲ πνευματικὸς τόκος τῆς ἐξουσίας
ἤρτηται τοῦ τικτομένου. Ἐπειδὴ τοίνυν ἐν τούτῳ ἐστὶν ὁ
κίνδυνος ἐν τῷ μὴ διαμαρτεῖν τοῦ συμφέροντος, κατ᾽ ἐξουσίαν

M 99 5 | προκειμένης παντὶ τῆς αἱρέσεως, καλῶς ἔχειν φημὶ τὸν πρὸς
τὴν γέννησιν τὴν ἰδίαν ὁρμῶντα προδιαγνῶναι τῷ λογισμῷ,
τίς αὐτῷ λυσιτελήσει πατὴρ καὶ ἐκ τίνος ἄμεινον αὐτῷ συ-

PG 100 στῆναι τὴν φύσιν · εἴρηται γὰρ ὅτι κατ᾽ ἐξουσίαν | τοὺς
γεννήτορας ὁ τοιοῦτος αἱρεῖται τόκος. Διχῇ τοίνυν τῶν ὄντων

10 μεμερισμένων εἰς τὸ κτιστὸν καὶ τὸ ἄκτιστον, καὶ τῆς μὲν
ἀκτίστου φύσεως τὸ ἄτρεπτόν τε καὶ ἀμετάθετον ἐν ἑαυτῇ
κεκτημένης, τῆς δὲ κτίσεως πρὸς τροπὴν ἀλλοιουμένης, ὁ
κατὰ λογισμὸν τὸ λυσιτελοῦν προαιρούμενος τίνος αἱρήσεται
μᾶλλον γενέσθαι τέκνον, τῆς ἐν τροπῇ θεωρουμένης ἢ τῆς

15 ἀμετάστατόν τε καὶ παγίαν καὶ ἀεὶ ὡσαύτως ἔχουσαν ἐν τῷ
ἀγαθῷ κεκτημένης τὴν φύσιν ; Ἐπεὶ οὖν ἐν τῷ Εὐαγγελίῳ τὰ
τρία παραδέδοται πρόσωπά [a] τε καὶ ὀνόματα δι᾽ ὧν ἡ γέννησις
τοῖς πιστεύουσι γίνεται, γεννᾶται δὲ κατὰ τὸ ἴσον ὁ ἐν τῇ
Τριάδι γεννώμενος παρὰ Πατρός τε καὶ Υἱοῦ καὶ Πνεύματος

20 Ἁγίου — οὕτω γάρ φησι περὶ τοῦ Πνεύματος τὸ Εὐαγγέλιον
ὅτι *Τὸ γεγεννημένον ἐκ τοῦ πνεύματος πνεῦμά ἐστιν* [b], καὶ ὁ
Παῦλος ἐν Χριστῷ γεννᾷ [c], καὶ *Ὁ Πατὴρ πάντων ἐστὶ*

---

a. Cf. Mt 28, 19   b. Jn 3, 6   c. Cf. 1 Co 4, 15

1. Grégoire reprend le thème de la liberté et du choix à faire ; mais ici il
n'envisage pas le choix entre le mouvement vers le mal ou le mouvement vers
le bien. Dans le cas du Baptême il faut se prononcer pour la participation à
la nature immuable ou bien pour la participation à la nature créée et
changeante.

2. Alors que la séquence sur le Baptême (ch. XXXIII-XXXVI) ne comporte pas de mention explicite de la Trinité, le ch. XXXIX accorde une
relative importance à la dimension trinitaire. En cherchant à prouver que
nous sommes engendrés par toute la Trinité, Grégoire entend préparer
l'argument qu'il faut donc croire que le Fils et l'Esprit-Saint ont la pleine
divinité comme le Père. Pour l'emploi de *prosôpon* au sens de *personne*, cf.
Introduction, 'Vocabulaire trinitaire', p. 49-50. Dans l'*In diem luminum* le
contexte est un peu différent, car GRÉGOIRE met en garde contre les Pneu-

XXXIX. Les autres êtres qui naissent doivent leur existence à l'impulsion de leurs parents, alors que la naissance spirituelle dépend de la volonté de celui qui naît. Mais, dans ce dernier cas, puisque chacun dispose de la liberté de choix, il existe le danger qu'on se trompe sur ce qui est vraiment avantageux : je prétends donc qu'il est bon que celui qui éprouve le désir de sa propre régénération connaisse d'avance par le raisonnement quel père il a intérêt à avoir et de qui il a avantage à tenir sa nature ; on a dit en effet que pour cette sorte de naissance on peut choisir librement ses parents [1]. Mais comme les êtres sont divisés en deux catégories, celle des êtres créés et celle des êtres incréés et que la nature incréée possède en elle-même la stabilité et l'immutabilité, alors que la création est sujette au changement et à la mutation, celui qui choisit avec circonspection le parti avantageux, de qui préfèrera-t-il être le fils, de la création que l'on voit soumise au changement ou de la nature immuable, ferme et toujours semblable à elle-même dans le bien ? D'après la tradition contenue dans l'Évangile, il y a trois personnes [a] et trois noms [2] par lesquels s'opère la naissance chez les croyants : celui qui est engendré dans la Triade est également engendré par le Père, le Fils et le Saint-Esprit : car l'Évangile dit de l'Esprit : « Ce qui est né de l'Esprit est esprit [b] » et : « Paul engendre dans le Christ [c] » et : « Le Père est Père de

---

matomaques, mais il affirme clairement la dimension trinitaire du Baptême : après avoir rappelé la triple immersion et l'invocation des trois Personnes, il livre le commentaire : « Pourquoi au nom du Père ? C'est qu'il est le principe de toutes choses. Pourquoi au nom du Fils ? C'est qu'il est l'auteur de la création. Pourquoi au nom du Saint-Esprit ? C'est qu'il donne son achèvement à tout » (*GNO* IX, p. 221). Cf. aussi la *Lettre* 5 : « Ainsi la puissance qui vivifie ceux qui sont engendrés à nouveau de la mort à la vie éternelle advient grâce à la Sainte Trinité à ceux qui, ayant la foi, sont jugés dignes de la grâce... C'est pourquoi toute notre espérance, toute l'assurance du salut de nos âmes, nous les avons dans les trois hypostases, elles nous sont connues par ces trois noms... Unique est la vie qui vient en nous par la foi en la Sainte Trinité, elle qui prend sa source dans le Dieu de tous, progresse par le Fils et accomplit son œuvre par le Saint-Esprit » (*Lettre* 5, 5-6, *SC* 363, p. 159-161).

Πατήρ[d] — ἐνταῦθά μοι νηφέτω τοῦ ἀκροατοῦ ἡ διάνοια, μὴ
τῆς ἀστατούσης φύσεως ἑαυτὸν ἔκγονον ποιήσῃ, ἐξὸν τὴν
25 ἄτρεπτόν τε καὶ ἀναλλοίωτον ἀρχηγὸν ποιήσασθαι τῆς ἰδίας
M 100 ζωῆς. Κατὰ | γὰρ τὴν διάθεσιν τῆς καρδίας τοῦ προσιόντος τῇ
οἰκονομίᾳ καὶ τὸ γινόμενον τὴν δύναμιν ἔχει, ὥστε τὸν μὲν
ἄκτιστον ὁμολογοῦντα τὴν ἁγίαν Τριάδα εἰς τὴν ἄτρεπτόν τε
καὶ ἀναλλοίωτον εἰσελθεῖν ζωήν, τὸν δὲ τὴν κτιστὴν φύσιν ἐν
30 τῇ Τριάδι διὰ τῆς ἠπατημένης ὑπολήψεως βλέποντα, ἔπειτα
ἐν αὐτῇ βαπτιζόμενον, πάλιν τῷ τρεπτῷ τε καὶ ἀλλοιουμένῳ
ἐγγεννηθῆναι βίῳ · τῇ γὰρ τῶν γεννώντων φύσει κατ᾽ ἀνάγκην
ὁμογενές ἐστι καὶ τὸ τικτόμενον. Τί οὖν ἂν εἴη λυσιτελέστερον
εἰς τὴν ἄτρεπτον ζωὴν εἰσελθεῖν ἢ πάλιν τῷ ἀστατοῦντι καὶ
35 ἀλλοιουμένῳ ἐγκυματοῦσθαι βίῳ ; Ἐπεὶ οὖν παντὶ δῆλόν ἐστι
τῷ καὶ ὁπωσοῦν διανοίας μετέχοντι, ὅτι τὸ ἑστὼς τοῦ μὴ
ἑστῶτος παρὰ πολὺ τιμιώτερον, καὶ τοῦ ἐλλιποῦς τὸ τέλειον,
καὶ τοῦ δεομένου τὸ μὴ δεόμενον, καὶ τοῦ διὰ προκοπῆς ἀνιόν-
τος τὸ μὴ ἔχον εἰς ὅ τι προέλθῃ, ἀλλ᾽ ἐπὶ τῆς τελειότητος τοῦ
40 ἀγαθοῦ μένον ἀεί, ἐπάναγκες ἂν εἴη ἓν ἐξ ἀμφοτέρων αἱρεῖσθαι
πάντως τόν γε νοῦν ἔχοντα, ἢ τῆς ἀκτίστου φύσεως εἶναι πιστεύειν τὴν ἁγίαν Τριάδα καὶ οὕτως ἀρχηγὸν διὰ τῆς πνευ-
ματικῆς γεννήσεως ποιεῖσθαι τῆς ἰδίας ζωῆς ἤ, εἰ ἔξω τῆς τοῦ
πρώτου, καὶ ἀληθινοῦ, καὶ ἀγαθοῦ Θεοῦ φύσεως — τῆς τοῦ
45 Πατρὸς λέγω — νομίζοι εἶναι τὸν Υἱὸν ἢ τὸ Πνεῦμα τὸ Ἅγιον,
μὴ συμπαραλαμβάνειν τὴν εἰς ταῦτα πίστιν ἐν τῷ καιρῷ τῆς
M 101 γεν|νήσεως, μήποτε λάθῃ τῇ ἐλλιπεῖ φύσει καὶ δεομένῃ τοῦ
ἀγαθύνοντος ἑαυτὸν εἰσποιῶν καὶ τρόπον τινὰ πάλιν εἰς τὸ
ὁμογενὲς ἑαυτὸν εἰσαγάγῃ, τῆς ὑπερεχούσης φύσεως ἀπο-
50 στήσας τὴν πίστιν. Ὁ γάρ τινι τῶν κτιστῶν ἑαυτὸν ὑποζεύξας

---

d. Cf. Ep 4, 6

---

1. Encore un texte qui prouve que pour Grégoire le salut n'opère pas de
façon automatique.

tous [d]. » Qu'ici donc la raison de l'auditeur fasse preuve de prudence pour éviter de se faire fille de la nature toujours changeante, alors qu'elle peut faire de la nature stable et immuable la source de sa propre vie. L'efficacité de ce qui s'accomplit dépend de la disposition du cœur de celui qui s'approche de l'économie du sacrement [1] : s'il reconnaît que la sainte Triade est incréée, il entre dans la vie stable et immuable ; mais si, à la suite d'une conception erronée, il voit dans la Triade la nature créée, et s'il reçoit le Baptême dans cette idée, il naît à nouveau à l'existence soumise au changement et à la variation ; car l'être engendré partage nécessairement la nature des parents. Qu'y aurait-il donc de plus avantageux ? D'entrer dans la vie immuable ou d'être de nouveau ballotté sur les flots d'une vie instable et changeante ? Pour quiconque a tant soit peu de discernement, il est clair que ce qui est stable a beaucoup plus de prix que ce qui est instable, ce qui est parfait que ce qui est imparfait, ce qui est sans besoin que ce qui a des besoins, et il est clair aussi que l'être qui n'a pas de progrès à faire et qui reste immuablement dans la perfection de la bonté a beaucoup plus de prix que celui qui s'élève par avancées progressives. Un esprit avisé devrait donc nécessairement, en tout état de cause, faire le choix entre les deux partis suivants : ou bien croire que la sainte Triade est de l'ordre de la nature incréée et la prendre ainsi, dans la naissance spirituelle, pour source de sa propre vie, ou bien, s'il estime que le Fils et l'Esprit Saint sont étrangers à la nature du Dieu [2] qui est premier, véritable et bon, c'est-à-dire de la nature du Père, ne pas inclure cette croyance dans la foi qu'il adopte au moment de la régénération, pour éviter d'entrer lui-même à son insu dans la nature imparfaite qui a besoin de quelqu'un qui l'amende, et de revenir ainsi en quelque sorte à ce qui lui est connaturel, du fait que sa foi s'est détournée de la nature suréminente. En effet, celui qui s'assujettit à un être créé, place, sans en avoir

2. Ces passages sont de ceux qui font penser que le ch. XXXIX vise plus spécialement les anoméens.

λέληθεν εἰς ἑαυτὸν καὶ οὐκ εἰς τὸ θεῖον τὴν ἐλπίδα τῆς σωτηρίας ἔχων · πᾶσα γὰρ ἡ κτίσις τῷ κατὰ τὸ ἴσον ἐκ τοῦ μὴ ὄντος
εἰς τὸ εἶναι προήκειν οἰκείως πρὸς ἑαυτὴν ἔχει, καὶ ὥσπερ ἐπὶ
τῆς τῶν σωμάτων κατασκευῆς πάντα τὰ μέλη πρὸς ἑαυτὰ
55   συμφυῶς ἔχει, κἂν τὰ μὲν ὑποβεβηκότα, τὰ δὲ ὑπερανεστῶτα
τύχῃ, οὕτως ἡ κτιστὴ φύσις ἥνωται πρὸς ἑαυτὴν κατὰ τὸν
PG 101   λό|γον τῆς κτίσεως καὶ οὐδὲν ἡ κατὰ τὸ ὑπερέχον καὶ ἐνδέον ἐν
ἡμῖν διαφορὰ διίστησιν αὐτὴν τῆς πρὸς ἑαυτὴν συμφυΐας · ὧν
γὰρ ἐπ᾽ ἴσης προεπινοεῖται ἡ ἀνυπαρξία, κἂν ἐν τοῖς ἄλλοις τὸ
60   διάφορον ᾖ, οὐδεμίαν κατὰ τὸ μέρος τοῦτο τῆς φύσεως παραλλαγὴν ἐξευρίσκομεν. Εἰ οὖν κτιστὸς μὲν ὁ ἄνθρωπος, κτιστὸν
δὲ καὶ τὸ Πνεῦμα καὶ τὸν μονογενῆ Θεὸν ᵉ εἶναι νομίζοι,
μάταιος ἂν εἴη ἐν ἐλπίδι τῆς ἐπὶ τὸ κρεῖττον μεταστάσεως
πρὸς ἑαυτὸν ἀναλύων. Ὅμοιον γὰρ ταῖς τοῦ Νικοδήμου ὑπο-
65   λήψεσίν ἐστι τὸ γινόμενον ᶠ, ὃς περὶ τοῦ δεῖν ἄνωθεν γεν-
νηθῆναι παρὰ τοῦ Κυρίου μαθὼν διὰ τὸ μήπω χωρῆσαι τοῦ
μυστηρίου τὸν λόγον ἐπὶ τὸν μητρῷον κόλπον τοῖς λογισμοῖς
κατεσύρετο. Ὥστε εἰ μὴ πρὸς τὴν ἄκτιστον φύσιν, ἀλλὰ πρὸς
M 102   τὴν συγγενῆ καὶ ὁμόδουλον | κτίσιν ἑαυτὸν ἀπάγοι, τῆς
70   κάτωθεν, οὐ τῆς ἄνωθέν ἐστι γεννήσεως. Φησὶ δὲ τὸ εὐαγγέλιον ἄνωθεν εἶναι τῶν σῳζομένων τὴν γέννησιν ᵍ.

Μ´. Ἀλλ᾽ οὔ μοι δοκεῖ μέχρι τῶν εἰρημένων αὐτάρκη τὴν
διδασκαλίαν ἡ κατήχησις ἔχειν. Δεῖ γάρ, οἶμαι, καὶ τὸ μετὰ
τοῦτο σκοπεῖν, ὃ πολλοὶ τῶν προσιόντων τῇ τοῦ βαπτίσματος

---

e. Cf. Jn 1, 18   f. Cf. Jn 3, 4   g. Cf. Jn 3, 3.7

---

1. Cf. Introduction, 'La Trinité', p. 45.

conscience, son espoir de salut dans cet être et non dans la divinité. Car la création tout entière est dans un rapport d'étroite parenté, du fait que tout passe, selon le même processus, au même titre, du non-être à l'être. Et tout comme pour la structure des corps tous les membres sont liés entre eux par une union organique, que les uns se trouvent à la partie inférieure et d'autres à la partie supérieure du corps, de même la nature créée forme un tout selon le plan de la création, et la différence entre ce qui est supérieur et ce qui est inférieur en nous ne provoque en rien une déchirure dans la cohésion organique ; car les choses à propos desquelles on peut d'abord penser qu'elles étaient également dépourvues d'existence peuvent différer sur d'autres points, mais sur celui-là elles ne révèlent aucune différence de nature. Du moment que l'homme est créé, dans le cas où il tiendrait l'Esprit et Dieu le Fils unique pour des créatures[e], il serait vain pour lui d'espérer un changement qui l'amènerait à un état supérieur, alors qu'il revient à lui-même. En effet, ce qui lui arrive est à rapprocher des idées que se faisait Nicodème[f]. Celui-ci, ayant appris du Seigneur qu'il fallait naître d'en haut et ne comprenant pas le sens caché de ce mystère, se voyait amené par ses raisonnements à envisager le sein maternel. Par conséquent, si l'homme se porte de lui-même, non vers la nature incréée, mais vers la création qui lui est apparentée et qui partage sa servitude, il participe à la naissance qui vient d'en bas et non à celle qui vient d'en haut. Or l'Évangile dit que la naissance de ceux qui sont sauvés vient d'en haut[1].

4. Nécessité de vivre selon l'engagement du Baptême

XL. Mais si l'enseignement catéchétique se limite à ce qui a été dit, il ne me semble pas encore tout à fait complet. A mon avis, il faut aussi considérer ce qui vient après le Baptême, ce que négligent beaucoup de ceux qui viennent recevoir la grâce du Baptême ; ils se fourvoient et s'abusent

χάριτι παρορῶσι δι᾽ ἀπάτης ἑαυτοὺς παράγοντες καὶ τῷ
5 δοκεῖν μόνον, οὐχὶ τῷ ὄντι γεννώμενοι.
Ἡ γὰρ διὰ τῆς ἀναγεννήσεως γινομένη τῆς ζωῆς ἡμῶν
μεταποίησις οὐκ ἂν εἴη μεταποίησις, εἰ ἐν ᾧ ἐσμεν δια-
μένοιμεν · τὸν γὰρ ἐν τοῖς αὐτοῖς ὄντα οὐκ οἶδα πῶς ἔστιν
ἄλλον τινὰ γεγενῆσθαι νομίσαι, ἐφ᾽ οὗ μηδὲν τῶν γνωρισ-
10 μάτων μετεποιήθη · τὸ γὰρ ἐπὶ ἀνακαινισμῷ καὶ μεταβολῇ
τῆς φύσεως ἡμῶν τὴν σωτήριον παραλαμβάνεσθαι γέννησιν
παντὶ δῆλόν ἐστιν. Ἀλλὰ μὴν ἡ ἀνθρωπότης αὐτὴ καθ᾽ ἑαυτὴν
μεταβολὴν ἐκ τοῦ βαπτίσματος οὐ προσίεται, οὔτε τὸ λογικόν,
οὔτε τὸ διανοητικόν, οὔτε τὸ ἐπιστήμης δεκτικόν, οὐδὲ ἄλλο τι
15 τῶν χαρακτηριζόντων ἰδίως τὴν ἀνθρωπίνην φύσιν ἐν
μεταποιήσει γίνεται · ἢ γὰρ ἂν πρὸς τὸ χεῖρον ἡ μεταποίησις
εἴη, εἴ τι τούτων ὑπαμειφθείη τῶν ἰδίων τῆς φύσεως. Εἰ οὖν ἡ
ἄνωθεν γέννησις ἀναστοιχείωσίς τις τοῦ ἀνθρώπου γίνεται,
ταῦτα δὲ τὴν μεταβολὴν οὐ προσίεται, σκεπτέον τίνος μετα-
20 ποιηθέντος ἐντελὴς τῆς ἀναγεννήσεως ἡ χάρις ἐστίν. Δῆλον
ὅτι τῶν πονηρῶν γνωρισμάτων ἐξαλειφθέντων τῆς φύσεως
M 103 ἡμῶν ἡ πρὸς τὸ | κρεῖττον μετάστασις γίνεται. Οὐκοῦν εἰ,
καθώς φησιν ὁ προφήτης, λουσάμενοι τῷ μυστικῷ τούτῳ λου-
τρῷ καθαροὶ τὰς προαιρέσεις γενοίμεθα τὰς πονηρίας τῶν ψυ-
25 χῶν ἀποκλύσαντες ᵃ, κρείττους γεγόναμεν καὶ πρὸς τὸ κρεῖττον μετεποιήθημεν · εἰ δὲ τὸ μὲν λουτρὸν ἐπαχθείη τῷ σώματι, ἡ δὲ ψυχὴ τὰς ἐμπαθεῖς κηλῖδας μὴ ἀπορρύψαιτο, ἀλλ᾽ ὁ
μετὰ τὴν μύησιν βίος συμβαίνοι τῷ ἀμυήτῳ βίῳ, κἂν τολμηρὸν

a. Is 1, 16

---

1. Pour la relation entre le Baptême et la transformation du mode de vie,
voir aussi l'*In diem lum.* : «Vous tous qui vous glorifiez du don de la
régénération et qui vous vous prévalez de votre renouvellement salutaire,
montrez-moi la transformation de votre conduite après la grâce mystique.»
Il invite les auditeurs à se montrer dignes de l'adoption filiale, en imitant le
Père céleste et en tendant vers la justice, la bonté, la générosité envers tous
(*In diem lum.*, *GNO* IX, p. 239).

eux-mêmes, car c'est seulement en apparence, non en réalité qu'ils sont régénérés.

La vie nouvelle doit se manifester par un changement des dispositions morales

En effet, la transformation de notre vie opérée par la régénération ne serait pas réellement une transformation, si nous persévérions à vivre dans l'état où nous nous trouvons [1]. Celui qui continue à vivre dans les mêmes conditions, je ne vois pas comment on peut penser qu'il est devenu un autre, du moment que rien de ce qui est caractéristique en lui n'a connu de changement. Il est clair pour tout le monde que la naissance salutaire dont nous bénéficions vise le renouvellement et la transformation de notre nature. Mais la nature humaine, en elle-même, ne connaît aucun changement à la suite du Baptême : ni la raison, ni l'intelligence, ni la faculté de savoir ni aucune propriété caractéristique de la nature humaine ne subit de changement. C'est dans le sens du pire que se ferait en effet la transformation, au cas où l'une de ces propriétés naturelles connaîtrait un changement. Si donc la naissance d'en haut constitue une sorte de recréation [2] de l'homme et si ces propriétés n'admettent pas de changement, il faut examiner par quelle transformation la grâce de la régénération trouve son accomplissement. Il est clair que la transformation s'effectue dans le sens du mieux, dans la mesure où disparaissent les tendances mauvaises de notre nature. Si donc, selon la parole du prophète, une fois que le bain mystique nous a lavés, notre volonté est purifiée et les vices de l'âme effacés [a], nous devenons meilleurs et nous sommes transformés dans le sens du mieux. Si, par contre, le Baptême s'applique au seul corps sans que l'âme soit lavée des souillures provoquées par les *pathè* et si la vie qui suit l'initiation reste identique à celle qui l'a précédée, quelque hardis que soient mes propos, j'affirmerai sans ambages :

2. Le terme *anastoicheiôsis* pointe vers la notion de nouvelle création.

εἰπεῖν ἦ, λέξω καὶ οὐκ ἀποτραπήσομαι ὅτι ἐπὶ τούτων τὸ ὕδωρ
30 ὕδωρ ἐστίν, οὐδαμοῦ τῆς δωρεᾶς τοῦ ἁγίου Πνεύματος ἐπιφα-
νείσης τῷ γιγνομένῳ, ὅταν μὴ μόνον τὸ κατὰ τὸν θυμὸν αἶσχος
PG 104 ὑβρίζῃ τὴν θείαν | μορφὴν ἢ τὸ κατὰ πλεονεξίαν πάθος, καὶ ἡ
ἀκόλαστος καὶ ἀσχήμων διάνοια, καὶ τῦφος, καὶ φθόνος, καὶ
ὑπερηφανία, ἀλλὰ καὶ τὰ ἐξ ἀδικίας κέρδη παραμένῃ αὐτῷ καὶ
35 ἡ ἐκ μοιχείας αὐτῷ κτηθεῖσα γυνὴ ταῖς ἡδοναῖς αὐτοῦ καὶ
μετὰ τοῦτο ὑπηρετῆται. Ἐὰν ταῦτα καὶ τὰ τοιαῦτα ὁμοίως
πρότερόν τε καὶ μετὰ ταῦτα περὶ τὸν βίον τοῦ βαπτισθέντος ᾖ,
τί μεταπεποίηται ἰδεῖν οὐκ ἔχω, τὸν αὐτὸν βλέπων ὅνπερ καὶ
πρότερον. Ὁ ἠδικημένος, ὁ σεσυκοφαντημένος, ὁ τῶν ἰδίων
M 104 40 ἀπωσθεὶς οὐδεμίαν ὁρῶσιν ἐφ᾽ ἑαυτῶν τὴν τοῦ λελου|μένου
μεταβολήν. Οὐκ ἤκουσαν καὶ παρὰ τούτου τὴν τοῦ Ζακχαίου
φωνὴν ὅτι Εἴ τινά τι ἐσυκοφάντησα, ἀποδίδωμι τετραπλα-
σίονα [b] · ἃ πρὸ τοῦ βαπτίσματος ἔλεγον, τὰ αὐτὰ καὶ νῦν περὶ
αὐτοῦ διεξέρχονται, ἐκ τῶν αὐτῶν ὀνομάτων κατονομάζουσι
45 πλεονέκτην, τῶν ἀλλοτρίων ἐπιθυμητήν, ἀπὸ συμφορῶν ἀνθρωπίνων τρυφῶντα. Ὁ τοίνυν ἐν τοῖς αὐτοῖς ὤν, ἔπειτα ἐπι-
θρυλῶν ἑαυτῷ διὰ τοῦ βαπτίσματος τὴν πρὸς τὸ κρεῖττον
μεταβολήν, ἀκουσάτω τῆς Παύλου φωνῆς ὅτι Εἴ τις δοκεῖ
εἶναί τι μηδὲν ὤν, φρεναπατᾷ ἑαυτόν [c] · ὃ γὰρ μὴ γέγονας, οὐκ
50 εἶ. Ὅσοι ἔλαβον αὐτόν, φησὶ περὶ τῶν ἀναγεννηθέντων τὸ
εὐαγγέλιον, ἔδωκεν αὐτοῖς ἐξουσίαν τέκνα θεοῦ γενέσθαι [d].
Τὸ τέκνον γενόμενόν τινος ὁμογενὲς πάντως ἐστὶ τῷ γεννή-
σαντι. Εἰ οὖν ἔλαβες τὸν Θεὸν καὶ τέκνον ἐγένου Θεοῦ, δεῖξον
διὰ τῆς προαιρέσεως καὶ τὸν ἐν σοὶ ὄντα Θεόν, δεῖξον ἐν
55 σεαυτῷ τὸν γεννήσαντα. Ἐξ ὧν τὸν Θεὸν γνωρίζομεν, δι᾽
ἐκείνων προσήκει δειχθῆναι τοῦ γενομένου υἱοῦ Θεοῦ τὴν πρὸς
τὸν Θεὸν οἰκειότητα. Ἐκεῖνος Ἀνοίγει τὴν χεῖρα καὶ ἐμπι-
πλᾷ πᾶν ζῷον εὐδοκίας, ὑπερβαίνει ἀνομίας, μετανοεῖ ἐπὶ

b. Lc 19, 8   c. Ga 6, 3   d. Jn 1, 12

1. Tableau du même genre dans l'*In diem lum.*, *GNO* IX, p. 240.

dans ce cas l'eau, c'est de l'eau ; car le don de l'Esprit Saint ne
se manifeste nulle part dans ce qui se passe, chaque fois que
l'homme non seulement fait insulte à l'image divine qu'il
porte en lui par le vice honteux de la colère ou par le *pathos*
de la cupidité, par le dérèglement inconvenant de l'esprit, par
les fumées de l'orgueil, par l'envie et le mépris, mais aussi par
le fait qu'il continue à conserver les gains réalisés de façon
injuste et à faire servir à ses plaisirs la femme acquise dans
l'adultère [1]. Toutes les fois que ces vices et d'autres du même
genre gardent leur place dans la vie de celui qui a reçu le
Baptême, je n'arrive pas à voir ce qui a vraiment changé,
puisque je vois devant moi le même homme qu'auparavant.
Dans ce cas, celui qui a été traité injustement, celui qui a été
accusé faussement, celui qui a été dépouillé de ses biens, ne
constatent, en ce qui les concerne, aucun changement de la
part de celui qui a été baptisé. Ils n'ont pas entendu de sa part
la déclaration de Zachée : « Si j'ai fait du tort à quelqu'un, je
lui rends le quadruple [b] ». Tous les reproches qu'ils lui faisaient avant le Baptême, ils les formulent encore maintenant
sur son compte et ils l'appellent des mêmes noms : homme
cupide, plein de convoitise pour le bien d'autrui, vivant dans
le luxe aux dépens des malheureux. Celui qui reste dans les
mêmes dispositions et qui se vante ensuite de la transformation opérée en lui par le Baptême qui l'a rendu meilleur, qu'il
écoute la parole de Paul : « Si quelqu'un s'imagine être quelque chose, alors qu'il n'est rien, il se fait illusion sur lui-
même [c]. » Car ce que tu n'es pas devenu, tu ne l'es pas. « A
tous ceux qui l'ont reçu, il a donné le pouvoir de devenir
enfants de Dieu [d] », dit l'Évangile à propos des hommes
régénérés. Celui qui est devenu enfant de quelqu'un est en
étroite parenté avec son père. Si donc tu as reçu Dieu et si tu
es devenu enfant de Dieu, montre par le choix de ta volonté le
Dieu qui est en toi, montre que celui qui t'a engendré est en
toi. C'est par les marques qui nous font connaître Dieu qu'il
convient de faire connaître la parenté avec Dieu de celui qui
est devenu fils de Dieu. Celui-ci « ouvre sa main et rassasie

M 105   κακίαις ^e · | Χρηστὸς Κύριος τοῖς σύμπασι, μὴ ὀργὴν ἐπάγων
60   καθ᾽ ἑκάστην ἡμέραν ^f · Εὐθὴς Κύριος ὁ Θεός, καὶ οὐκ ἔστιν
ἀδικία ἐν αὐτῷ ^g, καὶ ὅσα τοιαῦτα σποράδην παρὰ τῆς γραφῆς
διδασκόμεθα. Ἐὰν ἐν τούτοις ᾖς, ἀληθῶς ἐγένου τέκνον
Θεοῦ · εἰ δὲ τοῖς τῆς κακίας ἐπιμένεις γνωρίσμασι, μάτην
ἐπιθρυλεῖς σεαυτῷ τὴν ἄνωθεν γέννησιν. Ἐρεῖ πρὸς σὲ ἡ
65   προφητεία ὅτι Υἱὸς ἀνθρώπου εἶ, οὐχὶ υἱὸς Ὑψίστου · ἀγαπᾷς
ματαιότητα, ζητεῖς ψεῦδος · οὐκ ἔγνως πῶς θαυμαστοῦται
ἄνθρωπος ὅτι οὐκ ἄλλως εἰ μὴ ὅσιος γένηται ^h ;
      Ἀναγκαῖον ἂν εἴη τούτοις προσθεῖναι καὶ τὸ λειπόμενον ὅτι
οὔτε τὰ ἀγαθὰ τὰ ἐν ἐπαγγελίαις τοῖς εὖ βεβιωκόσι προ-
70   κείμενα τοιαῦτά ἐστιν ὡς εἰς ὑπογραφὴν λόγου ἐλθεῖν — πῶς
γὰρ Ἃ οὔτε ὀφθαλμὸς εἶδεν, οὔτε οὖς ἤκουσεν, οὔτε ἐπὶ
καρδίαν ἀνθρώπου ἀνέβη ⁱ ; — οὔτε μὴν ἡ ἀλγεινὴ τῶν
πεπλημμεληκότων ζωὴ πρός τι τῶν τῇδε λυπούντων τὴν
αἴσθησιν ὁμοτίμως ἔχει, ἀλλὰ κἂν ἐπονομασθῇ τι τῶν ἐκεῖ
M 106 75 κολαστηρίοις τοῖς ὧδε γνωριζομένοις ὀνόμασιν, οὐκ ἐν | ὀλίγῳ
τὴν παραλλαγὴν ἔχει · πῦρ γὰρ ἀκούων ἄλλο τι παρὰ τοῦτο
PG 105 νοεῖν ἐδιδάχθης ἐκ τοῦ προσκεῖσθαί τι τῷ πυρὶ ἐκείνῳ | ὃ ἐν
τούτῳ οὐκ ἔστιν · τὸ μὲν γὰρ οὐ σβέννυται, τούτου δὲ πολλὰ
παρὰ τῆς πείρας ἐξεύρηται τὰ σβεστήρια · πολλὴ δὲ τοῦ σβεν-
80   νυμένου πρὸς τὸ μὴ παραδεχόμενον σβέσιν ἡ διαφορά · οὐκοῦν
ἄλλο τι καὶ οὐχὶ τοῦτό ἐστιν. Πάλιν σκώληκά τις ἀκούσας μὴ
διὰ τῆς ὁμωνυμίας πρὸς τὸ ἐπίγειον τοῦτο θηρίον ἀποφερέσθω

---

e. Ps 145, 16 et Michée 7, 18 et Joël 2, 13   f. Ps 145, 9 et Ps 7, 12
g. Ps 92, 16   h. Cf. Ps 4, 3-4   i. 1 Co 2, 9

---

1. On est un peu surpris de trouver ici un développement sur les fins
dernières, alors que déjà dans le ch. XXXV ce thème avait été abordé.
N'est-ce pas éventuellement l'indice d'un ajout ou d'une retouche ?
2. Le feu « qui ne s'éteint pas » fait penser au feu éternel ; mais la prudence
s'impose.

tous les êtres vivants à plaisir, il pardonne l'iniquité, il
regrette le châtiment [e] » ; « Le Seigneur est bon envers tous, il
n'exerce pas sa colère chaque jour [f] » ; « Dieu est un maître
juste et en lui il n'y a pas d'injustice [g] » et toutes les qualités
du même genre dont nous sommes instruits çà et là dans
l'Écriture. Si tu es dans ces dispositions, tu es vraiment
devenu enfant de Dieu ; si, au contraire, tu restes attaché à ce
qui caractérise le mal, tu te vanteras en vain de la naissance
d'en haut. Dans ce cas, la voix du prophète te dira : « Tu es un
fils d'homme, non fils du Très-Haut, tu aimes la vanité, tu
recherches le mensonge. Ne sais-tu pas comment l'homme
est magnifié, qu'il ne peut l'être s'il n'est pas saint [h] ? »

5. Fins dernières

Il faudrait ajouter à tout cela un enseignement sur un
dernier point : les biens que les promesses divines laissent
entrevoir à ceux qui ont mené une vie droite sont tels que nul
langage ne saurait les décrire. Comment décrire en effet « Ce
que l'œil n'a pas vu, ce que l'oreille n'a pas entendu, ce qui
n'est pas monté au cœur de l'homme [i] » ? De son côté, la vie
douloureuse qui sera celle des pécheurs ne peut pas non plus
être comparée à rien de ce qui fait souffrir les sens ici-bas [1].
Même si l'on désigne certains châtiments de l'au-delà par des
noms connus ici-bas, la différence est considérable. En entendant parler de feu, tu conçois, ainsi que tu l'as appris, tout
autre chose que le feu d'ici-bas, parce que le feu de là-bas a
des propriétés que n'a pas le feu terrestre : l'un en effet ne
s'éteint pas, alors que, grâce à l'expérience, on a découvert
bien des moyens d'éteindre l'autre, et la différence est grande
entre le feu qui s'éteint et le feu qui ne peut l'être [2]. C'est
donc tout autre chose que le feu d'ici-bas. Qu'en entendant
parler de « ver », la pensée ne se porte pas non plus, à cause de
la similitude du nom, sur cette bête qui vit sur la terre ; le fait

τῇ διανοίᾳ · ἡ γὰρ προσθήκη τοῦ ἀτελεύτητον εἶναι ἄλλην τινὰ
φύσιν παρὰ τὴν γινωσκομένην νοεῖν ὑποτίθεται ʲ. Ἐπεὶ οὖν
85 ταῦτα πρόκειται τῇ ἐλπίδι τοῦ μετὰ ταῦτα βίου καταλλήλως
ἐκ τῆς ἑκάστου προαιρέσεως κατὰ τὴν δικαίαν τοῦ Θεοῦ
κρίσιν ἀναφυόμενα τῷ βίῳ, σωφρονούντων ἂν εἴη μὴ πρὸς τὸ
παρὸν ἀλλὰ πρὸς τὸ μετὰ τοῦτο βλέπειν καὶ τῆς ἀφράστου
μακαριότητος ἐν τῇ ὀλίγῃ ταύτῃ καὶ προσκαίρῳ ζωῇ τὰς
90 ἀφορμὰς καταβάλλεσθαι καὶ τῆς τῶν κακῶν πείρας δι᾽ ἀγαθῆς
προαιρέσεως ἀλλοτριοῦσθαι, νῦν μὲν κατὰ τὸν βίον, μετὰ
ταῦτα δὲ κατὰ τὴν αἰωνίαν ἀντίδοσιν.

j. Cf. Is 66, 24 (Mt 3, 12 ; Mc 9, 43.48 ; Lc 3, 17)

d'ajouter que ce ver est éternel[1] suggère l'idée qu'il a une
nature différente de celle que nous connaissons[j]. Puisque ce
sont là des traitements qui nous attendent dans l'autre
monde et qu'ils sont, selon le juste jugement de Dieu, le
résultat de la vie menée par chacun selon sa libre volonté, il
appartient aux esprits sages d'avoir en vue, non pas le présent, mais l'avenir, de jeter dans cette vie brève et passagère
les bases de l'ineffable félicité, de se soustraire à l'expérience
du mal, en se décidant pour le bien, maintenant, dans cette
vie, et plus tard, lors de la rémunération éternelle.

1. L'adjectif *atéleutètos* qui signifie littéralement « qui n'a pas de fin »
fait aussi penser à la notion d'éternité. Or, dans d'autres chapitres, Grégoire
a exposé très clairement sa thèse de l'apocatastase et de la réconciliation
générale. Convient-il dès lors de donner à ces deux expressions le sens fort de
« éternel » ? Ou bien faut-il relever une contradiction de la part de l'auteur ?
Ou bien encore s'agit-il d'un effort d'atténuation à propos d'une thèse
passant pour trop audacieuse ?

INDEX

I. INDEX SCRIPTURAIRE

Les chiffres romains indiquent les chapitres
Les chiffres arabes indiquent les lignes à l'intérieur des chapitres

ANCIEN TESTAMENT

NOUVEAU TESTAMENT

II. INDEX DES AUTEURS
ET PERSONNAGES ANCIENS

Les chiffres renvoient aux pages ; en italique, ils indiquent les notes

III. INDEX DES PRINCIPAUX MOTS-CLÉS

Les chiffres romains indiquent les chapitres ;
les chiffres arabes indiquent les lignes

IV. INDEX DE THÈMES

Les chiffres renvoient aux pages ; en italique, ils indiquent les notes

TABLE DES MATIÈRES

SOURCES CHRÉTIENNES

Fondateurs : † H. de Lubac, s.j.
† J. Daniélou, s.j.
† C. Mondésert, s.j.
Directeur : J.-N. Guinot

Dans la liste qui suit, dite « liste alphabétique », tous les ouvrages sont rangés par nom d'auteur ancien, les numéros précisant pour chacun l'ordre de parution depuis le début de la collection. Pour une information plus complète, on peut se procurer au secrétariat de « Sources Chrétiennes », 29, rue du Plat, 69002 Lyon (France), Tél. : 04 72 77 73 50, deux autres listes :

1. la « liste numérique », qui présente les volumes et leurs auteurs actuels d'après les dates de publication ; elle indique les réimpressions et les ouvrages momentanément épuisés ou dont la réédition est préparée.
2. la « liste thématique », qui présente les volumes d'après les centres d'intérêt et les genres littéraires : exégèse, dogme, histoire, correspondance, apologétique, etc.

LISTE ALPHABÉTIQUE (1-447)

SOUS PRESSE

MARC LE MOINE, **Traités.** Tome II. G. M. de Durand (†).
TERTULLIEN, **Contre Marcion**. Tome IV. R. Braun.

PROCHAINES PUBLICATIONS

Les Apophtegmes des Pères. Tome II. J.-C. Guy (†).

ARISTIDE, **Apologie**. B. Pouderon.

BARSANUPHE ET JEAN DE GAZA, **Correspondance**. Volume III. P. De Angelis-Noah, F. Neyt, L. Regnault.

BERNARD DE CLAIRVAUX, **Lettres**. Tome II. M. Duchet-Suchaux, H. Rochais.

CLÉMENT D'ALEXANDRIE, **Stromate IV**. A. Van Den Hoek.

CYPRIEN DE CARTHAGE, **A Démétrianus**. J.-C. Fredouille.

EUSÈBE, **Apologie pour Origène**, R. Amacker, É. Junod.

FACUNDUS D'HERMIANE, **Défense des trois chapitres**, Tome I. A. Fraïsse.

HILAIRE DE POITIERS, **La Trinité**. Tome II. J. Doignon (†), G. M. de Durand (†), Ch. Morel, G. Pelland.

Livre d'heures ancien du Sinaï, M. Ajjoub.

SYMÉON LE STUDITE, **Discours ascétique**. H. Alfeyev, L. Neyrand.

ÉGALEMENT AUX ÉDITIONS DU CERF

LES ŒUVRES DE PHILON D'ALEXANDRIE
publiées sous la direction de
R. ARNALDEZ, C. MONDÉSERT, J. POUILLOUX
Texte original et traduction française

ACHEVÉ D'IMPRIMER
EN SEPTEMBRE 2000
SUR LES PRESSES
DE
L'IMPRIMERIE F. PAILLART
À ABBEVILLE

DÉPÔT LÉGAL : 3e TRIMESTRE 2000
No D'IMP. 11000. No D. L. ÉDIT. 11311